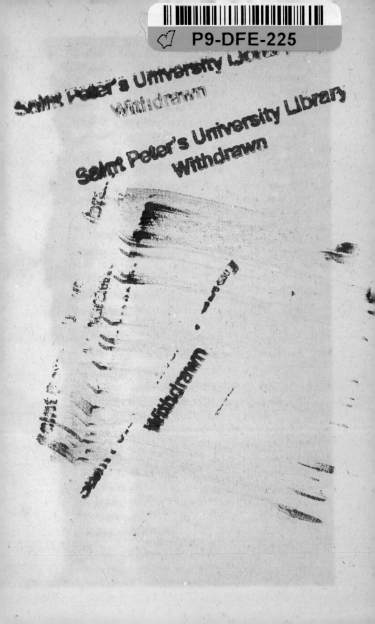

THE LOEB CLASSICAL LIBRARY

EDITED BY

E. CAPPS, PH.D., LL.D.   T. E. PAGE, LITT.D.
W. H. D. ROUSE, LITT.D.

POLYBIUS

V

POLYBIUS

THE HISTORIES

WITH AN ENGLISH TRANSLATION BY

W. R. PATON

IN SIX VOLUMES

V

LONDON : WILLIAM HEINEMANN LTD
NEW YORK : G. P. PUTNAM'S SONS
MCMXXVII

Printed in Great Britain

CONTENTS OF VOLUME V

THE HISTORIES OF POLYBIUS

ΠΟΛΥΒΙΟΥ

FRAGMENTA LIBRI XVI

I. Res Macedoniae

1 Ὅτι Φίλιππος ὁ βασιλεὺς παραγενόμενος εἰς τὸ
Πέργαμον καὶ νομίζων οἷον αὐτόχειρ Ἀττάλου γενέ-
2 σθαι πᾶσαν αἰκίαν ἐναπεδείκνυτο. χαριζόμενος γὰρ
οἷον εἰ λυττῶντι τῷ θυμῷ, τὸ πλεῖον τῆς ὀργῆς οὐκ
εἰς τοὺς ἀνθρώπους, ἀλλ᾽ εἰς τοὺς θεοὺς διετίθετο.
3 κατὰ μὲν γὰρ τοὺς ἀκροβολισμοὺς εὐχερῶς αὐτὸν
ἀπήρυκον διὰ τὰς τῶν τόπων ὀχυρότητας οἱ τὸ Πέρ-
γαμον παραφυλάττοντες· ἀπὸ δὲ τῆς χώρας οὐδὲν
ὠφελεῖτο τῷ προνενοῆσθαι τὸν Ἄτταλον ὑπὲρ τού-
4 των ἐπιμελῶς. λοιπὸν εἰς τὰ τῶν θεῶν ἕδη καὶ τε-
μένη διετίθετο τὴν ὀργήν, ὑβρίζων οὐκ Ἄτταλον,
5 ὥς γ᾽ ἐμοὶ δοκεῖ, πολὺ δὲ μᾶλλον ἑαυτόν. οὐ γὰρ
μόνον ἐνεπίμπρα καὶ κατασπῶν ἐρρίπτει τοὺς νεὼς
καὶ τοὺς βωμούς, ἀλλὰ καὶ τοὺς λίθους ἔθραυε
πρὸς τὸ μηδὲ πάλιν ἀνασταθῆναι μηδὲν τῶν κατ-
6 εφθαρμένων. ἐπεὶ δὲ τὸ Νικηφόριον ἐλυμήνατο,
μὲν ἄλσος ἐκτεμών, τὸν δὲ περίβολον διαρρίψας, τὸ
τούς τε ναοὺς ἐκ θεμελίων ἀνέσκαψε, πολλοὺς καὶ
7 πολυτελεῖς ὑπάρχοντας, ὥρμησε τὰς μὲν ἀρχὰς ἐπὶ

2

THE HISTORIES OF POLYBIUS

FRAGMENTS OF BOOK XVI

I. Affairs of Macedonia

Philip's Operations in Asia Minor

1. King Philip, on reaching Pergamon and think- 202-201
ing he had almost given a death-blow to Attalus, B.C.
showed himself capable of every kind of outrage.
For yielding to anger little less than insane he spent
most of his fury not on men but on the gods.
In the skirmishes which took place the garrison of
Pergamon easily kept him at a distance owing to
the strength of the town. But as he got little booty
from the country owing to the care Attalus had
taken to prevent this, he henceforth wreaked his
fury on the statues and sanctuaries of the gods,
outraging, in my opinion, not Attalus but rather
himself. For he not only burnt and pulled down
temples and altars, but even broke up the stones so
that none of the things he destroyed could ever be
repaired. After he had laid waste the Nicephorium
where he cut down the holy grove, pulled down the
wall enclosing it and dug up the temples, which were
numerous and splendid, from their foundations, he

3

Θυατείρων· ἐκεῖθεν δὲ ποιησάμενος τὴν ἀναζυγὴν
εἰς τὸ Θήβης πεδίον εἰσέβαλε, νομίζων εὐπορήσειν
8 λείας μάλιστα περὶ τούτους τοὺς τόπους. ἀποπεσὼν
δὲ καὶ ταύτης τῆς ἐλπίδος, καὶ παραγενόμενος εἰς
Ἱερὰν κώμην, διεπέμπετο πρὸς Ζεῦξιν, παρακαλῶν
αὐτὸν σῖτον χορηγῆσαι καὶ τὰ λοιπὰ συμπράττειν
9 κατὰ τὰς συνθήκας. ὁ δὲ Ζεῦξις ὑπεκρίνετο μὲν
ποιεῖν τὰ κατὰ τὰς συνθήκας, οὐκ ἐβούλετο δὲ σω-
ματοποιεῖν ἀληθινῶς τὸν Φίλιππον.

2 Ὁ δὲ Φίλιππος, τῶν μὲν κατὰ τὴν πολιορκίαν
ἀντιπιπτόντων αὐτῷ, τῶν δὲ πολεμίων ἐφορμούντων
πλείοσι καταφράκτοις ναυσίν, ἠπορεῖτο καὶ δυσχρή-
2 στως διέκειτο περὶ τοῦ μέλλοντος. οὐκ ἐπιδεχο-
μένων δὲ τῶν παρόντων αἵρεσιν, ἀνήχθη παρὰ τὴν
3 τῶν πολεμίων προσδοκίαν· ἔτι γὰρ αὐτὸν ἤλπιζον
οἱ περὶ τὸν Ἄτταλον προσκαρτερήσειν τῇ τῶν μετάλ-
4 λων κατασκευῇ. μάλιστα δ᾽ ἐσπούδαζε ποιήσασθαι
τὸν ἀνάπλουν αἰφνίδιον, πεπεισμένος καταταχήσειν
καὶ τὸ λοιπὸν ἀσφαλῶς ἤδη κομισθήσεσθαι παρὰ
5 τὴν γῆν εἰς τὴν Σάμον. διεψεύσθη δὲ παρὰ πολὺ
τοῖς λογισμοῖς· οἱ γὰρ περὶ τὸν Ἄτταλον καὶ Θεο-
φιλίσκον, ἅμα τῷ συνιδεῖν αὐτὸν ἀναγόμενον,
6 εἴχοντο τῶν προκειμένων εὐθέως. συνέβη δὲ τὸν
ἀνάπλουν αὐτῶν γενέσθαι διαλελυμένον, ἅτε πε-
πεισμένων τὸν Φίλιππον, καθάπερ εἶπον, ἔτι μένειν
7 ἐπὶ τῶν ὑποκειμένων. οὐ μὴν ἀλλὰ χρησάμενοι ταῖς
εἰρεσίαις ἐνεργῶς προσέβαλλον, Ἄτταλος μὲν τῷ
δεξιῷ καὶ καθηγουμένῳ τῶν πολεμίων, Θεοφιλίσκος
8 δὲ τοῖς εὐωνύμοις. Φίλιππος δὲ περικαταλαμβανό-
μενος τοῖς καιροῖς, δοὺς τὸ σύνθημα τοῖς ἐπὶ τοῦ
δεξιοῦ καὶ παραγγείλας ἀντιπρώρρους ποιεῖν τὰς
ναῦς καὶ συμπλέκεσθαι τοῖς πολεμίοις ἐρρωμένως,

4

first proceeded to Thyatira, and upon leaving that city invaded the plain of Thebe, thinking that that district would afford him plenty of booty. When he was foiled in this expectation also and reached Hiera Come, he sent a message to Zeuxis, begging him to supply him with corn and to support him according to the terms of their agreement. Zeuxis pretended to do this, but had no intention of giving Philip any real and substantial support of the kind.

Battle of Chios

2. Philip, as his siege proved unsuccessful and as the enemy were blockading him with a considerable number of warships, found difficulty in deciding what to do. But as the situation did not admit of much choice he put to sea contrary to the expectation of his adversaries ; for Attalus had expected that he would continue his mining operations. His great object was to get out to sea suddenly as he believed he would be able to outstrip the enemy and after-wards proceed in safety along the coast to Samos. But his calculations proved entirely fallacious. For Attalus and Theophiliscus, as soon as they saw him putting to sea, at once took the requisite steps. They were sailing in loose order, since they believed, as I said, that Philip still adhered to his original intention, but nevertheless they attacked him, rowing their hardest, Attalus engaging the right and leading wing of the enemy's fleet and Theophiliscus his left. Philip, thus anticipated, after signalling to those on his right orders to turn their ships directly towards the enemy and engage him vigorously,

5

αὐτὸς ὑπὸ τὰς νησίδας ἀναχωρήσας μετά τινων
λέμβων, τὰς μεταξὺ τοῦ πόρου κειμένας, ἀπεκαρα-
9 δόκει τὸν κίνδυνον. ἦν δὲ τῶν μὲν τοῦ Φιλίππου
νεῶν τὸ πλῆθος τὸ συγκαταστὰν εἰς τὸν ἀγῶνα
κατάφρακτοι τρεῖς καὶ πεντήκοντα, σὺν δὲ τούτοις
ἄφρακτα . . . λέμβοι δὲ σὺν ταῖς πρίστεσιν ἑκατὸν
καὶ πεντήκοντα· τὰς γὰρ ἐν τῇ Σάμῳ ναῦς οὐκ
10 ἠδυνήθη καταρτίσαι πάσας. τὰ δὲ τῶν πολεμίων
σκάφη κατάφρακτα μὲν ἦν ἑξήκοντα καὶ πέντε σὺν
τοῖς τῶν Βυζαντίων, μετὰ δὲ τούτων ἐννέα τριη-
μιολίαι καὶ τριήρεις τρεῖς ὑπῆρχον.

3   Λαβούσης δὲ τὴν καταρχὴν τῆς ναυμαχίας ἐκ
τῆς Ἀττάλου νεώς, εὐθέως πάντες οἱ σύνεγγυς ἀπαρ-
2 αγγέλτως συνέβαλον ἀλλήλοις. Ἄτταλος μὲν οὖν
συμπεσὼν ὀκτήρει, καὶ προεμβαλὼν ταύτῃ καιρίαν
καὶ ὕφαλον πληγήν, ἐπὶ πολὺ τῶν ἐπὶ τοῦ καταστρώ-
3 ματος ἀγωνισαμένων τέλος ἐβύθισε τὴν ναῦν. ἡ δὲ
τοῦ Φιλίππου δεκήρης, ναυαρχὶς οὖσα, παραλόγως
4 ἐγένετο τοῖς ἐχθροῖς ὑποχείριος. ὑποπεσούσης γὰρ
αὐτῇ τριημιολίας, ταύτῃ δοῦσα πληγὴν βιαίαν κατὰ
μέσον τὸ κύτος ὑπὸ τὸν θρανίτην σκαλμὸν ἐδέθη,
τοῦ κυβερνήτου τὴν ὁρμὴν τῆς νεὼς οὐκέτι δυνηθέν-
5 τος ἀναλαβεῖν· διὸ καὶ προσκρεμαμένου τοῦ πλοίου
τοῖς ὅλοις ἐδυσχρηστεῖτο καὶ δυσκίνητος ἦν πρὸς
6 πᾶν. ἐν ᾧ καιρῷ δύο πεντήρεις προσπεσοῦσαι, καὶ
τρώσασαι τὴν ναῦν ἐξ ἀμφοῖν τοῖν μεροῖν, καὶ τὸ
σκάφος καὶ τοὺς ἐπιβάτας τοὺς ἐν αὐτῷ διέφθειραν,
ἐν οἷς ἦν καὶ Δημοκράτης ὁ τοῦ Φιλίππου ναύαρχος.
7 κατὰ δὲ τὸν αὐτὸν καιρὸν Διονυσόδωρος καὶ Δεινο-
κράτης, ὄντες ἀδελφοὶ καὶ ναυαρχοῦντες παρ' Ἀτ-
τάλῳ, συμπεσόντες ὁ μὲν ἑπτήρει τῶν πολεμίων,
ὁ δ' ὀκτήρει, παραβόλως ἐχρήσαντο τῇ ναυμαχίᾳ.

6

retired himself with a few light vessels to the islands in the middle of the strait and awaited the result of the battle. Philip's fleet which took part in the battle consisted of fifty-three decked warships, . . . undecked ones, and a hundred and fifty galleys and beaked ships, for he had not been able to fit out all the ships which were at Samos. The enemy had sixty-five decked warships, including those of the Byzantines, nine trihemioliae,[a] and three triremes.

3. The ship of Attalus began the battle, and all those near it at once charged without orders. Attalus engaged an octoreme and ramming her first and inflicting on her a fatal blow under water, after considerable resistance on the part of the troops on her deck finally sank the ship. Philip's galley with ten banks of oars, which was the flag-ship, fell by a strange chance into the hands of the enemy. Charging a trihemiolia which was in her path and ramming her with great force in the middle of her hull she stuck fast under the enemy's top bench of oars, the captain being unable to arrest the way she had on her. So that as the ship was thus hanging on to the trihemiolia she was in a most difficult position and entirely incapable of moving. Two triremes seized the opportunity to attack her, and striking her on both sides destroyed the ship and all the men on board her, among whom was Democrates, Philip's admiral. Just at the same time Dionysodorus and Deinocrates, who were brothers and both of them admirals of Attalus, met with equally strange experiences in the battle.

[a] Long, undecked vessels.

7

8 Δεινοκράτης μὲν πρὸς ὀκτήρη συμπεσὼν αὐτὸς μὲν
ἔξαλον ἔλαβε τὴν πληγήν, ἀναστείρου τῆς νεὼς
οὔσης, τὴν δὲ τῶν πολεμίων τρώσας ναῦν ὑπὸ
τὰ . . βίαχα τὸ μὲν πρῶτον οὐκ ἐδύνατο χωρισθῆναι,
καίπερ πολλάκις ἐπιβαλόμενος πρύμναν κρούειν·
9 διὸ καὶ τῶν Μακεδόνων εὐψύχως ἀγωνιζομένων εἰς
10 τὸν ἔσχατον παρεγένετο κίνδυνον. Ἀττάλου δ' ἐπι-
βοηθήσαντος αὐτῷ καὶ διὰ τῆς εἰς τὴν πολεμίαν
ναῦν ἐμβολῆς λύσαντος τὴν συμπλοκὴν τῶν σκαφῶν,
11 ὁ μὲν Δεινοκράτης ἀπελύθη παραδόξως, οἱ δὲ τῆς
πολεμίας νεὼς ἐπιβάται πάντες εὐψύχως διαγωνισά-
μενοι διεφθάρησαν, τὸ δὲ σκάφος ἔρημον ἀπολειφθὲν
12 ὑποχείριον ἐγένετο τοῖς περὶ τὸν Ἄτταλον. ὁ δὲ
Διονυσόδωρος μετὰ βίας ἐπιφερόμενος εἰς ἐμβολὴν
αὐτὸς μὲν ἥμαρτε τοῦ τρῶσαι, παραπεσὼν δὲ τοῖς
πολεμίοις ἀπέβαλε τὸν δεξιὸν ταρσὸν τῆς νεώς, ὁμοῦ
13 συρραγέντων καὶ τῶν πυργούχων· οὗ γενομένου
14 περιέστησαν αὐτὸν πανταχόθεν οἱ πολέμιοι. κραυ-
γῆς δὲ καὶ θορύβου γενομένου τὸ μὲν λοιπὸν πλῆ-
θος τῶν ἐπιβατῶν ἅμα τῷ σκάφει διεφθάρη, τρίτος
δ' αὐτὸς ὁ Διονυσόδωρος ἀπενήξατο πρὸς τὴν ἐπι-
βοηθοῦσαν αὐτῷ τριημιολίαν.
4 Τῶν δὲ λοιπῶν νεῶν τοῦ πλήθους ὁ κίνδυνος
2 ἐφάμιλλος ἦν· καθ' ὅσον γὰρ ἐπλεόναζον οἱ παρὰ
τοῦ Φιλίππου λέμβοι, κατὰ τοσοῦτον διέφερον οἱ
περὶ τὸν Ἄτταλον τῷ τῶν καταφράκτων νεῶν πλή-
3 θει. καὶ τὰ μὲν περὶ τὸ δεξιὸν κέρας τοῦ Φιλίππου
τοιαύτην εἶχε τὴν διάθεσιν ὥστ' ἀκμὴν ἄκριτα μέ-
νειν τὰ ὅλα, πολὺ δὲ τοὺς περὶ τὸν Ἄτταλον ἐπικυ-
4 δεστέρας ἔχειν τὰς ἐλπίδας. οἱ δὲ Ῥόδιοι κατὰ μὲν
τὰς ἀρχὰς εὐθέως ἐκ τῆς ἀναγωγῆς ἀπεσπάσθησαν
τῶν πολεμίων, καθάπερ ἀρτίως εἶπα, τῷ δὲ ταχυ-

Deinocrates engaged an octoreme and himself received his adversary's blow above water, as she was very high in the prow, but striking the enemy under her . . . could not at first get free of her although he repeatedly tried to back out. So that, as the Macedonians also displayed gallantry, he was in the utmost peril. But when Attalus came up to rescue him and by ramming the enemy set the two ships free, Deinocrates was unexpectedly saved, and when the troops on the enemy's ship after a gallant resistance had all perished, she herself with no one left on board her was captured by Attalus. Dionysodorus charging a ship at full speed, missed her, but in passing close alongside her lost all his right banks of oars, his turrets also being carried away. Upon this the enemy completely surrounded him, and amidst loud and excited cheers, the rest of the crew and the ship itself were destroyed, but Dionysodorus and two others swam away to a trihemiolia which was coming up to help him.

4. Among the other ordinary ships of the fleet the contest was equal; for the advantage that Philip had in the number of his galleys was balanced by Attalus' superiority in decked ships. The position of affairs on Philip's right wing was such that the result was still doubtful; but Attalus was by far the most sanguine of success. The Rhodians, as I just said, were at first from the moment that they put out to sea very widely separated from the enemy, but as they sailed

ναυτεῖν παρὰ πολὺ διαφέροντες τῶν ἐναντίων συν-
5 ῆψαν τοῖς ἐπὶ τῆς οὐραγίας Μακεδόσι. καὶ τὸ μὲν
πρῶτον ὑποχωροῦσι τοῖς σκάφεσι κατὰ πρύμναν ἐπι-
6 φερόμενοι τοὺς ταρσοὺς παρέλυον· ὡς δ' οἱ μὲν
παρὰ τοῦ Φιλίππου συνεπιστρέφειν ἤρξαντο παρα-
βοηθοῦντες τοῖς κινδυνεύουσι, τῶν δὲ Ῥοδίων οἱ
καθυστεροῦντες ἐκ τῆς ἀναγωγῆς συνῆψαν τοῖς περὶ
7 τὸν Θεοφιλίσκον, τότε κατὰ πρόσωπον ἀντι-
πρώρρους τάξαντες τὰς ναῦς ἀμφότεροι συνέβαλον
εὐψύχως, ὁμοῦ ταῖς σάλπιγξι καὶ τῇ κραυγῇ παρα-
8 καλοῦντες ἀλλήλους. εἰ μὲν οὖν μὴ μεταξὺ τῶν
καταφράκτων νεῶν ἔταξαν οἱ Μακεδόνες τοὺς λέμ-
βους, ῥᾳδίαν ἂν καὶ σύντομον ἔλαβε κρίσιν ἡ
ναυμαχία· νῦν δὲ ταῦτ' ἐμπόδια πρὸς τὴν χρείαν
9 τοῖς Ῥοδίοις ἐγίνετο κατὰ πολλοὺς τρόπους. μετὰ
γὰρ τὸ κινηθῆναι τὴν ἐξ ἀρχῆς τάξιν ἐκ τῆς πρώτης
10 συμβολῆς πάντες ἦσαν ἀναμὶξ ἀλλήλοις, ὅθεν οὔτε
διεκπλεῖν εὐχερῶς οὔτε στρέφειν ἐδύναντο τὰς ναῦς
οὔτε καθόλου χρῆσθαι τοῖς ἰδίοις προτερήμασιν,
ἐμπιπτόντων αὐτοῖς τῶν λέμβων ποτὲ μὲν εἰς τοὺς
ταρσούς, ὥστε δυσχρηστεῖν ταῖς εἰρεσίαις, ποτὲ δὲ
πάλιν εἰς τὰς πρώρρας, ἔστι δ' ὅτε κατὰ πρύμναν,
ὥστε παραποδίζεσθαι καὶ τὴν τῶν κυβερνητῶν καὶ
11 τὴν τῶν ἐρετῶν χρείαν. κατὰ δὲ τὰς ἀντιπρώρρους
12 συμπτώσεις ἐποίουν τι τεχνικόν· αὐτοὶ μὲν γὰρ
ἔμπρωρρα τὰ σκάφη ποιοῦντες ἐξάλους ἐλάμβανον
τὰς πληγάς, τοῖς δὲ πολεμίοις ὕφαλα τὰ τραύματα
13 διδόντες ἀβοηθήτους ἐσκεύαζον τὰς πληγάς. σπα-
νίως δ' εἰς τοῦτο συγκατέβαινον· καθόλου γὰρ
ἐξέκλινον τὰς συμπλοκὰς διὰ τὸ γενναίως ἀμύνε-
σθαι τοὺς Μακεδόνας ἀπὸ τῶν καταστρωμάτων ἐν
14 ταῖς συστάδην γινομέναις μάχαις. τὸ δὲ πολὺ κατὰ
10

a great deal faster they caught up the rear of the Macedonian fleet. At first they attacked the ships which were retreating before them from the stern, breaking their banks of oars. But as soon as the rest of Philip's fleet began to put about and come to the assistance of their comrades in peril and those of the Rhodians who had been the last to put to sea joined Theophiliscus, then both fleets directing their prows against each other engaged gallantly, cheering each other on with loud cries and the peal of trumpets. Now had not the Macedonians interspersed their galleys among their decked ships the battle would have been quickly and easily decided, but as it was these galleys impeded the action of the Rhodian ships in many ways. For, once the original order of battle had been disturbed in their first charge, they were utterly mixed up, so that they could not readily sail through the enemy's line nor turn their ships round, in fact could not employ at all the tactics in which they excelled, as the galleys were either falling foul of their oars and making it difficult for them to row, or else attacking them in the prow and sometimes in the stern, so that neither the pilots nor the oarsmen could serve efficiently. But in the direct charges prow to prow they employed a certain artifice. For dipping their prows themselves they received the enemy's blow above water, but piercing him below water produced breaches which could not be repaired. It was but seldom, however, that they resorted to this mode of attack; for as a rule they avoided closing with the enemy, as the Macedonian soldiers offered a valiant resistance from the deck in such close combats. For the most part they cut the

μὲν τοὺς διέκπλους παρασύροντες τῶν πολεμίων
νεῶν τοὺς ταρσοὺς ἠχρείουν· μετὰ δὲ ταῦτα πάλιν
ἐκπεριπλέοντες, καὶ τοῖς μὲν κατὰ πρύμναν ἐμβάλ-
λοντες, τοῖς δὲ πλαγίοις καὶ στρεφομένοις ἀκμὴν
προσπίπτοντες οὓς μὲν ἐτίτρωσκον, οἷς δὲ παρέλυον
15 ἀεί τι τῶν πρὸς τὴν χρείαν ἀναγκαίων. καὶ δὴ τῷ
τοιούτῳ τρόπῳ μαχόμενοι παμπληθεῖς τῶν πολε-
μίων ναῦς διέφθειραν.

5 Ἐπιφανέστατα δ' ἐκινδύνευσαν τρεῖς πεντήρεις
τῶν Ῥοδίων, ἥ τε ναυαρχίς, ἐφ' ἧς ἔπλει Θεοφιλί-
σκος, μετὰ δὲ ταύτην ἧς ἐτριηράρχει Φιλόστρατος,
τρίτη δ' ἦν ἐκυβέρνα μὲν Αὐτόλυκος, ἐπέπλει δὲ
2 Νικόστρατος. ταύτης γὰρ ἐμβαλούσης εἰς πολεμίαν
ναῦν καὶ καταλιπούσης ἐν τῷ σκάφει τὸν ἔμβολον,
συνέβη δὴ τὴν μὲν πληγεῖσαν αὔτανδρον καταδῦναι,
τοὺς δὲ περὶ τὸν Αὐτόλυκον, εἰσρεούσης εἰς τὴν
ναῦν τῆς θαλάττης διὰ τῆς πρώρρας, κυκλωθέντας
ὑπὸ τῶν πολεμίων τὰς μὲν ἀρχὰς ἀγωνίζεσθαι γεν-
ναίως, τέλος δὲ τὸν μὲν Αὐτόλυκον ἐκπεσεῖν τρω-
3 θέντα μετὰ τῶν ὅπλων εἰς τὴν θάλατταν, τοὺς δὲ
λοιποὺς ἐπιβάτας ἀποθανεῖν μαχομένους γενναίως.
4 ἐν ᾧ καιρῷ Θεοφιλίσκος, βοηθήσας μετὰ τριῶν πεν-
τήρων, τὴν μὲν ναῦν οὐκ ἠδυνήθη σῶσαι διὰ τὸ
πλήρη θαλάττης εἶναι, δύο δὲ ναῦς πολεμίας τρώ-
5 σας τοὺς ἐπιβάτας ἐξέβαλε. ταχὺ δὲ περιχυθέντων
αὐτῷ λέμβων πλειόνων καὶ καταφράκτων νεῶν,
τοὺς μὲν πλείστους ἀπέβαλε τῶν ἐπιβατῶν ἐπι-
6 φανῶς ἀγωνισαμένους, αὐτὸς δὲ τρία τραύματα
λαβὼν καὶ παραβόλως τῇ τόλμῃ κινδυνεύσας μόλις
ἐξέσωσε τὴν ἰδίαν ναῦν ἐπιβοηθήσαντος αὐτῷ Φιλο-
στράτου καὶ συναναδεξαμένου τὸν ἐνεστῶτα κίνδυνον
7 εὐψύχως. συνάψας δὲ τοῖς αὑτοῦ σκάφεσι πάλιν

12

enemy's line and put his banks of oars out of action, afterwards turning and sailing round again and charging him sometimes in the stern and sometimes in flank while he was still turning; thus they made breaches in some of the ships and in others damaged some part of the necessary gear. Indeed by this mode of fighting they destroyed quite a number of the enemy's ships.

5. The most brilliant part in the battle was taken by three Rhodian quinqueremes, the flagship on board of which was Theophiliscus, that commanded by Philostratus, and lastly that of which Autolycus was pilot, but on board of it was Nicostratus. The latter had charged an enemy ship and left her ram in it : the ship that had been struck sank with all on board, while Autolycus and his men, the sea now pouring into the ship from the prow, were surrounded by the enemy and at first fought bravely, but finally Autolycus himself was wounded and fell into the sea in his armour, and the rest of the soldiers perished after a gallant struggle. At this moment Theophiliscus came up to help with three quinqueremes, and though he could not save the ship as she was full of water, rammed two of the enemy's ships and forced the troops on board to take to the water. He was rapidly surrounded by a number of galleys and decked ships, and after losing most of his soldiers, who fought splendidly, and receiving himself three wounds and displaying extraordinary courage, just managed to save his own ship, Philostratus coming up to his succour and taking a gallant part in the struggle. Theophiliscus now joined his

13

ἐξ ἄλλης ὁρμῆς συνεπλέκετο τοῖς πολεμίοις, τῇ μὲν
σωματικῇ δυνάμει παραλυόμενος ὑπὸ τῶν τραυ-
μάτων, τῇ δὲ τῆς ψυχῆς γενναιότητι λαμπρότερος
8 ὢν καὶ παραστατικώτερος ἢ πρόσθεν. συνέβη δὲ
δύο γενέσθαι ναυμαχίας πολὺ διεστώσας ἀλλήλων·
τὸ μὲν γὰρ δεξιὸν κέρας τοῦ Φιλίππου κατὰ τὴν ἐξ
ἀρχῆς πρόθεσιν ἀεὶ τῆς γῆς ὀρεγόμενον οὐ μακρὰν
9 ἀπεῖχε τῆς Ἀσίας, τὸ δ' εὐώνυμον διὰ τὸ παρα-
βοηθῆσαι τοῖς ἐπὶ τῆς οὐραγίας ἐξ ὑποστροφῆς οὐ
πολὺ τῆς Χίας ἀπέχον ἐναυμάχει τοῖς Ῥοδίοις.

6 Οὐ μὴν ἀλλὰ παρὰ πολὺ τοῦ δεξιοῦ κέρατος
κατακρατούντων τῶν περὶ τὸν Ἄτταλον, καὶ συνεγ-
γιζόντων ἤδη πρὸς τὰς νησίδας ὑφ' αἷς ὁ Φίλιππος
2 ὥρμει καραδοκῶν τὸ συμβησόμενον, συνιδὼν Ἄττα-
λος μίαν πεντήρη τῶν ἰδίων ἐκτὸς τοῦ κινδύνου
τετρωμένην καὶ βαπτιζομένην ὑπὸ νεὼς πολεμίας,
ὥρμησε παραβοηθήσων ταύτῃ μετὰ δύο τετρήρων.
3 τοῦ δὲ πολεμίου σκάφους ἐγκλίναντος καὶ ποιου-
μένου τὴν ἀποχώρησιν ὡς πρὸς τὴν γῆν, ἐπέκειτο
φιλοτιμότερον, ἐγκρατὴς γενέσθαι σπουδάζων τῆς
4 νεώς. ὁ δὲ Φίλιππος, συνθεασάμενος ἀπεσπασμένον
πολὺ τὸν Ἄτταλον ἀπὸ τῶν ἰδίων, παραλαβὼν τέτ-
ταρας πεντήρεις καὶ τρεῖς ἡμιολίας, ἔτι δὲ τῶν λέμ-
βων τοὺς ἐγγὺς ὄντας, ὥρμησε, καὶ διακλείσας τὸν
Ἄτταλον ἀπὸ τῶν οἰκείων νεῶν ἠνάγκασε μετὰ με-
γάλης ἀγωνίας εἰς τὴν γῆν ἐκβαλεῖν τὰ σκάφη.
5 τούτου δὲ συμβάντος αὐτὸς μὲν ὁ βασιλεὺς μετὰ
τῶν πληρωμάτων εἰς τὰς Ἐρυθρὰς ἀπεχώρησε, τῶν
δὲ πλοίων καὶ τῆς βασιλικῆς κατασκευῆς ἐγκρατὴς ὁ
6 Φίλιππος ἐγένετο. καὶ γὰρ ἐποίησάν τι τεχνικὸν
ἐν τούτοις τοῖς καιροῖς οἱ περὶ τὸν Ἄτταλον· τὰ
γὰρ ἐπιφανέστατα τῆς βασιλικῆς κατασκευῆς ἐπὶ τὸ

14

other ships and again fell upon the enemy, weak in body from his wounds, but more magnificent and desperate than ever in bravery of spirit. There were now two distinct battles in progress at a considerable distance from each other. For Philip's right wing, following out his original plan, continued to make for the shore and were not far away from the continent, while his left as it had put about to assist the rear was fighting with the Rhodians at a short distance from the island of Chios.

6. Attalus, however, by this time had a distinct advantage over the Macedonian right wing and had approached the islands under which Philip lay awaiting the result of the battle. He had observed one of his own quinqueremes rammed by an enemy ship and lying in a sinking condition out of the general action, and he hastened to her assistance with two quadriremes. When the enemy vessel gave way and retired towards the land he followed her up with more energy, hoping to capture her. Philip now, seeing that Attalus was widely separated from his own fleet, took four quinqueremes and three hemioliae and such galleys as were near him and, intercepting the return of Attalus to his own fleet, compelled him in great disquietude to run his ships ashore. After this the king and the crews escaped to Erythrae, but Philip gained possession of the ships and the royal furniture. Attalus indeed resorted to an artifice on this occasion by causing the most splendid articles of his royal furniture to be exposed on the deck of his

7 κατάστρωμα τῆς νεὼς ἐξέβαλον. ὅθεν οἱ πρῶτοι τῶν
Μακεδόνων, συνάψαντες ἐν τοῖς λέμβοις, συνθεα-
σάμενοι ποτηρίων πλῆθος καὶ πορφυρῶν ἱματίων
καὶ τῶν τούτοις παρεπομένων σκευῶν, ἀφέμενοι τοῦ
8 διώκειν ἀπένευσαν ἐπὶ τὴν τούτων ἁρπαγήν. διὸ
συνέβη τὸν Ἄτταλον ἀσφαλῆ ποιήσασθαι τὴν ἀπο-
9 χώρησιν εἰς τὰς Ἐρυθράς. Φίλιππος δὲ τοῖς μὲν
ὅλοις ἠλαττωμένος παρὰ πολὺ τὴν ναυμαχίαν, τῇ
δὲ περιπετείᾳ τῇ κατὰ τὸν Ἄτταλον ἐπαρθείς, ἐπ-
ανέπλει, καὶ πολὺς ἦν συναθροίζων τὰς σφετέρας
ναῦς καὶ παρακαλῶν τοὺς ἄνδρας εὐθαρσεῖς εἶναι,
10 διότι νικῶσι τῇ ναυμαχίᾳ· καὶ γὰρ ὑπέδραμέ τις
ἔννοια καὶ πιθανότης τοῖς ἀνθρώποις ὡς ἀπολωλό-
τος τοῦ <βασιλέως> Ἀττάλου διὰ τὸ κατάγειν τοὺς
περὶ τὸν Φίλιππον ἀναδεδεμένους τὴν βασιλικὴν
11 ναῦν. ὁ δὲ Διονυσόδωρος ὑπονοήσας τὸ περὶ τὸν
αὑτοῦ βασιλέα γεγονός, ἤθροιζε τὰς οἰκείας ναῦς
ἐξαίρων σύνθημα· ταχὺ δὲ συλλεχθεισῶν πρὸς
αὐτὸν ἀπέπλει μετ' ἀσφαλείας εἰς τοὺς κατὰ τὴν
12 Ἀσίαν ὅρμους. κατὰ δὲ τὸν αὐτὸν καιρὸν οἱ πρὸς
τοὺς Ῥοδίους ἀγωνιζόμενοι τῶν Μακεδόνων, πάλαι
κακῶς πάσχοντες, ἐξέλυον αὑτοὺς ἐκ τοῦ κινδύνου
μετὰ προφάσεως κατὰ μέρη ποιούμενοι τὴν ἀποχώ-
ρησιν, ὡς ταῖς οἰκείαις σπεύδοντες ἐπικουρῆσαι
13 ναυσίν. οἱ δὲ Ῥόδιοι, τὰς μὲν ἀναδησάμενοι τῶν
νεῶν, τὰς δὲ προδιαφθείραντες ταῖς ἐμβολαῖς,
ἀπέπλευσαν εἰς τὴν Χίον.

7 Ἐφθάρησαν δὲ τοῦ μὲν Φιλίππου ναῦς ἐν μὲν τῇ
πρὸς Ἄτταλον ναυμαχίᾳ δεκήρης, ἐννήρης, ἑπτή-
ρης, ἑξήρης, τῶν δὲ λοιπῶν κατάφρακτοι μὲν δέκα
καὶ τριημιολίαι τρεῖς, λέμβοι δὲ πέντε καὶ εἴκοσι καὶ
2 τὰ τούτων πληρώματα· ἐν δὲ τῇ πρὸς Ῥοδίους δι-

16

ship, so that the Macedonians who were the first to
reach it in their galleys, when they saw such a
quantity of cups, purple cloaks, and other objects to
match, instead of continuing the pursuit turned aside
to secure this booty, so that Attalus made good his
retreat to Erythrae. Philip had been on the whole
decidedly worsted in the battle, but elated by the
misfortune that had befallen Attalus, he put to sea
again and set busily about collecting his ships and
bade his men be of good cheer as the victory was
theirs. In fact a sort of notion or half belief
spread among them that Attalus had perished, as
Philip was returning with the royal ship in tow.
Dionysodorus, however, guessing what had hap-
pened to his sovereign, began to collect his own
vessels by hoisting a signal, and when they had
rapidly assembled round him sailed safely away to
the harbour on the mainland. At the same time
the Macedonians, who were engaged with the
Rhodians and had long been in distress, abandoned
the scene of battle, retreating in groups on the
pretence that they were hastening to the assistance
of their own ships. The Rhodians, taking some of
the enemy's ships in tow and sinking others with
their rams before their departure, sailed off to
Chios.

7. Of Philip's ships there were sunk in the battle
with Attalus one ship of ten banks of oars, one of
nine, one of seven, and one of six, and of the rest of
his fleet ten decked ships, three trihemioliae, and
twenty-five galleys with their crews. In his battle

THE HISTORIES OF POLYBIUS

εφθάρησαν κατάφρακτοι μὲν δέκα, λέμβοι δὲ περὶ
τετταράκοντα τὸν ἀριθμόν· ἥλωσαν δὲ δύο τετρή-
3 ρεις καὶ λέμβοι σὺν τοῖς πληρώμασιν ἑπτά. τῶν
δὲ παρ' Ἀττάλου κατέδυσαν μὲν τριημιολία μία καὶ
δύο πεντήρεις, ⟨ἥλωσαν δὲ δύο τετρήρεις⟩ καὶ τὸ τοῦ
4 βασιλέως σκάφος. τῶν δὲ Ῥοδίων διεφθάρησαν
5 μὲν δύο πεντήρεις καὶ τριήρης, ἥλω δ' οὐδέν. ἄν-
δρες δὲ τῶν μὲν Ῥοδίων ἀπέθανον εἰς ἑξήκοντα,
τῶν δὲ παρ' Ἀττάλου πρὸς ἑβδομήκοντα, τῶν δὲ
τοῦ Φιλίππου Μακεδόνες μὲν εἰς τρισχιλίους, τῶν
6 δὲ πληρωμάτων εἰς ἑξακισχιλίους. ἑάλωσαν δὲ
ζωγρίᾳ τῶν μὲν συμμάχων καὶ Μακεδόνων εἰς
δισχιλίους, τῶν δ' ὑπεναντίων εἰς ἑπτακοσίους.

8 Καὶ τὸ μὲν τέλος τῆς περὶ Χίον ναυμαχίας τοι-
2 οῦτον συνέβη γενέσθαι, τῆς δὲ νίκης ὁ Φίλιππος
ἀντεποιεῖτο κατὰ δύο προφάσεις, κατὰ μίαν μέν,
ᾗ τὸν Ἄτταλον εἰς τὴν γῆν ἐκβαλὼν ἐγκρατὴς τῆς
νεὼς ἐγεγόνει, καθ' ἑτέραν δ', ᾗ καθορμισθεὶς ἐπὶ
τὸ καλούμενον Ἄργεννον ἐδόκει πεποιῆσθαι τὸν
3 ὅρμον ἐπὶ τῶν ναυαγίων. ἀκόλουθα δὲ τούτοις
ἔπραττε καὶ κατὰ τὴν ἑξῆς ἡμέραν συνάγων τὰ ναυ-
άγια καὶ τῶν νεκρῶν ποιούμενος ἀναίρεσιν τῶν
ἐπιγινωσκομένων, χάριν τοῦ συναύξειν τὴν προειρη-
4 μένην φαντασίαν. ὅτι γὰρ οὐδ' αὐτὸς ἐπέπειστο
νικᾶν, ἐξήλεγξαν αὐτὸν οἵ τε Ῥόδιοι καὶ Διονυσό-
5 δωρος μετ' ὀλίγον· κατὰ γὰρ τὴν ἐπιοῦσαν ἡμέραν
ἔτι περὶ ταῦτα γινομένου τοῦ βασιλέως διαπεμψά-
μενοι πρὸς ἀλλήλους ἐπέπλευσαν αὐτῷ, καὶ στή-
σαντες ἐν μετώπῳ τὰς ναῦς, οὐδενὸς ἐπ' αὐτοὺς
6 ἀνταναγομένου πάλιν ἀπέπλευσαν εἰς τὴν Χίον. ὁ
δὲ Φίλιππος, οὐδέποτε τοσούτους ἄνδρας ἀπολω-
λεκὼς οὔτε κατὰ ⟨γῆν οὔτε κατὰ⟩ θάλατταν ἑνὶ

18

with the Rhodians he lost ten decked ships and about forty galleys sunk and two quadriremes and seven galleys with their crews captured. Out of Attalus's fleet one trihemiolia and two quinqueremes were sunk, two quadriremes and the royal ship were taken. Of the Rhodian fleet two quinqueremes and a trireme were sunk, but not a single ship captured. The loss of life among the Rhodians amounted to about sixty men and in Attalus's fleet to about seventy, while Philip lost about three thousand Macedonian soldiers and six thousand sailors. About two thousand of the allies and Macedonians and about seven hundred of their adversaries were taken prisoners.

8. Such was the result of the battle of Chios. Philip claimed the victory on two pretences, the first being that he had driven Attalus ashore and captured his ships, and the second that by anchoring off the place called Argennus he had to all appearance anchored among the wreckage. Next day also he pursued the same line of conduct, collecting the wreckage and picking up the dead bodies that were recognizable, in order to give force to his imaginary claim ; but that he did not himself believe in his victory was clearly proved by the Rhodians and Dionysodorus in a very short time. For on the following day, while the king was still thus occupied, they communicated with each other and sailing against him drew up their ships facing him, and upon no one responding to their challenge, sailed back again to Chios. Philip, who had never lost so many men in a single battle by land or by sea, felt

καιρῷ, βαρέως μὲν ἔφερε τὸ γεγονὸς καὶ τὸ πολὺ
7 τῆς ὁρμῆς αὐτοῦ παρῄρητο, πρὸς μέντοι γε τοὺς
ἐκτὸς ἐπειρᾶτο κατὰ πάντα τρόπον ἐπικρύπτεσθαι
τὴν αὐτοῦ διάληψιν, καίπερ οὐκ ἐώντων αὐτῶν
8 τῶν πραγμάτων. χωρὶς γὰρ τῶν ἄλλων καὶ τὰ μετὰ
τὴν μάχην συμβαίνοντα πάντας ἐξέπληττε τοὺς θεω-
9 μένους· γενομένης γὰρ τοσαύτης φθορᾶς ἀνθρώπων,
παρ' αὐτὸν μὲν τὸν καιρὸν πᾶς ὁ πόρος ἐπληρώθη
νεκρῶν, αἵματος, ὅπλων, ναυαγίων, ταῖς δ' ἑξῆς
ἡμέραις τοὺς αἰγιαλοὺς ἦν ἰδεῖν φύρδην σεσωρευ-
10 μένους ἀναμὶξ πάντων τῶν προειρημένων. ἐξ ὧν
οὐ μόνον αὐτός, ἀλλὰ καὶ πάντες οἱ Μακεδόνες εἰς
διατροπὴν ἐνέπιπτον οὐ τὴν τυχοῦσαν.

9 Θεοφιλίσκος δὲ μίαν ἡμέραν ἐπιβιώσας, καὶ τῇ
πατρίδι γράψας ὑπὲρ τῶν κατὰ τὴν ναυμαχίαν, καὶ
Κλεωναῖον ἡγεμόνα συστήσας ἀνθ' ἑαυτοῦ ταῖς
δυνάμεσι, μετήλλαξε τὸν βίον ἐκ τῶν τραυμάτων,
2 ἀνὴρ καὶ κατὰ τὸν κίνδυνον ἀγαθὸς γενόμενος καὶ
3 κατὰ τὴν προαίρεσιν μνήμης ἄξιος. μὴ γὰρ ἐκείνου
τολμήσαντος προεπιβαλεῖν τῷ Φιλίππῳ τὰς χεῖρας
πάντες ἂν καταπροείντο τοὺς καιρούς, δεδιότες τὴν
4 τοῦ Φιλίππου τόλμαν. νῦν δ' ἐκεῖνος ἀρχὴν πολέμου
ποιήσας ἠνάγκασε μὲν τὴν αὐτοῦ πατρίδα συνεξανα-
στῆναι τοῖς καιροῖς, ἠνάγκασε δὲ τὸν Ἄτταλον μὴ
μέλλειν καὶ παρασκευάζεσθαι τὰ πρὸς τὸν πόλεμον,
5 ἀλλὰ πολεμεῖν ἐρρωμένως καὶ κινδυνεύειν. τοι-
γαροῦν εἰκότως αὐτὸν οἱ Ῥόδιοι καὶ μεταλλάξαντα
τοιαύταις ἐτίμησαν τιμαῖς δι' ὧν οὐ μόνον τοὺς
ζῶντας, ἀλλὰ καὶ τοὺς ἐπιγενομένους ἐξεκαλέσαντο
πρὸς τοὺς ὑπὲρ τῆς πατρίδος καιρούς.

10(1ᵃ) Ὅτι μετὰ τὸ συντελεσθῆναι τὴν περὶ τὴν Λάδην
ναυμαχίαν καὶ τοὺς μὲν Ῥοδίους ἐκποδὼν γενέσθαι,
20

the loss deeply, and his inclination for the war was much diminished, but he did his best to conceal his view of the situation from others, although the facts themselves did not admit of this. For, other things apart, the state of things after the battle could not fail to strike all who witnessed it with horror. There had been such a destruction of life that during the actual battle the whole strait was filled with corpses, blood, arms, and wreckage, and on the days which followed quantities of all were to be seen lying in confused heaps on the neighbouring beaches. This created a spirit of no ordinary dejection not only in Philip, but in all the Macedonians.

9. Theophiliscus survived for one day, and after writing a dispatch to his country about the battle and appointing Cleonaeus to replace him in command, died of his wounds. He had proved himself a man of great bravery in the fight and a man worthy of remembrance for his resolution. For had he not ventured to assail Philip in time all the others would have thrown the opportunity away, intimidated by that king's audacity. But as it was, Theophiliscus by beginning hostilities obliged his own countrymen to rise to the occasion and obliged Attalus not to delay until he had made preparations for war, but to make war vigorously and give battle. Therefore very justly the Rhodians paid such honours to him after his death as served to arouse not only in those then alive but in their posterity a spirit of devotion to their country's interests.

10. After the sea-fight at Lade was over, the Rhodians being out of the way and Attalus not yet

21

τὸν δ᾽ Ἄτταλον μηδέπω συμμεμιχέναι, δῆλον ὡς
ἐξῆν γε τελεῖν τῷ Φιλίππῳ τὸν εἰς τὴν Ἀλεξάν-
δρειαν πλοῦν. ἐξ οὗ δὴ καὶ μάλιστ᾽ ἄν τις κατα-
μάθοι τὸ μανιώδη γενόμενον Φίλιππον τοῦτο πρᾶξαι.
2 Τί οὖν ἦν τὸ τῆς ὁρμῆς ἐπιλαβόμενον; οὐδὲν
3 ἕτερον ἀλλ᾽ ἡ φύσις τῶν πραγμάτων. ἐκ πολλοῦ
μὲν γὰρ ἐνίοτε πολλοὶ τῶν ἀδυνάτων ἐφίενται διὰ
τὸ μέγεθος τῶν προφαινομένων ἐλπίδων, κρατούσης
4 τῆς ἐπιθυμίας τῶν ἑκάστου λογισμῶν· ὅταν δ᾽ ἐγγί-
σωσι τοῖς ἔργοις, οὐδενὶ λόγῳ πάλιν ἀφίστανται
τῶν προθέσεων, ἐπισκοτούμενοι καὶ παραλογιζόμενοι
τοῖς λογισμοῖς διὰ τὴν ἀμηχανίαν καὶ τὴν δυσχρη-
στίαν τῶν ἀπαντωμένων.

11 Μετὰ ταῦτα δὲ ποιησάμενος ὁ Φίλιππός τινας
ἀπράκτους προσβολὰς διὰ τὴν ὀχυρότητα τοῦ πολί-
σματος αὖθις ἀπεχώρει, πορθῶν τὰ φρούρια καὶ
2 τὰς κατὰ τὴν χώραν συνοικίας. ὅθεν ἀπαλλατ-
τόμενος προσεστρατοπέδευσε τῇ Πρινασσῷ. ταχὺ
δὲ γέρρα καὶ τὴν τοιαύτην ἑτοιμάσας παρασκευὴν
3 ἤρξατο πολιορκεῖν διὰ τῶν μετάλλων. οὔσης δ᾽
ἀπράκτου τῆς ἐπιβολῆς αὐτῷ διὰ τὸ πετρώδη τὸν
4 τόπον ὑπάρχειν ἐπινοεῖ τι τοιοῦτον. τὰς μὲν ἡμέρας
ψόφον ἐποίει κατὰ γῆς, ὡς ἐνεργουμένων τῶν
μετάλλων, τὰς δὲ νύκτας ἔξωθεν ἔφερε χοῦν καὶ
παρέβαλλε παρὰ τὰ στόμια τῶν ὀρυγμάτων, ὥστε
διὰ τοῦ πλήθους τῆς σωρευομένης γῆς στοχα-
ζομένους καταπλαγεῖς γενέσθαι τοὺς ἐν τῇ πόλει.
5 τὰς μὲν οὖν ἀρχὰς ὑπέμενον οἱ Πρινασσεῖς εὐγενῶς·
ἐπεὶ δὲ προσπέμψας ὁ Φίλιππος ἐνεφάνιζε διότι
πρὸς δύο πλέθρα τοῦ τείχους αὐτοῖς ἐξήρεισται, καὶ
προσεπυνθάνετο πότερα βούλονται λαβόντες τὴν

having joined, it was evidently quite possible for
Philip to sail to Alexandria. This is the best proof
that Philip had become like a madman when he
acted thus.

What was it then that arrested his impulse?
Simply the nature of things. For at a distance
many men at times strive after impossibilities owing
to the magnitude of the hopes before their eyes,
their desires getting the better of their reason : but
when the hour of action approaches they abandon
their projects again without any exercise of reason,
their faculty of thought being confused and upset
by the insuperable difficulties they encounter.

Capture of Prinassus

11. After this Philip, having delivered several
assaults which proved futile owing to the strength
of the place, again withdrew, sacking the small forts
and country residences, and when he had desisted
from this, sat down before Prinassus. Having soon
prepared pent-houses and other materials he began
to besiege it by mining. But when this project
proved impracticable owing to the rocky nature of
the ground he hit on the following device. During
the day he produced a noise underground as if the
mines were going ahead, and at night he brought
soil from elsewhere and heaped it round the mouths
of the excavations, so that those in the town judging
from the quantity of soil piled up might be alarmed.
At first the Prinassians held out valiantly, but when
Philip sent to inform them that about two hundred
feet of their wall had been underpinned and inquired
whether they wished to withdraw under promise of

23

THE HISTORIES OF POLYBIUS

ἀσφάλειαν ἐκχωρεῖν ἢ μετὰ τῆς πόλεως συναπ-
6 ολέσθαι πανδημεί, τῶν ἐρεισμάτων ἐμπρησθέντων,
τηνικάδε πιστεύσαντες τοῖς λεγομένοις παρέδοσαν
τὴν πόλιν.

12 Ἡ δὲ τῶν Ἰασέων πόλις κεῖται μὲν ἐπὶ τῆς
Ἀσίας ἐν τῷ κόλπῳ τῷ μεταξὺ κειμένῳ τοῦ τῆς
Μιλησίας Ποσειδίου καὶ τῆς Μυνδίων πόλεως,
προσαγορευομένῳ . . ., παρὰ δὲ τοῖς πλείστοις
Βαργυλιητικῷ συνωνύμως ταῖς περὶ τὸν μυχὸν
2 αὐτοῦ πόλεσιν ἐκτισμέναις. εὔχονται δὲ τὸ μὲν
ἀνέκαθεν Ἀργείων ἄποικοι γεγονέναι, μετὰ δὲ
ταῦτα Μιλησίων, ἐπαγαγομένων τῶν προγόνων τὸν
Νηλέως υἱὸν τοῦ κτίσαντος Μίλητον διὰ τὴν ἐν
τῷ Καρικῷ πολέμῳ γενομένην φθορὰν αὐτῶν. τὸ
3 δὲ μέγεθος τῆς πόλεώς ἐστι δέκα στάδια. κατα-
πεφήμισται δὲ καὶ πεπίστευται παρὰ μὲν τοῖς
Βαργυλιήταις διότι τὸ τῆς Κινδυάδος Ἀρτέμιδος
ἄγαλμα, καίπερ ὂν ὑπαίθριον, οὔτε νίφεται τὸ
4 παράπαν οὔτε βρέχεται, παρὰ δὲ τοῖς Ἰασεῦσι τὸ
τῆς Ἀστιάδος· καὶ ταῦτά τινες εἰρήκασι καὶ τῶν
5 συγγραφέων. ἐγὼ δὲ πρὸς τὰς τοιαύτας ἀποφάσεις
τῶν ἱστοριογράφων οὐκ οἶδ᾽ ὅπως παρ᾽ ὅλην τὴν
πραγματείαν ἐναντιούμενος καὶ δυσανασχετῶν
6 διατελῶ. δοκεῖ γάρ μοι τὰ τοιαῦτα παντάπασι
παιδικῆς εὐηθείας ὅσα μὴ μόνον τῆς τῶν εὐλόγων
ἐκτὸς πίπτει θεωρίας, ἀλλὰ καὶ τῆς τοῦ δυνατοῦ.
7 τὸ γὰρ φάσκειν ἔνια τῶν σωμάτων ἐν φωτὶ τιθέμενα
μὴ ποιεῖν σκιὰν ἀπηλγηκυίας ἐστὶ ψυχῆς· ὃ
πεποίηκε Θεόπομπος, φήσας τοὺς εἰς τὸ τοῦ Διὸς
ἄβατον ἐμβάντας κατ᾽ Ἀρκαδίαν ἀσκίους γίνεσθαι.
8 τούτῳ δὲ παραπλήσιόν ἐστι καὶ τὸ νυνὶ λεγόμενον.
9 ὅσα μὲν οὖν συντείνει πρὸς τὸ διασώζειν τὴν τοῦ

24

safety or to perish all of them with their town after
the underpinning had been fired, they believed what
he said and surrendered the town.

12. The city of Iasus lies on the coast of Asia on
the gulf situated between the Milesian Poseidion
and Myndus, called by some the gulf of Iasus, but
usually known as the gulf of Bargylia after the names
of the cities at the head of it. It claims to have
been originally a colony of Argos recolonized from
Miletus, the son of Neleus the founder of Miletus
having been invited there by the ancient inhabitants
owing to the losses they had suffered in their war
with the Carians. The town has a circumference of
ten stades. It is reported and believed that at
Bargylia no snow nor rain ever falls on the statue of
Artemis Kindyas, although it stands in the open air,
and the same story is told of that of Artemis Astias at
Iasus. This statement has even been made by some
authors. But I myself throughout my whole work
have consistently viewed such statements by his-
torians with a certain opposition and repugnance.
For I think that to believe things which are not
only beyond the limits of probability but beyond
those of possibility shows quite a childish simplicity.
For instance it is a sign of a blunted intelligence
to say that some solid bodies when placed in the
light cast no shadow, as Theopompus does when
he tells us that those who enter the holy of holies
of Zeus in Arcadia become shadowless. The state-
ment about these statues is very much of the same
nature. In cases indeed where such statements
contribute to maintain a feeling of piety to the

πλήθους εὐσέβειαν πρὸς τὸ θεῖον, δοτέον ἐστὶ
συγγνώμην ἐνίοις τῶν συγγραφέων τερατευομένοις
καὶ λογοποιοῦσι περὶ τὰ τοιαῦτα· τὸ δ᾽ ὑπεραῖρον
10 οὐ συγχωρητέον. τάχα μὲν οὖν ἐν παντὶ δυσ-
παράγραφός ἐστιν ἡ ποσότης, οὐ μὴν ἀπαράγραφός
11 γε. διὸ καὶ παρὰ βραχὺ μὲν εἰ καὶ ἀγνοεῖται καὶ
ψευδοδοξεῖται, δεδόσθω συγγνώμη, τὸ δ᾽ ὑπεραῖρον
ἀθετείσθω κατά γε τὴν ἐμὴν δόξαν.

II. Res Graeciae

13 Ὅτι κατὰ τὴν Πελοπόννησον τίνα μὲν ἐξ ἀρχῆς
προαίρεσιν ἐνεστήσατο Νάβις ὁ τῶν Λακεδαιμονίων
τύραννος, καὶ πῶς ἐκβαλὼν τοὺς πολίτας ἠλευθέ-
ρωσε τοὺς δούλους καὶ συνῴκισε ταῖς τῶν δεσπο-
2 τῶν γυναιξὶ καὶ θυγατράσιν, ὁμοίως δὲ καὶ τίνα
τρόπον ἀναδείξας τὴν ἑαυτοῦ δύναμιν οἷον ἄσυλον
ἱερὸν τοῖς ἢ δι᾽ ἀσέβειαν ἢ πονηρίαν φεύγουσι τὰς
ἑαυτῶν πατρίδας ἤθροισε πλῆθος ἀνθρώπων ἀνο-
σίων εἰς τὴν Σπάρτην, ἐν τοῖς πρὸ τούτων δεδη-
3 λώκαμεν. πῶς δὲ καὶ τίνα τρόπον κατὰ τοὺς προ-
ειρημένους καιροὺς σύμμαχος ὑπάρχων Αἰτωλοῖς,
Ἠλείοις, Μεσσηνίοις, καὶ πᾶσι τούτοις ὀφείλων καὶ
κατὰ τοὺς ὅρκους καὶ κατὰ τὰς συνθήκας βοηθεῖν,
εἴ τις ἐπ᾽ αὐτοὺς ἴοι, παρ᾽ οὐδὲν ποιησάμενος τὰς
προειρημένας πίστεις ἐπεβάλετο παρασπονδῆσαι τὴν
τῶν Μεσσηνίων πόλιν, νῦν ἐροῦμεν.

14 Ὅτι φησὶ Πολύβιος ἐπεὶ δέ τινες τῶν τὰς κατὰ
μέρος γραφόντων πράξεις γεγράφασι καὶ περὶ τού-
των τῶν καιρῶν, ἐν οἷς τά τε κατὰ Μεσσηνίους καὶ
τὰ κατὰ τὰς προειρημένας ναυμαχίας συνετελέσθη,
2 βούλομαι βραχέα περὶ αὐτῶν διαλεχθῆναι. ποιήσο-

gods among the common people we must excuse
certain writers for reporting marvels and tales of
the kind, but we should not tolerate what goes too
far. Perhaps in all matters it is difficult to draw
a limit, but a limit must be drawn. Therefore, in
my opinion at least, while we should pardon slight
errors and slight falsity of opinion, every state-
ment that shows excess in this respect should be
uncompromisingly rejected.

II. Affairs of Greece

Attempt of Nabis on Messene

13. I have already narrated what was the policy
initiated in the Peloponnesus by Nabis the tyrant of
Sparta, how he sent the citizens into exile and
freeing the slaves married them to their masters'
wives and daughters, how again by advertising his
powerful own protection as a kind of inviolable
sanctuary to those who had been forced to quit their
own countries owing to their impiety and wickedness
he gathered round him at Sparta a host of infamous
men. I will now describe how being at the time
I mention the ally of the Aetolians, Eleans, and
Messenians, bound by oath and treaty to come to
the help of them if they were attacked, he paid no
respect to these solemn obligations, but attempted
to betray Messene.

Criticism of the historians Zeno and Antisthenes

14. Since some authors of special histories have
dealt with this period comprising the attempt on
Messene and the sea battles I have described, I
should like to offer a brief criticism of them. I shall

27

μαι δ' οὐ πρὸς ἅπαντας, ἀλλ' ὅσους ὑπολαμβάνω
μνήμης ἀξίους εἶναι καὶ διαστολῆς· εἰσὶ δ' οὗτοι
3 Ζήνων καὶ 'Αντισθένης οἱ 'Ρόδιοι. τούτους δ'
ἀξίους εἶναι κρίνω διὰ πλείους αἰτίας. καὶ γὰρ
κατὰ τοὺς καιροὺς γεγόνασι καὶ προσέτι πεπολί-
τευνται καὶ καθόλου πεποίηνται τὴν πραγματείαν
οὐκ ὠφελείας χάριν, ἀλλὰ δόξης καὶ τοῦ καθήκοντος
4 ἀνδράσι πολιτικοῖς. τῷ δὲ τὰς αὐτὰς γράφειν ἡμῖν
πράξεις ἀναγκαῖόν ἐστι μὴ παρασιωπᾶν, ἵνα μὴ τῷ
τῆς πατρίδος ὀνόματι καὶ τῷ δοκεῖν οἰκειοτάτας
εἶναι 'Ροδίοις τὰς κατὰ θάλατταν πράξεις, ἡμῶν
ἀντιδοξούντων πρὸς αὐτοὺς ἐνίοτε, μᾶλλον ἐπακο-
λουθήσωσιν ἐκείνοις ἤπερ ἡμῖν οἱ φιλομαθοῦντες.
5 οὗτοι τοιγαροῦν ἀμφότεροι πρῶτον μὲν τὴν περὶ
Λάδην ναυμαχίαν οὐχ ἥττω τῆς περὶ Χίον, ἀλλ'
ἐνεργεστέραν καὶ παραβολωτέραν ἀποφαίνουσι καὶ
τῇ κατὰ μέρος τοῦ κινδύνου χρείᾳ καὶ συντελείᾳ καὶ
καθόλου φασὶ τὸ νίκημα γεγονέναι κατὰ τοὺς
6 'Ροδίους. ἐγὼ δὲ διότι μὲν δεῖ ῥοπὰς διδόναι ταῖς
αὐτῶν πατρίσι τοὺς συγγραφέας, συγχωρήσαιμ' ἄν,
οὐ μὴν τὰς ἐναντίας τοῖς συμβεβηκόσιν ἀποφάσεις
7 ποιεῖσθαι περὶ αὐτῶν. ἱκανὰ γὰρ τὰ κατ' ἄγνοιαν
γινόμενα τοῖς γράφουσιν, ἃ διαφυγεῖν ἄνθρωπον
8 δυσχερές· ἐὰν δὲ κατὰ προαίρεσιν ψευδογραφῶμεν
ἢ πατρίδος ἕνεκεν ἢ φίλων ἢ χάριτος, τί διοίσομεν
9 τῶν ἀπὸ τούτου τὸν βίον ποριζομένων; ὥσπερ γὰρ
ἐκεῖνοι τῷ λυσιτελεῖ μετροῦντες ἀδοκίμους ποιοῦσι
τὰς αὐτῶν συντάξεις, οὕτως οἱ πολιτικοὶ τῷ μισεῖν
ἢ τῷ φιλεῖν ἑλκόμενοι πολλάκις εἰς ταὐτὸ τέλος ἐμ-
10 πίπτουσι τοῖς προειρημένοις. διὸ δεῖ καὶ τοῦτο τὸ

not criticize the whole class, but those only whom I regard as worthy of mention and detailed examination. These are Zeno and Antisthenes of Rhodes, whom for several reasons I consider worthy of notice. For not only were they contemporary with the events they described, but they also took part in politics, and generally speaking they did not compose their works for the sake of gain but to win fame and do their duty as statesmen. Since they treated of the same events as I myself I must not pass them over in silence, lest owing to their being Rhodians and to the reputation the Rhodians have for great familiarity with naval matters, in cases where I differ from them students may be inclined to follow them rather than myself. Both of them, then, declare that the battle of Lade was not less important than that of Chios, but more severe and terrible, and that both as regards the issue of the separate contests that occurred in the fight and its general result the victory lay with the Rhodians. Now I would admit that authors should have a partiality for their own country but they should not make statements about it that are contrary to facts. Surely the mistakes of which we writers are guilty and which it is difficult for us, being but human, to avoid are quite sufficient ; but if we make deliberate misstatements in the interest of our country or of friends or for favour, what difference is there between us and those who gain their living by their pens ? For just as the latter, weighing everything by the standard of profit, make their works unreliable, so politicians, biased by their dislikes and affections, often achieve the same result. Therefore I would add that readers should

μέρος ἐπιμελῶς τοὺς μὲν ἀναγινώσκοντας παρατη-
ρεῖν, τοὺς δὲ γράφοντας αὐτοὺς παραφυλάττεσθαι.
15 Δῆλον δ' ἔστι τὸ λεγόμενον ἐκ τῶν ἐνεστώτων.
ὁμολογοῦντες γὰρ οἱ προειρημένοι διὰ τῶν κατὰ
μέρος ἐν τῇ περὶ Λάδην ναυμαχίᾳ δύο μὲν αὐτάν-
δρους πεντήρεις τῶν Ῥοδίων ὑποχειρίους γενέσθαι
2 τοῖς πολεμίοις, ἐκ δὲ τοῦ κινδύνου μιᾶς νηὸς ἐπ-
αραμένης τὸν δόλωνα διὰ τὸ τετρωμένην αὐτὴν
θαλαττοῦσθαι, πολλοὺς καὶ τῶν ἐγγὺς τὸ παρα-
πλήσιον ποιοῦντας ἀποχωρεῖν πρὸς τὸ πέλαγος,
3 τέλος δὲ μετ' ὀλίγων καταλειφθέντα τὸν ναύαρχον
ἀναγκασθῆναι ταὐτὸ τοῖς προειρημένοις πράττειν,
4 καὶ τότε μὲν εἰς τὴν Μυνδίαν ἀπουρώσαντας καθ-
ορμισθῆναι, τῇ δ' ἐπαύριον ἀναχθέντας εἰς Κῶ
5 διᾶραι, τοὺς δὲ πολεμίους τὰς πεντήρεις ἐνάψασθαι
καὶ καθορμισθέντας ἐπὶ τὴν Λάδην ἐπὶ τῇ 'κείνων
6 στρατοπεδείᾳ ποιήσασθαι τὴν ἔπαυλιν, ἔτι δὲ τοὺς
Μιλησίους, καταπλαγέντας τὸ γεγονός, οὐ μόνον
τὸν Φίλιππον, ἀλλὰ καὶ τὸν Ἡρακλείδην στεφανῶσαι
7 διὰ τὴν ἔφοδον, ταῦτα δ' εἰρηκότες ἃ προφανῶς
ἐστιν ἴδια τῶν ἡττημένων, ὅμως καὶ διὰ τῶν κατὰ
μέρος καὶ διὰ τῆς καθολικῆς ἀποφάσεως νικῶντας
8 ἀποφαίνουσι τοὺς Ῥοδίους, καὶ ταῦτα τῆς ἐπιστολῆς
ἔτι μενούσης ἐν τῷ πρυτανείῳ τῆς ὑπ' αὐτοὺς τοὺς
καιροὺς ὑπὸ τοῦ ναυάρχου πεμφθείσης περὶ τούτων
τῇ τε βουλῇ καὶ τοῖς πρυτάνεσιν, οὐ ταῖς Ἀντι-
σθένους καὶ Ζήνωνος ἀποφάσει ⟨συμφωνούσης⟩
ἀλλὰ ταῖς ἡμετέραις.
16 Ἑξῆς δὲ τοῖς προειρημένοις γράφουσι περὶ τοῦ
2 κατὰ Μεσσηνίους παρασπονδήματος. ἐν ᾧ φησιν ὁ
Ζήνων ὁρμήσαντα τὸν Νάβιν ἐκ τῆς Λακεδαίμονος
καὶ διαβάντα τὸν Εὐρώταν ποταμὸν παρὰ τὸν

carefully look out for this fault and authors themselves
be on their guard against it.

15. What I say will be made clear by the present
case. The above authors confess that among the
results of the separate actions in the battle of Lade
were the following. Two Rhodian quinqueremes
with their complements fell into the hands of the
enemy, and when one ship after the battle raised
her jury mast as she had been rammed and was
going down, many of those near her followed her
example and retreated to the open sea, upon which
the admiral, now left with only a few ships, was
compelled to do likewise. The fleet, favoured by
the wind, reached the coast of Myndus and anchored
there, and next day put to sea again and crossed to
Cos. Meanwhile the enemy took the quinqueremes
in tow and anchoring off Lade, spent the night near
their own camp. They say also that the Milesians,
in great alarm at what had happened, not only voted
a crown to Philip for his brilliant attack, but another
to Heraclides. After telling us all these things, which
obviously are symptoms of defeat, they nevertheless
declare that the Rhodians were victorious both in
the particular engagements and generally, and this
in spite of the fact that the dispatch sent home by
the admiral at the very time to the Rhodian senate
and prytaneis, which is still preserved in the
prytaneum at Rhodes, does not confirm the pro-
nouncements of Antisthenes and Zeno, but my own.

16. In the next place they speak of the treacherous
attempt on Messene. Here Zeno tells us that Nabis,
setting out from Lacedaemon and crossing the Eurotas

31

Ὁπλίτην προσαγορευόμενον πορεύεσθαι διὰ τῆς
ὁδοῦ τῆς στενῆς παρὰ τὸ Πολιάσιον, ἕως ἐπὶ
3 τοὺς κατὰ Σελλασίαν ἀφίκετο τόπους· ἐντεῦθεν
δ᾽ ἐπὶ Θαλάμας ἐπιβαλόντα κατὰ Φαρὰς παρα-
4 γενέσθαι πρὸς τὸν Πάμισον ποταμόν. ὑπὲρ ὧν
οὐκ οἶδα πῶς χρὴ λέγειν· τοιαύτην γὰρ φύσιν
ἔχει τὰ προειρημένα πάντα συλλήβδην ὥστε
μηδὲν διαφέρειν τοῦ λέγειν ὅτι ποιησάμενός τις
ἐκ Κορίνθου τὴν ὁρμὴν καὶ διαπορευθεὶς τὸν
Ἰσθμὸν καὶ συνάψας ταῖς Σκειρωνίσιν εὐθέως
ἐπὶ τὴν Κοντοπορίαν ἐπέβαλε καὶ παρὰ τὰς
Μυκήνας ἐποιεῖτο τὴν πορείαν εἰς Ἄργος. ταῦτα
5 γὰρ οὐχ οἷον παρὰ μικρόν ἐστιν, ἀλλὰ τὴν ἐναντίαν
διάθεσιν ἔχει πρὸς ἄλληλα, καὶ τὰ μὲν κατὰ τὸν
Ἰσθμόν ἐστι καὶ τὰς Σκιράδας πρὸς ἀνατολὰς τοῦ
Κορίνθου, τὰ δὲ κατὰ τὴν Κοντοπορίαν καὶ Μυ-
6 κήνας ἔγγιστα πρὸς δύσεις χειμερινάς, ὥστ᾽ εἶναι
τελέως ἀδύνατον ἀπὸ τῶν προηγουμένων ἐπι-
7 βαλεῖν τοῖς προειρημένοις τόποις. τὸ δ᾽ αὐτὸ
καὶ περὶ τοὺς κατὰ τὴν Λακεδαίμονα συμβέβηκεν·
8 ὁ μὲν γὰρ Εὐρώτας καὶ τὰ περὶ τὴν Σελλασίαν
κεῖται τῆς Σπάρτης ὡς πρὸς τὰς θερινὰς ἀνατολάς,
τὰ δὲ κατὰ Θαλάμας καὶ Φαρὰς καὶ Πάμισον ὡς
9 πρὸς τὰς χειμερινὰς δύσεις, ὅθεν οὐχ οἷον ἐπὶ τὴν
Σελλασίαν, ἀλλ᾽ οὐδὲ τὸν Εὐρώταν δέον ἐστὶ δια-
βαίνειν τὸν προτιθέμενον παρὰ Θαλάμας ποιεῖσθαι
τὴν πορείαν εἰς τὴν Μεσσηνίαν.

17 Πρὸς δὲ τούτοις φησὶ τὴν ἐπάνοδον ἐκ τῆς
Μεσσήνης πεποιῆσθαι τὸν Νάβιν κατὰ τὴν πύλην
2 τὴν φέρουσαν ἐπὶ Τεγέαν. τοῦτο δ᾽ ἔστιν ἄλογον·
πρόκειται γὰρ τῆς Τεγέας ἡ Μεγάλη πόλις ὡς
πρὸς τὴν Μεσσήνην, ὥστ᾽ ἀδύνατον εἶναι καλεῖ-
32

near the so-called Hoplites, marched by the narrow road skirting Poliasion until he arrived at the district of Sellasia and thence passing Thalamae reached the river Pamisus at Pharae. I really am at a loss what to say about all this : for the character of the description taken as a whole is exactly as if one were to say that a man setting out from Corinth and crossing the Isthmus and reaching the Scironic rocks at once entered the Contoporia and passing Mycenae proceeded towards Argos. For this is no slight error, but the places in question are in quite opposite quarters, the Isthmus and Scirades being to the east of Corinth while the Contoporia and Messene are very nearly south-west, so that it is absolutely impossible to reach the latter locality by the former. The same is the case with regard to the topography of Laconia. The Eurotas and Sellasia are southeast of Sparta, while Thalamae, Pharae, and the Pamisus are south-west. So that one who intends to march past Thalamae to Messenia not only need not go to Sellasia, but need not cross the Eurotas at all.

17. In addition to this he says that Nabis on returning from Messene quitted it by the gate leading to Tegea. This is absurd, for between Messene and Tegea lies Megalopolis, so that none

σθαί τινα πύλην παρὰ τοῖς Μεσσηνίοις ἐπὶ Τεγέαν.
3 ἀλλ' ἔστι παρ' αὐτοῖς πύλη Τεγεᾶτις προσαγο-
ρευομένη, καθ' ἣν ἐποίησατο τὴν ἐπάνοδον Νάβις·
ᾧ πλανηθεὶς ἔγγιον ὑπέλαβε τὴν Τεγέαν εἶναι
4 Μεσσηνίων. τὸ δ' ἔστιν οὐ τοιοῦτον, ἀλλ' ἡ
Λακωνικὴ καὶ [ἡ] Μεγαλοπολῖτις χώρα μεταξὺ
5 κεῖται τῆς Μεσσηνίας καὶ Τεγεάτιδος. τὸ δὲ
τελευταῖον· φησὶ γὰρ τὸν Ἀλφειὸν ἐκ τῆς πηγῆς
εὐθέως κρυφθέντα καὶ πολὺν ἐνεχθέντα τόπον ὑπὸ
6 γῆς ἐκβάλλειν περὶ Λυκόαν τῆς Ἀρκαδίας. ὁ δὲ
ποταμὸς οὐ πολὺν τόπον ἀποσχὼν τῆς πηγῆς, καὶ
7 κρυφθεὶς ἐπὶ δέκα στάδια, πάλιν ἐκπίπτει, καὶ τὸ
λοιπὸν φερόμενος διὰ τῆς Μεγαλοπολίτιδος τὰς μὲν
ἀρχὰς ἐλαφρός, εἶτα λαμβάνων αὔξησιν καὶ δια-
νύσας ἐπιφανῶς πᾶσαν τὴν προειρημένην χώραν
ἐπὶ διακοσίους σταδίους γίνεται πρὸς Λυκόαν, ἤδη
προσειληφὼς καὶ τὸ τοῦ Λουσίου ῥεῦμα καὶ παν-
τελῶς ἄβατος ὢν καὶ βαρύς. . . .
8 Οὐ μὴν ἀλλὰ καὶ πάντα μοι δοκεῖ τὰ προ-
ειρημένα διαπτώματα μὲν εἶναι, πρόφασιν δ' ἐπι-
δέχεσθαι καὶ παραίτησιν· τὰ μὲν γὰρ δι' ἄγνοιαν
γέγονε, τὸ δὲ περὶ τὴν ναυμαχίαν διὰ τὴν πρὸς τὴν
9 πατρίδα φιλοστοργίαν. τί τις οὖν εἰκότως ἂν
Ζήνωνι μέμψαιτο; διότι τὸ πλεῖον οὐ περὶ τὴν
τῶν πραγμάτων ζήτησιν οὐδὲ περὶ τὸν χειρισμὸν
τῆς ὑποθέσεως, ἀλλὰ περὶ τὴν τῆς λέξεως κατα-
σκευὴν ἐσπούδακε, καὶ δῆλός ἐστι πολλάκις ἐπὶ
τούτῳ σεμνυνόμενος, καθάπερ καὶ πλείους ἕτεροι
10 τῶν ἐπιφανῶν συγγραφέων. ἐγὼ δὲ φημὶ μὲν
δεῖν πρόνοιαν ποιεῖσθαι καὶ σπουδάζειν ὑπὲρ τοῦ
δεόντως ἐξαγγέλλειν τὰς πράξεις—δῆλον γὰρ ὡς
οὐ μικρά, μεγάλα δὲ συμβάλλεται τοῦτο πρὸς τὴν

34

of the gates can possibly be called the gate leading
to Tegea by the Messenians. There is, however, a
gate they call the Tegean gate, by which Nabis did
actually retire, and Zeno, deceived by this name,
supposed that Tegea was in the neighbourhood of
Messene. This is not the case, but between Messenia
and the territory of Tegea lie Laconia and the
territory of Megalopolis. And last of all we are told
that the Alpheius immediately below its source dis-
appears and runs for a considerable distance under
ground, coming to the surface again near Lycoa in
Arcadia. The fact is that the river at no great
distance from its source passes underground for
about ten stades and afterwards on emerging runs
through the territory of Megalopolis, being at first
of small volume but gradually increasing, and after
traversing all that territory in full view for two
hundred stades reaches Lycoa, having now been
joined by the Lusius and become quite impassable,
and rapid . . .

I think, however, that all the instances I have
mentioned are errors indeed but admit of some
explanation and excuse. Some of them are due to
ignorance, and those concerning the sea battle are
due to patriotic sentiment. Have we then any more
valid reason for finding fault with Zeno ? Yes :
because he is not for the most part so much con
cerned with inquiry into facts and proper treatment
of his material, as with elegance of style, a quality
on which he, like several other famous authors, often
shows that he prides himself. My own opinion is
that we should indeed bestow care and concern on
the proper manner of reporting events—for it is
evident that this is no small thing but greatly con-

ἱστορίαν—οὐ μὴν ἡγεμονικώτατόν γε καὶ πρῶτον
11 αὐτὸ παρὰ τοῖς μετρίοις ἀνδράσι τίθεσθαι· πολλοῦ
γε δεῖν· ἄλλα γὰρ ἂν εἴη καλλίω μέρη τῆς ἱστορίας,
ἐφ᾽ οἷς ἂν μᾶλλον σεμνυνθείη πολιτικὸς ἀνήρ.

18 Ὁ δὲ λέγειν βούλομαι, γένοιτ᾽ ἂν οὕτω μάλιστα
2 καταφανές. ἐξηγούμενος γὰρ ὁ προειρημένος συγ-
γραφεὺς τήν τε Γάζης πολιορκίαν καὶ τὴν γενομέ-
νην παράταξιν Ἀντιόχου πρὸς Σκόπαν ἐν Κοίλῃ
Συρίᾳ περὶ τὸ Πάνιον, περὶ μὲν τὴν τῆς λέξεως
κατασκευὴν δῆλός ἐστιν ἐπὶ τοσοῦτον ἐσπουδακὼς
ὡς ὑπερβολὴν τερατείας μὴ καταλιπεῖν τοῖς τὰς
ἐπιδεικτικὰς καὶ πρὸς ἔκπληξιν τῶν πολλῶν
3 συντάξεις ποιουμένοις, τῶν γε μὴν πραγμάτων
ἐπὶ τοσοῦτον ὠλιγώρηκεν ὥστε πάλιν ἀνυπέρ-
βλητον εἶναι τὴν εὐχέρειαν καὶ τὴν ἀπειρίαν τοῦ
4 συγγραφέως. προθέμενος γὰρ πρώτην διασαφεῖν
τὴν τῶν περὶ τὸν Σκόπαν ἔκταξιν, τῷ μὲν δεξιῷ
κέρατί φησι τῆς ὑπωρείας ἔχεσθαι τὴν φάλαγγα
μετ᾽ ὀλίγων ἱππέων, τὸ δ᾽ εὐώνυμον αὐτῆς καὶ
τοὺς ἱππεῖς πάντας τοὺς ἐπὶ τούτου τεταγμένους
5 ἐν τοῖς ἐπιπέδοις κεῖσθαι. τὸν δ᾽ Ἀντίοχον ἐπὶ
μὲν τὴν ἑωθινὴν ἐκπέμψαι φησὶ τὸν πρεσβύτερον
υἱὸν Ἀντίοχον ἔχοντα μέρος τι τῆς δυνάμεως, ἵνα
προκαταλάβηται τῆς ὀρεινῆς τοὺς ὑπερκειμένους
6 τῶν πολεμίων τόπους, τὴν δὲ λοιπὴν δύναμιν ἅμα τῷ
φωτὶ διαβιβάσαντα τὸν ποταμὸν ⟨τὸν⟩ μεταξὺ
τῶν στρατοπέδων ἐν τοῖς ἐπιπέδοις ἐκτάττειν,
τιθέντα τοὺς μὲν φαλαγγίτας ἐπὶ μίαν εὐθεῖαν
κατὰ μέσην τὴν τῶν πολεμίων τάξιν, τῶν δ᾽
ἱππέων τοὺς μὲν ἐπὶ τὸ λαιὸν κέρας τῆς φάλαγγος,
τοὺς δ᾽ ἐπὶ τὸ δεξιόν, ἐν οἷς εἶναι καὶ τὴν κατά-
φρακτον ἵππον, ἧς ἡγεῖτο πάσης ὁ νεώτερος

tributes to the value of history—but we should not regard this as the first and leading object to be aimed at by sober-minded men. Not at all: there are, I think, other excellences on which an historian who has been a practical statesman should rather pride himself.

18. I will attempt to make my meaning clear by the following instance. The above-mentioned author in narrating the siege of Gaza and the engagement between Antiochus and Scopas at the Panium in Coele-Syria has evidently taken so much pains about his style that the extravagance of his language is not excelled by any of those declamatory works written to produce a sensation among the vulgar. He has, however, paid so little attention to facts that his recklessness and lack of experience are again unsurpassed. Undertaking in the first place to describe Scopas's order of battle he tells us that the phalanx with a few horsemen rested its right wing on the hills, while the left wing and all the cavalry set apart for this purpose stood on the level ground. Antiochus, he says, had at early dawn sent off his elder son, Antiochus, with a portion of his forces to occupy the parts of the hill which commanded the enemy, and when it was daylight he took the rest of his army across the river which separated the two camps and drew it up on the plain, placing the phalanx in one line opposite the enemy's centre and stationing some of his cavalry to the left of the phalanx and some to the right, among the latter being the troop of mailed horsemen which was all under the command

7 Ἀντίοχος τῶν υἱῶν. μετὰ δὲ ταῦτά φησι τὰ
θηρία προτάξαι τῆς φάλαγγος ἐν διαστήματι καὶ
τοὺς μετ' Ἀντιπάτρου Ταραντίνους, τὰ δὲ μεταξὺ
τῶν θηρίων πληρῶσαι τοῖς τοξόταις καὶ σφενδονή-
ταις, αὐτὸν δὲ μετὰ τῆς ἑταιρικῆς ἵππου καὶ τῶν
8 ὑπασπιστῶν κατόπιν ἐπιστῆναι τοῖς θηρίοις. ταῦτα
δ' ὑποθέμενος, τὸν μὲν νεώτερον Ἀντίοχόν φησιν,
ὃν ἐν τοῖς ἐπιπέδοις ἔθηκε κατὰ τὸ λαιὸν τῶν
πολεμίων ἔχοντα τὴν κατάφρακτον ἵππον, τοῦτον
ἐκ τῆς ὀρεινῆς ἐπενεχθέντα τρέψασθαι τοὺς ἱππέας
τοὺς περὶ τὸν Πτολεμαῖον τὸν Ἀερόπου καὶ
καταδιώκειν, ὃς ἐτύγχανε τοῖς Αἰτωλοῖς ἐπιτε-
ταγμένος ἐν τοῖς ἐπιπέδοις ἐπὶ τῶν εὐωνύμων, τὰς
9 δὲ φάλαγγας, ἐπεὶ συνέβαλλον ἀλλήλαις, μάχην
10 ποιεῖν ἰσχυράν. ὅτι δὲ συμβαλεῖν ἀδύνατον ἦν
τῶν θηρίων καὶ τῶν ἱππέων καὶ τῶν εὐζώνων
προτεταγμένων, τοῦτ' οὐκέτι συνορᾷ.

19 Μετὰ δὲ ταῦτά φησι καταπροτερουμένην τὴν
φάλαγγα ταῖς εὐχειρίαις καὶ πιεζομένην ὑπὸ τῶν
Αἰτωλῶν ἀναχωρεῖν ἐπὶ πόδα, τὰ ⟨δὲ⟩ θηρία
τοὺς ἐγκλίνοντας ἐκδεχόμενα καὶ συμπίπτοντα τοῖς
2 πολεμίοις μεγάλην παρέχεσθαι χρείαν. πῶς δὲ
ταῦτα γέγονεν ὀπίσω τῆς φάλαγγος οὐ ῥᾴδιον
3 καταμαθεῖν, ἢ πῶς γενόμενα παρείχετο χρείαν
μεγάλην· ὅτε γὰρ ἅπαξ αἱ φάλαγγες συνέπεσον
ἀλλήλαις, οὐκέτι δυνατὸν ἦν κρῖναι τὰ θηρία τίς
⟨τῶν⟩ ὑποπιπτόντων φίλιος ἢ πολεμιός ἐστι.
4 πρὸς δὲ τούτοις φησὶ τοὺς Αἰτωλῶν ἱππέας δυσ-
χρηστεῖσθαι κατὰ τὸν κίνδυνον διὰ τὴν ἀσυνήθειαν
5 τῆς τῶν θηρίων φαντασίας. ἀλλ' οἱ μὲν ἐπὶ τοῦ
δεξιοῦ ταχθέντες ἐξ ἀρχῆς ἀκέραιοι διέμενον, ὡς
αὐτός φησι· τὸ δὲ λοιπὸν πλῆθος τῶν ἱππέων τὸ

38

of his younger son, Antiochus. Next he tells us that
the king posted the elephants at some distance in
advance of the phalanx together with Antipater's
Tarantines, the spaces between the elephants being
filled with bowmen and slingers, while he himself
with his horse and foot guards took up a position
behind the elephants. Such being their positions as
laid down by him, he tells us that the younger
Antiochus, whom he stationed in command of the
mailed cavalry on the plain opposite the enemy's
left, charged from the hill, routed and pursued the
cavalry under Ptolemy, son of Aeropus, who com-
manded the Aetolians in the plain and on the left,
and that the two phalanxes met and fought stub-
bornly, forgetting that it was impossible for them to
meet as the elephants, cavalry, and light-armed troops
were stationed in front of them.

19. Next he states that the phalanx, proving
inferior in fighting power and pressed hard by the
Aetolians, retreated slowly, but that the elephants
were of great service in receiving them in their
retreat and engaging the enemy. It is not easy to
see how this could happen in the rear of the phalanx,
or how if it did happen great service was rendered.
For once the two phalanxes had met it was not
possible for the elephants to distinguish friend from
foe among those they encountered. In addition to
this he says the Aetolian cavalry were put out of
action in the battle because they were unaccustomed
to the sight of the elephants. But the cavalry posted
on the right remained unbroken from the beginning
as he says himself, while the rest of the cavalry, which

μερισθὲν ἐπὶ τὸ λαιὸν ἐπεφεύγει πᾶν ὑπὸ τῶν περὶ
6 τὸν Ἀντίοχον ἡττημένον. ποῖον οὖν μέρος τῶν
ἱππέων ἦν κατὰ μέσην τὴν φάλαγγα τὸ τοὺς
7 ἐλέφαντας ἐκπληττόμενον; ποῦ δ᾽ ὁ βασιλεὺς
γέγονεν, ἢ τίνα παρέσχηται χρείαν ἐν τῇ μάχῃ,
τὸ κάλλιστον σύστημα περὶ αὐτὸν ἐσχηκὼς καὶ
τῶν πεζῶν καὶ τῶν ἱππέων; ἁπλῶς γὰρ οὐδὲν
8 εἴρηται περὶ τούτων. ποῦ δ᾽ ὁ πρεσβύτερος τῶν
υἱῶν Ἀντίοχος ὁ μετὰ μέρους τινὸς τῆς δυνάμεως
προκαταλαβόμενος τοὺς ὑπερδεξίους τόπους;
9 οὗτος μὲν γὰρ οὐδ᾽ εἰς τὴν στρατοπεδείαν ἀνα-
κεχώρηκεν αὐτῷ μετὰ τὴν μάχην. εἰκότως· δύο
γὰρ Ἀντιόχους ὑπέθετο τοῦ βασιλέως υἱούς,
10 ὄντος ἑνὸς τοῦ τότε συνεστρατευμένου. πῶς δ᾽
ὁ Σκόπας ἅμα μὲν αὐτῷ πρῶτος, ἅμα δ᾽ ἔσχατος
ἀναλέλυκεν ἐκ τοῦ κινδύνου; φησὶ γὰρ αὐτὸν
ἰδόντα τοὺς περὶ τὸν νεώτερον Ἀντίοχον ἐκ τοῦ
διώγματος ἐπιφαινομένους κατὰ νώτου τοῖς φαλαγ-
γίταις, καὶ διὰ τοῦτο τὰς τοῦ νικᾶν ἐλπίδας ἀπο-
11 γνόντα, ποιεῖσθαι τὴν ἀποχώρησιν· μετὰ δὲ ταῦτα
συστῆναι τὸν μέγιστον κίνδυνον, κυκλωθείσης τῆς
φάλαγγος ὑπό τε τῶν θηρίων καὶ τῶν ἱππέων, καὶ
τελευταῖον ἀποχωρῆσαι τὸν Σκόπαν ἀπὸ τοῦ κιν-
δύνου.
20 Ταῦτα δὲ μοι δοκεῖ, καὶ καθόλου τὰ τοιαῦτα
τῶν ἀλογημάτων, πολλὴν ἐπιφέρειν αἰσχύνην τοῖς
2 συγγραφεῦσι. διὸ δεῖ μάλιστα μὲν πειρᾶσθαι
πάντων κρατεῖν τῶν τῆς ἱστορίας μερῶν· καλὸν
γάρ· εἰ δὲ μὴ τοῦτο δυνατόν, τῶν ἀναγκαιοτάτων
καὶ τῶν μεγίστων ἐν αὐτῇ πλείστην ποιεῖσθαι
πρόνοιαν.
3 Ταῦτα μὲν οὖν προήχθην εἰπεῖν, θεωρῶν νῦν,

had been assigned to the left wing, had been van-
quished and put to flight by Antiochus. What part
of the cavalry, then, was it that was terrified by the
elephants in the centre of the phalanx, and where
was the king all this time and what service did he
render in the action with the horse and foot he had
about him, the finest in the army ? We are not
told a single word about this. Where again was the
king's elder son, Antiochus, who had occupied posi-
tions overlooking the enemy with a part of the
army ? Why ! according to Zeno this young man did
not even take part in the return to the camp after
the battle ; naturally not, for he supposes there were
two Antiochi there, sons of the king, whereas there
was only one with him in this campaign. And can
he explain how Scopas was both the first and the
last to leave the field ? For he tells us that when he
saw the younger Antiochus returning from the pur-
suit and threatening the phalanx from the rear he
despaired of victory and retreated ; but after this
the hottest part of the battle began, upon the phalanx
being surrounded by the elephants and cavalry, and
now Scopas was the last to leave the field.

20. Writers it seems to me should be thoroughly
ashamed of nonsensical errors like the above. They
should therefore strive above all to become masters
of the whole craft of history, for to do so is good ;
but if this be out of their power, they should give
the closest attention to what is most necessary and
important.

I was led to make these observations, because I

καθάπερ καὶ ἐπὶ τῶν ἄλλων τεχνῶν καὶ ἐπιτη-
δευμάτων, τὸ μὲν ἀληθινὸν καὶ πρὸς τὴν χρείαν
4 ἀνῆκον ἐν ἑκάστοις ἐπισεσυρμένον, τὸ δὲ πρὸς
ἀλαζονείαν καὶ φαντασίαν ἐπαινούμενον καὶ ζη-
λούμενον, ὡς μέγα τι καὶ θαυμάσιον, ὃ καὶ τὴν
κατασκευὴν ἔχει ῥᾳδιεστέραν καὶ τὴν εὐδόκησιν
ὀλιγοδεεστέραν, καθάπερ αἱ λοιπαὶ τῶν γραφῶν.
5 περὶ δὲ τῆς τῶν τόπων ἀγνοίας τῶν κατὰ τὴν
Λακωνικὴν διὰ τὸ μεγάλην εἶναι τὴν παράπτωσιν
οὐκ ὤκνησα γράψαι καὶ πρὸς αὐτὸν Ζήνωνα,
6 κρίνων καλὸν εἶναι τὸ μὴ τὰς τῶν πέλας ἁμαρτίας
ἴδια προτερήματα νομίζειν, καθάπερ ἔνιοι ποιεῖν
εἰώθασιν, ἀλλὰ μὴ μόνον τῶν ἰδίων ὑπομνημάτων,
ἀλλὰ καὶ τῶν ἀλλοτρίων, καθ᾽ ὅσον οἷοί τ᾽ ἐσμέν,
ποιεῖσθαι πρόνοιαν καὶ διόρθωσιν χάριν τῆς κοι-
7 νῆς ὠφελείας. ὁ δὲ λαβὼν τὴν ἐπιστολήν, καὶ
γνοὺς ἀδύνατον οὖσαν τὴν μετάθεσιν διὰ τὸ προ-
εκδεδωκέναι τὰς συντάξεις, ἐλυπήθη μὲν ὡς ἔνι
μάλιστα, ποιεῖν δ᾽ οὐδὲν εἶχε, τήν γε μὴν ἡμετέραν
8 αἵρεσιν ἀπεδέξατο φιλοφρόνως. ὃ δὴ κἂν ἐγὼ
παρακαλέσαιμι περὶ αὑτοῦ ⟨τοὺς⟩ καθ᾽ ἡμᾶς καὶ
τοὺς ἐπιγινομένους, ἐὰν μὲν κατὰ πρόθεσιν εὑρι-
σκώμεθά που κατὰ τὴν πραγματείαν διαψευ-
δόμενοι καὶ παρορῶντες τὴν ἀλήθειαν, ἀπαραι-
9 τήτως ἐπιτιμᾶν, ἐὰν δὲ κατ᾽ ἄγνοιαν, συγγνώμην
ἔχειν, καὶ μάλιστα πάντων ἡμῖν διὰ τὸ μέγεθος
τῆς συντάξεως καὶ διὰ τὴν καθόλου περιβολὴν
τῶν πραγμάτων.

III. Res Aegypti

21 Ὅτι ὁ Τληπόλεμος ὁ τὰ τῆς βασιλείας τῶν
Αἰγυπτίων πράγματα μεταχειριζόμενος ἦν μὲν
42

observe that at the present day, as in the case of
other arts and professions, what is true and really
useful is always treated with neglect, while what is
pretentious and showy is praised and coveted as
if it were something great and wonderful, whereas
it is both easier to produce and wins applause more
cheaply, as is the case with all other written matter.
As for Zeno's errors about the topography of Laconia,
the faults were so glaring that I had no hesitation
in writing to him personally also, as I do not think
it right to look upon the faults of others as virtues
of one's own, as is the practice of some, but it appears
to me we should as far as we can look after and correct
not only our own works but those of others for the
sake of the general advantage. Zeno received my
letter, and knowing that it was impossible to make
the change, as he had already published his work,
was very much troubled, but could do nothing, while
most courteously accepting my own criticism. And
I too will beg both my contemporaries and future
generations in pronouncing on my work, if they ever
find me making misstatements or neglecting the truth
intentionally to censure me relentlessly, but if I
merely err owing to ignorance to pardon me, especi-
ally in view of the magnitude of the work and its
comprehensive treatment of events.

III. Affairs of Egypt

Character of Tlepolemus

21. Tlepolemus, who was at the head of the
government of Egypt, was still young and had con-

κατὰ τὴν ἡλικίαν νέος καὶ κατὰ τὸ συνεχὲς ἐν
2 στρατιωτικῷ βίῳ διεγεγόνει μετὰ φαντασίας, ἦν
δὲ καὶ τῇ φύσει μετέωρος καὶ φιλόδοξος, καὶ
καθόλου πολλὰ μὲν εἰς πραγμάτων λόγον ἀγαθὰ
3 προσεφέρετο, πολλὰ δὲ καὶ κακά. στρατηγεῖν
μὲν γὰρ ἐν τοῖς ὑπαίθροις καὶ χειρίζειν πολεμικὰς
πράξεις δυνατὸς ἦν, καὶ . . . ἀνδρώδης ὑπῆρχε τῇ
φύσει, καὶ πρὸς τὰς στρατιωτικὰς ὁμιλίας εὐφυῶς
4 διέκειτο· πρὸς δὲ ποικίλων πραγμάτων χειρισμόν,
δεόμενον ἐπιστάσεως καὶ νήψεως, καὶ πρὸς φυλα-
κὴν χρημάτων καὶ καθόλου τὴν περὶ τὸ λυσιτελὲς
5 οἰκονομίαν, ἀφυέστατος ὑπῆρχε πάντων. ᾗ καὶ
ταχέως οὐ μόνον ἔσφηλεν, ἀλλὰ καὶ τὴν βασιλείαν
6 ἠλάττωσε. παραλαβὼν γὰρ τὴν τῶν χρημάτων
ἐξουσίαν, τὸ μὲν πλεῖστον μέρος τῆς ἡμέρας
κατέτριβε σφαιρομαχῶν καὶ πρὸς τὰ μειράκια
7 διαμιλλώμενος ἐν τοῖς ὅπλοις, ἀπὸ δὲ τούτων
γινόμενος εὐθέως πότους συνῆγε καὶ τὸ πλεῖον
μέρος τοῦ βίου περὶ ταῦτα καὶ σὺν τούτοις εἶχε
8 τὴν διατριβήν. ὃν δέ ποτε χρόνον τῆς ἡμέρας
ἀπεμέριζε πρὸς ἐντεύξεις, ἐν τούτῳ διεδίδου,
μᾶλλον δ', εἰ δεῖ τὸ φαινόμενον εἰπεῖν, διερρίπτει
τὰ βασιλικὰ χρήματα τοῖς ἀπὸ τῆς Ἑλλάδος
παραγεγονόσι πρεσβευταῖς καὶ τοῖς περὶ τὸν
Διόνυσον τεχνίταις, μάλιστα δὲ τοῖς περὶ τὴν
9 αὐλὴν ἡγεμόσι καὶ στρατιώταις. καθόλου γὰρ
ἀνανεύειν οὐκ ᾔδει, τῷ δὲ πρὸς χάριν ὁμιλήσαντι
10 πᾶν ἐξ ἑτοίμου τὸ φανὲν ἐδίδου. τὸ λοιπὸν
ηὐξάνετο ⟨τὸ⟩ κακόν, ἐξ αὐτοῦ λαμβάνων τὴν
11 ἐπίδοσιν. πᾶς γὰρ ὁ παθὼν εὖ παρὰ τὴν προσ-
δοκίαν καὶ τοῦ γεγονότος χάριν καὶ τοῦ μέλλοντος
12 ὑπερεβάλλετο ταῖς τῶν λόγων εὐχαριστίαις· ὁ δὲ

stantly lived the life of a soldier addicted to display.
He was also by nature too buoyant and fond of fame,
and generally speaking many of the qualities he
brought to bear on the management of affairs were
good but many also were bad. As regards cam-
paigning and the conduct of war he was capable,
and he was also naturally courageous and happy
in his intercourse with soldiers ; but as for dealing
with complicated questions of policy—a thing which
requires application and sobriety—and as for the
charge of money and in general all that concerned
financial profit no one was more poorly endowed ; so
that speedily he not only came to grief but diminished
the power of the kingdom. For when he assumed
the financial control, he spent the most part of the
day in sparring and fencing bouts with the young
men, and when he had finished this exercise, at once
invited them to drink with him, spending the greater
part of his life in this manner and with these asso-
ciates. During that portion of the day that he set
apart for audiences he used to distribute, or rather,
if one must speak the plain truth, scatter the royal
funds among the envoys who had come from Greece
and the actors of the theatre of Dionysus and chiefly
among the generals and soldiers present at court.
For he was quite incapable of refusing and gave at
once to anyone who made himself pleasant to him
any sum he thought fit. So the evil went on growing
and propagating itself. For every one who had
received an unexpected favour was for the sake both
of the past and of the future profuse in his expres-
sions of thanks. Tlepolemus, when he heard these

πυνθανόμενος τὸν γινόμενον ἐκ πάντων ἔπαινον
ὑπὲρ αὐτοῦ καὶ τὰς ἐν τοῖς πότοις ἐπιχύσεις, ἔτι
δὲ τὰς ἐπιγραφὰς καὶ τὰ διὰ τῶν ἀκροαμάτων εἰς
αὐτὸν ᾀδόμενα παίγνια καθ' ὅλην τὴν πόλιν, εἰς
τέλος ἐχαυνοῦτο καὶ μᾶλλον ἀεὶ καὶ μᾶλλον
ἐξετυφοῦτο, καὶ προχειρότερος ἐγίνετο πρὸς τὰς
22 ξενικὰς καὶ στρατιωτικὰς χάριτας. ἐφ' οἷς οἱ
περὶ τὴν αὐλὴν ἀσχάλλοντες πάντα παρεσημαί-
νοντο καὶ βαρέως αὐτοῦ τὴν αὐθάδειαν ὑπέφερον,
2 τὸν δὲ Σωσίβιον ἐκ παραθέσεως ἐθαύμαζον. ἐδόκει
γὰρ οὗτος τοῦ τε βασιλέως προεστάναι φρονιμώ-
τερον ἢ κατὰ τὴν ἡλικίαν, τήν τε πρὸς τοὺς ἐκτὸς
ἀπάντησιν ἀξίαν ποιεῖσθαι τῆς ἐγκεχειρισμένης
αὐτῷ πίστεως· αὕτη δ' ἦν ἡ σφραγὶς καὶ τὸ τοῦ
3 βασιλέως σῶμα. κατὰ δὲ τὸν καιρὸν τοῦτον
ἀνακομιζόμενος ἧκε παρὰ τοῦ Φιλίππου Πτολε-
4 μαῖος ὁ Σωσιβίου. καὶ πρὶν μὲν οὖν ἐκ τῆς Ἀλεξ-
ανδρείας ἐκπλεῦσαι πλήρης ἦν τύφου διά τε τὴν
ἰδίαν φύσιν καὶ διὰ τὴν προσγεγενημένην ἐκ τοῦ
5 πατρὸς εὐκαιρίαν· ὡς δὲ καταπλεύσας εἰς τὴν
Μακεδονίαν συνέμιξε τοῖς περὶ τὴν αὐλὴν νεανί-
σκοις, ὑπολαβὼν εἶναι τὴν Μακεδόνων ἀνδρείαν ἐν
τῇ τῆς ὑποδέσεως καὶ τῇ τῆς ἐσθῆτος διαφορᾷ,
παρῆν ταῦτα πάντ' ἐζηλωκὼς καὶ πεπεισμένος
αὑτὸν μὲν ἄνδρα γεγονέναι διὰ τὴν ἐκδημίαν καὶ
διὰ τὸ Μακεδόσιν ὡμιληκέναι, τοὺς δὲ κατὰ τὴν
Ἀλεξάνδρειαν ἀνδράποδα καὶ βλᾶκας διαμένειν.
6 διόπερ εὐθέως ἐζηλοτύπει καὶ παρετρίβετο πρὸς
7 τὸν Τληπόλεμον. πάντων δ' αὐτῷ συγκατατιθε-
μένων τῶν περὶ τὴν αὐλὴν διὰ τὸ τὸν Τληπόλεμον
καὶ τὰ πράγματα καὶ τὰ χρήματα μὴ ὡς ἐπίτροπον,
ἀλλ' ὡς κληρονόμον χειρίζειν, ταχέως ηὐξήθη τὰ

46

universal eulogies of himself and the toasts drunk to him at table, when he read the inscriptions in his honour and heard of the playful verses sung about him to popular audiences all through the town, became at length very vainglorious, and every day his self-conceit increased and he grew more lavish of gifts to foreigners and soldiers. 22. All this gave the courtiers much cause for complaint. They noted all his acts with disapproval, and found his arrogance hard to put up with, while Sosibius when compared with him aroused their admiration. The latter, they thought, had shown a wisdom beyond his years in his guardianship of the king, and in his communications with foreign representatives had conducted himself in a manner worthy of the charge committed to him, the seal that is to say and the person of the king. At this time Ptolemaeus, the son of Sosibius, arrived on his way back from the court of Philip. Even before leaving Alexandria he had been full of conceit owing to his own nature and owing to the affluence he owed to his father. But when on arriving in Macedonia he met the young men at that court, conceiving that Macedonian manhood consisted in the superior elegance of their dress and footgear, he returned to Egypt full of admiration for all such things, and convinced that he alone was a man owing to his having travelled and come in contact with the Macedonians, while all the Alexandrians were still slaves and blockheads. In consequence he at once grew jealous of Tlepolemus and acted so as to cause friction between them ; and as all the courtiers took his part, because Tlepolemus administered public affairs and finances more like an heir than like a trustee, the difference soon became more acute.

8 τῆς διαφορᾶς. καθ' ὃν καιρὸν ὁ Τληπόλεμος,
προσπιπτόντων αὐτῷ λόγων δυσμενικῶν ἐκ τῆς
τῶν αὐλικῶν παρατηρήσεως καὶ κακοπραγμοσύνης,
τὰς μὲν ἀρχὰς παρήκουε καὶ κατεφρόνει τῶν
9 λεγομένων. ὡς δέ ποτε καὶ κοινῇ συνεδρεύσαντες
ἐτόλμησαν ἐν τῷ μέσῳ καταμέμφεσθαι τὸν Τλη-
πόλεμον, ὡς κακῶς χειρίζοντα τὰ κατὰ τὴν
10 βασιλείαν, οὐ παρόντος αὐτοῦ, τότε δὴ παροξυνθεὶς
συνῆγε τὸ συνέδριον καὶ παρελθὼν ἐκείνους μὲν
ἔφη λάθρᾳ καὶ κατ' ἰδίαν ποιεῖσθαι κατ' αὐτοῦ τὰς
διαβολάς, αὐτὸς δ' ἔκρινε κοινῇ καὶ κατὰ πρόσωπον
αὐτῶν ποιήσασθαι τὴν κατηγορίαν.
11 Ὅτι μετὰ τὴν δημηγορίαν ἔλαβε καὶ τὴν σφρα-
γῖδα παρὰ Σωσιβίου, καὶ ταύτην παρειληφὼς
ὁ Τληπόλεμος λοιπὸν ἤδη πάντα τὰ πράγματα
κατὰ τὴν αὑτοῦ προαίρεσιν ἔπραττεν.

IV. RES SYRIAE

22ᵃ(40) Ὅτι Ἀντιόχου τοῦ βασιλέως τὴν τῶν Γαζαίων
2 πόλιν πορθήσαντος φησὶν ὁ Πολύβιος· ἐμοὶ δὲ καὶ
δίκαιον ἅμα καὶ πρέπον εἶναι δοκεῖ τὸ τοῖς Γα-
3 ζαίοις ἀποδοῦναι τὴν καθήκουσαν μαρτυρίαν. οὐδὲν
γὰρ διαφέροντες ἀνδρείᾳ τῶν κατὰ Κοίλην Συρίαν
πρὸς τὰς πολεμικὰς πράξεις, ἐν κοινωνίᾳ πραγ-
μάτων καὶ τῷ τηρεῖν τὴν πίστιν πολὺ διαφέρουσι
καὶ συλλήβδην ἀνυπόστατον ἔχουσι τὴν τόλμαν.
4 κατὰ γὰρ τὴν Περσῶν ἔφοδον ἐκπλαγέντων τῶν
ἄλλων διὰ τὸ μέγεθος τῆς δυναστείας, καὶ πάντων
ἐγχειρισάντων σφᾶς αὐτοὺς καὶ τὰς πατρίδας
Μήδοις, μόνοι τὸ δεινὸν ὑπέμειναν πάντες, τὴν
5 πολιορκίαν ἀναδεξάμενοι. κατὰ δὲ τὴν Ἀλεξ-

And now Tlepolemus, when hostile utterances due to the captiousness and malignancy of the courtiers reached his ears, at first refused to listen to these and treated them with contempt ; but when on some occasions they even held public meetings and ventured to blame him for his maladministration of the affairs of the kingdom and this in his absence, he became really incensed, and calling a meeting of the Council, appeared in person and said that they brought false accusations against him secretly and in private, but that he thought proper to accuse them in public and to their faces.

After his speech he took the seal from Sosibius, and having taken possession of it continued henceforth to act in all matters exactly as he chose.

IV. Affairs of Syria

After King Antiochus had taken and sacked the city of Gaza Polybius writes as follows.

22a. It seems to me both just and proper here to testify, as they merit, to the character of the people of Gaza. Although in war they display no more valour than the people of Coele-Syria in general, they are far superior as regards acting in unison and keeping their faith ; and to put it shortly show a courage which is irresistible. For instance in the Persian invasion, when all other towns were terrified by the vast power of the invaders and surrendered themselves and their homes to the Medes, they alone faced the danger as one man and submitted to a siege. Again on the arrival of Alexander, when not

ἀνδρου παρουσίαν οὐ μόνον τῶν ἄλλων παραδεδω-
κότων αὐτούς, ἀλλὰ καὶ Τυρίων ἐξηνδραποδισμένων
μετὰ βίας, καὶ σχεδὸν ἀνελπίστου τῆς σωτηρίας
ὑπαρχούσης τοῖς ἐναντιουμένοις πρὸς τὴν ὁρμὴν
καὶ βίαν τὴν Ἀλεξάνδρου, μόνοι τῶν κατὰ Συρίαν
6 ὑπέστησαν καὶ πάσας ἐξήλεγξαν τὰς ἐλπίδας. τὸ
δὲ παραπλήσιον ἐποίησαν καὶ κατὰ τοὺς ἐνεστῶτας
καιρούς· οὐδὲν γὰρ ἀπέλειπον τῶν ἐνδεχομένων,
σπουδάζοντες διαφυλάξαι τὴν πρὸς τὸν Πτολεμαῖον
7 πίστιν. διὸ καθάπερ καὶ κατ᾽ ἰδίαν ἐπισημαινόμεθα
τοὺς ἀγαθοὺς ἄνδρας ἐν τοῖς ὑπομνήμασι, τὸν
αὐτὸν τρόπον χρὴ καὶ κοινῇ τῶν πόλεων τὴν ἐπ᾽
ἀγαθῷ ποιήσασθαι μνήμην, ὅσαι τῶν καλῶν ἐκ
παραδόσεώς τι καὶ προθέσεως πράττειν εἰώθασιν.

V. RES ITALIAE

23 Πόπλιος δὲ Σκιπίων ἧκεν ἐκ Λιβύης οὐ πολὺ
2 κατόπιν τῶν προειρημένων καιρῶν. οὔσης δὲ
τῆς προσδοκίας τῶν πολλῶν ἀκολούθου τῷ μεγέθει
τῶν πράξεων, μεγάλην εἶναι συνέβαινε καὶ τὴν
φαντασίαν περὶ τὸν ἄνδρα καὶ τὴν τοῦ πλήθους
3 εὔνοιαν πρὸς αὐτόν. καὶ τοῦτ᾽ εἰκότως ἐκ τῶν
4 κατὰ λόγον ἐγίνετο καὶ καθηκόντως· οὐδέποτε
γὰρ ἂν ἐλπίσαντες Ἀννίβαν ἐκβαλεῖν ἐξ Ἰταλίας
οὐδ᾽ ἀποτρίψασθαι τὸν ὑπὲρ αὐτῶν καὶ τῶν ἀναγ-
καίων κίνδυνον, τότε δοκοῦντες ἤδη βεβαίως οὐ
μόνον ἐκτὸς γεγονέναι παντὸς φόβου καὶ πάσης
περιστάσεως, ἀλλὰ καὶ κρατεῖν τῶν ἐχθρῶν,
5 ὑπερβολὴν οὐ κατέλιπον χαρᾶς. ὡς δὲ καὶ τὸν
θρίαμβον εἰσῆγε, τότε καὶ μᾶλλον ἔτι διὰ τῆς τῶν
εἰσαγομένων ἐνεργείας μιμνησκόμενοι τῶν προγε-

only had other cities surrendered, but when Tyre
had been stormed and her population enslaved;
when there seemed to be scarcely any hope of safety
for those who opposed the impetuous force of Alex-
ander's attack, they were the only people in Syria
who dared to withstand him and exhausted every
resource in doing so. At the present time they acted
similarly; for they left no possible means of re-
sistance untried in their effort to keep their faith to
Ptolemy. Therefore, just as it is our duty to make
separate mention of brave men in writing history,
so we should give due credit to such whole cities as
are wont to act nobly by tradition and principle.

V. Affairs of Italy

Scipio returns to Rome.   His Triumph

23. **Publius Scipio arrived from Africa not long** 201-200
after the above date. As the eagerness with which ᴮ·ᶜ·
he was awaited by the people corresponded to the
greatness of his achievements, the splendour of his
reception and his popularity with the commons were
both very great. And this was quite natural, reason-
able, and proper. For while they had never hoped
to expel Hannibal from Italy and be quit of the
danger which menaced themselves and those dearest
to them, the thought that now they were assuredly
not only freed from all fear and peril but that they
had overcome their foes caused a joy that knew no
bounds. And when he entered Rome in triumph,
they were reminded more vividly of their former peril
by the actual spectacle of the contents of the pro-

γονότων κινδύνων ἐκπαθεῖς ἐγίνοντο κατά τε τὴν
πρὸς θεοὺς εὐχαριστίαν καὶ κατὰ τὴν πρὸς τὸν
6 αἴτιον τῆς τηλικαύτης μεταβολῆς εὔνοιαν. καὶ
γὰρ ὁ Σύφαξ ὁ τῶν Μασαισυλίων βασιλεὺς ἤχθη
τότε διὰ τῆς πόλεως ἐν τῷ θριάμβῳ μετὰ τῶν
αἰχμαλώτων· ὃς καὶ μετά τινα χρόνον ἐν τῇ
7 φυλακῇ τὸν βίον μετήλλαξε. τούτων δὲ συν-
τελεσθέντων οἱ μὲν ἐν τῇ Ῥώμῃ κατὰ τὸ συνεχὲς
ἐπὶ πολλὰς ἡμέρας ἀγῶνας ἦγον καὶ πανηγύρεις
ἐπιφανῶς, χορηγὸν ἔχοντες εἰς ταῦτα τὴν Σκιπίωνος
μεγαλοψυχίαν.

VI. Res Macedoniae et Graeciae

24 Ὅτι Φίλιππος ὁ βασιλεὺς τοῦ χειμῶνος ἤδη
καταρχομένου, καθ᾽ ὃν Πόπλιος Σολπίκιος ὕπατος
κατεστάθη ἐν Ῥώμῃ, ποιούμενος τὴν διατριβὴν
ἐν τοῖς Βαργυλίοις, θεωρῶν καὶ τοὺς Ῥοδίους
καὶ τὸν Ἄτταλον οὐχ οἷον διαλύοντας τὸ ναυτικόν,
ἀλλὰ καὶ προσπληροῦντας ναῦς καὶ φιλοτιμότερον
προσκειμένους ταῖς φυλακαῖς, δυσχρήστως δι-
έκειτο καὶ πολλὰς καὶ ποικίλας εἶχε περὶ τοῦ
2 μέλλοντος ἐπινοίας. ἅμα μὲν γὰρ ἠγωνία τὸν ἐκ
τῶν Βαργυλίων ἔκπλουν καὶ προεωρᾶτο τὸν κατὰ
θάλατταν κίνδυνον, ἅμα δὲ τοῖς κατὰ τὴν Μακε-
δονίαν πράγμασι διαπιστῶν οὐδαμῶς ἐβούλετο
παραχειμάζειν κατὰ τὴν Ἀσίαν, φοβούμενος [μὲν
3 οὖν] καὶ τοὺς Αἰτωλοὺς καὶ τοὺς Ῥωμαίους· καὶ
γὰρ οὐδ᾽ ἠγνόει τὰς ἐξαποστελλομένας κατ᾽ αὐτοῦ
πρεσβείας εἰς Ῥώμην, . . . διόπερ πέρας ἔχει
4 τὰ κατὰ τὴν Λιβύην. ἐξ ὧν ἐδυσχρηστεῖτο μὲν
ὑπερβαλλόντως, ἠναγκάζετο δὲ κατὰ τὸ παρὸν

cession, and expressed with passionate fervour their thanks to the gods and their love for him who had brought about so great a change. For among the prisoners led through the town in the triumph was Syphax, king of the Masaesylii, who shortly afterwards died in prison. After the termination of the triumph the Roman populace continued for many days to celebrate games and hold festival, the funds for the purpose being provided by the bounty of Scipio.

VI. Affairs of Macedonia and Greece

Philip in Caria

24. At the beginning of the winter in which Publius 201 B.C. Sulpicius was appointed consul in Rome, King Philip, who remained at Bargylia, when he saw that the Rhodians and Attalus were not only not dissolving their fleet but were manning other ships and paying more earnest attention to the maintenance of their garrisons, was much embarrassed and felt for many reasons serious disquietude as to the future. For one thing he dreaded setting sail from Bargylia as he foresaw the dangers of the sea, and in the next place as he was not confident about the position of affairs in Macedonia he did not at all wish to pass the winter in Asia, being afraid both of the Aetolians and of the Romans. For he was not ignorant of the embassies which had been sent to Rome to act against him, and he had learnt that the campaign in Africa was over. All these things caused him exceeding great disquietude, and for the present he was compelled to remain where he was,

ἐπιμένων αὐτοῦ, τὸ δὴ λεγόμενον, λύκου βίον
5 ζῆν. παρ' ὧν μὲν γὰρ ἁρπάζων καὶ κλέπτων, τοὺς
δ' ἀποβιαζόμενος, ἐνίους δὲ παρὰ φύσιν αἰκάλλων
διὰ τὸ λιμώττειν αὐτῷ τὸ στράτευμα, ποτὲ μὲν
ἐσιτεῖτο κρέα, ποτὲ δὲ σῦκα, ποτὲ δὲ σιτάρια
6 βραχέα παντελῶς· ὧν τινὰ μὲν αὐτῷ Ζεῦξις
ἐχορήγει, τὰ δὲ Μυλασεῖς καὶ Ἀλαβανδεῖς καὶ
Μάγνητες, οὕς, ὁπότε μέν τι δοῖεν, ἔσαινεν, ὅτε
δὲ μὴ δοῖεν, ὑλάκτει καὶ ἐπεβούλευεν αὐτοῖς.
7 τέλος ἐπὶ τὴν Μυλασέων πόλιν πράξεις συνεστή-
σατο διὰ Φιλοκλέους, ἐσφάλη δὲ διὰ τὴν ἀλογίαν
8 τῆς ἐπιβολῆς. τὴν δ' Ἀλαβανδέων χώραν ὡς
πολεμίαν κατέφθειρε, φήσας ἀναγκαῖον εἶναι πορί-
ζειν τῷ στρατεύματι τὰ πρὸς τὴν τροφήν.
9 Πολύβιος δ' ὁ Μεγαλοπολίτης ἐν τῇ ιϛ' τῶν
ἱστοριῶν "Φίλιππος" φησὶν "ὁ Περσέως πατήρ,
ὅτε τὴν Ἀσίαν κατέτρεχεν, ἀπορῶν τροφῶν τοῖς
στρατιώταις παρὰ Μαγνήτων, ἐπεὶ σῖτον οὐκ
εἶχον, σῦκα ἔλαβε. διὸ καὶ Μυοῦντος κυριεύσας
τοῖς Μάγνησιν ἐχαρίσατο τὸ χωρίον ἀντὶ τῶν
σύκων."

25 Ὅτι ὁ τῶν Ἀθηναίων δῆμος ἐξέπεμπε πρεσβευ-
τὰς πρὸς Ἄτταλον τὸν βασιλέα τοὺς ἅμα μὲν
εὐχαριστήσοντας ἐπὶ τοῖς γεγονόσιν, ἅμα δὲ
παρακαλέσοντας αὐτὸν ἐλθεῖν Ἀθήναζε χάριν τοῦ
2 συνδιαλαβεῖν περὶ τῶν ἐνεστώτων. ὁ δὲ βασιλεὺς
μετά τινας ἡμέρας πυθόμενος καταπεπλευκέναι
Ῥωμαίων πρεσβευτὰς εἰς τὸν Πειραιᾶ, καὶ νομίζων
ἀναγκαῖον εἶναι τὸ συμμῖξαι τούτοις, ἀνήχθη
3 κατὰ σπουδήν. ὁ δὲ τῶν Ἀθηναίων δῆμος γνοὺς

leading the life of a wolf as the saying is. By preying on some and robbing them, by putting pressure on others and by cringing to others contrary to his nature, as his army was starving, he sometimes managed to get a supply of meat, sometimes of figs and sometimes a quite insignificant quantity of corn. Zeuxis provided him with some of these things and others he got from the people of Mylasa, Alabanda, and Magnesia, whom he used to caress whenever they gave him anything, but if they did not he used to growl at them and make plots against them. Finally he arranged for Mylasa to be betrayed to him by Philocles, but failed owing to the stupid way in which the design was managed. As for the territory of Alabanda he devastated it as if it were enemy soil, alleging that it was necessary for him to procure food for his army.

(From Athenaeus iii. 78 c)

King Philip, the father of Perseus, as Polybius tells us in his 16th Book, when he overran Asia, being in want of food for his soldiers, obtained figs from the Magnesians as they had no corn, and on taking Myus presented it to the Magnesians in return for the figs.

Attalus at Athens

25. The people of Athens sent an embassy to King Attalus to congratulate him on what had happened and to invite him to come to Athens to discuss the situation. The king, learning a few days afterwards that a legation from Rome had arrived at Piraeus, and thinking it necessary to meet them, sailed off in haste. The Athenians, hearing of his

τὴν παρουσίαν αὐτοῦ μεγαλομερῶς ἐψηφίσατο
περὶ τῆς ἀπαντήσεως καὶ τῆς ὅλης ἀποδοχῆς τοῦ
4 βασιλέως. Ἄτταλος δὲ καταπλεύσας εἰς τὸν
Πειραιᾶ τὴν μὲν πρώτην ἡμέραν ἐχρημάτισε τοῖς
ἐκ τῆς Ῥώμης πρεσβευταῖς, θεωρῶν δ' αὐτοὺς
καὶ τῆς προγεγενημένης κοινοπραγίας μνημονεύον-
τας καὶ πρὸς τὸν κατὰ τοῦ Φιλίππου πόλεμον
5 ἑτοίμους ὄντας περιχαρὴς ἦν. τῇ δ' ἐπαύριον
ἅμα τοῖς Ῥωμαίοις καὶ τοῖς τῶν Ἀθηναίων
ἄρχουσιν ἀνέβαινεν εἰς ἄστυ μετὰ μεγάλης προσ-
τασίας· οὐ γὰρ μόνον οἱ τὰς ἀρχὰς ἔχοντες μετὰ
τῶν ἱππέων, ἀλλὰ καὶ πάντες οἱ πολῖται μετὰ
6 τῶν τέκνων καὶ γυναικῶν ἀπήντων αὐτοῖς. ὡς
δὲ συνέμιξαν, τοιαύτη παρὰ τῶν πολλῶν ἐγένετο
κατὰ τὴν ἀπάντησιν φιλανθρωπία πρός τε Ῥω-
μαίους καὶ ἔτι μᾶλλον πρὸς τὸν Ἄτταλον ὥσθ'
7 ὑπερβολὴν μὴ καταλιπεῖν. ἐπεὶ δ' εἰσῄει κατὰ
τὸ Δίπυλον, ἐξ ἑκατέρου τοῦ μέρους παρέστησαν
τὰς ἱερείας καὶ τοὺς ἱερεῖς. μετὰ δὲ ταῦτα
πάντας μὲν τοὺς ναοὺς ἀνέῳξαν, ἐπὶ δὲ πᾶσι θύματα
τοῖς βωμοῖς παραστήσαντες ἠξίωσαν αὐτὸν θῦσαι.
8 τὸ δὲ τελευταῖον ἐψηφίσαντο τιμὰς τηλικαύτας
ἡλίκας οὐδενὶ ταχέως τῶν πρότερον εἰς αὐτοὺς
9 εὐεργετῶν γεγονότων· πρὸς γὰρ τοῖς ἄλλοις
καὶ φυλὴν ἐπώνυμον ἐποίησαν Ἀττάλῳ, καὶ
κατένειμαν αὐτὸν εἰς τοὺς ἐπωνύμους τῶν ἀρχη-
γετῶν.

26 Μετὰ δὲ ταῦτα συναγαγόντες ἐκκλησίαν ἐκάλουν
2 τὸν προειρημένον. παραιτουμένου δὲ καὶ φάσκον-
τος εἶναι φορτικὸν τὸ κατὰ πρόσωπον εἰσελθόντα
διαπορεύεσθαι τὰς εὐεργεσίας τὰς αὐτοῦ τοῖς εὖ
3 πεπονθόσι, τῆς εἰσόδου παρῆκαν, γράψαντα δ'

approaching arrival, made a most generous grant for
the reception and the entertainment in general of
the king. Attalus, on the first day after his arrival
at Piraeus, had an interview with the Roman legates,
and was highly gratified to find that they were both
mindful of his joint action with Rome in the past,
and ready to engage in war with Philip. Next day
he went up to Athens in great state accompanied
by the Romans and the Athenian archons. For not
only all the magistrates and the knights, but all the
citizens with their wives and children went out to
meet them, and when they joined them there was
such a demonstration on the part of the people of
their affection for the Romans and still more for
Attalus that nothing could have exceeded it in
heartiness. As he entered the Dipylon, they drew
up the priests and priestesses on either side of the
road ; after this they threw all the temples open
and bringing victims up to all the altars begged
him to perform sacrifice. Lastly they voted him
such honours as they had never readily paid to any
former benefactors. For in addition to other dis-
tinctions they named one of the tribes Attalis after
him and they added his name to the list of the
heroes who gave their names to these tribes.

26. In the next place they summoned an assembly
and invited the king to attend. But when he begged
to be excused, saying that it would be bad taste on
his part to appear in person and recite to the re-
cipients all the benefits he had conferred, they did
not insist on his presence, but begged him to write

αὐτὸν ἠξίουν ἐκδοῦναι περὶ ὧν ὑπολαμβάνει
4 συμφέρειν πρὸς τοὺς ἐνεστῶτας καιρούς. τοῦ δὲ
πεισθέντος καὶ γράψαντος εἰσήνεγκαν τὴν ἐπι-
5 στολὴν οἱ προεστῶτες. ἦν δὲ ⟨τὰ⟩ κεφάλαια τῶν
γεγραμμένων ἀνάμνησις τῶν πρότερον ἐξ αὐτοῦ
γεγονότων εὐεργετημάτων εἰς τὸν δῆμον, ἐξαρί-
θμησις τῶν πεπραγμένων αὐτῷ πρὸς Φίλιππον
6 κατὰ τοὺς ἐνεστῶτας καιρούς, τελευταία δὲ παρά-
κλησις εἰς τὸν κατὰ Φιλίππου πόλεμον, καὶ
διορκισμός, ὡς ἐὰν μὴ νῦν ἕλωνται συνεμβαίνειν
εὐγενῶς εἰς τὴν ἀπέχθειαν ἅμα Ῥοδίοις καὶ
Ῥωμαίοις καὶ αὐτῷ, μετὰ δὲ ταῦτα παρέντες
τοὺς καιροὺς κοινωνεῖν βούλωνται τῆς εἰρήνης,
ἄλλων αὐτὴν κατεργασαμένων, ἀστοχήσειν αὐτοὺς
7 τοῦ τῇ πατρίδι συμφέροντος. τῆς δ' ἐπιστολῆς
ταύτης ἀναγνωσθείσης ἕτοιμον ἦν τὸ πλῆθος
ψηφίζεσθαι τὸν πόλεμον καὶ διὰ τὰ λεγόμενα καὶ
8 διὰ τὴν εὔνοιαν τὴν πρὸς τὸν Ἄτταλον. οὐ μὴν
ἀλλὰ καὶ τῶν Ῥοδίων ἐπεισελθόντων καὶ πολλοὺς
πρὸς τὴν αὐτὴν ὑπόθεσιν διαθεμένων λόγους,
ἔδοξε τοῖς Ἀθηναίοις ἐκφέρειν τῷ Φιλίππῳ τὸν
9 πόλεμον. ἀπεδέξαντο δὲ καὶ τοὺς Ῥοδίους μεγα-
λομερῶς καὶ τόν τε δῆμον ἐστεφάνωσαν ἀριστείων
στεφάνῳ καὶ πᾶσι Ῥοδίοις ἰσοπολιτείαν ἐψηφί-
σαντο διὰ τὸ κἀκείνους αὐτοῖς χωρὶς τῶν ἄλλων
τάς τε ναῦς ἀποκαταστῆσαι τὰς αἰχμαλώτους
10 γενομένας καὶ τοὺς ἄνδρας. οἱ μὲν οὖν πρέσβεις
οἱ παρὰ τῶν Ῥοδίων ταῦτα διαπράξαντες ἀνήχ-
θησαν εἰς τὴν Κέων ἐπὶ τὰς νήσους μετὰ τοῦ
στόλου.
27 Ὅτι καθ' ὃν χρόνον οἱ τῶν Ῥωμαίων πρέσβεις
ἐν ταῖς Ἀθήναις ἐποιοῦντο τὴν διατριβήν, Νικ-

a public statement of what he thought advisable
under present circumstances. He agreed to this,
and when he had written the letter the presidents
laid it before the assembly. The chief points in the
letter were as follows. He first reminded them of
the benefits he had formerly conferred on the people
of Athens, in the next place he gave an account
of his action against Philip at the present crisis, and
finally he adjured them to take part in the war
against Philip, giving them his sworn assurance that
if they did not decide now upon nobly declaring that
they shared the hostile sentiments of the Romans, the
Rhodians and himself, but later, after neglecting this
chance, wished to share in a peace due to the efforts
of others, they would fail to obtain what lay in the
interest of their country. After this letter had been
read the people were ready to vote for war, both
owing to the tenour of what the king said and owing
to their affection for him. And, in fact, when the
Rhodians came forward and spoke at length in the
same sense, the Athenians decided to make war on
Philip. They gave the Rhodians also a magnificent
reception, bestowing on the people of Rhodes a
crown for conspicuous valour and on all citizens of
Rhodes equal political rights at Athens with her
own citizens, in reward for their having in addition to
other services returned to them the Athenian ships
that had been captured and the prisoners of war. The
Rhodian ambassadors having accomplished this sailed
back to Ceos with their fleet to look after the islands.

Rome and Philip

27. At the time that the Roman legates were
present in Athens Nicanor, Philip's general, overran

ἄνορος τοῦ παρὰ Φιλίππου κατατρέχοντος τὴν
Ἀττικὴν ἕως τῆς Ἀκαδημείας, προδιαπεμψάμενοι
πρὸς αὐτὸν οἱ Ῥωμαῖοι κήρυκα συνέμιξαν αὐτῷ
2 καὶ παρεκάλεσαν ἀναγγεῖλαι τῷ Φιλίππῳ διότι
Ῥωμαῖοι παρακαλοῦσι τὸν βασιλέα τῶν μὲν
Ἑλλήνων μηδενὶ πολεμεῖν, τῶν δὲ γεγονότων εἰς
Ἄτταλον ἀδικημάτων δίκας ὑπέχειν ἐν ἴσῳ
3 κριτηρίῳ, καὶ διότι πράξαντι μὲν ταῦτα τὴν
εἰρήνην ἄγειν ἔξεστι πρὸς Ῥωμαίους, μὴ βουλο-
μένῳ δὲ πείθεσθαι τἀναντία συνεξακολουθήσειν
ἔφασαν. ὁ μὲν οὖν Νικάνωρ ταῦτ' ἀκούσας
4 ἀπηλλάγη· τὸν αὐτὸν δὲ λόγον τοῦτον οἱ Ῥωμαῖοι
καὶ πρὸς Ἠπειρώτας εἶπαν περὶ Φιλίππου παρα-
πλέοντες ἐν Φοινίκῃ καὶ πρὸς Ἀμύνανδρον ἀνα-
βάντες εἰς Ἀθαμανίαν· παραπλησίως καὶ πρὸς
Αἰτωλοὺς ἐν Ναυπάκτῳ καὶ πρὸς τοὺς Ἀχαιοὺς
5 ἐν Αἰγίῳ. τότε δὲ διὰ τοῦ Νικάνορος τῷ Φιλίππῳ
ταῦτα δηλώσαντες αὐτοὶ μὲν ἀπέπλευσαν ὡς
Ἀντίοχον καὶ Πτολεμαῖον ἐπὶ τὰς διαλύσεις.

28 Ἀλλ' ἐμοὶ δοκεῖ τὸ μὲν ἄρξασθαι καλῶς καὶ
συνακμάσαι ταῖς ὁρμαῖς πρὸς τὴν τῶν πραγμάτων
2 αὔξησιν ἐπὶ πολλῶν ἤδη γεγονέναι, τὸ δ' ἐπὶ
τέλος ἀγαγεῖν τὸ προτεθὲν καί που καὶ τῆς τύχης
ἀντιπιπτούσης συνεκπληρῶσαι τῷ λογισμῷ τὸ
3 τῆς προθυμίας ἐλλιπὲς ἐπ' ὀλίγων γίνεσθαι. διὸ
καὶ τότε δικαίως ἄν τις τὴν μὲν Ἀττάλου καὶ
Ῥοδίων ὀλιγοπονίαν καταμέμψαιτο, τὸ δὲ Φιλίπ-
που βασιλικὸν καὶ μεγαλόψυχον καὶ τὸ τῆς προ-
θέσεως ἐπίμονον ἀποδέξαιτο, οὐχ ὡς καθόλου τὸν
τρόπον ἐπαινῶν, ἀλλ' ὡς τὴν πρὸς τὸ παρὸν ὁρμὴν
4 ἐπισημαινόμενος. ποιοῦμαι δὲ τὴν τοιαύτην δια-
στολήν, ἵνα μή τις ἡμᾶς ὑπολάβῃ μαχόμενα

Attica up to the Academy, upon which the Romans, after sending a herald to him in the first place, met him and asked him to inform Philip that the Romans requested that king to make war on no Grecian state and also to give such compensation to Attalus for the injuries he had inflicted on him as a fair tribunal should pronounce to be just. If he acted so, they added, he might consider himself at peace with Rome, but if he refused to accede the consequences would be the reverse. Nicanor on hearing this departed. The Romans conveyed the contents of this communication to the Epirots at Phoenice in sailing along that coast and to Amynander, going up to Athamania for that purpose. They also apprised the Aetolians at Naupactus and the Achaeans at Aegium. After having made this statement to Philip through Nicanor they sailed away to meet Antiochus and Ptolemy for the purpose of coming to terms.

28. But it seems to me that while there are many cases in which men have begun well and in which their spirit of enterprise has kept pace with the growth of the matter in hand, those who have succeeded in bringing their designs to a conclusion, and even when fortune has been adverse to them, have compensated for deficiency in ardour by the exercise of reason, are few. Therefore we should be right on this occasion in finding fault with the remissness of Attalus and the Rhodians and in approving Philip's truly kingly conduct, his magnanimity and fixity of purpose, not indeed praising his character as a whole, but noting with admiration his readiness to meet present circumstances. I make this express statement lest anyone should think I contradict myself, as but lately I

λέγειν ἑαυτοῖς, ἄρτι μὲν ἐπαινοῦντας Ἄτταλον
καὶ Ῥοδίους, Φίλιππον δὲ καταμεμφομένους, νῦν
5 δὲ τοὐναντίον. τούτου γὰρ χάριν ἐν ἀρχαῖς τῆς
πραγματείας διεστειλάμην, φήσας ἀναγκαῖον εἶναι
ποτὲ μὲν εὐλογεῖν, ποτὲ δὲ ψέγειν τοὺς αὐτούς,
6 ἐπειδὴ πολλάκις μὲν αἱ πρὸς τὸ χεῖρον τῶν πραγ-
μάτων ῥοπαὶ καὶ περιστάσεις ἀλλοιοῦσι τὰς προαι-
ρέσεις τῶν ἀνθρώπων, πολλάκις δ' αἱ πρὸς τὸ
7 βέλτιον, ἔστι δ' ὅτε κατὰ τὴν ἰδίαν φύσιν ἄνθρωποι
ποτὲ μὲν ἐπὶ τὸ δέον ὁρμῶσι, ποτὲ δ' ἐπὶ τοὐ-
ναντίον. ὧν ἕν τί μοι δοκεῖ καὶ τότε γεγονέναι
8 περὶ τὸν Φίλιππον· ἀσχάλλων γὰρ ἐπὶ τοῖς γεγο-
νόσιν ἐλαττώμασι, καὶ τὸ πλεῖον ὀργῇ καὶ θυμῷ
χρώμενος, παραστατικῶς καὶ δαιμονίως ἐνήρμο-
σεν εἰς τοὺς ἐνεστῶτας καιρούς, καὶ τούτῳ τῷ
τρόπῳ κατανέστη τῶν Ῥοδίων καὶ τοῦ βασιλέως
9 Ἀττάλου, καὶ καθίκετο τῶν ἑξῆς πράξεων. ταῦτα
μὲν οὖν προήχθην εἰπεῖν διὰ τὸ τινὰς μὲν πρὸς τῷ
τέρματι, καθάπερ οἱ κακοὶ τῶν σταδιέων, ἐγκατα-
λιπεῖν τὰς ἑαυτῶν προθέσεις, τινὰς δ' ἐν τούτῳ
μάλιστα νικᾶν τοὺς ἀντιπάλους.

29 Ὁ δὲ Φίλιππος ἐβούλετο παρελέσθαι Ῥωμαίων
τὰς ἐν τούτοις τοῖς τόποις ἀφορμὰς καὶ τὰς ἐπι-
βάθρας.
2 Ἵνα, ἐὰν πρόθηται διαβαίνειν αὖθις εἰς τὴν
Ἀσίαν, ἐπιβάθραν ἔχοι τὴν Ἄβυδον.
3 Τὴν δὲ τῆς Ἀβύδου καὶ Σηστοῦ θέσιν καὶ τὴν
εὐκαιρίαν τῶν πόλεων τὸ μὲν διὰ πλειόνων
ἐξαριθμεῖσθαι μάταιον εἶναί μοι δοκεῖ διὰ τὸ
πάντας, ὧν καὶ μικρὸν ὄφελος, ἱστορηκέναι διὰ τὴν
4 ἰδιότητα τῶν τόπων· κεφαλαιωδῶς γε μὴν ὑπο-
μνῆσαι τοὺς ἀναγινώσκοντας ἐπιστάσεως χάριν οὐκ

praised Attalus and the Rhodians and blamed Philip, and now I do the reverse. For it was for this very reason that at the outset of this work I stated as a principle that it was necessary at times to praise and at times to blame the same person, since often the shifts and turns of circumstances for the worse or for the better change the resolves of men, and at times by their very nature men are impelled to act either as they should or as they should not. One or other of these things happened then to Philip. For in his vexation at his recent losses and prompted chiefly by anger and indignation, he adapted himself to the situation with frenzied and almost inspired vigour, and by this means was able to resume the struggle against the Rhodians and King Attalus and achieve the success which ensued. I was induced, then, to say this because some people, like bad racers, give up their determination near the end of the course while it is just then that others overcome their adversaries.

29. Philip wished to cut off the resources and stepping-stones of the Romans in those parts.

So that if he meant to cross again to Asia, he might have Abydus as a stepping-stone.

Siege of Abydus

To describe at length the position of Abydus and Sestus and the peculiar advantages of those cities seems to me useless, as every one who has the least claim to intelligence has acquired some knowledge of them owing to the singularity of their position, but I think it of some use for my present purpose to recall it summarily to the minds of my readers so

5 ἄχρηστον εἶναι νομίζω πρὸς τὸ παρόν. γνοίη δ'
ἄν τις τὰ περὶ τὰς προειρημένας πόλεις οὐχ οὕτως
ἐξ αὐτῶν τῶν ὑποκειμένων τόπων ὡς ἐκ τῆς
παραθέσεως καὶ συγκρίσεως τῶν λέγεσθαι μελ-
6 λόντων. καθάπερ γὰρ οὐδ' ἐκ τοῦ παρὰ μέν
τισιν Ὠκεανοῦ προσαγορευομένου, παρὰ δέ τισιν
Ἀτλαντικοῦ πελάγους, δυνατὸν εἰς τὴν καθ' ἡμᾶς
θάλατταν εἰσπλεῦσαι μὴ οὐχὶ διὰ τοῦ καθ' Ἡρα-
7 κλέους στήλας περαιωθέντα στόματος, οὕτως οὐδ'
ἐκ τῆς καθ' ἡμᾶς εἰς τὴν Προποντίδα καὶ τὸν
Πόντον ἀφικέσθαι μὴ οὐχὶ διὰ τοῦ μεταξὺ Σηστοῦ
καὶ Ἀβύδου διαστήματος ποιησάμενον τὸν εἴσ-
8 πλουν. ὥσπερ δὲ πρός τινα λόγον τῆς τύχης
ποιουμένης τὴν κατασκευὴν ἀμφοτέρων τῶν πορ-
θμῶν, πολλαπλάσιον εἶναι συμβαίνει τὸν καθ'
Ἡρακλέους στήλας πόρον τοῦ κατὰ τὸν Ἑλλήσ-
9 ποντον· ὁ μὲν γάρ ἐστιν ἑξήκοντα σταδίων, ὁ
δὲ κατὰ τὴν Ἄβυδον δυεῖν, ὡς ἂν εἴ τινος τεκ-
μαιρομένου διὰ τὸ πολλαπλασίαν εἶναι τὴν ἔξω
10 θάλατταν τῆς καθ' ἡμᾶς. εὐκαιρότερον μέντοι γε
τοῦ καθ' Ἡρακλείους στήλας στόματός ἐστι τὸ
11 κατὰ τὴν Ἄβυδον. τὸ μὲν γὰρ ἐξ ἀμφοῖν ὑπ'
ἀνθρώπων οἰκούμενον πύλης ἔχει διάθεσιν διὰ
τὴν πρὸς ἀλλήλους ἐπιμιξίαν, ποτὲ μὲν γεφυ-
ρούμενον ὑπὸ τῶν πεζεύειν ἐπ' ἀμφοτέρας τὰς
ἠπείρους προαιρουμένων, ποτὲ δὲ πλωτευόμενον
12 συνεχῶς· τὸ δὲ καθ' Ἡρακλείους στήλας σπάνιον
ἔχει τὴν χρῆσιν καὶ σπανίοις διὰ τὴν ἀνεπιμιξίαν
τῶν ἐθνῶν τῶν πρὸς τοῖς πέρασι κατοικούντων
τῆς Λιβύης καὶ τῆς Εὐρώπης καὶ διὰ τὴν ἀγνωσίαν
13 τῆς ἐκτὸς θαλάττης. αὐτὴ δ' ἡ τῶν Ἀβυδηνῶν
πόλις περιέχεται μὲν ἐξ ἀμφοῖν τοῖν μεροῖν ὑπὸ
64

as to fix their attention on it.   One can form an idea
of the facts about these cities not so much from a
study of their actual topography as from dwelling
on the comparison I am about to adduce.   For just
as it is impossible to sail from the sea called by some
the Ocean and by others the Atlantic Sea into our
own sea except by passing through the mouth of it
at the Pillars of Heracles, so no one can reach the
Euxine and Propontis from our sea except by sailing
through the passage between Sestus and Abydus.
Now, just as if chance in forming these two straits
had exercised a certain proportion, the passage at
the Pillars of Heracles is far wider than the Helles-
pont, being sixty stades in width while the width of
the latter at Abydus is two stades, just as if this
distance had been designed owing to the Ocean
being many times the size of this sea of ours.   The
natural advantages, however, of the entrance at
Abydus far excel those of that at the Pillars of
Heracles.   For the former, lying as it does between
two inhabited districts, somewhat resembles a gate
owing to the free intercourse it affords, being some-
times bridged over by those who intend to pass
on foot from one continent to the other and at other
times constantly traversed by boats, while the latter
is used by few and rarely for passage either from sea to
sea or from land to land, owing to the lack of inter-
course between the peoples inhabiting the extrem-
ities of Africa and Europe and owing to our ignorance
of the outer sea.   The city of Abydus itself lies
between two capes on the European shore and has

τῶν τῆς Εὐρώπης ἀκρωτηρίων, ἔχει δὲ λιμένα
δυνάμενον σκέπειν ἀπὸ παντὸς ἀνέμου τοὺς ἐνορ-
14 μοῦντας. ἐκτὸς δὲ τῆς εἰς τὸν λιμένα καταγωγῆς
οὐδαμῶς οὐδαμῇ δυνατόν ἐστιν ὁρμῆσαι πρὸς
τὴν πόλιν διὰ τὴν ὀξύτητα καὶ βίαν τοῦ ῥοῦ τοῦ
κατὰ τὸν πόρον.

30 Οὐ μὴν ἀλλ' ὅ γε Φίλιππος τὰ μὲν ἀποσταυ-
ρώσας, τὰ δὲ περιχαρακώσας τοὺς Ἀβυδηνοὺς
ἐπολιόρκει καὶ κατὰ γῆν ἅμα καὶ κατὰ θάλατταν.
2 ἡ δὲ πρᾶξις αὕτη κατὰ μὲν τὸ μέγεθος τῆς παρα-
σκευῆς καὶ τὴν ποικιλίαν τῶν ἐν τοῖς ἔργοις
ἐπινοημάτων, δι' ὧν οἵ τε ⟨πολιορκοῦντες καὶ⟩
πολιορκούμενοι πρὸς ἀλλήλους εἰώθασιν ἀντιμη-
3 χανᾶσθαι καὶ φιλοτεχνεῖν, οὐ γέγονε θαυμάσιος,
κατὰ δὲ τὴν γενναιότητα τῶν πολιορκουμένων καὶ
τὴν ὑπερβολὴν τῆς εὐψυχίας, εἰ καί τις ἄλλη,
4 μνήμης ἀξία καὶ παραδόσεως. τὰς μὲν γὰρ
ἀρχὰς πιστεύοντες αὑτοῖς οἱ τὴν Ἄβυδον κατ-
οικοῦντες ὑπέμενον ἐρρωμένως τὰς τοῦ Φιλίππου
παρασκευάς, καὶ τῶν τε κατὰ θάλατταν προσ-
αχθέντων μηχανημάτων τὰ μὲν τοῖς πετροβόλοις
τύπτοντες διεσάλευσαν, τὰ δὲ τῷ πυρὶ διέφθει-
ραν, οὕτως ὥστε καὶ τὰς ναῦς μόλις ἀνασπάσαι
5 τοὺς πολεμίους ἐκ τοῦ κινδύνου. τοῖς δὲ κατὰ
γῆν ἔργοις ἕως μέν τινος προσαντεῖχον εὐψύχως,
οὐκ ἀπελπίζοντες κατακρατήσειν τῶν πολεμίων.
6 ἐπειδὴ δὲ τὸ μὲν ἐκτὸς τοῦ τείχους ἔπεσε διὰ τῶν
ὀρυγμάτων, μετὰ δὲ ταῦτα διὰ τῶν μετάλλων
ἤγγιζον οἱ Μακεδόνες τῷ κατὰ ⟨τὸ⟩ πεπτωκὸς
7 ὑπὸ τῶν ἔνδοθεν ἀντῳκοδομημένῳ τείχει, τὸ
τηνικάδε πέμψαντες πρεσβευτὰς Ἰφιάδην καὶ
Παντάγνωτον ἐκέλευον παραλαμβάνειν τὸν Φίλιπ-

a harbour which affords protection from all winds.
Without putting in to the harbour it is absolutely
impossible to anchor off the city owing to the swift-
ness and strength of the current in the straits.

30. Philip, however, now began the siege of
Abydus by sea and land, planting piles at the en-
trance to the harbour and making an entrenchment
all round the town. The siege was not so remarkable
for the greatness of the preparations and the variety
of the devices employed in the works—those artifices
and contrivances by which besieged and besiegers
usually try to defeat each other's aims—as for the
bravery and exceptional spirit displayed by the
besieged, which rendered it especially worthy of
being remembered and described to posterity. For
at first the inhabitants of the town with the utmost
self-confidence valiantly withstood all Philip's elab-
orate efforts, smashing by catapults some of the
machines he brought to bear by sea and destroying
others by fire, so that the enemy with difficulty
withdrew their ships from the danger zone. As for
the besiegers' works on land, up to a certain point
the Abydenes offered a gallant resistance there, not
without hope of getting the better of their ad-
versaries ; but when the outer wall was undermined
and fell, and when the Macedonian mines approached
the wall they had built from inside to replace the
fallen one, they at last sent Iphiades and Pantagnotus
as commissioners, inviting Philip to take possession of

πον τὴν πόλιν, τοὺς μὲν στρατιώτας ὑποσπόνδους
ἀφέντα τοὺς παρὰ Ῥοδίων καὶ παρ᾽ Ἀττάλου, τὰ
δ᾽ ἐλεύθερα τῶν σωμάτων ἐάσαντα σῴζεσθαι κατὰ
δύναμιν οὗ ποτ᾽ ἂν ἕκαστος προαιρῆται μετὰ τῆς
8 ἐσθῆτος τῆς περὶ τὸ σῶμα. τοῦ δὲ Φιλίππου
προστάττοντος περὶ πάντων ἐπιτρέπειν ἢ μάχεσθαι
31 γενναίως, οὗτοι μὲν ἐπανῆλθον. οἱ δ᾽ Ἀβυδηνοὶ
πυθόμενοι τὰ λεγόμενα, συνελθόντες εἰς ἐκκλησίαν
ἐβουλεύοντο περὶ τῶν ἐνεστώτων ἀπονοηθέντες
2 ταῖς γνώμαις. ἔδοξεν οὖν αὐτοῖς πρῶτον μὲν
τοὺς δούλους ἐλευθεροῦν, ἵνα συναγωνιστὰς ἔχοιεν
ἀπροφασίστους, ἔπειτα συναθροῖσαι τὰς μὲν γυ-
ναῖκας εἰς τὸ τῆς Ἀρτέμιδος ἱερὸν ἁπάσας, τὰ
3 δὲ τέκνα σὺν ταῖς τροφοῖς εἰς τὸ γυμνάσιον, ἑξῆς
δὲ τούτοις τὸν ἄργυρον καὶ τὸν χρυσὸν εἰς τὴν
ἀγορὰν συναγαγεῖν, ὁμοίως δὲ καὶ τὸν ἱματισμὸν
τὸν ἀξιόλογον εἰς τὴν τετρήρη ⟨τὴν⟩ τῶν Ῥοδίων
4 καὶ τὴν τριήρη τὴν τῶν Κυζικηνῶν. ταῦτα δὲ
προθέμενοι καὶ πράξαντες ὁμοθυμαδὸν κατὰ τὸ
δόγμα πάλιν συνηθροίσθησαν εἰς τὴν ἐκκλησίαν,
καὶ πεντήκοντα προεχειρίσαντο τῶν πρεσβυτέρων
ἀνδρῶν καὶ μάλιστα πιστευομένων, ἔτι δὲ τὴν
σωματικὴν δύναμιν ἐχόντων πρὸς τὸ δύνασθαι τὸ
5 κριθὲν ἐπιτελεῖν, καὶ τούτους ἐξώρκισαν ἐναντίον
ἁπάντων τῶν πολιτῶν ἦ μήν, ἐὰν ἴδωσι τὸ διατεί-
χισμα καταλαμβανόμενον ὑπὸ τῶν ἐχθρῶν, κατα-
σφάξειν μὲν τὰ τέκνα καὶ τὰς γυναῖκας, ἐμπρήσειν
δὲ τὰς προειρημένας ναῦς, ῥίψειν δὲ κατὰ τὰς
ἀρὰς τὸν ἄργυρον καὶ τὸν χρυσὸν εἰς τὴν θάλατταν.
6 μετὰ δὲ ταῦτα παραστησάμενοι τοὺς ἱερέας ὤμνυον
πάντες ἢ κρατήσειν τῶν ἐχθρῶν ἢ τελευτήσειν
7 μαχόμενοι περὶ τῆς πατρίδος. ἐπὶ δὲ πᾶσι σφαγια-

the town, if he should allow the soldiers sent by Attalus
and the Rhodians to depart under flag of truce, and all
free inhabitants to escape with the clothes on
their backs to whatever place they severally chose.
But when Philip ordered them either to surrender
at discretion or to fight bravely the commissioners
returned, (31) and the people of Abydus, when they
heard the answer, summoned a public assembly and
discussed the situation in a despairing mood. They
decided first of all to liberate the slaves, that they
might have no pretext for refusing to assist them
in the defence, in the next place to assemble all the
women in the temple of Artemis and the children
with their nurses in the gymnasium, and finally to
collect all their gold and silver in the market-place
and place all valuable articles of dress in the Rhodian
quadrireme and the trireme of the Cyzicenians.
Having resolved on this they unanimously put their
decree into execution, and then calling another
assembly they nominated fifty of the older and most
trusted citizens, men who possessed sufficient bodily
strength to carry out their decision, and made them
swear in the presence of all the citizens that when-
ever they saw the inner wall in the possession of the
enemy they would kill all the women and children,
set fire to the ships I mentioned, and throw the gold
and silver into the sea with curses.[a] After this, call-
ing the priests before them they all swore either to
conquer the foe or die fighting for their country.

---

[a] Curses, that is to say, on anyone who recovered it.

σάμενοι κατάρας ἠνάγκασαν ἐπὶ τῶν ἐμπύρων
ποιεῖσθαι τοὺς ἱερέας καὶ τὰς ἱερείας περὶ τῶν
8 προειρημένων. ταῦτα δ' ἐπικυρώσαντες τοῦ μὲν
ἀντιμεταλλεύειν τοῖς πολεμίοις ἀπέστησαν, ἐπὶ
δὲ τοιαύτην γνώμην κατέστησαν ὥστ' ἐπειδὰν
πέσῃ τὸ διατείχισμα, τότ' ἐπὶ τοῦ πτώματος
διαμάχεσθαι καὶ διαποθνήσκειν πρὸς τοὺς βια-
ζομένους.

32 Ἐξ ὧν εἴποι τις ἂν καὶ τὴν λεγομένην Φωκικὴν
ἀπόνοιαν καὶ τὴν Ἀκαρνάνων εὐψυχίαν ὑπερ-
2 ηρκέναι τὴν τῶν Ἀβυδηνῶν τόλμαν. Φωκεῖς τε
γὰρ δοκοῦσι τὰ παραπλήσια βουλεύσασθαι περὶ
τῶν ἀναγκαίων, οὐκ εἰς τέλος ἀπηλπισμένας
ἔχοντες τὰς τοῦ νικᾶν ἐλπίδας διὰ τὸ μέλλειν
ποιεῖσθαι τὸν κίνδυνον πρὸς τοὺς Θετταλοὺς ἐν
3 τοῖς ὑπαίθροις ἐκ παρατάξεως· ὁμοίως δὲ καὶ
τὸ τῶν Ἀκαρνάνων ἔθνος, ὅτε προιδόμενοι τὴν
Αἰτωλῶν ἔφοδον, ἐβουλεύσαντο παραπλήσια περὶ
τῶν ἐνεστώτων· ὑπὲρ ὧν τὰ κατὰ μέρος ἡμεῖς
4 ἐν τοῖς πρὸ τούτων ἱστορήκαμεν. Ἀβυδηνοὶ δέ,
συγκεκλεισμένοι καὶ σχεδὸν ἀπηλπικότες τὴν
σωτηρίαν, πανδημεὶ προείλοντο τῆς εἱμαρμένης
τυχεῖν μετὰ τῶν τέκνων καὶ τῶν γυναικῶν μᾶλλον
ἢ ζῶντες ἔτι πρόληψιν ἔχειν τοῦ πεσεῖσθαι τὰ
σφέτερα τέκνα καὶ τὰς γυναῖκας ὑπὸ τὴν τῶν
5 ἐχθρῶν ἐξουσίαν. διὸ καὶ μάλιστ' ἄν τις ἐπὶ τῆς
Ἀβυδηνῶν περιπετείας μέμψαιτο τῇ τύχῃ, διότι
τὰς μὲν τῶν προειρημένων συμφορὰς οἷον ἐλεήσασα
παραυτίκα διωρθώσατο, περιθεῖσα τὴν νίκην ἅμα
καὶ τὴν σωτηρίαν τοῖς ἀπηλπισμένοις, περὶ δ'
6 Ἀβυδηνῶν τὴν ἐναντίαν εἶχε διάληψιν. οἱ μὲν
γὰρ ἄνδρες ἀπέθανον, ἡ δὲ πόλις ἑάλω, τὰ δὲ

Last of all they slew some victims and obliged the priests and priestesses to pronounce over the burning entrails curses on those who neglected to perform what they had sworn. Having thus made sure of everything they stopped countermining against the enemy and came to the decision that as soon as the cross wall fell they would fight on its ruins and resist the assailants to the death.

32. All this would induce one to say that the daring courage of the Abydenes surpassed even the famous desperation of the Phocians and the courageous resolve of the Acarnanians. For the Phocians are said to have decided on the same course regarding their families at a time when they had by no means entirely given up the hope of victory, as they were about to engage the Thessalians in a set battle in the open, and very similar measures were resolved on by the Acarnanian nation when they foresaw that they were to be attacked by the Aetolians. I have told both the stories in a previous part of this work. But the people of Abydus, when thus completely surrounded and with no hope of safety left, resolved to meet their fate and perish to a man together with their wives and children rather than to live under the apprehension that their families would fall into the power of their enemies. Therefore one feels strongly inclined in the case of the Abydenes to find fault with Fortune for having, as if in pity, set right at once the misfortunes of those other peoples by granting them the victory and safety they despaired of, but for choosing to do the opposite to the Abydenes. For the men perished, the city was taken and the

τέκνα σὺν αὐταῖς μητράσιν ἐγένετο τοῖς ἐχθροῖς
ὑποχείρια.

33 Πεσόντος γὰρ τοῦ διατειχίσματος, ἐπιβάντες
ἐπὶ τὸ πτῶμα κατὰ τοὺς ὅρκους διεμάχοντο τοῖς
πολεμίοις οὕτω τετολμηκότως ὥστε τὸν Φίλιππον,
καίπερ ἐκ διαδοχῆς προβαλόμενον τοὺς Μακε-
δόνας ἕως νυκτός, τέλος ἀποστῆναι τῆς μάχης,
δυσελπιστήσαντα καὶ περὶ τῆς ὅλης ἐπιβολῆς.
2 οὐ γὰρ μόνον ἐπὶ τοὺς θνήσκοντας τῶν πολεμίων
ἐπιβαίνοντες ἠγωνίζοντο μετὰ παραστάσεως οἱ
προκινδυνεύοντες τῶν Ἀβυδηνῶν, οὐδὲ τοῖς
ξίφεσι καὶ τοῖς δόρασιν αὐτοῖς ἐμάχοντο παρα-
3 βόλως, ἀλλ' ὅτε τι τούτων ἀχρειωθὲν ἀδυνατήσειεν
ἢ μετὰ βίας προοῖντ' ἐκ τῶν χειρῶν, συμπλε-
κόμενοι τοῖς Μακεδόσιν οὓς μὲν ἀνέτρεπον ὁμοῦ
τοῖς ὅπλοις, ὧν δὲ συντρίβοντες τὰς σαρίσας
αὐτοῖς τοῖς ἐκείνων κλάσμασιν ἐκ διαλήψεως . . .
τύπτοντες αὐτῶν ταῖς ἐπιδορατίσι· τὰ πρόσωτα
καὶ τοὺς γυμνοὺς τόπους εἰς ὁλοσχερῆ διατροπὴν
4 ἦγον. ἐπιγενομένης δὲ τῆς νυκτὸς καὶ διαλυθείσης
τῆς μάχης, τῶν μὲν πλείστων τεθνεώτων ἐπὶ τοῦ
πτώματος, τῶν δὲ λοιπῶν ὑπὸ τοῦ κόπου καὶ
τῶν τραυμάτων ἀδυνατούντων, συναγαγόντες ὀλί-
γους τινὰς τῶν πρεσβυτέρων Γλαυκίδης καὶ
Θεόγνητος κατέβαλον τὸ σεμνὸν καὶ θαυμάσιον
τῆς τῶν πολιτῶν προαιρέσεως διὰ τὰς ἰδίας ἐλ-
5 πίδας· ἐβουλεύσαντο γὰρ τὰ μὲν τέκνα καὶ τὰς
γυναῖκας ζωγρεῖν, ἅμα δὲ τῷ φωτὶ τοὺς ἱερεῖς
καὶ τὰς ἱερείας ἐκπέμπειν μετὰ στεμμάτων πρὸς
τὸν Φίλιππον, δεησομένους καὶ παραδιδόντας αὐτῷ
τὴν πόλιν.

34 Κατὰ δὲ τοὺς καιροὺς τούτους Ἄτταλος ὁ

children and their mothers fell into the hands of the enemy.

33. For after the fall of the cross wall, its defenders, mounting the ruins as they sworn, continued to fight with such courage that Philip, though he had thrown his Macedonians on them corps after corps until nightfall, finally abandoned the struggle, having even almost given up hope of success in the siege as a whole. For the foremost of the Abydenes not only mounted the bodies of their dead enemies and kept up the struggle thence with the utmost desperation, not only did they fight most fiercely with sword and spear alone, but whenever any of these weapons became unserviceable and powerless to inflict injury, or when they were forced to drop it, they took hold of the Macedonians with their hands and threw them down in their armour, or breaking their pikes, stabbed them repeatedly with the fragments or else striking them on the face or the exposed parts of the body with the points threw them into utter confusion. When night came on and the battle was suspended, as most of the defenders were lying dead on the ruins and the remainder were exhausted by wounds and toil, Glaucides and Theognetus, calling a meeting of a few of the elder citizens, sacrificed in hope of personal advantage all that was splendid and admirable in the resolution of the citizens by deciding to save the women and children alive and to send out as soon as it was light the priests and priestesses with supplicatory boughs to Philip to beg for mercy and surrender the city to him.

34. At this time King Attalus, on hearing that

βασιλεὺς ἀκούσας πολιορκεῖσθαι τοὺς Ἀβυδηνούς,
δι᾽ Αἰγαίου ποιησάμενος τὸν πλοῦν εἰς Τένεδον,
ὁμοίως δὲ καὶ τῶν Ῥωμαίων Μάρκος Αἰμίλιος ὁ
νεώτατος ἧκε καταπλέων εἰς αὐτὴν τὴν Ἄβυδον.
2 οἱ γὰρ Ῥωμαῖοι τὸ σαφὲς ἀκούσαντες ἐν τῇ
Ῥόδῳ περὶ τῆς τῶν Ἀβυδηνῶν πολιορκίας καὶ
βουλόμενοι πρὸς αὐτὸν τὸν Φίλιππον ποιήσασθαι
τοὺς λόγους κατὰ τὰς ἐντολάς, ἐπιστήσαντες τὴν
πρὸς τοὺς βασιλέας ὁρμὴν ἐξέπεμψαν τὸν προ-
3 ειρημένον, ὃς καὶ συμμίξας περὶ τὴν Ἄβυδον
διεσάφει τῷ βασιλεῖ διότι δέδοκται τῇ συγκλήτῳ
παρακαλεῖν αὐτὸν μήτε τῶν Ἑλλήνων μηδενὶ
πολεμεῖν μήτε τοῖς Πτολεμαίου πράγμασιν ἐπι-
βάλλειν τὰς χεῖρας, περὶ δὲ τῶν εἰς Ἄτταλον
4 καὶ Ῥοδίους ἀδικημάτων δίκας ὑποσχεῖν, καὶ
διότι ταῦτα μὲν οὕτω πράττοντι τὴν εἰρήνην
ἄγειν ἐξέσται, μὴ βουλομένῳ δὲ πειθαρχεῖν ἑτοί-
5 μως ὑπάρξειν τὸν πρὸς Ῥωμαίους πόλεμον. τοῦ
δὲ Φιλίππου βουλομένου διδάσκειν ὅτι Ῥόδιοι
τὰς χεῖρας ἐπιβάλοιεν αὐτῷ, μεσολαβήσας ὁ
Μάρκος ἤρετο " Τί δαὶ Ἀθηναῖοι; τί δαὶ Κιανοί;
τί δαὶ νῦν Ἀβυδηνοί; καὶ τούτων τίς" ἔφη
6 " σοὶ πρότερος ἐπέβαλε τὰς χεῖρας;" ὁ δὲ
βασιλεὺς ἐξαπορήσας κατὰ τρεῖς τρόπους ἔφησεν
αὐτῷ συγγνώμην ἔχειν ὑπερηφάνως ὁμιλοῦντι,
πρῶτον μὲν ὅτι νέος ἐστὶ καὶ πραγμάτων ἄπειρος,
δεύτερον ὅτι κάλλιστος ὑπάρχει τῶν καθ᾽ αὑτὸν
—καὶ γὰρ ἦν τοῦτο κατ᾽ ἀλήθειαν—⟨μάλιστα δ᾽
7 ὅτι Ῥωμαῖος. " ἐγὼ δὲ⟩ μάλιστα μὲν ἀξιῶ Ῥω-
μαίους" ἔφη " μὴ παραβαίνειν τὰς συνθήκας μηδὲ
πολεμεῖν ἡμῖν· ἐὰν δὲ καὶ τοῦτο ποιῶσιν, ἀμυνού-
μεθα γενναίως, παρακαλέσαντες τοὺς θεούς."

Abydus was being besieged, sailed through the
Aegean to Tenedos, and on the part of the Romans
the younger Marcus Aemilius came likewise by sea
to Abydus itself. For the Romans had heard the
truth in Rhodes about the siege of Abydus, and
wishing to address Philip personally, as they had
been instructed, deferred their project of going to
see the other kings and sent off the above Marcus
Aemilius on this mission. Meeting the king near
Abydus he informed him that the Senate had passed
a decree, begging him neither to make war on any
of the Greeks, nor to lay hands on any of Ptolemy's
possessions. He was also to submit to a tribunal
the question of compensation for the damage he had
done to Attalus and the Rhodians. If he acted
so he would be allowed to remain at peace, but if
he did not at once accept these terms he would find
himself at war with Rome. When Philip wished to
prove that the Rhodians were the aggressors, Marcus
interrupted him and asked, " And what about the
Athenians ? What about the Cianians, and what
about the Abydenes now ? Did any of these
attack you first ? " The king was much taken aback
and said that he pardoned him for speaking so
haughtily for three reasons, first because he was
young and inexperienced in affairs, next because
he was the handsomest man of his time—and this
was a fact—and chiefly because he was a Roman.
" My principal request," he said, " to the Romans is
not to violate our treaty or to make war on me ; but
if nevertheless they do so, we will defend ourselves
bravely, supplicating the gods to help us."

Οὗτοι μὲν οὖν ταῦτ' εἰπόντες διεχωρίσθησαν ἀπ' ἀλλήλων· ὁ δὲ Φίλιππος κυριεύσας τῆς 8 πόλεως, τὴν ὕπαρξιν ἅπασαν καταλαβὼν συνηθροισμένην ὑπὸ τῶν Ἀβυδηνῶν ἐξ ἑτοίμου παρ- 9 έλαβε. θεωρῶν δὲ τὸ πλῆθος καὶ τὴν ὁρμὴν τῶν σφᾶς αὐτοὺς καὶ τὰ τέκνα καὶ τὰς γυναῖκας ἀποσφαττόντων, κατακαόντων, ἀπαγχόντων, εἰς τὰ 10 φρέατα ῥιπτούντων, κατακρημνιζόντων ἀπὸ τῶν τεγῶν, ἐκπλαγὴς ἦν, καὶ διαλγῶν ἐπὶ τοῖς γινομένοις παρήγγειλε διότι τρεῖς ἡμέρας ἀναστροφὴν δίδωσι τοῖς βουλομένοις ἀπάγχεσθαι καὶ σφάτ- 11 τειν αὐτούς. οἱ δ' Ἀβυδηνοί, προδιειληφότες ὑπὲρ αὐτῶν κατὰ τὴν ἐξ ἀρχῆς στάσιν, καὶ νομίζοντες οἷον εἰ προδόται γίνεσθαι τῶν ὑπὲρ τῆς πατρίδος ἠγωνισμένων καὶ τεθνεώτων, οὐδαμῶς ὑπέμενον τὸ ζῆν, ὅσοι μὴ δεσμοῖς ἢ τοιαύταις 12 ἀνάγκαις προκατελήφθησαν· οἱ δὲ λοιποὶ πάντες ὥρμων ἀμελλήτως κατὰ συγγενείας ἐπὶ τὸν θάνατον.

35 Ὅτι παρῆσαν μετὰ τὴν ἅλωσιν Ἀβύδου παρὰ τοῦ τῶν Ἀχαιῶν ἔθνους εἰς τὴν Ῥόδον πρεσβευταί, παρακαλοῦντες τὸν δῆμον εἰς τὰς πρὸς τὸν 2 Φίλιππον διαλύσεις. οἷς ἐπελθόντων ⟨τῶν⟩ ἐκ τῆς Ῥώμης πρεσβευτῶν καὶ διαλεγομένων ὑπὲρ τοῦ μὴ ποιεῖσθαι διαλύσεις πρὸς Φίλιππον ἄνευ Ῥωμαίων, ἔδοξε προσέχειν τῷ δήμῳ τοῖς Ῥωμαίοις καὶ στοχάζεσθαι τῆς τούτων φιλίας.

36 Ὁ δὲ Φιλοποίμην ἐξελογίσατο τὰ διαστήματα τῶν Ἀχαϊκῶν πόλεων ἁπασῶν καὶ ποῖαι δύνανται κατὰ τὰς αὐτὰς ὁδοὺς εἰς τὴν Τεγέαν παραγίνεσθαι. 2 λοιπὸν ἐπιστολὰς ἔγραψε πρὸς πάσας τὰς πόλεις, καὶ ταύτας διέδωκε ταῖς πορρωτάτω πόλεσι,

After exchanging these words they separated, and
Philip on gaining possession of the city found all their
valuables collected in a heap by the Abydenes
ready for him to seize. But when he saw the num-
ber and the fury of those who destroyed themselves
and their women and children, either by cutting
their throats, or by burning or by hanging or by
throwing themselves into wells or off the roofs, he
was amazed, and grieving much thereat announced
that he granted a respite of three days to those who
wished to hang themselves and cut their throats.
The Abydenes, maintaining the resolve they had
originally formed concerning themselves, and regard-
ing themselves as almost traitors to those who had
fought and died for their country, by no means
consented to live except those of them whose hands
had been stayed by fetters or such forcible means,
all the rest of them rushing without hesitation in
whole families to their death.

35. After the fall of Abydus an embassy from the
Achaean League reached Rhodes begging that people
to come to terms with Philip. But when the legates
from Rome presented themselves after the Achaeans
and requested the Rhodians not to make peace with
Philip apart from the Romans, it was resolved to
stand by the Roman people and aim at maintaining
friendship with them.

Expedition of Philopoemen against Nabis

36. Philopoemen, after calculating the distances of
all the Achaean cities and from which of them troops
could reach Tegea by the same road, proceeded to
write letters to all of them and distributed these
among the most distant cities, arranging so that

μερίσας οὕτως ὥστε καθ᾽ ἑκάστην ἔχειν μὴ μόνον
τὰς ἑαυτῆς, ἀλλὰ καὶ τὰς τῶν ἄλλων πόλεων,
3 ὅσαι κατὰ τὴν αὐτὴν ὁδὸν ἔπιπτον. ἐγέγραπτο
δ᾽ ἐν ταῖς πρώταις τοῖς ἀποτελείοις τοιαῦτα.
"ὅταν κομίσησθε τὴν ἐπιστολήν, παραχρῆμα
ποιήσασθε τοὺς ἐν ταῖς ἡλικίαις ἔχοντας τὰ ὅπλα
καὶ πένθ᾽ ἡμερῶν ἐφόδια καὶ πέντ᾽ ἀργύριον,
ἀθροίζεσθαι παραυτίκα πάντας εἰς τὴν ἀγοράν.
4 ἐπειδὰν δὲ συλλεχθῶσιν οἱ παρόντες, ἀναλαβόντες
αὐτοὺς ἄγετ᾽ εἰς τὴν ἑξῆς πόλιν· ὅταν δ᾽ ἐκεῖ
παραγένησθε, τὴν ἐπιστολὴν ἀπόδοτε τὴν ἐπι-
γεγραμμένην τῷ παρ᾽ ἐκείνων ἀποτελείῳ καὶ
5 πειθαρχεῖτε τοῖς ἐγγεγραμμένοις." ἐγγέγραπτο
δ᾽ ἐν ταύτῃ ταὐτὰ τοῖς πρόσθεν, πλὴν διότι τὸ
τῆς ἑξῆς κειμένης ὄνομα πόλεως οὐ ταὐτὸν εἶχεν,
6 εἰς ἣν ἔδει προάγειν. τοιούτου δὲ τοῦ χειρισμοῦ
γενομένου κατὰ τὸ συνεχές, πρῶτον μὲν οὐδεὶς
ἐγίνωσκε πρὸς τίνα πρᾶξιν ἢ πρὸς ποίαν ἐπιβολήν
ἐστιν ἡ παρασκευή, εἶτα ποῦ πορεύεται, πλὴν τῆς
7 ἑξῆς πόλεως, οὐδεὶς ἁπλῶς ᾔδει, πάντες δὲ δια-
ποροῦντες καὶ παραλαμβάνοντες ἀλλήλους προ-
8 ῆγον εἰς τοὔμπροσθεν. τῷ δὲ μὴ τὸ ἴσον ἀπέχειν
τῆς Τεγέας τὰς πορρωτάτω κειμένας πόλεις οὐχ
ἅμα πάσαις ἀπεδόθη τὰ γράμματα ταύταις, ἀλλὰ
9 κατὰ λόγον ἑκάσταις. ἐξ ὧν συνέβη, μήτε τῶν
Τεγεατῶν εἰδότων τὸ μέλλον μήτε τῶν παρα-
γινομένων, ἅμα πάντας τοὺς Ἀχαιοὺς καὶ κατὰ
πάσας τὰς πύλας εἰς τὴν Τεγέαν εἰσπορεύεσθαι
37 σὺν τοῖς ὅπλοις. ταῦτα δὲ διεστρατήγει καὶ
περιεβάλλετο τῇ διανοίᾳ διὰ τὸ πλῆθος τῶν
⟨ὠτ⟩ακουστῶν καὶ κατασκόπων τοῦ τυράννου.
2 Κατὰ δὲ τὴν ἡμέραν, ἐν ᾗ συναθροίζεσθαι τὸ

each city received not only its own letter but those of the other cities on the same line of road. In the first letters he wrote to the commanding officers [a] as follows : " On receiving this you will make all of military age assemble at once in the market-place armed, with provisions and money sufficient for five days. As soon as all those present in the town are collected you will march them to the next city, and on arrival there you will hand the letter addressed to it to their commanding officer and obey the instructions contained in it." The contents in this letter were the same as those of the former one except that the name of the city to which they were to advance was different. This proceeding being repeated in city after city, it resulted in the first place that none knew for what action or what purpose the preparations were being made, and next that absolutely no one was aware where he was marching to but simply the name of the next city on the list, so that all advanced picking each other up and wondering what it was all about. As the distances of Tegea from the most remote cities differ, the letters were not delivered to them simultaneously but at a date in proportion to the distance. The consequence was that without either the people at Tegea or those who arrived there knowing what was contemplated, all the Achaean forces with their arms marched into Tegea by all the gates simultaneously. He contrived matters so and made this comprehensive plan owing to the number of eavesdroppers and spies employed by the tyrant.

37. On the day on which the main body of the

---

[a] There were two Apoteleioi in each city, commanding the cavalry and infantry respectively.

πλῆθος ἔμελλε τῶν Ἀχαιῶν εἰς Τεγέαν, ἐξαπέ-
στειλε τοὺς ἐπιλέκτους, ὥστε νυκτερεύσαντας περὶ
Σελλασίαν ἅμα τῷ φωτὶ κατὰ τὴν ἐπιοῦσαν
3 ἡμέραν ἐπιτρέχειν τὴν Λακωνικήν. ἐὰν δ᾽ οἱ
μισθοφόροι βοηθήσαντες παρενοχλῶσιν αὐτούς,
συνέταξε ποιεῖσθαι τὴν ἀποχώρησιν ἐπὶ τὸν
Σκοτίταν καὶ τὰ λοιπὰ πειθαρχεῖν Διδασκαλώνδᾳ
τῷ Κρητί· τούτῳ γὰρ ἐπεπιστεύκει καὶ διετέτακτο
4 περὶ τῆς ὅλης ἐπιβολῆς. οὗτοι μὲν οὖν προῆγον
εὐθαρσῶς ἐπὶ τὸ συντεταγμένον· ὁ δὲ Φιλοποίμην
ἐν ὥρᾳ παραγγείλας δειπνοποιεῖσθαι τοῖς Ἀχαιοῖς
ἐξῆγε τὴν δύναμιν ἐκ τῆς Τεγέας, καὶ νυκτο-
πορήσας ἐνεργῶς περὶ τὴν ἑωθινὴν ἐνεκάθισε τὴν
στρατιὰν ἐν τοῖς περὶ τὸν Σκοτίταν προσαγορευο-
μένοις τόποις, ὅς ἐστι μεταξὺ τῆς Τεγέας καὶ τῆς
5 Λακεδαίμονος. οἱ δ᾽ ἐν τῇ Πελλήνῃ μισθοφόροι κατὰ
τὴν ἐπιοῦσαν ἡμέραν ἅμα τῷ σημῆναι τοὺς σκοποὺς
τὴν καταδρομὴν τῶν πολεμίων ἐκ χειρὸς ἐβοήθουν,
καθάπερ ἔθος ἦν αὐτοῖς, καὶ προσέκειντο τοῖς ὑπ-
6 εναντίοις. τῶν δ᾽ Ἀχαιῶν κατὰ τὸ συνταχθὲν ὑπο-
χωρούντων εἵποντο κατόπιν ἐπικείμενοι θρασέως
7 καὶ τετολμηκότως. ἅμα δὲ τῷ παραβάλλειν εἰς
τοὺς κατὰ τὴν ἐνέδραν τόπους, διαναστάντων τῶν
Ἀχαιῶν οἱ μὲν κατεκόπησαν, οἱ δ᾽ ἑάλωσαν αὐτῶν.
38 Ὁ δὲ Φίλιππος ὁρῶν τοὺς Ἀχαιοὺς εὐλαβῶς
διακειμένους πρὸς τὸν κατὰ Ῥωμαίων πόλεμον,
ἐσπούδαζε κατὰ πάντα τρόπον ἐμβιβάσαι αὐτοὺς
εἰς ἀπέχθειαν.

VII. RES ASIAE

39 Μαρτυρεῖ τούτοις ἡμῶν τοῖς λόγοις Πολύβιος
ὁ Μεγαλοπολίτης· ἐν γὰρ τῇ ἑξκαιδεκάτῃ τῶν

Achaeans would arrive in Tegea he dispatched his picked troops to pass the night at Sellasia and next day at daybreak to commence a raid on Laconia. If the mercenaries came to protect the country and gave them trouble, he ordered them to retire on Scotitas and afterwards to place themselves under the orders of Didascalondas the Cretan, who had been taken into his confidence and had received full instructions about the whole enterprise. These picked troops, then, advanced confidently to carry out their orders. Philopoemen, ordering the Achaeans to take an early supper, led the army out of Tegea, and making a rapid night march, halted his forces at early dawn in the district called the country round Scotitas, a place which lies between Tegea and Sparta. The mercenaries at Pellene, when their scouts reported the invasion of the enemy, at once, as is their custom, advanced and fell upon the latter. When the Achaeans, as they had been ordered, retreated, they followed them up, attacking them with great daring and confidence. But when they reached the place where the ambuscade had been placed and the Achaeans rose from it, some of them were cut to pieces and others made prisoners.

38. Philip, when he saw that the Achaeans were chary of going to war with Rome, tried by every means to create animosity between the two peoples.

VII. AFFAIRS OF ASIA

(From Josephus, *Ant. Jud.* xii. 3. 3)

39. Polybius of Megalopolis testifies to this. For he says in the 16th Book of his Histories, " Scopas,

ἱστοριῶν αὐτοῦ φησιν οὕτως· " ὁ δὲ τοῦ Πτο-
λεμαίου στρατηγὸς Σκόπας ὁρμήσας εἰς τοὺς
ἄνω τόπους κατεστρέψατο ἐν τῷ χειμῶνι τὸ
᾽Ιουδαίων ἔθνος."

2 Τῆς δὲ πολιορκίας ῥεμβώδους γενομένης ὁ μὲν
Σκόπας ἠδόξει καὶ διεβέβλητο νεανικῶς.

3 Λέγει δὲ ἐν τῇ αὐτῇ βίβλῳ ὡς " τοῦ Σκόπα
νικηθέντος ὑπ᾽ ᾽Αντιόχου τὴν μὲν Βατανέαν καὶ
Σαμάρειαν καὶ ῎Αβιλα καὶ Γάδαρα παρέλαβεν
4 ᾽Αντίοχος· μετ᾽ ὀλίγον δὲ προσεχώρησαν αὐτῷ
καὶ τῶν ᾽Ιουδαίων οἱ περὶ τὸ ἱερὸν τὸ προσαγο-
5 ρευόμενον ῾Ιεροσόλυμα κατοικοῦντες. ὑπὲρ οὗ καὶ
πλείω λέγειν ἔχοντες, καὶ μάλιστα περὶ τῆς
γενομένης περὶ τὸ ἱερὸν ἐπιφανείας, εἰς ἕτερον
καιρὸν ὑπερθησόμεθα τὴν διήγησιν."

Ptolemy's general, set out into the upper country and destroyed the Jewish nation in this winter."

"The siege having been negligently conducted, Scopas fell into disrepute and was violently assailed."

He says in the same book, "When Scopas was conquered by Antiochus, that king occupied Samaria, Abila, and Gadara, and after a short time those Jews who inhabited the holy place called Jerusalem, surrendered to him. Of this place and the splendour of the temple I have more to tell, but defer my narrative for the present."

FRAGMENTA LIBRI XVIII

I. Res Macedoniae et Graeciae

(17 1) Ἐπελθόντος δὲ τοῦ τεταγμένου καιροῦ παρῆν
ὁ μὲν Φίλιππος ἐκ Δημητριάδος ἀναχθεὶς εἰς
τὸν Μηλιέα κόλπον, πέντε λέμβους ἔχων καὶ μίαν
2 πρίστιν, ἐφ' ἧς αὐτὸς ἐπέπλει. συνῆσαν δ' αὐτῷ
Μακεδόνες μὲν Ἀπολλόδωρος καὶ Δημοσθένης
οἱ γραμματεῖς, ἐκ Βοιωτίας Βραχύλλης, Ἀχαιὸς
δὲ Κυκλιάδας, ἐκπεπτωκὼς ἐκ Πελοποννήσου
διὰ τὰς πρότερον ὑφ' ἡμῶν εἰρημένας αἰτίας.
3 μετὰ δὲ τοῦ Τίτου παρῆν ὅ τε βασιλεὺς Ἀμύναν-
4 δρος καὶ παρ' Ἀττάλου Διονυσόδωρος, ἀπὸ δὲ τῶν
ἐθνῶν καὶ πόλεων τῶν μὲν Ἀχαιῶν Ἀρίσταινος
καὶ Ξενοφῶν, παρὰ δὲ Ῥοδίων Ἀκεσίμβροτος ὁ
ναύαρχος, παρὰ δὲ τῶν Αἰτωλῶν Φαινέας ὁ στρα-
τηγός, καὶ πλείους δ' ἕτεροι τῶν πολιτευομένων.
5 συνεγγίσαντες δὲ κατὰ Νίκαιαν πρὸς τὴν θάλατ-
ταν, οἱ μὲν περὶ τὸν Τίτον ἐπέστησαν παρ' αὐτὸν
⟨τὸν⟩ αἰγιαλόν, ὁ δὲ Φίλιππος ἐγγίσας τῇ γῇ
6 μετέωρος ἔμενε. τοῦ δὲ Τίτου κελεύοντος αὐτὸν
ἀποβαίνειν, διαναστὰς ἐκ τῆς νεὼς οὐκ ἔφησεν
7 ἀποβήσεσθαι. τοῦ δὲ πάλιν ἐρομένου τίνα φο-
βεῖται, φοβεῖσθαι μὲν ἔφησεν ὁ Φίλιππος οὐδένα
πλὴν τοὺς θεούς, ἀπιστεῖν δὲ τοῖς πλείστοις τῶν
84

FRAGMENTS OF BOOK XVIII

I. Affairs of Macedonia and Greece

Flamininus and Philip

1. When the time fixed for the conference came, 198-197
Philip arrived, having sailed from Demetrias to the B.C.
Melian gulf with five galleys and a beaked ship in
which he travelled himself. He was accompanied
by the Macedonians Apollodorus and Demosthenes,
his secretaries, by Brachylles from Boeotia, and by
Cycliadas the Achaean, who had had to leave the
Peloponnesus for the reasons stated above. Flam-
ininus had with him King Amynander and the repre-
sentative of Attalus Dionysodorus, and on the part
of cities and nations Aristaenus and Xenophon from
Achaea, Acesimbrotus, the admiral, from Rhodes,
and from Aetolia the strategus Phaeneas and several
other politicians. Flamininus and those with him
reached the sea at Nicaea and waited standing on
the beach, but Philip on approaching land remained
afloat. When Flamininus asked him to come ashore
he rose from his place on the ship and said he would
not disembark. Upon Flamininus again asking him
of whom he was afraid Philip said he was afraid of
no one but the gods, but he was suspicious of most

8 παρόντων, μάλιστα δ' Αἰτωλοῖς. τοῦ δὲ τῶν
Ῥωμαίων στρατηγοῦ θαυμάσαντος καὶ φήσαντος
ἴσον εἶναι πᾶσι τὸν κίνδυνον καὶ κοινὸν τὸν καιρόν,
μεταλαβὼν ὁ Φίλιππος οὐκ ἔφησεν αὐτὸν ὀρθῶς
9 λέγειν· Φαινέου μὲν γὰρ παθόντος τι πολλοὺς
εἶναι τοὺς στρατηγήσοντας Αἰτωλῶν, Φιλίππου
δ' ἀπολομένου κατὰ τὸ παρὸν οὐκ εἶναι τὸν
10 βασιλεύσοντα Μακεδόνων. ἐδόκει μὲν οὖν πᾶσι
φορτικῶς κατάρχεσθαι τῆς ὁμιλίας. ὅμως δὲ
λέγειν αὐτὸν ἐκέλευεν ὁ Τίτος ὑπὲρ ὧν πάρεστιν.
11 ὁ δὲ Φίλιππος οὐκ ἔφη τὸν λόγον αὐτῷ καθήκειν,
ἀλλ' ἐκείνῳ· διόπερ ἠξίου διασαφεῖν τὸν Τίτον
12 τί δεῖ ποιήσαντα τὴν εἰρήνην ἄγειν. ὁ δὲ τῶν
Ῥωμαίων στρατηγὸς αὐτῷ μὲν ἁπλοῦν τινα λόγον
13 ἔφη καθήκειν καὶ φαινόμενον. κελεύειν γὰρ αὐτὸν
ἐκ μὲν τῆς Ἑλλάδος ἁπάσης ἐκχωρεῖν, ἀποδόντα
τοὺς αἰχμαλώτους καὶ τοὺς αὐτομόλους ἑκάστοις
14 οὓς ἔχει, τοὺς δὲ κατὰ τὴν Ἰλλυρίδα τόπους
παραδοῦναι Ῥωμαίοις, ὧν γέγονε κύριος μετὰ τὰς
ἐν Ἠπείρῳ διαλύσεις· ὁμοίως δὲ καὶ Πτολεμαίῳ
τὰς πόλεις ἀποκαταστῆσαι πάσας, ἃς παρῄρηται
μετὰ τὸν Πτολεμαίου τοῦ Φιλοπάτορος θάνατον.

2 Ταῦτα δ' εἰπὼν ὁ Τίτος αὐτὸς μὲν ἐπέσχε, πρὸς
(17 2) δὲ τοὺς ἄλλους ἐπιστραφεὶς ἐκέλευε λέγειν ἅπερ
ἑκάστοις αὐτῶν οἱ πέμψαντες εἴησαν ἐντεταλμένοι.
2 πρῶτος δὲ Διονυσόδωρος ὁ παρ' Ἀττάλου μετα-
λαβὼν τὸν λόγον τάς τε ναῦς ἔφη δεῖν αὐτὸν ἀπο-
δοῦναι τὰς τοῦ βασιλέως τὰς γενομένας αἰχμαλώ-
τους ἐν τῇ περὶ Χίον ναυμαχίᾳ καὶ τοὺς ἅμα
ταύταις ἄνδρας, ἀποκαταστῆσαι δὲ καὶ τὸ τῆς
Ἀφροδίτης ἱερὸν ἀκέραιον καὶ τὸ Νικηφόριον,
3 ἃ κατέφθειρε. μετὰ δὲ τοῦτον ὁ τῶν Ῥοδίων

of those present and especially of the Aetolians.
When the Roman general expressed his surprise and
said that the danger was the same for all and the
chances equal, Philip said he was not right ; for if
anything happened to Phaeneas, there were many
who could be strategi of the Aetolians, but if Philip
perished there was no one at present to occupy the
throne of Macedon. He seemed to them all to have
opened the conference with little dignity, but
Flamininus, however, begged him to state his reasons
for attending it. Philip said it was not his own
business to speak first, but that of Flamininus, and
he therefore asked him to explain what he should
do to keep the peace. The Roman general said
that what it was his duty to say was simple and
obvious. He demanded that Philip should withdraw
from the whole of Greece after giving up to each
power the prisoners and deserters in his hands ;
that he should surrender to the Romans the district
of Illyria that had fallen into his power after the
treaty made in Epirus, and likewise restore to
Ptolemy all the towns that he had taken from him
after the death of Ptolemy Philopator.

2. Flamininus after speaking thus stopped, and
turning to the others bade them each speak as they
had been instructed by those who had commissioned
them. Dionysodorus, the representative of Attalus,
was the first to speak. He said that Philip must
give up those of the king's ships he had taken in
the battle of Chios, together with the men captured
in them, and that he must restore to their original
condition the temple of Aphrodite and the Nice-
phorium which he had destroyed. Next Acesim-
brotus, the Rhodian admiral, demanded that Philip

ναύαρχος Ἀκεσίμβροτος τῆς μὲν Περαίας ἐκέ-
λευεν ἐκχωρεῖν τὸν Φίλιππον, ἧς αὐτῶν παρῄρηται,
τὰς δὲ φρουρὰς ἐξάγειν ἐξ Ἰασοῦ καὶ Βαργυλίων
4 καὶ τῆς Εὐρωμέων πόλεως, ἀποκαταστῆσαι δὲ
καὶ Περινθίους εἰς τὴν Βυζαντίων συμπολιτείαν,
παραχωρεῖν δὲ καὶ Σηστοῦ καὶ Ἀβύδου καὶ τῶν
ἐμπορίων καὶ λιμένων τῶν κατὰ τὴν Ἀσίαν
5 ἁπάντων. ἐπὶ δὲ τοῖς Ῥοδίοις Ἀχαιοὶ Κόρινθον
ἀπῄτουν καὶ τὴν τῶν Ἀργείων πόλιν ἀβλαβῆ.
6 μετὰ δὲ τούτους Αἰτωλοὶ πρῶτον μὲν τῆς Ἑλ-
λάδος ἁπάσης ἐκέλευον ἐξίστασθαι, καθάπερ καὶ
Ῥωμαῖοι, δεύτερον αὐτοῖς ἀποκαθιστάναι τὰς
πόλεις ἀβλαβεῖς τὰς πρότερον μετασχούσας τῆς
τῶν Αἰτωλῶν συμπολιτείας.

3   Ταῦτα δ' εἰπόντος τοῦ Φαινέου τοῦ τῶν Αἰτω-
(17 3) λῶν στρατηγοῦ, μεταλαβὼν Ἀλέξανδρος ὁ προσ-
αγορευόμενος Ἴσιος, ἀνὴρ δοκῶν πραγματικὸς
2 εἶναι καὶ λέγειν ἱκανός, οὔτε διαλύεσθαι νῦν
ἔφησε τὸν Φίλιππον ἀληθινῶς οὔτε πολεμεῖν
γενναίως, ὅταν δέῃ τοῦτο πράττειν, ἀλλ' ἐν μὲν
τοῖς συλλόγοις καὶ ταῖς ὁμιλίαις ἐνεδρεύειν καὶ
παρατηρεῖν καὶ ποιεῖν τὰ τοῦ πολεμοῦντος ἔργα,
κατ' αὐτὸν δὲ τὸν πόλεμον ἀδίκως ἵστασθαι καὶ
3 λίαν ἀγεννῶς· ἀφέντα γὰρ τοῦ κατὰ πρόσωπον
ἀπαντᾶν τοῖς πολεμίοις, φεύγοντα τὰς πόλεις
ἐμπιπράναι καὶ διαρπάζειν καὶ διὰ ταύτης τῆς
προαιρέσεως ἡττώμενον τὰ τῶν νικώντων ἆθλα
4 λυμαίνεσθαι. καίτοι γε τοὺς πρότερον Μακε-
δόνων βεβασιλευκότας οὐ ταύτην ἐσχηκέναι τὴν
πρόθεσιν, ἀλλὰ τὴν ἐναντίαν· μάχεσθαι μὲν γὰρ
πρὸς ἀλλήλους συνεχῶς ἐν τοῖς ὑπαίθροις, τὰς δὲ
5 πόλεις σπανίως ἀναιρεῖν καὶ καταφθείρειν. τοῦτο

should evacuate the Peraea which he had taken from
the Rhodians, withdraw his garrisons from Iasus,
Bargylia, and Euromus, permit the Perinthians to
resume their confederacy with Byzantium, and retire
from Sestus and Abydus and all commercial depots
and harbours in Asia. After the Rhodians the
Achaeans demanded Corinth and Argos undamaged,
and next the Aetolians first of all, as the Romans
had done, bade him withdraw from the whole of
Greece, and next asked him to restore to them
undamaged the cities which were formerly members
of the Aetolian League.

3. After Phaeneas, the strategus of the Aetolians,
had spoken thus, Alexander called the Isian, a man
considered to be a practical statesman and an able
speaker, took part in the debate and said that Philip
neither sincerely desired peace at present nor did he
make war bravely when he had to do so, but that
in assemblies and conferences he laid traps and
watched for opportunities and behaved as if he were
at war, but in war itself adopted an unfair and very
ungenerous course. For instead of meeting his
enemies face to face he used to flee before them, burn-
ing and sacking cities, and by this course of conduct
though beaten he spoilt the prizes of the victors.
Not this but quite the reverse had been the object
of the former kings of Macedon ; for they used to
fight constantly with each other in the field but very
seldom destroyed or ruined cities. This was evident

δ᾿ εἶναι πᾶσι φανερὸν ἔκ τε τοῦ πολέμου τοῦ
περὶ τὴν ᾿Ασίαν, ὃν ᾿Αλέξανδρος ἐπολέμησε πρὸς
Δαρεῖον, ἔκ τε τῆς τῶν διαδεξαμένων ἀμφισβη-
τήσεως, καθ᾿ ἣν ἐπολέμησαν πάντες πρὸς ᾿Αντί-
6 γονον ὑπὲρ τῆς ᾿Ασίας. παραπλησίως δὲ καὶ τοὺς
τούτους διαδεξαμένους μέχρι Πύρρου κεχρῆσθαι
7 τῇ προαιρέσει ταύτῃ· διακινδυνεύειν μὲν γὰρ
πρὸς αὑτοὺς ἐν τοῖς ὑπαίθροις προχείρως καὶ
πάντα ποιεῖν εἰς τὸ καταγωνίσασθαι διὰ τῶν
ὅπλων ἀλλήλους, τῶν δὲ πόλεων φείδεσθαι χάριν
τοῦ τοὺς νικήσαντας ἡγεῖσθαι τούτων καὶ τιμᾶ-
8 σθαι παρὰ τοῖς ὑποταττομένοις. τὸ δ᾿ ἀναιροῦντα
περὶ ὧν ὁ πόλεμός ἐστι τὸν πόλεμον αὐτὸν κατα-
λιπεῖν μανίας ἔργον εἶναι, καὶ ταύτης ἐρρωμένης,
9 ὃ νῦν ποιεῖν τὸν Φίλιππον· τοσαύτας γὰρ δι-
εφθαρκέναι πόλεις ἐν Θετταλίᾳ, φίλον ὄντα καὶ
σύμμαχον, καθ᾿ ὃν καιρὸν ἐκ τῶν ἐν ᾿Ηπείρῳ
στενῶν ἐποιεῖτο τὴν σπουδήν, ὅσας οὐδείς ποτε
10 τῶν Θετταλοῖς πεπολεμηκότων διέφθειρε. πολλὰ
δὲ καὶ ἕτερα πρὸς ταύτην τὴν ὑπόθεσιν διαλεχθεὶς
11 τελευταίοις ἐχρήσατο τούτοις. ἤρετο γὰρ τὸν
Φίλιππον διὰ τί Λυσιμάχειαν μετ᾿ Αἰτωλῶν
ταττομένην καὶ στρατηγὸν ἔχουσαν παρ᾿ αὑτῶν
12 ἐκβαλὼν τοῦτον κατάσχοι φρουρᾷ τὴν πόλιν· διὰ
τί δὲ Κιανούς, παραπλησίως μετ᾿ Αἰτωλῶν συμ-
πολιτευομένους ἐξανδραποδίσαιτο, φίλος ὑπάρχων
Αἰτωλοῖς· τί δὲ λέγων κατέχει νῦν ᾿Εχῖνον καὶ
Θήβας τὰς Φθίας καὶ Φάρσαλον καὶ Λάρισαν.
4 ῾Ο μὲν οὖν ᾿Αλέξανδρος ταῦτ᾿ εἰπὼν ἀπεσιώπη-
(17 1) σεν. ὁ δὲ Φίλιππος ἐγγίσας τῇ γῇ μᾶλλον ἢ πρό-
σθεν καὶ διαναστὰς ἐπὶ τῆς νεὼς Αἰτωλικὸν ἔφη
καὶ θεατρικὸν διατεθεῖσθαι τὸν ᾿Αλέξανδρον λόγον.

to everybody from the war that Alexander waged
against Darius in Asia, and from that long dispute
of his successors in which they all took up arms
against Antigonus for the mastery of Asia ; and
their successors again down to Pyrrhus had acted on
the same principle ; they had always been ready to
give battle to each other in the open field and had
done all in their power to overcome each other by
force of arms, but they had spared cities, so that
whoever conquered might be supreme in them and
be honoured by his subjects. But while destroying
the objects of war, to leave war itself untouched
was madness and very strong madness. And this
was just what Philip was now doing. For when
he was hurrying back from the pass in Epirus he
destroyed more cities in Thessaly, though he was
the friend and ally of the Thessalians, than any of
their enemies had ever destroyed. After adding
much more to the same effect, he finally argued as
follows. He asked Philip why, when Lysimachia
was a member of the Aetolian League and was in
charge of a military governor sent by them, he had
expelled the latter and placed a garrison of his own
in the city ; and why had he sold into slavery the
people of Cius, also a member of the Aetolian League,
when he himself was on friendly terms with the
Aetolians ? On what pretext did he now retain
possession of Echinus, Phthian Thebes, Pharsalus,
and Larisa ?

4. When Alexander had ended this harangue,
Philip brought his ship nearer to the shore than it
had been, and standing up on the deck, said that
Alexander's speech had been truly Aetolian and

2 σαφῶς γὰρ πάντας γινώσκειν ὅτι τοὺς ἰδίους συμμάχους ἑκὼν μὲν οὐδεὶς διαφθείρει, κατὰ δὲ τὰς τῶν καιρῶν περιστάσεις πολλὰ ποιεῖν ἀναγκάζεσθαι τοὺς ἡγουμένους παρὰ τὰς ἑαυτῶν προαιρέσεις.
3 ἔτι δὲ ταῦτα λέγοντος τοῦ βασιλέως ὁ Φαινέας, ἠλαττωμένος τοῖς ὄμμασιν ἐπὶ πλεῖον, ὑπέκρουε τὸν Φίλιππον, φάσκων αὐτὸν ληρεῖν· δεῖν γὰρ ἢ μαχόμενον νικᾶν ἢ ποιεῖν τοῖς κρείττοσι τὸ προσ-
4 ταττόμενον. ὁ δὲ Φίλιππος, καίπερ ἐν κακοῖς ὤν, ὅμως οὐκ ἀπέσχετο τοῦ καθ᾽ αὐτὸν ἰδιώματος, ἀλλ᾽ ἐπιστραφεὶς “τοῦτο μὲν” ἔφησεν “ὦ Φαινέα, καὶ τυφλῷ δῆλον.” ἦν γὰρ εὔθικτος καὶ πρὸς τοῦτο τὸ μέρος εὖ πεφυκὼς πρὸς τὸ δια-
5 χλευάζειν ἀνθρώπους. αὖθις δὲ πρὸς τὸν Ἀλέξανδρον ἐπιστρέψας “ἐρωτᾷς με” φησίν “Ἀλέξ-
6 ανδρε, διὰ τί Λυσιμάχειαν προσέλαβον; ἵνα μὴ διὰ τὴν ὑμετέραν ὀλιγωρίαν ἀνάστατος ὑπὸ Θρᾳκῶν γένηται, καθάπερ νῦν γέγονεν ἡμῶν ἀπαγαγόντων τοὺς στρατιώτας διὰ τοῦτον τὸν πόλεμον, οὐ τοὺς φρουροῦντας αὐτήν, ὡς σὺ
7 φής, ἀλλὰ τοὺς παραφυλάττοντας. Κιανοῖς δ᾽ ἐγὼ μὲν οὐκ ἐπολέμησα, Προυσίου δὲ πολεμοῦντος βοηθῶν ἐκείνῳ συνεξεῖλον αὐτούς, ὑμῶν αἰτίων
8 γενομένων· πολλάκις γὰρ κἀμοῦ καὶ τῶν ἄλλων Ἑλλήνων διαπρεσβευομένων πρὸς ὑμᾶς, ἵνα τὸν νόμον ἄρητε τὸν διδόντα τὴν ἐξουσίαν ὑμῖν ἄγειν λάφυρον ἀπὸ λαφύρου, πρότερον ἔφατε τὴν Αἰτωλίαν ἐκ τῆς Αἰτωλίας ἀρεῖν ἢ τοῦτον τὸν νόμον.”

5 Τοῦ δὲ Τίτου θαυμάσαντος τί τοῦτ᾽ ἐστίν, ὁ
(17 5) βασιλεὺς ἐπειρᾶτο διασαφεῖν αὐτῷ, λέγων ὅτι τοῖς Αἰτωλοῖς ἔθος ὑπάρχει μὴ μόνον πρὸς οὓς ἂν αὐτοὶ πολεμῶσι, τούτους αὐτοὺς ἄγειν καὶ τὴν

theatrical. Everyone, he said, was aware that no one ever of his own free will ruins his own allies, but that by changes of circumstance commanders are forced to do many things that they would have preferred not to do. The king had not finished speaking when Phaeneas, whose sight was badly impaired, interrupted him rudely, saying that he was talking nonsense, for he must either fight and conquer or do the bidding of his betters. Philip, though in an evil case, could not refrain from his peculiar gift of raillery, but turning to him said, " Even a blind man, Phaeneas, can see that " ; for he was ready and had a natural talent for scoffing at people. Then, turning again to Alexander, " You ask me," he said, " Alexander, why I annexed Lysimachia. It was in order that it should not, owing to your neglect, be depopulated by the Thracians, as has actually happened since I withdrew to serve in this war those of my troops who were acting not as you say as its garrison, but as its guardians. As for the people of Cius, it was not I who made war on them, but when Prusias did so I helped him to exterminate them, and all through your fault. For on many occasions when I and the other Greeks sent embassies to you begging you to remove from your statutes the law empowering you to get booty from booty, you replied that you would rather remove Aetolia from Aetolia than that law. 5. When Flamininus said he wondered what that was, the king tried to explain to him, saying that the Aetolians have a custom not only to make booty of the persons and territory of those

2 τούτων χώραν, ἀλλὰ κἂν ἕτεροί τινες πολεμῶσι
πρὸς ἀλλήλους, ὄντες Αἰτωλῶν φίλοι καὶ σύμμαχοι,
μηδὲν ἧττον ἐξεῖναι τοῖς Αἰτωλοῖς ἄνευ κοινοῦ
δόγματος καὶ παρ<αβοηθεῖν> ἀμφοτέροις τοῖς
πολεμοῦσι καὶ τὴν χώραν ἄγειν τὴν ἀμφοτέρων,
3 ὥστε παρὰ μὲν τοῖς Αἰτωλοῖς μήτε φιλίας ὅρους
ὑπάρχειν μήτ' ἔχθρας, ἀλλὰ πᾶσι τοῖς ἀμφισβη-
τοῦσι περί τινος ἑτοίμους ἐχθροὺς εἶναι τούτους
4 καὶ πολεμίους. " πόθεν οὖν ἔξεστι τούτοις ἐγ-
καλεῖν νῦν, εἰ φίλος ὑπάρχων Αἰτωλοῖς ἐγώ,
Προυσίου δὲ σύμμαχος, ἔπραξά τι κατὰ Κιανῶν,
5 βοηθῶν τοῖς αὑτοῦ συμμάχοις; τὸ δὲ δὴ πάν-
των δεινότατον, οἱ ποιοῦντες ἑαυτοὺς ἐφαμίλλους
Ῥωμαίοις καὶ κελεύοντες ἐκχωρεῖν Μακεδόνας
6 ἁπάσης τῆς Ἑλλάδος· τοῦτο γὰρ ἀναφθέγξασθαι
καὶ καθόλου μέν ἐστιν ὑπερήφανον, οὐ μὴν ἀλλὰ
Ῥωμαίων μὲν λεγόντων ἀνεκτόν, Αἰτωλῶν δ' οὐκ
7 ἀνεκτόν· ποίας δὲ κελεύετέ με " φησὶν " ἐκχωρεῖν
Ἑλλάδος καὶ πῶς ἀφορίζετε ταύτην; αὐτῶν γὰρ
8 Αἰτωλῶν οὐκ εἰσὶν Ἕλληνες οἱ πλείους· τὸ γὰρ
τῶν Ἀγραῶν ἔθνος καὶ τὸ τῶν Ἀποδωτῶν,
9 ἔτι δὲ τῶν Ἀμφιλόχων, οὐκ ἔστιν Ἑλλάς. ἢ
τούτων μὲν παραχωρεῖτέ μοι;"

6 Τοῦ δὲ Τίτου γελάσαντος " ἀλλὰ δὴ πρὸς μὲν
(17 6) Αἰτωλοὺς ἀρκείτω μοι ταῦτ' " ἔφη· " πρὸς δὲ
Ῥοδίους καὶ πρὸς Ἄτταλον ἐν μὲν ἴσῳ κριτῇ
δικαιότερον ἂν νομισθείη τούτους ἡμῖν ἀποδιδόναι
τὰς αἰχμαλώτους ναῦς καὶ τοὺς ἄνδρας ἤπερ ἡμᾶς
2 τούτοις· οὐ γὰρ ἡμεῖς Ἀττάλῳ πρότεροι καὶ
Ῥοδίοις τὰς χεῖρας ἐπεβάλομεν, οὗτοι δ' ἡμῖν

with whom they are themselves at war, but if any
other peoples are at war with each other who are
friends and allies of theirs, it is permissible never-
theless to the Aetolians without any public decree
to help both belligerents and pillage the territory
of both ; so that with the Aetolians there is no
precise definition of friendship and enmity, but
they promptly treat as enemies and make war on
all between whom there is a dispute about anything.
" So what right have they," he continued, " to
accuse me now, because, being a friend of the
Aetolians and the ally of Prusias, I acted against
the people of Cius in coming to the aid of my ally ?
But what is most insufferable of all is that they
assume they are the equals of the Romans in demand-
ing that the Macedonians should withdraw from the
whole of Greece. To employ such language at all
is indeed a sign of haughtiness, but while we may
put up with it from the lips of Romans we cannot
when the speakers are Aetolians. And what,"
he said, " is that Greece from which you order me
to withdraw, and how do you define Greece ? For
most of the Aetolians themselves are not Greeks.
No ! the countries of the Agraae, the Apodotae, and
the Amphilochians are not Greece. Do you give
me permission to remain in those countries ? "

6. Upon Flamininus smiling, " That is all I have
to say to the Aetolians," he said, " but my answer
to the Romans and Attalus is that a fair judge would
pronounce that it would be more just for them to give
up the captured ships and men to me than for me to
give them up to them. For it was not I who first
took up arms against Attalus and the Rhodians,
but they cannot deny that they were the aggressors.

95

3 ὁμολογουμένως. οὐ μὴν ἀλλὰ σοῦ κελεύοντος
'Ροδίοις μὲν ἀποδίδωμι τὴν Περαίαν, 'Αττάλῳ δὲ
τὰς ναῦς καὶ τοὺς ἄνδρας τοὺς διασῳζομένους.
4 τὴν δὲ τοῦ Νικηφορίου καταφθορὰν καὶ τοῦ τῆς
'Αφροδίτης τεμένους ἄλλως μὲν οὐκ εἰμὶ δυνατὸς
ἀποκαταστῆσαι, φυτὰ δὲ καὶ κηπουροὺς πέμψω
τοὺς φροντιοῦντας θεραπείας τοῦ τόπου καὶ τῆς
5 αὐξήσεως τῶν ἐκκοπέντων δένδρων.'' πάλιν δὲ
τοῦ Τίτου γελάσαντος ἐπὶ τῷ χλευασμῷ, μεταβὰς
ὁ Φίλιππος ἐπὶ τοὺς 'Αχαιοὺς πρῶτον μὲν τὰς
εὐεργεσίας ἐξηριθμήσατο τὰς ἐξ 'Αντιγόνου γε-
6 γενημένας εἰς αὐτούς, εἶτα τὰς ἰδίας· ἐξῆς δὲ
τούτοις προηνέγκατο τὸ μέγεθος τῶν τιμῶν τῶν
7 ἀπηντημένων αὐτοῖς παρὰ τῶν 'Αχαιῶν. τε-
λευταῖον δ' ἀνέγνω τὸ περὶ τῆς ἀποστάσεως
ψήφισμα καὶ τῆς πρὸς 'Ρωμαίους μεταθέσεως,
ᾗ χρησάμενος ἀφορμῇ πολλὰ κατὰ τῶν 'Αχαιῶν
8 εἰς ἀθεσίαν εἶπε καὶ ἀχαριστίαν. ὅμως δ' ἔφη
τὸ μὲν ''Αργος ἀποδώσειν, περὶ δὲ τοῦ Κορίνθου
βουλεύσεσθαι μετὰ τοῦ Τίτου.

7 Ταῦτα δὲ διαλεχθεὶς πρὸς τοὺς ἄλλους ἤρετο
(17 7) τὸν Τίτον, φήσας πρὸς ἐκεῖνον αὐτῷ τὸν λόγον
εἶναι καὶ πρὸς 'Ρωμαίους, πότερον οἴεται δεῖν
ἐκχωρεῖν ὧν ἐπέκτηται πόλεων καὶ τόπων ἐν
τοῖς "Ελλησιν, ἢ καὶ τούτων ὅσα παρὰ τῶν γονέων
2 παρείληφε. τοῦ δ' ἀποσιωπήσαντος ἐκ χειρὸς
ἀπαντᾶν οἷοί τ' ἦσαν ὁ μὲν 'Αρίσταινος ὑπὲρ
τῶν 'Αχαιῶν, ὁ δὲ Φαινέας ὑπὲρ τῶν Αἰτωλῶν.
3 ἤδη δὲ τῆς ὥρας συγκλειούσης ὁ μὲν τούτων
λόγος ἐκωλύθη διὰ τὸν καιρόν, ὁ δὲ Φίλιππος
ἠξίου γράψαντας αὐτῷ δοῦναι πάντας ἐφ' οἷς
δεήσει γίνεσθαι τὴν εἰρήνην· μόνος γὰρ ὢν οὐκ

However, at your bidding I cede the Peraea to the
Rhodians and the men and ships that still survive
to Attalus. As for the damage done to the Nice-
phorium and the sanctuary of Aphrodite, it is not
in my power to repair it otherwise, but I will send
plants and gardeners to cultivate the place and see
to the growth of the trees that were cut down."
Flamininus again smiled at the jest, and Philip now
passed to the Achaeans. He first enumerated all
the favours they had received from Antigonus and
those he himself had done them, next he recited
the high honours they had conferred on the Mace-
donian monarchs, and finally he read the decree in
which they decided to abandon him and go over to
the Romans, taking occasion thereby to dwell at
length on their inconsistency and ingratitude.
Still, he said, he would restore Argos to them, but
would consult with Flamininus as to Corinth.

7. After speaking to the others in these terms he
asked Flamininus, saying that he was now addressing
himself and the Romans, whether he demanded his
withdrawal from those towns and places in Greece
which he had himself conquered or from those also
which he had inherited from his forbears. Flamin-
inus remained silent, but Aristaenus on the part
of the Achaeans and Phaeneas on that of the
Aetolians were at once ready with a reply. How-
ever, as the day was now drawing to a close, they
were prevented from speaking owing to the hour,
and Philip demanded that they should all furnish
him with their terms for peace in writing ; for he

4 ἔχειν μεθ' ὧν βουλεύηται· διὸ θέλειν αὑτῷ λόγον
5 δοῦναι περὶ τῶν ἐπιταττομένων. ὁ δὲ Τίτος οὐκ
ἀηδῶς μὲν ἤκουε τοῦ Φιλίππου χλευάζοντος· μὴ βου-
λόμενος δὲ τοῖς ἄλλοις [μὴ] δοκεῖν ἀντεπέσκωψε
6 τὸν Φίλιππον εἰπὼν οὕτως· " εἰκότως " ἔφη
" Φίλιππε, μόνος εἶ νῦν· τοὺς γὰρ φίλους τοὺς τὰ
κράτιστά σοι συμβουλεύσοντας ἀπώλεσας ἅπαντας."
ὁ δὲ Μακεδὼν ὑπομειδιάσας σαρδάνιον ἀπεσιώπησε.
7 Καὶ τότε μὲν ἅπαντες, ἐγγράπτους δόντες τῷ
Φιλίππῳ τὰς ἑαυτῶν προαιρέσεις ἀκολούθως τοῖς
προειρημένοις, ἐχωρίσθησαν, ταξάμενοι κατὰ τὴν
8 ἐπιοῦσαν εἰς Νίκαιαν πάλιν ἀπαντήσειν· τῇ δ'
αὔριον οἱ μὲν περὶ τὸν Τίτον ἧκον ἐπὶ τὸν ταχθέντα
τόπον ἐν ὥ⟨ρᾳ⟩ πάντες [ἦσαν], ὁ δὲ Φίλιππος οὐ
παρεγίνετο.

8 Τῆς δ' ἡμέρας ἤδη προαγούσης ἐπὶ πολὺ καὶ
(17 8) σχεδὸν ἀπεγνωκότων τῶν περὶ τὸν Τίτον, παρῆν
ὁ Φίλιππος δείλης ὀψίας ἐπιφαινόμενος μεθ' ὧν
2 καὶ πρότερον, κατατετριφὼς τὴν ἡμέραν, ὡς μὲν
αὐτὸς ἔφη, διὰ τὴν ἀπορίαν καὶ δυσχρηστίαν τῶν
ἐπιταττομένων, ὡς δὲ τοῖς ἄλλοις ἐδόκει, βουλό-
μενος ἐκκλεῖσαι τῷ καιρῷ τήν τε τῶν Ἀχαιῶν
3 καὶ τὴν τῶν Αἰτωλῶν κατηγορίαν· ἑώρα γὰρ
τῇ πρόσθεν ἀπαλλαττόμενος ἀμφοτέρους τούτους
ἑτοίμους ὄντας πρὸς τὸ συμπλέκεσθαι καὶ μεμψι-
4 μοιρεῖν αὐτῷ. διὸ καὶ τότε συνεγγίσας ἠξίου
τὸν τῶν Ῥωμαίων στρατηγὸν ἰδίᾳ πρὸς αὐτὸν
διαλεχθῆναι περὶ τῶν ἐνεστώτων, ἵνα μὴ λόγοι
γένωνται μόνον ἐξ ἀμφοτέρων ἀψιμαχούντων.
ἀλλὰ καὶ τέλος τι τοῖς ἀμφισβητουμένοις ἐπιτεθῇ,
5 πλεονάκις δ' αὐτοῦ παρακαλοῦντος καὶ προσ-
αξιοῦντος, ἤρετο τοὺς συμπαρόντας ὁ Τίτος τί

was alone and had no one to consult, so he wished
to think over their demands. Flamininus was by
no means displeased by Philip's jests, and not
wishing the others to think he was so, rallied
Philip in turn by saying, " Naturally you are alone
now, Philip, for you have killed all those of your
friends who would give you the best advice." The
Macedonian monarch smiled sardonically and made
no reply.

They all now, after handing to Philip their decisions
in writing—decisions similar to those I have stated
—separated, making an appointment to meet next
day again at Nicaea. On the morrow Flamininus
and all the others arrived punctually at the appointed
place, but Philip did not put in an appearance.

8. When it was getting quite late in the day and
Flamininus had nearly given up all hope, Philip
appeared at dusk accompanied by the same people,
having, as he himself asserted, spent the day in
puzzling over the conditions and dealing with the
difficult points, but in the opinion of others his
object was to prevent, by cutting down the time,
the accusations of the Achaeans and Aetolians.
For on the previous day at the moment of his depar-
ture he saw they were both ready to join issue with
him and load him with reproach. So that now,
approaching nearer, he asked the Roman general to
converse with him in private about the situation,
so that there should not be a mere skirmishing with
words on both sides but that an end of some kind
should be put to the dispute. When he begged
and demanded this repeatedly, Flamininus asked

6 δέον εἴη ποιεῖν. τῶν δὲ κελευόντων συνελθεῖν καὶ
διακοῦσαι τῶν λεγομένων, παραλαβὼν ὁ Τίτος
Ἄππιον Κλαύδιον χιλίαρχον ὄντα τότε, τοῖς μὲν
ἄλλοις μικρὸν ἀπὸ τῆς θαλάττης ἀναχωρήσασιν
εἶπεν αὐτόθι μένειν, αὐτὸς δὲ τὸν Φίλιππον ἐκέ-
7 λευσεν ἐκβαίνειν. ὁ δὲ βασιλεὺς παραλαβὼν Ἀπολ-
λόδωρον καὶ Δημοσθένην ἀπέβη, συμμίξας δὲ τῷ
8 Τίτῳ διελέγετο καὶ πλείω χρόνον. τίνα μὲν οὖν
ἦν τὰ τότε ῥηθέντα παρ᾽ ἑκατέρου, δυσχερὲς
εἰπεῖν· ἔφη δ᾽ οὖν ὁ Τίτος μετὰ τὸ χωρισθῆναι
τὸν Φίλιππον, διασαφῶν τοῖς ἄλλοις τὰ παρὰ
9 τοῦ βασιλέως, Αἰτωλοῖς μὲν ἀποδοῦναι Φάρσαλον
καὶ Λάρισαν, Θήβας δ᾽ οὐκ ἀποδιδόναι, Ῥοδίοις
δὲ τῆς μὲν Περαίας παραχωρεῖν, Ἰασοῦ δὲ καὶ
Βαργυλίων οὐκ ἐκχωρεῖν· Ἀχαιοῖς δὲ παραδιδόναι
10 τὸν Κόρινθον καὶ τὴν τῶν Ἀργείων πόλιν. Ῥω-
μαίοις δὲ τὰ κατὰ τὴν Ἰλλυρίδα φάναι παραδώσειν
καὶ τοὺς αἰχμαλώτους πάντας, Ἀττάλῳ δὲ τάς
τε ναῦς ἀποκαταστήσειν καὶ τῶν ἀνδρῶν τῶν
ἐν ταῖς ναυμαχίαις ἁλόντων ὅσοι περίεισι.

9 Πάντων δὲ τῶν παρόντων δυσαρεστουμένων
(17 9) τῇ διαλύσει καὶ φασκόντων δεῖν τὸ κοινὸν ἐπί-
ταγμα πρῶτον ποιεῖν—τοῦτο δ᾽ ἦν ἁπάσης ἐκχω-
ρεῖν τῆς Ἑλλάδος—εἰ δὲ μή, διότι τὰ κατὰ μέρος
2 μάταια γίνεται καὶ πρὸς οὐδέν, θεωρῶν ὁ Φίλιππος
τὴν ἐν αὐτοῖς ἀμφισβήτησιν καὶ δεδιὼς ἅμα τὰς
κατηγορίας, ἠξίου τὸν Τίτον ὑπερθέσθαι τὴν
σύνοδον εἰς τὴν αὔριον διὰ τὸ καὶ τὴν ὥραν εἰς
ὀψὲ συγκλείειν· ἢ γὰρ πείσειν ἢ πεισθήσεσθαι
3 τοῖς παρακαλουμένοις. τοῦ δὲ συγχωρήσαντος,
ταξάμενοι συμπορεύεσθαι πρὸς τὸν κατὰ Θρόνιον

those present what he ought to do. Upon their
bidding him meet Philip and hear what he had
to say, Flamininus taking with him Appius Claudius,
then military tribune, told the rest, who had
retired a short distance from the seashore, to remain
where they were and asked Philip to come ashore.
The king left the ship accompanied by Apollodorus
and Demosthenes, and meeting Flamininus con-
versed with him for a considerable time. It is
difficult to tell what each of them said on that
occasion, but Flamininus, after Philip had left, in
explaining to the rest the king's proposals, said that
he would restore Pharsalus and Larisa to the Aetolians,
but not Thebes, he would give up the Peraea to the
Rhodians, but would not withdraw from Iasus and
Bargylia, but to the Achaeans he would surrender
Corinth and Argos. He would give up to Rome his
possessions in Illyria and would restore all prisoners
of war, and restore also to Attalus his ships and all
who survived of the men captured in the naval
engagements.

9. When all present expressed their dissatisfac-
tion with these terms and maintained that Philip
should in the first place execute their common
demand—that is withdraw from the whole of Greece,
apart from which the different concessions were
absurd and worthless—Philip, noticing the discussion
that was going on and fearing the complaints they
would bring against him, proposed to Flamininus to
adjourn the conference till next day because, apart
from other things, it was getting late : then he said
he would either convince them or be convinced of
the justice of their demands. Flamininus yielded
to this request and after agreeing to meet on the

αἰγιαλόν, τότε μὲν ἐχωρίσθησαν, τῇ δ' ὑστεραίᾳ
πάντες ἧκον ἐπὶ τὸν ταχθέντα τόπον ἐν ὥρᾳ.
4 καὶ βραχέα διαλεχθεὶς ὁ Φίλιππος ἠξίου πάντας,
μάλιστα δὲ τὸν Τίτον, μὴ διακόψαι τὴν διάλυσιν,
τῶν γε δὴ πλείστων εἰς συμβατικὴν διάθεσιν
5 ἠγμένων, ἀλλ' εἰ μὲν ἐνδέχεται δι' αὐτῶν συμ-
φώνους γενέσθαι περὶ τῶν ἀντιλεγομένων· εἰ δὲ
μή, πρεσβεύσειν ἔφη πρὸς τὴν σύγκλητον, κἀ-
κείνην πείσειν περὶ τῶν ἀμφισβητουμένων, ἢ
6 ποιήσειν ὅτι ποτ' ἂν ἐπιτάττῃ. ταῦτα δ' αὐτοῦ
προτείνοντος, οἱ μὲν ἄλλοι πάντες ἔφασαν δεῖν
πράττειν τὰ τοῦ πολέμου καὶ μὴ προσέχειν τοῖς
7 ἀξιουμένοις. ὁ δὲ τῶν Ῥωμαίων στρατηγὸς οὐκ
ἀγνοεῖν μὲν οὐδ' αὐτὸς ἔφη διότι τὸν Φίλιππον
οὐκ εἰκός ἐστι ποιῆσαι τῶν παρακαλουμένων
8 οὐδέν· τῷ δ' ἁπλῶς μηδὲν ἐμποδίζειν τὰς σφετέρας
πράξεις τὴν αἰτουμένην χάριν ὑπὸ τοῦ βασιλέως
9 ἐκποιεῖν ἔφη χαρίζεσθαι. κυρωθῆναι μὲν γὰρ οὐδ'
ὣς εἶναι δυνατὸν οὐδὲν τῶν νῦν λεγομένων ἄνευ τῆς
συγκλήτου, πρὸς δὲ τὸ λαβεῖν πεῖραν τῆς ἐκείνης
γνώμης εὐφυῶς ἔχειν τὸν ἐπιφερόμενον καιρόν· τῶν
10 γὰρ στρατοπέδων οὐδ' ὣς δυναμένων οὐδὲν πράττειν
διὰ τὸν χειμῶνα, τοῦτον ἀποθέσθαι τὸν χρόνον εἰς
τὸ προσανενεγκεῖν τῇ συγκλήτῳ περὶ τῶν προσ-
πιπτόντων, οὐκ ἄθετον, ἀλλ' οἰκεῖον εἶναι πᾶσι.

10 Ταχὺ δὲ συγκαταθεμένων ἁπάντων διὰ τὸ
(17 10) θεωρεῖν τὸν Τίτον οὐκ ἀλλότριον ὄντα τῆς ἐπὶ
2 τὴν σύγκλητον ἀναφορᾶς, ἔδοξε συγχωρεῖν τῷ
Φιλίππῳ πρεσβεύειν εἰς τὴν Ῥώμην, ὁμοίως
δὲ καὶ παρ' αὐτῶν πέμπειν ἑκάστους πρεσβευτὰς
τοὺς διαλεχθησομένους τῇ συγκλήτῳ καὶ κατ-
ηγορήσοντας τοῦ Φιλίππου.

beach at Thronion they separated, and all next day
arrived in time at the appointed place. Philip now
in a short speech begged them all and especially
Flamininus not to break off negotiations now that
they were on the verge of a settlement of most
questions, but if possible to come to an agreement
among themselves about the disputed points. If
not, however, he said he would send an embassy to
the senate and either persuade that body about
these points or do whatever it ordered him. On his
making this proposal all the others said they ought
to continue the war and not accede to the request ;
but the Roman general said that while he too was
quite aware that there was no probability of Philip's
really doing anything they demanded, yet as the
king's request in no way interfered with their own
action, it perfectly suited them to grant it. For
as things stood, nothing they now said could be
made valid without consulting the senate, and
besides the general advantage of arriving at a know-
ledge of the will of the senate, the immediate future
was a favourable time for taking this course. The
armies, in fact, could do nothing owing to the
winter, and therefore to devote this time to referring
the matter to the senate was by no means useless,
but in the interest of them all. 10. They all soon
gave their consent as they saw that Flamininus
was evidently not averse from referring things to the
senate, and it was decided to allow Philip to send
an embassy to Rome, and that they also should
each send ambassadors to speak before the senate
and accuse Philip.

3 Τοῦ δὲ πράγματος τῷ Τίτῳ τοῦ κατὰ τὸν σύλ-
λογον κατὰ νοῦν καὶ κατὰ τοὺς ἐξ ἀρχῆς δια-
λογισμοὺς προκεχωρηκότος, παραυτίκα τὸ συνεχὲς
τῆς ἐπιβολῆς ἐξύφαινε, τά τε καθ᾽ αὑτὸν ἀσφαλι-
ζόμενος ἐπιμελῶς καὶ πρόλημμα τῷ Φιλίππῳ
4 ποιῶν οὐδέν. δοὺς γὰρ ἀνοχὰς διμήνους αὐτῷ
τὴν μὲν πρεσβείαν τὴν εἰς τὴν Ῥώμην ἐν τούτῳ
τῷ χρόνῳ συντελεῖν ἐπέταξε, τὰς δὲ φρουρὰς
ἐξάγειν παραχρῆμα τὰς ἐκ τῆς Φωκίδος καὶ
5 Λοκρίδος ἐκέλευσε. διετάξατο δὲ καὶ περὶ τῶν
ἰδίων συμμάχων φιλοτίμως, ἵνα κατὰ μηδένα
τρόπον μηδὲν εἰς αὐτοὺς ἀδίκημα γίνηται κατὰ
6 τοῦτον τὸν χρόνον ὑπὸ Μακεδόνων. ταῦτα δὲ
ποιήσας πρὸς τὸν Φίλιππον ἔγγραπτα, λοιπὸν
αὐτὸς ἤδη δι᾽ αὑτοῦ τὸ προκείμενον ἐπετέλει.
7 καὶ τὸν μὲν Ἀμύνανδρον εἰς τὴν Ῥώμην ἐξέπεμπε
παραχρῆμα, γινώσκων αὐτὸν εὐάγωγον μὲν ὄντα
καὶ ῥᾳδίως ἐξακολουθήσοντα τοῖς ἐκεῖ φίλοις,
ἐφ᾽ ὁπότερ᾽ ἂν ἄγωσιν αὐτόν, φαντασίαν δὲ ποιή-
σοντα καὶ προσδοκίαν διὰ τὸ τῆς βασιλείας
8 ὄνομα. μετὰ δὲ τοῦτον ἐξέπεμπε τοὺς παρ᾽
αὑτοῦ πρέσβεις, Κόιντόν τε τὸν Φάβιον, ὃς ἦν
αὐτῷ τῆς γυναικὸς ἀδελφιδοῦς, καὶ Κόιντον
Φολούιον, σὺν δὲ τούτοις Ἄππιον Κλαύδιον
9 ἐπικαλούμενον Νέρωνα. παρὰ δὲ τῶν Αἰτωλῶν
ἐπρέσβευον Ἀλέξανδρος Ἴσιος, Δαμόκριτος Κα-
λυδώνιος, Δικαίαρχος Τριχωνιεύς, Πολέμαρχος
10 Ἀρσινοεύς, Λάμιος Ἀμβρακιώτης, Νικόμαχος
Ἀκαρνὰν τῶν ἐκ Θουρίου πεφευγότων κατοι-
κούντων δ᾽ ἐν Ἀμβρακίᾳ, Θεόδοτος Φεραῖος
11 φυγὰς ἐκ Θετταλίας, κατοικῶν δ᾽ ἐν Στράτῳ,
παρὰ δὲ τῶν Ἀχαιῶν Ξενοφῶν Αἰγιεύς, παρὰ δὲ τοῦ
104

The conference having led to a result agreeable
to Flamininus and in accordance with his original
calculations, he at once set to work to complete
the texture of his design, securing his own position
and giving Philip no advantage. For granting him
an armistice of two months he ordered him to finish
with his embassy to Rome within that time and to
withdraw at once his garrisons from Phocis and
Locris. He also took energetic steps on behalf of
his own allies to guard against their suffering any
wrong from the Macedonians during this period.
Having communicated with Philip to this effect by
writing, he henceforth went on carrying out his
purpose without consulting anyone. He at once
dispatched Amynander to Rome, as he knew that
he was of a pliable disposition and would be ready
to follow the lead of his own friends there in which-
ever direction they chose to move, and that his regal
title would add splendour to the proceedings and
make people eager to see him. After him he sent
his own legates, Quintus Fabius, the nephew of his
wife, Quintus Fulvius and Appius Claudius Nero.
The ambassadors from Aetolia were Alexander the
Isian, Damocritus of Calydon, Dicaearchus of
Trichonium, Polemarchus of Arsinoë, Lamius of
Ambracia, Nicomachus, one of the Acarnanians
who had been exiled from Thurium and resided in
Ambracia, and Theodotus of Pherae, who was
exiled from Thessaly and lived in Stratus ; the envoy
of the Achaeans was Xenophon of Aegae ; Attalus

βασιλέως Ἀττάλου μόνος Ἀλέξανδρος, παρὰ δὲ τοῦ δήμου τῶν Ἀθηναίων οἱ περὶ Κηφισόδωρον.

11 Οὗτοι δὲ παρεγενήθησαν εἰς τὴν Ῥώμην πρὸ (17 11) τοῦ τὴν σύγκλητον διαλαβεῖν ὑπὲρ τῶν εἰς τοῦτον τὸν ἐνιαυτὸν καθεσταμένων ὑπάτων, πότερον ἀμφοτέρους εἰς τὴν Γαλατίαν ἢ τὸν ἕτερον αὐτῶν 2 δεήσει πέμπειν ἐπὶ Φίλιππον. πεπεισμένων δὲ τῶν τοῦ Τίτου φίλων μένειν τοὺς ὑπάτους ἀμφοτέρους κατὰ τὴν Ἰταλίαν διὰ τὸν ἀπὸ τῶν Κελτῶν φόβον, εἰσελθόντες εἰς τὴν σύγκλητον πάντες 3 κατηγόρουν ἀποτόμως τοῦ Φιλίππου. τὰ μὲν οὖν ἄλλα παραπλήσια τοῖς καὶ πρὸς αὐτὸν τὸν 4 βασιλέα πρότερον εἰρημένοις ἦν· τοῦτο δ᾽ ἐπιμελῶς ἐντίκτειν ἐπειρῶντο τῇ συγκλήτῳ πάντες, διότι τῆς Χαλκίδος καὶ τοῦ Κορίνθου καὶ τῆς Δημητριάδος ὑπὸ τῷ Μακεδόνι τατομένων οὐχ οἷόν τε τοὺς Ἕλληνας ἔννοιαν λαβεῖν ἐλευθερίας. 5 ὃ γὰρ αὐτὸς Φίλιππος εἶπε, τοῦτο καὶ λίαν ἀληθὲς ἔφασαν ὑπάρχειν· ὃς ἔφη τοὺς προειρημένους τόπους εἶναι πέδας Ἑλληνικάς, ὀρθῶς ἀποφαι- 6 νόμενος. οὔτε γὰρ Πελοποννησίους ἀναπνεῦσαι δυνατὸν ἐν Κορίνθῳ βασιλικῆς φρουρᾶς ἐγκαθημένης, οὔτε Λοκροὺς καὶ Βοιωτοὺς καὶ Φωκέας θαρρῆσαι Φιλίππου Χαλκίδα κατέχοντος καὶ τὴν 7 ἄλλην Εὔβοιαν, οὐδὲ μὴν Θετταλοὺς οὐδὲ Μάγνητας δυνατὸν ἐπαύρασθαι τῆς ἐλευθερίας οὐδέποτε, Δημητριάδα Φιλίππου κατέχοντος καὶ Μα- 8 κεδόνων. διὸ καὶ τὸ παραχωρεῖν τῶν ἄλλων τόπων τὸν Φίλιππον φαντασίαν εἶναι χάριν τοῦ τὸν παρόντα καιρὸν ἐκφυγεῖν· ᾗ δ᾽ ἂν ἡμέρα βουληθῇ, ῥᾳδίως πάλιν ὑφ᾽ αὑτὸν ποιήσεσθαι τοὺς Ἕλληνας, ἐὰν κρατῇ τῶν προειρημένων

sent Alexander alone, and the Athenian people Cephisodorus.

11. The envoys arrived in Rome before the senate had decided whether the consuls of the year should be both sent to Gaul or one of them against Philip. But when the friends of Flamininus were assured that both consuls were to remain in Italy owing to the fear of the Celts, all the envoys entered the senate-house and roundly denounced Philip. Their accusations were in general similar to those they had brought against the king in person, but the point which they all took pains to impress upon the senate was that as long as Chalcis, Corinth, and Demetrias remained in Macedonian hands it was impossible for the Greeks to have any thought of liberty. For Philip's own expression when he pronounced these places to be the fetters of Greece, was, they said, only too true, since neither could the Peloponnesians breathe freely with a royal garrison established in Corinth, nor could the Locrians, Boeotians, and Phocians have any confidence while Philip occupied Chalcis and the rest of Euboea, nor again could the Thessalians and Magnesians ever enjoy liberty while the Macedonians held Demetrias. Therefore his withdrawal from the other places was a mere show of concession on the part of Philip in order to get out of his present difficulty, and if he commanded the above places he could easily bring the Greeks under subjection any day he wished. They

9 τόπων. διόπερ ἠξίουν τὴν σύγκλητον ἢ τούτων
τῶν πόλεων ἀναγκάσαι τὸν Φίλιππον ἐκχωρεῖν
ἢ μένειν ἐπὶ τῶν ὑποκειμένων καὶ πολεμεῖν ἐρρω-
10 μένως πρὸς αὐτόν. καὶ γὰρ ἠνύσθαι τὰ μέγιστα
τοῦ πολέμου, τῶν τε Μακεδόνων προηττημένων
δὶς ἤδη καὶ κατὰ γῆν πλείστων αὐτοῖς χορηγιῶν
11 ἐκδεδαπανημένων. ταῦτα δ' εἰπόντες παρεκάλουν
μήτε τοὺς Ἕλληνας ψεῦσαι τῶν περὶ τῆς ἐλευ-
θερίας ἐλπίδων μήθ' ἑαυτοὺς ἀποστερῆσαι τῆς
12 καλλίστης ἐπιγραφῆς. οἱ μὲν οὖν παρὰ τῶν
Ἑλλήνων πρέσβεις ταῦτα καὶ τούτοις παραπλήσια
διελέχθησαν, οἱ δὲ παρὰ τοῦ Φιλίππου παρ-
εσκευάσαντο μὲν ὡς ἐπὶ πλεῖον ποιησόμενοι τοὺς
13 λόγους, ἐν ἀρχαῖς δ' εὐθέως ἐκωλύθησαν· ἐρω-
τηθέντες γὰρ εἰ παραχωροῦσι Χαλκίδος καὶ Κο-
ρίνθου καὶ Δημητριάδος, ἀπεῖπαν μηδεμίαν ἔχειν
περὶ τούτων ἐντολήν.

14 Οὗτοι μὲν οὖν ἐπιμηθέντες οὕτως κατέπαυσαν
12 τὸν λόγον. ἡ δὲ σύγκλητος τοὺς μὲν ὑπάτους
(17 12) ἀμφοτέρους εἰς Γαλατίαν ἐξαπέστειλε, καθάπερ
ἐπάνω προεῖπα, τὸν δὲ πρὸς τὸν Φίλιππον πόλεμον
ἐψηφίσατο κατάμονον εἶναι, δοῦσα τῷ Τίτῳ τὴν
2 ἐπιτροπὴν ὑπὲρ τῶν Ἑλληνικῶν. ταχὺ δὲ τούτων
εἰς τὴν Ἑλλάδα διασαφηθέντων ἐγεγόνει τῷ
Τίτῳ πάντα κατὰ νοῦν, ἐπὶ βραχὺ μὲν καὶ ταὐ-
τομάτου συνεργήσαντος, τὸ δὲ πολὺ διὰ τῆς
αὐτοῦ προνοίας ἁπάντων κεχειρισμένων. πάνυ
3 γὰρ ἀγχίνους, εἰ καί τις ἕτερος Ῥωμαίων, [καὶ]
4 ὁ προειρημένος ἀνὴρ γέγονεν· οὕτως γὰρ εὐ-
στόχως ἐχείριζε καὶ νουνεχῶς οὐ μόνον τὰς
κοινὰς ἐπιβολάς, ἀλλὰ καὶ τὰς κατ' ἰδίαν ἐντεύξεις,
5 ὥσθ' ὑπερβολὴν μὴ καταλιπεῖν. καίτοι γε [καὶ]
108

therefore demanded that the senate should either
compel Philip to withdraw from these towns or
abide by the agreement and fight against him
with all their strength. For the hardest task of the
war had been accomplished, as the Macedonians
had now been twice beaten and had expended
most of their resources on land. After speaking
thus they entreated the senate neither to cheat the
Greeks out of their hope of liberty nor to deprive
themselves of the noblest title to fame. Such or
very nearly such were the words of the ambassadors.
Philip's envoys had prepared a lengthy argument in
reply, but were at once silenced ; for when asked
if they would give up Chalcis, Corinth, and Demetrias
they replied that they had no instructions on the
subject.

12. Thus cut short they stopped speaking, and the
senate now, as I above stated, dispatched both
consuls to Gaul and voted to continue the war
against Philip, appointing Flamininus their com-
missioner in the affairs of Greece. This information
was rapidly conveyed to Greece, and now all had
fallen out as Flamininus wished, chance having con-
tributed little to help him, but nearly all being due
to his own prudent management. For this general
had shown a sagacity equal to that of any Roman,
having managed both public enterprises and his
own private dealings with consummate skill and
good sense, and this although he was yet quite

νέος ἦν κομιδῇ· πλείω γὰρ τῶν τριάκοντ᾽ ἐτῶν
οὐκ εἶχε· καὶ πρῶτος εἰς τὴν Ἑλλάδα διαβε-
βήκει μετὰ στρατοπέδων.

13 Ἔμοιγε πολλάκις μὲν καὶ ἐπὶ πολλοῖς θαυ-
(17 13) μάζειν ἐπέρχεται τῶν ἀνθρωπείων ἁμαρτημάτων,
2 μάλιστα δ᾽ ἐπὶ τῷ κατὰ τοὺς προδότας. διὸ
καὶ βούλομαι τὰ πρέποντα τοῖς καιροῖς διαλε-
3 χθῆναι περὶ αὐτῶν. καίτοι γ᾽ οὐκ ἀγνοῶ διότι
δυσθεώρητον ὁ τόπος ἔχει τι καὶ δυσπαράγραφον·
τίνα γὰρ ὡς ἀληθῶς προδότην δεῖ νομίζειν, οὐ
4 ῥᾴδιον ἀποφήνασθαι. δῆλον γὰρ ὡς οὔτε τοὺς
ἐξ ἀκεραίου συντιθεμένους τῶν ἀνδρῶν πρός
τινας βασιλεῖς ἢ δυνάστας κοινωνίαν πραγμάτων
5 εὐθέως προδότας νομιστέον, οὔτε τοὺς κατὰ
⟨τὰς⟩ περιστάσεις μετατιθέντας τὰς αὐτῶν πατρί-
δας ἀπό τινων ὑποκειμένων πρὸς ἑτέρας φιλίας
6 καὶ συμμαχίας, οὐδὲ τούτους. πολλοῦ γε δεῖν·
ἐπείτοι γε πολλάκις οἱ τοιοῦτοι τῶν μεγίστων
ἀγαθῶν γεγόνασιν αἴτιοι ταῖς ἰδίαις πατρίσιν.
7 ἵνα δὲ μὴ πόρρωθεν τὰ παραδείγματα φέρωμεν,
ἐξ αὐτῶν τῶν ἐνεστώτων ῥᾳδίως ἔσται τὸ λεγό-
8 μενον κατανοεῖν. εἰ γὰρ μὴ σὺν καιρῷ τότε
μετέρριψε τοὺς Ἀχαιοὺς Ἀρίσταινος ἀπὸ τῆς
Φιλίππου συμμαχίας πρὸς τὴν Ῥωμαίων, φανερῶς
9 ἄρδην ἀπολώλει τὸ ἔθνος. νῦν δὲ χωρὶς τῆς παρ᾽
αὑτὸν τὸν καιρὸν ἀσφαλείας ἑκάστοις περιγενο-
μένης, αὐξήσεως τῶν Ἀχαιῶν ὁμολογουμένως ὁ
προειρημένος ἀνὴρ κἀκεῖνο τὸ διαβούλιον αἴτιος
10 ἐδόκει γεγονέναι· διὸ καὶ πάντες αὐτὸν οὐχ ὡς
προδότην, ἀλλ᾽ ὡς εὐεργέτην καὶ σωτῆρα τῆς
11 χώρας ἐτίμων. ὁ δ᾽ αὐτὸς ἂν εἴη λόγος καὶ περὶ

young, not being over thirty. He was the first
Roman who had crossed to Greece in command of
an army.

Definition of Treachery

13. I have often had occasion to wonder where
the truth lies about many human affairs and especially
about the question of traitors. I therefore wish to
say a few words on the subject appropriate to the
times I am dealing with, although I am quite aware
that it is one which is difficult to survey and define ;
it being by no means easy to decide whom we should
really style a traitor. It is evident that we cannot
pronounce offhand to be traitors men who take the
initiative in engaging in common action against
certain kings and princes, nor again those who at
the bidding of circumstances induce their countries
to exchange their established relations for other
friendships and alliances. Far from it ; in view
of the fact that such men have often conferred the
greatest benefit on their country. Not to draw
examples from far-off times, what I say can easily
be observed from the very circumstances we are
dealing with. For if Aristaenus had not then in
good time made the Achaeans throw off their alliance
with Philip and change it for that with Rome, the
whole nation would evidently have suffered utter
destruction. But now, apart from the temporary
safety gained for all the members of the League,
this man and that council were regarded as having
beyond doubt contributed to the increase of the
Achaean power ; so that all agreed in honouring
him not as a traitor, but as the benefactor and
preserver of the land. And the same is the case

111

τῶν ἄλλων, ὅσοι κατὰ τὰς τῶν καιρῶν περιστάσεις
τὰ παραπλήσια τούτοις πολιτεύονται καὶ πράττουσιν.

14 Ἧι καὶ Δημοσθένην κατὰ πολλά τις ἂν ἐπαι-
(17 14) νέσας ἐν τούτῳ μέμψαιτο, διότι πικρότατον ὄνειδος
τοῖς ἐπιφανεστάτοις τῶν Ἑλλήνων εἰκῇ καὶ
2 ἀκρίτως προσέρριψε, φήσας ἐν μὲν Ἀρκαδίᾳ τοὺς
περὶ Κερκιδᾶν καὶ Ἱερώνυμον καὶ Εὐκαμπίδαν
3 προδότας γενέσθαι τῆς Ἑλλάδος, ὅτι Φιλίππῳ
συνεμάχουν, ἐν δὲ Μεσσήνῃ τοὺς Φιλιάδου παῖδας
Νέωνα καὶ Θρασύλοχον, ἐν Ἄργει δὲ τοὺς περὶ
4 Μύρτιν καὶ Τελέδαμον καὶ Μνασέαν, παραπλη-
σίως ἐν Θετταλίᾳ μὲν τοὺς περὶ Δάοχον καὶ
Κινέαν, παρὰ δὲ Βοιωτοῖς τοὺς περὶ Θεογείτονα
5 καὶ Τιμόλαν· σὺν δὲ τούτοις καὶ πλείους ἑτέρους
ἐξηρίθμηται, κατὰ πόλιν ὀνομάζων, καίτοι γε
πάντων μὲν τῶν προειρημένων ἀνδρῶν πολὺν
ἐχόντων λόγον καὶ φαινόμενον ὑπὲρ τῶν καθ᾽
αὑτοὺς δικαίων, πλεῖστον δὲ τῶν ἐξ Ἀρκαδίας
6 καὶ Μεσσήνης. οὗτοι γὰρ ἐπισπασάμενοι Φίλ-
ιππον εἰς Πελοπόννησον καὶ ταπεινώσαντες Λα-
κεδαιμονίους πρῶτον μὲν ἐποίησαν ἀναπνεῦσαι καὶ
λαβεῖν ἐλευθερίας ἔννοιαν πάντας τοὺς τὴν Πελο-
7 πόννησον κατοικοῦντας, ἔπειτα δὲ τὴν χώραν
ἀνακομισάμενοι καὶ τὰς πόλεις, ἃς παρῄρηντο
Λακεδαιμόνιοι κατὰ τὴν εὐκαιρίαν Μεσσηνίων,
Μεγαλοπολιτῶν, Τεγεατῶν, Ἀργείων, ηὔξησαν
8 τὰς ἑαυτῶν πατρίδας ὁμολογουμένως· ἀνθ᾽ ὧν
οὐ πολεμεῖν ὤφειλον Φιλίππῳ καὶ Μακεδόσιν,
ἀλλὰ πάντα κατὰ δύναμιν ἐνεργεῖν ὅσα πρὸς
9 δόξαν καὶ τιμὴν ἀνῆκεν. εἰ μὲν οὖν ταῦτ᾽ ἔπραττον
ἢ φρουρὰν παρὰ Φιλίππου δεχόμενοι ταῖς πατρίσιν
ἢ καταλύοντες τοὺς νόμους ἀφῃροῦντο τὴν ἐλευ-

with others who according to change of circum-
stances adopt a similar policy of action.

14. It is for this reason that while we must praise
Demosthenes for so many things, we must blame him
for one, for having recklessly and injudiciously cast
bitter reproach on the most distinguished men in
Greece by saying that Cercidas, Hieronymus, and
Eucampidas in Arcadia were betrayers of Greece
because they joined Philip, and for saying the same
of Neon and Thrasylochus, the sons of Philiadas in
Messene, Myrtis, Teledamus and Mnaseas in Argos,
Daochus and Cineas in Thessaly, Theogeiton and
Timolas in Boeotia, and several others in different
cities.   But in fact all the above men were per-
fectly and clearly justified in thus defending their
own rights, and more especially those from Arcadia
and Messene. For the latter, by inducing Philip
to enter the Peloponnesus and humbling the Lace-
daemonians, in the first place allowed all the inhabi-
tants of the Peloponnesus to breathe freely and to
entertain the thought of liberty, and next recovering
the territory and cities of which the Lacedaemonians
in their prosperity had deprived the Messenians,
Megalopolitans, Tegeans, and Argives, unquestion-
ably increased the power of their native towns.
With such an object in view it was not their duty
to fight against Philip, but to take every step for
their own honour and glory. Had they in acting
thus either submitted to have their towns garrisoned
by Philip, or abolished their laws and deprived the

θερίαν καὶ παρρησίαν τῶν πολιτῶν χάριν τῆς
ἰδίας πλεονεξίας ἢ δυναστείας, ἄξιοι τῆς προση-
10 γορίας ἦσαν ταύτης· εἰ δὲ τηροῦντες τὰ πρὸς
τὰς πατρίδας δίκαια κρίσει πραγμάτων διεφέ-
ροντο, νομίζοντες οὐ ταὐτὸ συμφέρον Ἀθηναίοις
εἶναι καὶ ταῖς ἑαυτῶν πόλεσιν, οὐ δήπου διὰ
τοῦτο καλεῖσθαι προδότας ἐχρῆν αὐτοὺς ὑπὸ Δη-
11 μοσθένους. ὁ δὲ πάντα μετρῶν πρὸς τὸ τῆς
ἰδίας πατρίδος συμφέρον, καὶ πάντας ἡγούμενος
δεῖν τοὺς Ἕλληνας ἀποβλέπειν πρὸς Ἀθηναίους,
εἰ δὲ μή, προδότας ἀποκαλῶν, ἀγνοεῖν μοι δοκεῖ
12 καὶ πολὺ παραπαίειν τῆς ἀληθείας [ὃ πεποίηκε
Δημοσθένης], ἄλλως τε δὴ καὶ τῶν συμβάντων
τότε τοῖς Ἕλλησιν οὐ Δημοσθένει μεμαρτυρη-
κότων ὅτι καλῶς προυνοήθη τοῦ μέλλοντος, ἀλλ'
Εὐκαμπίδᾳ καὶ Ἱερωνύμῳ καὶ Κερκιδᾳ καὶ τοῖς
13 Φιλιάδου παισίν. Ἀθηναίοις μὲν γὰρ τῆς πρὸς
Φίλιππον ἀντιπαραγωγῆς τὸ τέλος ἀπέβη τὸ
πεῖραν λαβεῖν τῶν μεγίστων συμπτωμάτων πται-
14 σασι τῇ μάχῃ τῇ περὶ Χαιρώνειαν· εἰ δὲ μὴ διὰ
τὴν τοῦ βασιλέως μεγαλοψυχίαν καὶ φιλοδοξίαν,
καὶ πορρωτέρω τὰ τῆς ἀτυχίας ἂν αὐτοῖς προὔβη
15 διὰ τὴν Δημοσθένους πολιτείαν. διὰ δὲ τοὺς
προειρημένους ἄνδρας κοινῇ μὲν Ἀρκάσι καὶ
Μεσσηνίοις ἀπὸ Λακεδαιμονίων ἀσφάλεια καὶ
ῥᾳστώνη παρεσκευάσθη, κατ' ἰδίαν δὲ ταῖς αὐτῶν
πατρίσι πολλὰ καὶ λυσιτελῆ συνεξηκολούθησε.

15 Τίσιν οὖν εἰκότως ἂν ἐπιφέροι τις τὴν ὀνομα-
(17 15) σίαν ταύτην, ἔστι μὲν δυσπαράγραφον· μάλιστα
2 δ' ἂν προστρέχοι πρὸς τὴν ἀλήθειαν ἐπὶ τοὺς
τοιούτους φέρων, ὅσοι τῶν ἀνδρῶν κατὰ τὰς
ὁλοσχερεῖς περιστάσεις ἢ τῆς ἰδίας ἀσφαλείας

114

citizens of freedom of action and speech to serve
their own ambition and place themselves in power,
they would have deserved the name of traitor.
But if preserving the rights of their respective coun-
tries, they simply differed in their judgement of
facts, thinking that the interests of Athens were not
identical with those of their countries, they should,
I maintain, not have been dubbed traitors for this
reason by Demosthenes. Measuring everything by
the interests of his own city, thinking that the whole
of Greece should have its eyes turned on Athens,
and if people did not do so, calling them traitors,
Demosthenes seems to me to have been very much
mistaken and very far wide of the truth, especially
as what actually befel the Greeks then does not
testify to his own admirable foresight but rather
to that of Eucampidas, Hieronymus, Cercidas, and
the sons of Philiadas. For the opposition offered
to Philip by the Athenians resulted in their being
overtaken by the gravest disasters, defeated as they
were at the battle of Chaeronea. And had it not
been for the king's magnanimity and love of glory,
their misfortune would have been even more terrible
and all due to the policy of Demosthenes. But it
was owing to the men whose names I mentioned
that the two states of Arcadia and Messene obtained
public security and rest from Lacedaemonian aggres-
sion, and that so many private advantages to their
citizens resulted.

15. It is, then, difficult to define who are the men
to whom we may legitimately give this name, but one
would most nearly approach the truth by applying
it to those who in a season of imminent danger,
either for their own safety or advantage or owing

καὶ λυσιτελείας χάριν ἢ τῆς πρὸς τοὺς ἀντιπολι
τευομένους διαφορᾶς ἐγχειρίζουσι τοῖς ἐχθροῖς
3 τὰς πόλεις, ἢ καὶ νὴ Δία πάλιν ὅσοι φρουρὰν
εἰσδεχόμενοι καὶ συγχρώμενοι ταῖς ἔξωθεν ἐπι
κουρίαις πρὸς τὰς ἰδίας ὁρμὰς καὶ προθέσεις
ὑποβάλλουσι τὰς πατρίδας ὑπὸ τὴν τῶν πλεῖον
4 δυναμένων ἐξουσίαν. τοὺς τοιούτους ὑπὸ τὸ τῆς
προδοσίας ὄνομα μετρίως ἄν τις ὑποτάττοι πάντας.
5 οἷς λυσιτελὲς μὲν ἀληθῶς ἢ καλὸν οὐδὲν οὐδέ
ποτε συνεξηκολούθησε, τὰ δ' ἐναντία πᾶσιν ὁμο
6 λογουμένως. ἦ καὶ θαυμάζειν ἔστι πρὸς τὸν
ἐξ ἀρχῆς λόγον, πρὸς τί ποτε βλέποντες ἢ τίσι
χρώμενοι διαλογισμοῖς ὁρμῶσι πρὸς τὴν τοιαύ
7 την ἀτυχίαν. οὔτε γὰρ ἔλαθε πώποτε προδοὺς
οὐδεὶς πόλιν ἢ στρατόπεδον ἢ φρούριον, ἀλλὰ
κἂν παρ' αὐτὸν τὸν τῆς πράξεως καιρὸν ἀγνοηθῇ
τις, ὅ γ' ἐπιγινόμενος χρόνος ἐποίησε φανεροὺς
8 ἅπαντας· οὐδὲ μὴν γνωσθεὶς οὐδεὶς οὐδέποτε
μακάριον ἔσχε βίον, ἀλλ' ὡς μὲν ἐπίπαν ὑπ'
αὐτῶν τούτων οἷς χαρίζονται τυγχάνουσι τῆς
9 ἁρμοζούσης τιμωρίας. χρῶνται μὲν γὰρ τοῖς
προδόταις οἱ στρατηγοὶ καὶ δυνάσται πολλάκις
διὰ τὸ συμφέρον· ὅταν γε μὴν ἀποχρήσωνται,
χρῶνται λοιπὸν ὡς προδόταις, κατὰ τὸν Δημο
10 σθένην, μάλ' εἰκότως ἡγούμενοι τὸν ἐγχειρίσαντα
τοῖς ἐχθροῖς τὴν πατρίδα καὶ τοὺς ἐξ ἀρχῆς
φίλους μηδέποτ' ἂν εὔνουν σφίσι γενέσθαι μηδὲ
11 διαφυλάξαι τὴν πρὸς αὐτοὺς πίστιν. οὐ μὴν
ἀλλ' ἐὰν καὶ τὰς τούτων διαφύγωσι χεῖρας, τάς
γε δὴ τῶν παρασπονδηθέντων οὐ ῥᾳδίως ἐκφυγ
12 γάνουσιν. ἐὰν δέ ποτε καὶ τὰς ἀμφοτέρων τούτων
ἐπιβουλὰς διολίσθωσιν, ἥ γε παρὰ τοῖς ἄλλοις
116

to their differences with the opposite party, put their
cities into the hands of the enemy, or still more
justifiably to those who, admitting a garrison and
employing external assistance to further their own
inclinations and aims, submit their countries to the
domination of a superior power. It would be quite
fair to class all the above as traitors. The treachery
of these men never resulted in any real advantage
or good to themselves, but in every case, as no one
can deny, just the reverse. And this makes us
wonder what their original motives are ; with what
aim and reckoning on what they rush headlong into
such misfortune. For not a single man ever betrays
a town or an army or a fort without being found out,
but even if any be not detected at the actual moment,
the progress of time discovers them all at the end.
Nor did any one of them who had once been recog-
nized ever lead a happy life, but in most instances
they meet with the punishment they deserve at the
hands of the very men with whom they tried to
ingratiate themselves. For generals and princes
often employ traitors to further their interest, but
when they have no further use for them they after-
wards, as Demosthenes says, treat them as traitors,
very naturally thinking that a man who has betrayed
his country and his original friends to the enemy
could never become really well disposed to them-
selves or keep faith with them. And if they should
happen to escape punishment at the hands of their
employers, it is by no means easy for them to escape
it at the hands of those they betrayed. Should
they, however, give the slip to the retribution of
both, their evil name among other men clings to

ἀνθρώποις φήμη τιμωρὸς αὐτοῖς ἔπεται παρ'
ὅλον τὸν βίον, πολλοὺς μὲν φόβους ψευδεῖς,
πολλοὺς δ' ἀληθεῖς παριστάνουσα καὶ νύκτωρ
καὶ μεθ' ἡμέραν, πᾶσι δὲ συνεργοῦσα καὶ συν-
υποδεικνύουσα τοῖς κακόν τι κατ' ἐκείνων βου-
13 λευομένοις, τὸ δὲ τελευταῖον οὐδὲ κατὰ τοὺς
ὕπνους ἐῶσα λήθην αὐτοὺς ἔχειν τῶν ἡμαρτη-
μένων,· ἀλλ' ὀνειρώττειν ἀναγκάζουσα πᾶν γένος
ἐπιβουλῆς καὶ περιπετείας, ἅτε συνειδότας ἑαυτοῖς
τὴν ὑπάρχουσαν ἐκ πάντων ἀλλοτριότητα πρὸς
14 σφᾶς καὶ τὸ κοινὸν μῖσος. ἀλλ' ὅμως τούτων
οὕτως ἐχόντων οὐδεὶς οὐδέποτε δεηθεὶς ἠπόρησε
15 προδότου πλὴν τελέως ὀλίγων τινῶν. ἐξ ὧν
εἰκότως εἴποι τις ἂν ὅτι τὸ τῶν ἀνθρώπων γένος,
δοκοῦν πανουργότατον εἶναι τῶν ζῴων, πολὺν
16 ἔχει λόγον τοῦ φαυλότατον ὑπάρχειν. τὰ μὲν
γὰρ ἄλλα ζῷα, ταῖς τοῦ σώματος ἐπιθυμίαις
αὐταῖς δουλεύοντα, διὰ μόνας ταύτας σφάλλεται·
τὸ δὲ τῶν ἀνθρώπων γένος, καίπερ δεδοξο-
ποιημένον, οὐχ ἧττον διὰ τὴν ἀλογιστίαν ἢ διὰ
17 τὴν φύσιν ἁμαρτάνει. καὶ ταῦτα μὲν ἡμῖν ἐπὶ
τοσοῦτον εἰρήσθω.

16 Ὅτι ὁ βασιλεὺς Ἄτταλος ἐτιμᾶτο μὲν καὶ
(17 16) πρότερον ὑπὸ τῆς τῶν Σικυωνίων πόλεως δια-
φερόντως, ἐξ οὗ τὴν ἱερὰν χώραν τοῦ Ἀπόλλωνος
2 ἐλυτρώσατο χρημάτων αὐτοῖς οὐκ ὀλίγων, ἀνθ'
ὧν καὶ τὸν κολοσσὸν αὐτοῦ τὸν δεκάπηχυν ἔστησαν
3 παρὰ τὸν Ἀπόλλωνα τὸν κατὰ τὴν ἀγοράν. τότε
δὲ πάλιν αὐτοῦ δέκα τάλαντα δόντος καὶ μυρίους
μεδίμνους πυρῶν, πολλαπλασίως ἐπιταθέντες ταῖς
εὐνοίαις εἰκόνα τε χρυσῆν ἐψηφίσαντο καὶ θυσίαν
4 αὐτῷ συντελεῖν κατ' ἔτος ἐνομοθέτησαν. Ἄτ-

them for their whole life, producing many false
apprehensions and many real ones by night and by
day, aiding and abetting all who have evil designs
against them, and finally not allowing them even
in sleep to forget their offence, but compelling them
to dream of every kind of plot and peril, conscious
as they are of the estrangement of everybody and
of men's universal hatred of them. But in spite of
all this being so, no one ever, when he had need
of one, failed to find a traitor, except in a very few
cases. All this would justify us in saying that man,
who is supposed to be the cleverest of the animals,
may with good reason be called the least intelligent.
For the other animals are the slaves of their bodily
wants alone and only get into trouble owing to
these, but man, for all the high opinion that has
been formed of him, makes mistakes just as much
owing to want of thought as owing to his physical
impulses. I have now said enough on this subject.

Attalus at Sicyon

16. King Attalus had received exceptional honours
on a former occasion also from the Sicyonians after
he had ransomed for them at considerable expense
the land consecrated to Apollo, in return for which
they set up a colossal statue of him ten cubits high,
next that of Apollo in their market-place. And
now again, upon his giving them ten talents and
ten thousand medimni of wheat, his popularity
increased fourfold, and they voted his portrait in
gold and passed a law enjoining the performance of

ταλος μὲν οὖν τυχὼν τῶν τιμῶν τούτων ἀπῆρεν
εἰς Κεγχρεάς.

17 "Ότι Νάβις ὁ τύραννος ἀπολιπὼν ἐπὶ τῆς τῶν
(17 17) Ἀργείων πόλεως Τιμοκράτην τὸν Πελληνέα διὰ
τὸ μάλιστα τούτῳ πιστεύειν καὶ χρῆσθαι πρὸς
τὰς ἐπιφανεστάτας πράξεις, ἐπανῆλθεν εἰς τὴν
2 Σπάρτην, καὶ μετά τινας ἡμέρας ἐξέπεμψε τὴν
γυναῖκα, δοὺς ἐντολὰς παραγενομένην εἰς Ἄργος
3 περὶ πόρον γίνεσθαι χρημάτων. ἡ δ᾽ ἀφικομένη
4 πολὺ κατὰ τὴν ὠμότητα Νάβιν ὑπερέθετο· ἀνα-
καλεσαμένη γὰρ τῶν γυναικῶν τινὰς μὲν κατ᾽
ἰδίαν, τινὰς δὲ κατὰ συγγένειαν, πᾶν γένος αἰκίας
5 καὶ βίας προσέφερε, μέχρι σχεδὸν ἁπασῶν οὐ
μόνον τὸν χρυσοῦν ἀφείλετο κόσμον, ἀλλὰ καὶ
τὸν ἱματισμὸν τὸν πολυτελέστατον.

6 Ὁ δὲ Ἄτταλος περιβαλλόμενος πλείω λόγον,
ὑπεμίμνησκεν αὐτοὺς τῆς ἀνέκαθεν τῶν προγό-
νων ἀρετῆς.

18 (1) Ὁ δὲ Τίτος οὐ δυνάμενος ἐπιγνῶναι τοὺς πολε-
μίους ᾗ στρατοπεδεύουσι, τοῦτο δὲ σαφῶς εἰδὼς
ὅτι πάρεισιν εἰς Θετταλίαν, προσέταξε κόπτειν
χάρακα πᾶσιν ἕνεκα τοῦ παρακομίζειν μεθ᾽ αὑτῶν
2 πρὸς τὰς ἐκ τοῦ καιροῦ χρείας. τοῦτο δὲ κατὰ
μὲν τὴν Ἑλληνικὴν ἀγωγὴν ἀδύνατον εἶναι δοκεῖ,
3 κατὰ δὲ τὴν τῶν Ῥωμαίων εὔκοπον. οἱ μὲν
γὰρ Ἕλληνες μόλις αὐτῶν κρατοῦσι τῶν σαρισῶν
ἐν ταῖς πορείαις καὶ μόλις ὑπομένουσι τὸν ἀπὸ
4 τούτων κόπον, Ῥωμαῖοι δὲ τοὺς μὲν θυρεοὺς
τοῖς ὀχεῦσι τοῖς σκυτίνοις ἐκ τῶν ὤμων ἐξηρτη-
κότες, ταῖς δὲ χερσὶν αὐτοὺς τοὺς γαίσους φέροντες,
5 ἐπιδέχονται τὴν παρακομιδὴν τοῦ χάρακος. ἅμα

an annual sacrifice to him. Attalus, then, having
received these honours left for Cenchreae.

Cruelty of the Wife of Nabis at Argos

17. Nabis the tyrant, leaving Timocrates of
Pellene in command of Argos, as he placed the
greatest reliance on him and employed him in the
most ambitious of his enterprises, returned to Sparta
and after some days sent off his own wife, ordering
her upon reaching Argos to set about raising money.
Upon her arrival she greatly surpassed Nabis in
cruelty. For summoning the women, some of them
singly and others with their families, she subjected
them to every kind of outrage and violence until she
had stripped them nearly all not only of their gold
ornaments, but of their most precious clothing. . . .

Attalus, discoursing at some length, reminded them
of the valour their ancestors had always displayed.

Campaign of Flamininus in Thessaly and Battle of Cynoscephalae

18. Flamininus, not being able to discover where
the enemy were encamped, but knowing for a
certainty that they were in Thessaly, ordered all
his soldiers to cut stakes for a palisade to carry
with them for use when required. This appears to
be impossible when the Greek usage is followed,
but on the Roman system it is easy to cut them.
For the Greeks have difficulty in holding only their
pikes when on the march and in supporting the
fatigue caused by their weight, but the Romans,
hanging their long shields from their shoulders by
leather straps and only holding their javelins in
their hands, can manage to carry the stakes besides.

121

δὲ καὶ μεγάλην εἶναι συμβαίνει τὴν διαφορὰν
6 τούτων· οἱ μὲν γὰρ Ἕλληνες τοῦτον ἡγοῦνται
χάρακα βέλτιστον, ὃς ἂν ἔχῃ πλείστας ἐκφύσεις
7 καὶ μεγίστας πέριξ τοῦ πρέμνου, παρὰ δὲ Ῥωμαίοις
δύο κεραίας ἢ τρεῖς ἔχουσιν οἱ χάρακες, ὁ δὲ
πλείστας τέτταρας· καὶ ταύτας . . . ἔχοντες λαμ-
8 βάνονται . . . οὐκ ἐναλλάξ. ἐκ δὲ τούτου
συμβαίνει τήν τε κομιδὴν εὐχερῆ γίνεσθαι τελέως
—ὁ γὰρ εἷς ἀνὴρ φέρει τρεῖς καὶ τέτταρας συνθεὶς
9 ἐπ' ἀλλήλους—τήν τε χρείαν ἀσφαλῆ διαφερόντως.
ὁ μὲν ⟨γὰρ⟩ τῶν Ἑλλήνων ὅταν τεθῇ πρὸ τῆς
παρεμβολῆς, πρῶτον μέν ἐστιν εὐδιάσπαστος·
10 ὅταν γὰρ τὸ μὲν κρατοῦν καὶ πιεζούμενον ὑπὸ
τῆς γῆς ἐν ὑπάρχῃ μόνον, αἱ δ' ἀποφύσεις ἐκ
τούτου πολλαὶ καὶ μεγάλαι, κἄπειτα δύο παρα-
στάντες ἢ τρεῖς ἐκ τῶν ἀποφύσεων ἐπισπάσωνται
11 τὸν αὐτὸν χάρακα, ῥᾳδίως ἐκσπᾶται. τούτου
δὲ συμβάντος εὐθέως πύλη γίνεται διὰ τὸ μέγεθος
καὶ τὰ παρακείμενα λέλυται, τῷ βραχείας τὰς
εἰς ἀλλήλους ἐμπλοκὰς καὶ τὰς ἐπαλλάξεις γίνε-
12 σθαι τοῦ τοιούτου χάρακος. παρὰ δὲ Ῥωμαίοις
συμβαίνει τοὐναντίον. τιθέασι γὰρ εὐθέως ἐμπλέ-
κοντες εἰς ἀλλήλους οὕτως ὥστε μήτε τὰς κεραίας
εὐχερῶς ἐπιγνῶναι, ποίας εἰσὶν ἐκφύσεως τῶν
ἐν τῇ γῇ κατωρυγμένων, μήτε τὰς ἐκφύσεις,
13 ποίων κεραιῶν. λοιπὸν οὔτ' ἐπιλαβέσθαι παρεί-
ραντα τὴν χεῖρα δυνατόν, ἅτε πυκνῶν οὐσῶν καὶ
προσπιπτουσῶν αὐταῖς, ἔτι δὲ φιλοπόνως ἀπωξυμ-
14 μένων τῶν κεραιῶν, οὔτ' ἐπιλαβόμενον ἐκσπάσαι
ῥᾴδιον διὰ τὸ πρῶτον μὲν πάσας τὰς προσβολὰς
σχεδὸν αὐτοκράτορα τὴν ἐκ τῆς γῆς δύναμιν
15 ἔχειν, δεύτερον δὲ τῷ τὸν μίαν ἐπισπώμενον

Also the stakes are quite different. For the Greeks
consider that stake the best which has the most and
the stoutest offshoots all round the main stem, while
the stakes of the Romans have but two or three,
or at the most four straight lateral prongs, and these
all on one side and not alternating. The result of
this is that they are quite easy to carry—for one man
can carry three or four, making a bundle of them,
and when put to use they are much more secure.
For the Greek stakes, when planted round the camp,
are in the first place easily pulled up ; since when
the portion of a stake that holds fast closely pressed
by the earth is only one, and the offshoots from it
are many and large, and when two or three men
catch hold of the same stake by its lateral branches,
it is easily pulled up. Upon this an entrance is at
once created owing to its size, and the ones next
to it are loosened, because in such a palisade the
stakes are intertwined and criss-crossed in few places.
With the Romans it is the reverse ; for in planting
them they so intertwine them that it is not easy to
see to which of the branches, the lower ends of which
are driven into the ground, the lateral prongs belong,
nor to which prongs the branches belong. So, as
these prongs are close together and adhere to each
other, and as their points are carefully sharpened,
it is not easy to pass one's hand through and grasp
the stake, nor if one does get hold of it, is it easy
to pull it up, as in the first place the power of resist-
ance derived from the earth by all the portions
open to attack is almost absolute, and next because
a man who pulls at one prong is obliged to lift up

κεραίαν πολλοὺς ἀναγκάζεσθαι πειθομένους ἅμα
βαστάζειν διὰ τὴν εἰς ἀλλήλους ἐμπλοκήν· δύο
δὲ καὶ τρεῖς ἐπιλαβέσθαι ταὐτοῦ χάρακος οὐδ'
16 ὅλως εἰκός. ἐὰν δέ ποτε καὶ κατακρατήσας
ἐκσπάσῃ τις ἕνα καὶ δεύτερον, ἀνεπιγνώστως
17 γίνεται τὸ διάστημα. διὸ καὶ μεγάλης ⟨οὔσης⟩
διαφορᾶς τῷ καὶ τὴν εὕρεσιν ἑτοίμην εἶναι τοῦ
τοιούτου χάρακος καὶ τὴν κομιδὴν εὐχερῆ καὶ
18 τὴν χρείαν ἀσφαλῆ καὶ μόνιμον, φανερὸν ὡς εἰ
καί τι τῶν ἄλλων πολεμικῶν ἔργων ἄξιον ζήλου
καὶ μιμήσεως ὑπάρχει παρὰ Ῥωμαίοις, καὶ τοῦτο,
κατά γε τὴν ἐμὴν γνώμην.

19 (2)   Πλὴν ὅ γε Τίτος ἑτοιμασάμενος ταῦτα πρὸς
τὰς ἐκ τοῦ καιροῦ χρείας, προῆγε παντὶ τῷ στρα-
τεύματι βάδην, ἀποσχὼν δὲ περὶ πεντήκοντα
στάδια τῆς τῶν Φεραίων πόλεως αὐτοῦ παρεν-
2 έβαλε. κατὰ δὲ τὴν ἐπιοῦσαν ὑπὸ τὴν ἑωθινὴν
ἐξέπεμπε τοὺς κατοπτεύσοντας καὶ διερευνη-
σομένους, εἴ τινα δυνηθεῖεν λαβεῖν ἀφορμὴν εἰς
τὸ γνῶναι ποῦ ποτ' εἰσὶ καὶ τί πράττουσιν οἱ
3 πολέμιοι. Φίλιππος δὲ [καὶ] κατὰ τὸν αὐτὸν
καιρὸν πυνθανόμενος τοὺς Ῥωμαίους στρατο-
πεδεύειν περὶ τὰς Θήβας, ἐξάρας ἀπὸ τῆς Λαρίσης
παντὶ τῷ στρατεύματι προῆγε, ποιούμενος τὴν πο-
4 ρείαν ὡς ἐπὶ τὰς Φεράς. ἀποσχὼν δὲ περὶ τριάκοντα
στάδια, τότε μὲν αὐτοῦ καταστρατοπεδεύσας ἐν
ὥρᾳ παρήγγειλε πᾶσι γίνεσθαι περὶ τὴν τοῦ
5 σώματος θεραπείαν, ὑπὸ δὲ τὴν ἑωθινὴν ἐξεγείρας
τὴν δύναμιν τοὺς μὲν εἰθισμένους προπορεύεσθαι
τῆς δυνάμεως προεξαπέστειλε, συντάξας ὑπερβάλ-
λειν τὰς ὑπὲρ τὰς Φερὰς ἀκρολοφίας, αὐτὸς δὲ
τῆς ἡμέρας διαφαινούσης ἐκίνει τὴν δύναμιν ἐκ

numerous other stakes which give simultaneously
under the strain owing to the way they are inter-
twined, and it is not at all probable that two or
three men will get hold of the same stake. But if
by main force a man succeeds in pulling up one or
two, the gap is scarcely observable. Therefore, as
the advantages of this kind of palisade are very
great, the stakes being easy to find and easy to
carry and the whole being more secure and more
durable when constructed, it is evident that if any
Roman military contrivance is worthy of our imita-
tion and adoption this one certainly is, in my own
humble opinion at least.

19. To resume—Flamininus, having prepared these
stakes to be used when required, advanced slowly
with his whole force and established his camp at
a distance of about fifty stades from Pherae. Next
day at daybreak he sent out scouts to see if by
observation and inquiry they could find any means
of discovering where the enemy were and what
they were about. Philip, at nearly the same time,
on hearing that the Romans were encamped near
Thebes, left Larisa with his entire army and advanced
marching in the direction of Pherae. When at a
distance of thirty stades from that town he encamped
there while it was still early and ordered all his
men to occupy themselves with the care of their
persons. Next day at early dawn he aroused his
men, and sending on in advance those accustomed
to precede the main body with orders to cross the
ridge above Pherae, he himself, when day began
to break, moved the rest of his forces out of the

6 τοῦ χάρακος. παρ᾽ ὀλίγον μὲν οὖν ἦλθον ἀμφοτέ-
ρων οἱ προεξαπεσταλμένοι τοῦ συμπεσεῖν ἀλ-
7 λήλοις περὶ τὰς ὑπερβολάς· προϊδόμενοι γὰρ
σφᾶς αὐτοὺς ὑπὸ τὴν ὄρφνην ἐκ πάνυ βραχέος
διαστήματος ἐπέστησαν, καὶ ταχέως ἔπεμπον,
ἀποδηλοῦντες ἀμφότεροι τοῖς ἡγεμόσι τὸ γεγονὸς
8 καὶ πυνθανόμενοι τί δέον εἴη ποιεῖν. . . . ἐπὶ
τῶν ὑποκειμένων στρατοπεδειῶν κἀκείνους ἀνα-
9 καλεῖσθαι. τῇ δ᾽ ἐπαύριον ἐξέπεμψαν ἀμφότεροι
κατασκοπῆς ἕνεκα τῶν ἱππέων καὶ τῶν εὐζώνων
περὶ τριακοσίους ἑκατέρων, ἐν οἷς ὁ Τίτος καὶ
τῶν Αἰτωλῶν δύ᾽ οὐλαμοὺς ἐξαπέστειλε διὰ
10 τὴν ἐμπειρίαν τῶν τόπων· οἳ καὶ συμμίξαντες
ἀλλήλοις ἐπὶ τάδε τῶν Φερῶν ὡς πρὸς Λάρισαν
11 συνέβαλλον ἐκθύμως. τῶν δὲ περὶ τὸν Εὐπόλεμον
τὸν Αἰτωλὸν εὐρώστως κινδυνευόντων καὶ συνεκ-
καλουμένων τοὺς Ἰταλικοὺς πρὸς τὴν χρείαν,
12 θλίβεσθαι συνέβαινε τοὺς Μακεδόνας. καὶ τότε
μὲν ἐπὶ πολὺν χρόνον ἀκροβολισάμενοι διεχω-
20 (3) ρίσθησαν εἰς τὰς αὐτῶν παρεμβολάς· κατὰ δὲ
τὴν ἐπιοῦσαν ἀμφότεροι δυσαρεστούμενοι τοῖς
περὶ τὰς Φερὰς τόποις διὰ τὸ καταφύτους εἶναι
καὶ πλήρεις αἱμασιῶν καὶ κηπίων ἀνέζευξαν.
2 ὁ μὲν οὖν Φίλιππος ἐποιεῖτο τὴν πορείαν ὡς ἐπὶ
τὴν Σκοτοῦσσαν, σπεύδων ἐκ ταύτης τῆς πόλεως
ἐφοδιάσασθαι, μετὰ δὲ ταῦτα γενόμενος εὐτρεπὴς
λαβεῖν τόπους ἁρμόζοντας ταῖς αὑτοῦ δυνάμεσιν·
3 ὁ δὲ Τίτος ὑποπτεύσας τὸ μέλλον ἐκίνει τὴν
δύναμιν ἅμα τῷ Φιλίππῳ, σπεύδων προκατα-
4 φθεῖραι τὸν ἐν τῇ Σκοτουσσαίᾳ σῖτον. τῆς δ᾽
ἑκατέρων πορείας μεταξὺ κειμένων ὄχθων ὑψηλῶν,
οὔθ᾽ οἱ Ῥωμαῖοι συνεώρων τοὺς Μακεδόνας,

camp. The advanced sections of both armies very nearly came into contact at the pass over the hills; for when in the early dusk they caught sight of each other, they halted when already quite close and sent at once to inform their respective commanders of the fact and inquire what they should do. It was decided to remain for that day in their actual camp and to recall the advanced forces. Next day both commanders sent out some horse and light-armed infantry—about three hundred of either arm to reconnoitre. Among these Flamininus included two squadrons of Aetolians owing to their acquaintance with the country. The respective forces met on the near side of Pherae, in the direction of Larisa, and a desperate struggle ensued. As the force under Eupolemus the Aetolian fought with great vigour and called up the Italians to take part in the action, the Macedonians found themselves hard pressed. For the present, after prolonged skirmishing, both forces separated and retired to their camps. 20. Next day both armies, dissatisfied with the ground near Pherae, as it was all under cultivation and covered with walls and small gardens, retired from it. Philip for his part began to march towards Scotussa, hoping to procure supplies from that town and afterwards when fully furnished to find ground suitable for his own army. But Flamininus, suspecting his purpose, put his army in motion at the same time as Philip with the object of destroying the corn in the territory of Scotussa before his adversary could get there. As there were high hills between the two armies in their march neither did the Romans perceive where the Macedonians

ποῖ ποιοῦνται τὴν πορείαν, οὔθ' οἱ Μακεδόνες
5 τοὺς Ῥωμαίους. ταύτην μὲν ⟨οὖν⟩ τὴν ἡμέραν
ἑκάτεροι διανύσαντες, ὁ μὲν Τίτος ἐπὶ τὴν προσ-
αγορευομένην Ἐρέτριαν τῆς ⟨Φθιώτιδος χώρας⟩,
ὁ δὲ Φίλιππος ἐπὶ τὸν Ὀγχηστὸν ποταμόν, αὐτοῦ
κατέζευξαν, ἀγνοοῦντες ἀμφότεροι τὰς ἀλλήλων
6 παρεμβολάς· τῇ δ' ὑστεραίᾳ προελθόντες ἐστρα-
τοπέδευσαν, Φίλιππος μὲν ἐπὶ τὸ Μελάμβιον
προσαγορευόμενον τῆς Σκοτουσσαίας, Τίτος δὲ
περὶ τὸ Θετίδειον τῆς Φαρσαλίας, ἀκμὴν ἀ-
7 γνοοῦντες ἀλλήλους. ἐπιγενομένου δ' ὄμβρου καὶ
βροντῶν ἐξαισίων, πάντα συνέβη τὸν ἀέρα τὸν
ἐκ τῶν νεφῶν κατὰ τὴν ἐπιοῦσαν ἡμέραν ὑπὸ τὴν
ἑωθινὴν πεσεῖν ἐπὶ τὴν γῆν, ὥστε διὰ τὸν ἐφ-
εστῶτα ζόφον μηδὲ τοὺς ἐν ποσὶ δύνασθαι βλέπειν.
8 οὐ μὴν ἀλλ' ὅ γε Φίλιππος κατανύσαι σπεύδων
ἐπὶ τὸ προκείμενον, ἀναζεύξας προήει μετὰ πάσης
9 τῆς στρατιᾶς. δυσχρηστούμενος δὲ κατὰ τὴν
πορείαν διὰ τὴν ὀμίχλην, βραχὺν τόπον διανύσας
τὴν μὲν δύναμιν εἰς χάρακα παρενέβαλε, τὴν δ'
ἐφεδρείαν ἀπέστειλε, συντάξας ἐπὶ τοὺς ἄκρους
ἐπιβαλεῖν τῶν μεταξὺ κειμένων βουνῶν.

21 (4) Ὁ δὲ Τίτος στρατοπεδεύων περὶ τὸ Θετίδειον,
καὶ διαπορούμενος ὑπὲρ τῶν πολεμίων ποῦ ποτ'
εἰσί, δέκα προθέμενος οὐλαμοὺς καὶ τῶν εὐζώνων
εἰς χιλίους ἐξαπέστειλε, παρακαλέσας εὐλαβῶς
2 ἐξερευνωμένους ἐπιπορεύεσθαι τὴν χώραν· οἳ
καὶ προάγοντες ὡς ἐπὶ τὰς ὑπερβολὰς ἔλαθον
ἐμπεσόντες εἰς τὴν τῶν Μακεδόνων ἐφεδρείαν
3 διὰ τὸ δύσοπτον τῆς ἡμέρας. οὗτοι μὲν οὖν ἐν
ταῖς ἀρχαῖς ἐπὶ βραχὺ διαταραχθέντες ἀμφότεροι
μετ' ὀλίγον ἤρξαντο καταπειράζειν ἀλλήλων, δι-

were marching to nor the Macedonians the Romans.
After marching all that day, Flamininus having
reached the place called Eretria in Phthiotis and
Philip the river Onchestus, they both encamped at
those spots, each ignorant of the position of the
other's camp. Next day they again advanced and
encamped, Philip at the place called Melambium
in the territory of Scotussa and Flamininus at the
sanctuary of Thetis in that of Pharsalus, being still
in ignorance of each others' whereabouts. In the
night there was a violent thunderstorm accompanied
by rain, and next morning at early dawn all the mist
from the clouds descended on the earth, so that
owing to the darkness that prevailed one could not
see even people who were close at hand. Philip,
however, who was in a hurry to effect his purpose,
broke up his camp and advanced with his whole
army, but finding it difficult to march owing to the
mist, after having made but little progress, he
intrenched his army and sent off his covering force
with orders to occupy the summits of the hills which
lay between him and the enemy.

21. Flamininus lay still encamped near the
sanctuary of Thetis and, being in doubt as to where
the enemy were, he pushed forward ten squadrons
of horse and about a thousand light-armed infantry,
sending them out with orders to go over the ground
reconnoitring cautiously. In proceeding towards
the pass over the hills they encountered the Mace-
donian covering force quite unexpectedly owing to
the obscurity of the day. Both forces were thrown
somewhat into disorder for a short time but soon
began to take the offensive, sending to their respec-

ἐπέμψαντο δὲ καὶ πρὸς τοὺς ἑαυτῶν ἡγεμόνας
4 ἑκάτεροι τοὺς διασαφήσοντας τὸ γεγονός· ἐπειδὴ
δὲ κατὰ τὴν συμπλοκὴν οἱ Ῥωμαῖοι κατεβα-
ροῦντο καὶ κακῶς ἔπασχον ὑπὸ τῆς τῶν Μακεδόνων
ἐφεδρείας, πέμποντες εἰς τὴν ἑαυτῶν παρεμβολὴν
5 ἐδέοντο σφίσι βοηθεῖν. ὁ δὲ Τίτος, παρακαλέσας
τοὺς περὶ τὸν Ἀρχέδαμον καὶ τὸν Εὐπόλεμον
Αἰτωλοὺς καὶ δύο τῶν παρ' αὐτοῦ χιλιάρχων, ἐξ-
6 έπεμψε μετὰ πεντακοσίων ἱππέων καὶ δισχιλίων
πεζῶν. ὧν προσγενομένων τοῖς ἐξ ἀρχῆς ἀκρο-
βολιζομένοις, παραυτίκα τὴν ἐναντίαν ἔσχε διάθεσιν
7 ὁ κίνδυνος· οἱ μὲν γὰρ Ῥωμαῖοι, προσλαβόντες τὴν
ἐκ τῆς βοηθείας ἐλπίδα διπλασίως ἐπερρώσθησαν
8 πρὸς τὴν χρείαν, οἱ δὲ Μακεδόνες ἠμύνοντο μὲν
γενναίως, πιεζούμενοι δὲ πάλιν οὗτοι καὶ κατα-
βαρούμενοι τοῖς ὅλοις προσέφυγον πρὸς τοὺς ἄκρους
καὶ διεπέμποντο πρὸς τὸν βασιλέα περὶ βοηθείας.

22 (5) Ὁ δὲ Φίλιππος οὐδέποτ' ἂν ἐλπίσας κατ'
ἐκείνην τὴν ἡμέραν ὁλοσχερῆ γενέσθαι κίνδυνον
διὰ τὰς προειρημένας αἰτίας, ἀφεικὼς ἔτυχε καὶ
πλείους ἐκ τῆς παρεμβολῆς ἐπὶ χορτολογίαν.
2 τότε δὲ πυνθανόμενος τὰ συμβαίνοντα παρὰ τῶν
διαποστελλομένων, καὶ τῆς ὁμίχλης ἤδη διαφαι-
νούσης, παρακαλέσας Ἡρακλείδην τε τὸν Γυρτώ-
νιον, ὃς ἡγεῖτο τῆς Θετταλικῆς ἵππου, καὶ Λέοντα
τὸν τῶν Μακεδόνων ἱππάρχην ἐξέπεμπε, σὺν
δὲ τούτοις Ἀθηναγόραν ἔχοντα πάντας τοὺς
3 μισθοφόρους πλὴν τῶν Θρᾳκῶν. συναψάντων δὲ
τούτων τοῖς ἐν ταῖς ἐφεδρείαις, καὶ προσγενο-
μένης τοῖς Μακεδόσι βαρείας χειρός, ἐνέκειντο
τοῖς πολεμίοις· καὶ πάλιν οὗτοι τοὺς Ῥωμαίους
4 ἤλαυνον ἐκ μεταβολῆς ἀπὸ τῶν ἄκρων. μέγιστον

tive commanders messengers to inform them of
what had happened. When in the combat that
ensued the Romans began to be overpowered and
to suffer loss at the hands of the Macedonian covering
force they sent to their camp begging for help, and
Flamininus, calling upon Archedamus and Eupo-
lemus the Aetolians and two of his military tribunes,
sent them off with five hundred horse and two
thousand foot. When this force joined the original
skirmishers the engagement at once took an
entirely different turn. For the Romans, encouraged
by the arrival of the reinforcements, fought with
redoubled vigour, and the Macedonians, though
defending themselves gallantly, were in their turn
pressed hard, and upon being completely over-
mastered, fled to the summits and sent to the king
for help.

22. Philip, who had never expected, for the reasons
I have stated, that a general engagement would
take place on that day, had even sent out a fair
number of men from his camp to forage, and now
when he heard of the turn affairs were taking from
the messengers, and as the mist was beginning to
clear, he called upon Heraclides of Gyrton, the
commander of the Thessalian horse, and Leo, who
was in command of the Macedonian horse, and
dispatched them, together with all the mercenaries
except those from Thrace, under the command of
Athenagoras. Upon their joining the covering
force the Macedonians, having received such a
large reinforcement, pressed hard on the enemy
and in their turn began to drive the Romans from
the heights. But the chief obstacle to their putting

δ᾽ αὐτοῖς ἐμπόδιον ἦν τοῦ μὴ τρέψασθαι τοὺς
πολεμίους ὁλοσχερῶς ἡ τῶν Αἰτωλικῶν ἱππέων
φιλοτιμία· πάνυ γὰρ ἐκθύμως οὗτοι καὶ παρα-
5 βόλως ἐκινδύνευον. Αἰτωλοὶ γάρ, καθ᾽ ὅσον ἐν
τοῖς πεζικοῖς ἐλλιπεῖς εἰσι καὶ τῷ καθοπλισμῷ
καὶ τῇ συντάξει πρὸς τοὺς ὁλοσχερεῖς ἀγῶνας,
κατὰ τοσοῦτον τοῖς ἱππικοῖς διαφέρουσι πρὸς τὸ
βέλτιον τῶν ἄλλων Ἑλλήνων ἐν τοῖς κατὰ μέρος
6 καὶ κατ᾽ ἰδίαν κινδύνοις. διὸ καὶ τότε τούτων
παρακατασχόντων τὴν ἐπιφορὰν τῶν πολεμίων,
οὐκέτι συνηλάσθησαν ἕως εἰς τοὺς ἐπιπέδους
τόπους, βραχὺ δ᾽ ἀποσχόντες ἐκ μεταβολῆς ἔστη-
7 σαν. ὁ δὲ Τίτος, θεωρῶν οὐ μόνον τοὺς εὐζώνους
καὶ τοὺς ἱππέας ἐγκεκλικότας, ἀλλὰ διὰ τούτους
καὶ τὴν ὅλην δύναμιν ἐπτοημένην, ἐξῆγε τὸ στρά-
τευμα πᾶν καὶ παρενέβαλε πρὸς τοῖς βουνοῖς.
8 κατὰ δὲ τὸν αὐτὸν καιρὸν ἕτερος ἐφ᾽ ἑτέρῳ τῶν
ἐκ τῆς ἐφεδρείας Μακεδόνων ἔθει πρὸς τὸν Φί-
λιππον, ἀναβοῶν '' Βασιλεῦ, φεύγουσιν οἱ πολέμιοι·
μὴ παρῇς τὸν καιρόν· οὐ μένουσιν ἡμᾶς οἱ βάρβα-
9 ροι· σὴ νῦν ἐστιν ἡμέρα, σὸς ὁ καιρός.'' ὥστε
τὸν Φίλιππον, καίπερ οὐκ εὐδοκούμενον τοῖς
τόποις, ὅμως ἐκκληθῆναι πρὸς τὸν κίνδυνον. οἱ
γὰρ προειρημένοι λόφοι καλοῦνται μὲν Κυνὸς
Κεφαλαί, τραχεῖς δ᾽ εἰσὶ καὶ περικεκλασμένοι καὶ
10 πρὸς ὕψος ἱκανὸν ἀνατείνοντες. διὸ καὶ προ-
ορώμενος ὁ Φίλιππος τὴν δυσχρηστίαν τῶν τό-
πων, ἐξ ἀρχῆς μὲν οὐδαμῶς ἡρμόζετο πρὸς ἀγῶνα·
τότε δὲ παρορμηθεὶς διὰ τὴν ὑπερβολὴν τῆς
εὐελπιστίας τῶν ἀγγελλόντων ἕλκειν παρήγγελλε
τὴν δύναμιν ἐκ τοῦ χάρακος.

23 (6) Ὁ δὲ Τίτος παρεμβαλὼν τὴν αὑτοῦ στρατιὰν

the enemy entirely to rout was the high spirit of the Aetolian cavalry who fought with desperate gallantry. For by as much as the Aetolian infantry is inferior in the equipment and discipline required for a general engagement, by so much is their cavalry superior to that of other Greeks in detached and single combats. Thus on the present occasion they so far checked the spirit of the enemy's advance that the Romans were not as before driven down to the level ground, but when they were at a short distance from it turned and steadied themselves. Flamininus, upon seeing that not only had his light infantry and cavalry given way, but that his whole army was flustered owing to this, led out all his forces and drew them up in order of battle close to the hills. At the same time one messenger after another from the covering force came running to Philip shouting, " Sire, the enemy are flying : do not lose the opportunity : the barbarians cannot stand before us : the day is yours now : this is your time " ; so that Philip, though he was not satisfied with the ground, still allowed himself to be provoked to do battle. The above-mentioned hills are, I should say, called " The Dog's Heads " (Cynoscephalae) : they are very rough and broken and attain a considerable height. Philip, therefore, foreseeing what difficulties the ground would present, was at first by no means disposed to fight, but now urged on by these excessively sanguine reports he ordered his army to be led out of the entrenched camp.

23. Flamininus, having drawn up his whole army

ἑξῆς ἅπασαν, ἅμα μὲν ἐφήδρευε τοῖς προκινδυ-
νεύουσιν, ἅμα δὲ παρεκάλει τὰς τάξεις ἐπιπο-
2 ρευόμενος. ἡ δὲ παράκλησις ἦν αὐτοῦ βραχεῖα
μέν, ἐμφαντικὴ δὲ καὶ γνώριμος τοῖς ἀκούουσιν.
ἐναργῶς γὰρ ὑπὸ τὴν ὄψιν ἐνδεικνύμενος ἔλεγε
3 τοῖς αὐτοῦ στρατιώταις " Οὐχ οὗτοι Μακεδόνες
εἰσίν, ὦ ἄνδρες, οὓς ὑμεῖς προκατέχοντας ἐν
Μακεδονίᾳ τὰς εἰς τὴν Ἐορδαίαν ὑπερβολὰς ἐκ
τοῦ προφανοῦς μετὰ Σολπικίου βιασάμενοι πρὸς
τόπους ὑπερδεξίους ἐξεβάλετε, πολλοὺς αὐτῶν
4 ἀποκτείναντες; οὐχ οὗτοι Μακεδόνες εἰσίν, οὓς
ὑμεῖς προκατέχοντας τὰς ἀπηλπισμένας ἐν Ἠπείρῳ
δυσχωρίας ἐκβιασάμενοι ταῖς ἑαυτῶν ἀρεταῖς
φεύγειν ἠναγκάσατε ῥίψαντας τὰ ὅπλα, τέως εἰς
5 Μακεδονίαν ἀνεκομίσθησαν; πῶς οὖν ὑμᾶς εὐ-
λαβεῖσθαι καθήκει, μέλλοντας ἐξ ἴσου ποιεῖσθαι
τὸν κίνδυνον πρὸς τοὺς αὐτούς; τί δὲ προορᾶσθαι
τῶν προγεγονότων, ἀλλ' οὐ τἀναντία δι' ἐκεῖνα
6 καὶ νῦν θαρρεῖν; διόπερ, ὦ ἄνδρες, παρακαλέ-
σαντες σφᾶς αὐτοὺς ὁρμᾶσθε πρὸς τὸν κίνδυνον
ἐρρωμένως· θεῶν γὰρ βουλομένων ταχέως πέ-
πεισμαι ταὐτὸ τέλος ἀποβήσεσθαι τῆς παρούσης
7 μάχης τοῖς προγεγονόσι κινδύνοις." οὗτος μὲν
οὖν ταῦτ' εἰπὼν τὸ μὲν δεξιὸν μέρος ἐκέλευε
μένειν κατὰ χώραν καὶ τὰ θηρία πρὸ τούτων,
τῷ δ' εὐωνύμῳ μετὰ τῶν εὐζώνων ἐπῄει σοβαρῶς
8 τοῖς πολεμίοις· οἱ δὲ προκινδυνεύοντες τῶν Ῥω-
μαίων, προσλαβόντες τὴν τῶν πεζῶν στρατοπέδων
ἐφεδρείαν, ἐκ μεταβολῆς ἐνέκειντο τοῖς ὑπεναντίοις.

24 (7) Φίλιππος δὲ κατὰ τὸν αὐτὸν καιρόν, ἐπειδὴ τὸ
πλέον μέρος ἤδη τῆς ἑαυτοῦ δυνάμεως ἑώρα
παρεμβεβληκὸς πρὸ τοῦ χάρακος, αὐτὸς μὲν

in line, both took steps to cover the retreat of his advanced force and walking along the ranks addressed his men. His address was brief, but vivid and easily understood by his hearers. For pointing to the enemy, who were now in full view, he said to his men, " Are these not the Macedonians whom, when they held the pass leading to Eordaea, you under Sulpicius attacked in the open and forced to retreat to the higher ground after slaying many of them ? Are these not the same Macedonians who when they held that desperately difficult position in Epirus you compelled by your valour to throw away their shields and take to flight, never stopping until they got home to Macedonia ? What reason, then, have you to be timid now when you are about to do battle with the same men on equal terms ? What need for you to dread a recurrence of former danger, when you should rather on the contrary derive confidence from memory of the past ! And so, my men, encouraging each other dash on to the fray and put forth all your strength. For if it be the will of Heaven, I feel sure that this battle will end like the former ones." After speaking thus he ordered those on the right to remain where they were with the elephants in front of them, and taking with him the left half of his army, advanced to meet the enemy in imposing style. The advanced force of the Romans thus supported by the infantry of the legions now turned and fell upon their foes.

24. Philip at this same time, now that he saw the greater part of his army drawn up outside the entrenchment, advanced with the peltasts and the

ἀναλαβὼν τοὺς πελταστὰς καὶ τὸ δεξιὸν τῆς
φάλαγγος προῆγε, σύντονον ποιούμενος τὴν πρὸς
2 τοὺς λόφους ἀνάβασιν, τοῖς δὲ περὶ τὸν Νικάνορα
τὸν ἐπικαλούμενον ἐλέφαντα συνέταξε φροντίζειν
ἵνα τὸ λοιπὸν μέρος τῆς δυνάμεως ἐκ ποδὸς
3 ἕπηται. ἅμα δὲ τῷ τοὺς πρώτους ἅψασθαι τῆς
ὑπερβολῆς εὐθέως ἐξ ἀσπίδος παρενέβαλε καὶ
προκατελάμβανε τοὺς ὑπερδεξίους· τῶν γὰρ προ-
κινδυνευόντων Μακεδόνων ἐπὶ πολὺ τεθλιφότων
τοὺς Ῥωμαίους ἐπὶ θάτερα μέρη τῶν λόφων,
4 ἐρήμους κατέλαβε τοὺς ἄκρους. ἔτι δὲ παρ-
εμβάλλοντος αὐτοῦ τὰ δεξιὰ μέρη τῆς στρατιᾶς,
παρῆσαν οἱ μισθοφόροι, πιεζούμενοι κατὰ κράτος
5 ὑπὸ τῶν πολεμίων· προσγενομένων γὰρ τοῖς
τῶν Ῥωμαίων εὐζώνοις τῶν ἐν τοῖς βαρέσιν
ὅπλοις ἀνδρῶν, καθάπερ ἀρτίως εἶπα, καὶ συν-
εργούντων κατὰ τὴν μάχην, προσλαβόντες οἷον
εἰ σήκωμα τὴν τούτων χρείαν, βαρέως ἐπέκειντο
6 τοῖς πολεμίοις καὶ πολλοὺς αὐτῶν ἔκτεινον. ὁ
δὲ βασιλεὺς ἐν μὲν ταῖς ἀρχαῖς, ὅτε παρεγίνετο,
θεωρῶν οὐ μακρὰν τῆς τῶν πολεμίων παρεμβολῆς
συνεστῶτα τὸν τῶν εὐζώνων κίνδυνον περιχαρὴς
7 ἦν· ὡς δὲ πάλιν ἐκ μεταβολῆς ἑώρα κλίνοντας
τοὺς ἰδίους καὶ προσδεομένους ἐπικουρίας, ἠναγ-
κάζετο βοηθεῖν καὶ κρίνειν ἐκ τοῦ καιροῦ τὰ
ὅλα, καίπερ ἔτι τῶν πλείστων μερῶν τῆς φά-
λαγγος κατὰ πορείαν ὄντων καὶ προσβαινόντων
8 πρὸς τοὺς βουνούς. προσδεξάμενος δὲ τοὺς ἀγω-
νιζομένους, τούτους μὲν ἤθροιζε πάντας ἐπὶ τὸ
δεξιὸν κέρας, καὶ τοὺς πεζοὺς καὶ τοὺς ἱππέας,
τοῖς δὲ πελτασταῖς καὶ τοῖς φαλαγγίταις παρήγ-
γελλε διπλασιάζειν τὸ βάθος καὶ πυκνοῦν ἐπὶ τὸ

136

right wing of the phalanx, ascending energetically
the slope that led to the hills and giving orders to
Nicanor, who was nicknamed the elephant, to
see that the rest of his army followed him at once.
When the leading ranks reached the top of the
pass, he wheeled to the left, and occupied the
summits above it ; for, as the Macedonian advanced
force had pressed the Romans for a considerable
distance down the opposite side of the hills, he
found these summits abandoned. While he was
still deploying his force on the right his mercenaries
appeared hotly pursued by the Romans. For when
the heavy-armed Roman infantry had joined the
light infantry, as I said, and gave them their support
in the battle, they availed themselves of the addi-
tional weight thus thrown into the scale, and pressing
heavily on the enemy killed many of them. When
the king, just after his arrival, saw that the light
infantry were engaged not far from the hostile
camp he was overjoyed, but now on seeing his
own men giving way in their turn and in urgent
need of support, he was compelled to go to their
assistance and thus decide the whole fate of the
day on the spur of the moment, although the greater
portion of the phalanx was still on the march and
approaching the hills. Receiving those who were
engaged with the enemy, he placed them all, both
foot and horse, on his right wing and ordered the
peltasts and that part of the phalanx he had with
him to double their depth and close up towards the
right. Upon this being done, the enemy being now

9 δεξιόν. γενομένου δὲ τούτου, καὶ τῶν πολεμίων
ἐν χερσὶν ὄντων, τοῖς μὲν φαλαγγίταις ἐδόθη παρ-
άγγελμα καταβαλοῦσι τὰς σαρίσας ἐπάγειν, τοῖς
10 δ' εὐζώνοις κερᾶν. κατὰ δὲ τὸν αὐτὸν καιρὸν καὶ
Τίτος, δεξάμενος εἰς τὰ διαστήματα τῶν σημαιῶν
τοὺς προκινδυνεύοντας, προσέβαλε τοῖς πολεμίοις.
25 (8)   Γενομένης δὲ τῆς ἐξ ἀμφοῖν συμπτώσεως μετὰ
βίας καὶ κραυγῆς ὑπερβαλλούσης, ὡς ἂν ἀμφο-
τέρων ὁμοῦ συναλαλαζόντων, ἅμα δὲ καὶ τῶν
ἐκτὸς τῆς μάχης ἐπιβοώντων τοῖς ἀγωνιζομένοις,
ἦν τὸ γινόμενον ἐκπληκτικὸν καὶ παραστατικὸν
2 ἀγωνίας. τὸ μὲν οὖν δεξιὸν τοῦ Φιλίππου λαμπρῶς
ἀπήλλαττε κατὰ τὸν κίνδυνον, ἅτε καὶ τὴν ἔφ-
οδον ἐξ ὑπερδεξίου ποιούμενον καὶ τῷ βάρει τῆς
συντάξεως ὑπερέχον καὶ τῇ διαφορᾷ τοῦ καθ-
οπλισμοῦ πρὸς τὴν ἐνεστῶσαν χρείαν πολὺ παρ-
3 αλλάττον· τὰ δὲ λοιπὰ μέρη τῆς δυνάμεως αὐτῷ
τὰ μὲν ἐχόμενα τῶν κινδυνευόντων ἐν ἀποστάσει
τῶν πολεμίων ἦν, τὰ δ' ἐπὶ τῶν εὐωνύμων ἄρτι
διηνυκότα τὰς ὑπερβολὰς ἐπεφαίνετο τοῖς ἄκροις.
4 ὁ δὲ Τίτος, θεωρῶν οὐ δυναμένους τοὺς παρ'
αὑτοῦ στέγειν τὴν τῆς φάλαγγος ἔφοδον, ἀλλ'
ἐκπιεζουμένους τοὺς ἐπὶ τῶν εὐωνύμων, καὶ
τοὺς μὲν ἀπολωλότας ἤδη, τοὺς δ' ἐπὶ πόδα
ποιουμένους τὴν ἀναχώρησιν, ἐν δὲ τοῖς δεξιοῖς
μέρεσι καταλειπομένας τῆς σωτηρίας τὰς ἐλπίδας,
5 ταχέως ἀφορμήσας πρὸς τούτους, καὶ συνθεασά-
μενος [τῆς] τῶν πολεμίων τὰ μὲν συνεχῆ τοῖς
διαγωνιζομένοις . . ., τὰ δ' ἐκ τῶν ἄκρων ἀκμὴν
ἐπικαταβαίνοντα, τὰ δ' ἔτι τοῖς ἄκροις ἐφεστῶτα,
προθέμενος τὰ θηρία προσῆγε τὰς σημαίας τοῖς
6 πολεμίοις. οἱ δὲ Μακεδόνες, οὔτε τὸν παραγ-

close upon them, orders were sent to the men of the
phalanx to lower their spears and charge, while the
light infantry were ordered to place themselves
on the flank. At the same moment Flamininus,
having received his advanced force into the gaps
between the maniples, fell upon the enemy.

25. As the encounter of the two armies was
accompanied by deafening shouts and cries, both of
them uttering their war-cry and those outside the
battle also cheering the combatants, the spectacle
was such as to inspire terror and acute anxiety.
Philip's right wing acquitted themselves splendidly
in the battle, as they were charging from higher
ground and were superior in the weight of their
formation, the nature of their arms also giving them
a decided advantage on the present occasion. But
as for the rest of his army, those next to the force
actually engaged were still at a distance from the
enemy and those on the left had only just sur-
mounted the ridge and come into view of the summits.
Flamininus, seeing that his men could not sustain
the charge of the phalanx, but that since his left was
being forced back, some of them having already
perished and others retreating slowly, his only hope
of safety lay in his right, hastened to place himself
in command there, and observing that those of the
enemy who were next the actual combatants were
idle, and that some of the rest were still descending
to meet him from the summits and others had
halted on the heights, placed his elephants in front
and led on his legions to the attack. The Macedonians

γελοῦντ' ἔχοντες οὔτε συστῆναι δυνάμενοι καὶ
λαβεῖν τὸ τῆς φάλαγγος ἴδιον σχῆμα διά τε τὰς
τῶν τόπων δυσχερείας καὶ διὰ τὸ τοῖς ἀγωνι-
ζομένοις ἐπόμενοι πορείας ἔχειν διάθεσιν καὶ
7 μὴ παρατάξεως, οὐδὲ προσεδέξαντο τοὺς Ῥω-
μαίους εἰς τὰς χεῖρας ἔτι, δι' αὐτῶν δὲ τῶν θη-
ρίων πτοηθέντες καὶ διασπασθέντες ἐνέκλιναν.

26 (9) Οἱ μὲν οὖν πλείους τῶν Ῥωμαίων ἑπόμενοι
2 τούτους ἔκτεινον· εἷς δὲ τῶν χιλιάρχων τῶν
ἅμα τούτοις, σημαίας ἔχων οὐ πλείους εἴκοσι,
καὶ παρ' αὐτὸν τὸν τῆς χρείας καιρὸν συμφρονή-
σας ὃ δέον εἴη ποιεῖν, μεγάλα συνεβάλετο πρὸς
3 τὴν τῶν ὅλων κατόρθωσιν. θεωρῶν γὰρ τοὺς
περὶ τὸν Φίλιππον ἐπὶ πολὺ προπεπτωκότας
τῶν ἄλλων καὶ πιεζοῦντας τῷ βάρει τὸ σφέτερον
εὐώνυμον, ἀπολιπὼν τοὺς ἐπὶ τοῦ δεξιοῦ νικῶντας
ἤδη καταφανῶς, ἐπιστρέψας ἐπὶ τοὺς ἀγωνιζο-
μένους καὶ κατόπιν ἐπιγενόμενος προσέβαλλε κατὰ
4 νώτου τοῖς Μακεδόσι. τῆς δὲ τῶν φαλαγγιτῶν
χρείας ἀδυνάτου καθεστώσης ἐκ μεταβολῆς καὶ
κατ' ἄνδρα κινδυνεύειν, οὗτος μὲν ἐπέκειτο κτεί-
νων τοὺς ἐν ποσίν, οὐ δυναμένους αὐτοῖς βοηθεῖν,
5 ἕως οὗ ῥίψαντες τὰ ὅπλα φεύγειν ἠναγκάσθησαν
οἱ Μακεδόνες, συνεπιθεμένων αὐτοῖς ἐκ μετα-
βολῆς καὶ τῶν κατὰ πρόσωπον ἐγκεκλικότων.
6 ὁ δὲ Φίλιππος ἐν μὲν ταῖς ἀρχαῖς, καθάπερ
εἶπα, τεκμαιρόμενος ἐκ τοῦ καθ' αὑτὸν μέρους
7 ἐπέπειστο τελέως νικᾶν· τότε δὲ συνθεασάμενος
ἄφνω ῥιπτοῦντας τὰ ὅπλα τοὺς Μακεδόνας καὶ
τοὺς πολεμίους κατὰ νώτου προσβεβληκότας,

now, having no one to give them orders and being unable to adopt the formation proper to the phalanx, in part owing to the difficulty of the ground and in part because they were trying to reach the combatants and were still in marching order and not in line, did not even wait until they were at close quarters with the Romans, but gave way thrown into confusion and broken up by the elephants alone.

26. Most of the Romans followed up these fugitives and continued to put them to the sword : but one of the tribunes with them, taking not more than twenty maniples and judging on the spur of the moment what ought to be done, contributed much to the total victory. For noticing that the Macedonians under Philip had advanced a long way in front of the rest, and were by their weight forcing back the Roman left, he quitted those on the right, who were now clearly victorious, and wheeling his force in the direction of the scene of combat and thus getting behind the Macedonians, he fell upon them in the rear. As it is impossible for the phalanx to turn right about face or to fight man to man, he now pressed his attack home, killing those he found in his way, who were incapable of protecting themselves, until the whole Macedonian force were compelled to throw away their shields and take to flight, attacked now also by the troops who had yielded before their frontal charge and who now turned and faced them. Philip at first, as I said, judging from the success of those under his own leadership, was convinced that his victory was complete, but now on suddenly seeing that the Macedonians were throwing away their shields and that the enemy had attacked them in the rear,

βραχὺ γενόμενος ἐκ τοῦ κινδύνου μετ᾽ ὀλίγων
8 ἱππέων καὶ πεζῶν συνεθεώρει τὰ ὅλα. κατα-
νοήσας δὲ τοὺς Ῥωμαίους κατὰ τὸ δίωγμα τοῦ
λαιοῦ κέρως τοῖς ἄκροις ἤδη προσπελάζοντας,
ἐγίνετο <πρὸς τὸ φεύγειν, ὅσους ἐδύνατο> πλεί-
στους ἐκ τοῦ καιροῦ·συναθροίσας τῶν Θρακῶν
9 καὶ Μακεδόνων. Τίτος δὲ τοῖς φεύγουσιν ἑπό-
μενος, καὶ καταλαβὼν ἐν ταῖς ὑπερβολαῖς ἄρτι
τοῖς ἄκροις ἐπιβαλλούσας τὰς εὐωνύμους τάξεις
τῶν Μακεδόνων τὰς μὲν <ἀρχὰς> . . . ἐπέστη,
τῶν πολεμίων ὀρθὰς ἀνασχόντων τὰς σαρίσας,
10 ὅπερ ἔθος ἐστὶ ποιεῖν τοῖς Μακεδόσιν, ὅταν ἢ
παραδιδῶσιν αὐτοὺς ἢ μεταβάλλωνται πρὸς τοὺς
11 ὑπεναντίους· μετὰ δὲ ταῦτα πυθόμενος τὴν αἰτίαν
τοῦ συμβαίνοντος παρακατεῖχε τοὺς μεθ᾽ αὑτοῦ
12 φείσασθαι κρίνων τῶν ἀποδεδειλιακότων. ἀκμὴν
δὲ τοῦ Τίτου ταῦτα διανοουμένου τῶν προηγουμέ-
νων τινὲς ἐπιπεσόντες αὐτοῖς ἐξ ὑπερδεξίου προσ-
έφερον τὰς χεῖρας, καὶ τοὺς μὲν πλείους διέφθειρον,
ὀλίγοι δέ τινες διέφυγον ῥίψαντες τὰ ὅπλα.

27 Πανταχόθεν δὲ τοῦ κινδύνου συντέλειαν εἰλη-
(10) φότος καὶ κρατούντων τῶν Ῥωμαίων, ὁ μὲν
Φίλιππος ἐποιεῖτο τὴν ἀποχώρησιν ὡς ἐπὶ τὰ
2 Τέμπη. καὶ τῇ μὲν πρώτῃ περὶ τὸν Ἀλεξάνδρου
καλούμενον πύργον ηὐλίσθη, τῇ δ᾽ ὑστεραίᾳ
προελθὼν εἰς Γόννους ἐπὶ τὴν εἰσβολὴν τῶν Τεμ-
πῶν ἐπέμεινε, βουλόμενος ἀναδέξασθαι τοὺς
3 ἐκ τῆς φυγῆς ἀνασῳζομένους. οἱ δὲ Ῥωμαῖοι,
μέχρι μέν τινος ἐπακολουθήσαντες τοῖς φεύγουσιν,
οἱ μὲν ἐσκύλευον τοὺς τεθνεῶτας, οἱ δὲ τοὺς
αἰχμαλώτους ἤθροιζον, οἱ δὲ πλείους ὥρμησαν
ἐπὶ τὴν διαρπαγὴν τοῦ τῶν πολεμίων χάρακος·

142

retired with a small number of horse and foot to
a short distance from the scene of action and
remained to observe the whole scene. When he
noticed that the Romans in pursuit of his left wing
had already reached the summits, he decided to
fly, collecting hastily as many Thracians and Mace-
donians as he could. Flamininus, pursuing the
fugitives and finding when he reached the crest of
the ridge that the ranks of the Macedonian left
were just attaining the summits, at first halted.
The enemy were now holding up their spears, as is
the Macedonian custom when they either surrender
or go over to the enemy, and on learning the signi-
ficance of this he kept back his men, thinking to
spare the beaten force. But while he was still
making up his mind some of the Romans who had
advanced further fell on them from above and began
to cut them down. Most of them perished, a very
few escaping after throwing away their shields.

27. The battle being now over and the Romans
everywhere victorious, Philip retreated towards
Tempe. He spent the following night under canvas
at a place called "Alexander's Tower" and next
day went on to Gonni at the entrance of Tempe,
and remained there wishing to pick up the survivors
of the rout. The Romans, after following up the
fugitives for a certain distance, began, some of them,
to strip the dead and others to collect prisoners, but
most of them ran to plunder the enemy's camp.

4 ἔνθα δὴ καταλαβόντες τοὺς Αἰτωλοὺς προεμ-
πεπτωκότας καὶ δόξαντες στέρεσθαι τῆς σφίσι
καθηκούσης ὠφελείας, ἤρξαντο καταμέμφεσθαι
τοὺς Αἰτωλοὺς καὶ λέγειν πρὸς τὸν στρατηγὸν
ὅτι τοὺς μὲν κινδύνους αὐτοῖς ἐπιτάττει, τῆς δ'
5 ὠφελείας ἄλλοις παρακεχώρηκε. καὶ τότε μὲν
ἐπανελθόντες εἰς τὴν ἑαυτῶν στρατοπεδείαν ηὐ-
λίσθησαν, εἰς δὲ τὴν ἐπαύριον ἅμα μὲν ἤθροιζον
τοὺς αἰχμαλώτους καὶ τὰ λειπόμενα τῶν σκύλων,
ἅμα δὲ προῆγον ποιούμενοι τὴν πορείαν ὡς ἐπὶ
6 Λαρίσης. ἔπεσον δὲ τῶν Ῥωμαίων πρὸς τοὺς
ἑπτακοσίους· τῶν δὲ Μακεδόνων ἀπέθανον μὲν
οἱ πάντες εἰς ὀκτακισχιλίους, ζωγρίᾳ δ' ἑάλωσαν
οὐκ ἐλάττους πεντακισχιλίων.

7   Καὶ τῆς μὲν ἐν Θετταλίᾳ γενομένης περὶ Κυνὸς
Κεφαλὰς Ῥωμαίων καὶ Φιλίππου μάχης τοιοῦτον
28 ἀπέβη τὸ τέλος· ἐγὼ δὲ κατὰ μὲν τὴν ἕκτην
(11) βύβλον ἐν ἐπαγγελίᾳ καταλιπὼν ὅτι λαβὼν τὸν
ἁρμόζοντα καιρὸν σύγκρισιν ποιήσομαι τοῦ καθ-
οπλισμοῦ Ῥωμαίων καὶ Μακεδόνων, ὁμοίως δὲ
καὶ τῆς συντάξεως τῆς ἑκατέρων, τί διαφέρουσιν
ἀλλήλων πρὸς τὸ χεῖρον καὶ τί πρὸς τὸ βέλτιον,
νῦν ἐπ' αὐτῶν τῶν πράξεων πειράσομαι τὴν
2 ἐπαγγελίαν ἐπὶ τέλος ἀγαγεῖν. ἐπεὶ γὰρ ἡ μὲν
Μακεδόνων σύνταξις ἐν τοῖς πρὸ τοῦ χρόνοις,
δι' αὐτῶν τῶν ἔργων διδοῦσα τὴν πεῖραν, ἐκράτει
τῶν τε κατὰ τὴν Ἀσίαν καὶ τῶν Ἑλληνικῶν
συντάξεων, ἡ δὲ Ῥωμαίων τῶν τε κατὰ τὴν
Λιβύην καὶ τῶν κατὰ τὴν Εὐρώπην προσεσπε-
3 ρίων ἐθνῶν ἁπάντων, ἐν δὲ τοῖς καθ' ἡμᾶς καιροῖς
οὐχ ἅπαξ, ἀλλὰ πλεονάκις γέγονε τούτων τῶν
τάξεων καὶ τῶν ἀνδρῶν πρὸς ἀλλήλους διάκρισις,

Finding, however, that the Aetolians had anticipated
them there and considering themselves defrauded
of the booty that was rightfully theirs, they began
to find fault with the Aetolians and told their general
that he imposed the risk on them and gave up the
booty to others. For the present they returned to
their own camp and retired to rest, and spent the
next day in collecting prisoners and what was left
of the spoil and also in advancing in the direction of
Larisa. Of the Romans about seven hundred fell
and the total Macedonian loss amounted to about
eight thousand killed and not fewer than five
thousand captured.

Advantages and Disadvantages of the Phalanx

28. Such was the result of the battle at Cynos-
cephalae between the Romans and Philip. In my
sixth Book I promised that when a suitable occasion
presented itself I would institute a comparison
between the Roman and Macedonian equipment
and formation, showing how they differ for the
better or worse, and I will, now that we see them both
in actual practice, endeavour to fulfil this promise.
For since the Macedonian formation in former times
was proved by the experience of facts to be superior
to other formations in use in Asia and Greece and
that of the Romans likewise showed itself superior
to those in use in Africa and among all the peoples
of western Europe, and since now in our own times
not once, but frequently, these two formations and
the soldiers of both nations have been matched

4 χρήσιμον καὶ καλὸν ἂν εἴη τὸ τὴν διαφορὰν
ἐρευνῆσαι, καὶ παρὰ τί συμβαίνει Ῥωμαίους
ἐπικρατεῖν καὶ τὸ πρωτεῖον ἐκφέρεσθαι τῶν
5 κατὰ πόλεμον ἀγώνων, ἵνα μὴ τύχην λέγοντες
μόνον μακαρίζωμεν τοὺς κρατοῦντας ἀλόγως,
καθάπερ οἱ μάταιοι τῶν ἀνθρώπων, ἀλλ' εἰδότες
τὰς ἀληθεῖς αἰτίας ἐπαινῶμεν καὶ θαυμάζωμεν
κατὰ λόγον τοὺς ἡγουμένους.

6 Περὶ μὲν οὖν τῶν πρὸς Ἀννίβαν ἀγώνων γε-
γονότων Ῥωμαίοις καὶ τῶν ἐν τούτοις ἐλαττω-
μάτων οὐδὲν ἂν δέοι πλείω λέγειν· οὐ γὰρ παρὰ
τὸν καθοπλισμὸν οὐδὲ παρὰ τὴν σύνταξιν, ἀλλὰ
παρὰ τὴν ἐπιδεξιότητα τὴν Ἀννίβου καὶ τὴν
7 ἀγχίνοιαν περιέπιπτον τοῖς ἐλαττώμασι. δῆλον
δὲ τοῦτο πεποιήκαμεν ἡμεῖς ἐπ' αὐτῶν ὑποδεικ-
8 νύοντες τῶν ἀγώνων. μαρτυρεῖ δὲ τοῖς ἡμετέ-
ροις λόγοις πρῶτον μὲν τὸ τέλος τοῦ πολέμου·
προσγενομένου γὰρ στρατηγοῦ τοῖς Ῥωμαίοις
παραπλησίαν δύναμιν ἔχοντος Ἀννίβᾳ, ταχέως
καὶ τὸ νικᾶν συνεξηκολούθησε τοῖς προειρη-
9 μένοις· εἶτα καὶ αὐτὸς Ἀννίβας ἀποδοκιμάσας
τὸν ἐξ ἀρχῆς αὐτοῖς ὑπάρχοντα καθοπλισμόν,
ἅμα τῷ νικῆσαι τῇ πρώτῃ μάχῃ παραχρῆμα
τοῖς Ῥωμαίων ὅπλοις καθοπλίσας τὰς οἰκείας
δυνάμεις, τούτοις διετέλεσε χρώμενος τὸν ἑξῆς
10 χρόνον. Πύρρος γε μὴν οὐ μόνον ὅπλοις, ἀλλὰ
καὶ δυνάμεσιν Ἰταλικαῖς συγκέχρηται, τιθεὶς ἐναλ-
λὰξ σημαίαν καὶ σπεῖραν φαλαγγιτικὴν ἐν τοῖς
11 πρὸς Ῥωμαίους ἀγῶσιν. ἀλλ' ὅμως οὐδ' οὕτως
ἐδύνατο νικᾶν, ἀλλ' ἀεί πως ἀμφίδοξα τὰ τέλη
τῶν κινδύνων αὐτοῖς ἀπέβαινε.

12 Περὶ μὲν οὖν τούτων ἀναγκαῖον ἦν προειπεῖν

146

against each other, it will prove useful and beneficial to inquire into the difference, and into the reason why on the battle-field the Romans have always had the upper hand and carried off the palm, so that we may not, like foolish men, talk simply of chance and felicitate the victors without giving any reason for it, but may, knowing the true causes of their success, give them a reasoned tribute of praise and admiration.

It will not be necessary to dilate upon the battles of the Romans with Hannibal and their defeats therein ; for there they met with defeat not owing to their equipment and formation but owing to Hannibal's skill and cleverness. This I made sufficiently clear in dealing with the battles in question, and the best testimony to the justice of what I said was, first of all, the actual end of the war. For very soon when the Romans had the advantage of the services of a general of like capacity with Hannibal then victory was an immediate consequence of this. And secondly, Hannibal himself, discarding his original armament at once on winning the first battle, armed his own forces with the Roman weapons and continued to employ these up to the end. As for Pyrrhus he employed not only Italian arms but Italian forces, placing cohorts of these and cohorts composed of men from the phalanx in alternate order in his battles with the Romans. But still even by this means he could not gain a victory, but the result of all their battles was always more or less doubtful.

It was necessary for me to preface my comparison

χάριν τοῦ μηδὲν ἀντεμφαίνειν ταῖς ἡμετέραις
ἀποφάσεσιν· ἐπάνειμι δ᾽ ἐπὶ τὴν προκειμένην σύγ-
κρισιν.

29 "Οτι μὲν ἐχούσης τῆς φάλαγγος τὴν αὑτῆς
(12) ἰδιότητα καὶ δύναμιν οὐδὲν ἂν ὑποσταίη κατὰ
πρόσωπον οὐδὲ μεῖναι τὴν ἔφοδον αὐτῆς, εὐχερὲς
2 καταμαθεῖν ἐκ πολλῶν. ἐπεὶ γὰρ ὁ μὲν ἀνὴρ
ἵσταται σὺν τοῖς ὅπλοις ἐν τρισὶ ποσὶ κατὰ τὰς
ἐναγωνίους πυκνώσεις, τὸ δὲ τῶν σαρισῶν μέγε-
θός ἐστι κατὰ μὲν τὴν ἐξ ἀρχῆς ὑπόθεσιν ἑκκαί-
δεκα πηχῶν, κατὰ δὲ τὴν ἁρμογὴν τὴν πρὸς τὴν
3 ἀλήθειαν δεκατεττάρων, τούτων δὲ τοὺς τέτταρας
ἀφαιρεῖ τὸ μεταξὺ τοῖν χεροῖν διάστημα καὶ τὸ
4 κατόπιν σήκωμα τῆς προβολῆς, φανερὸν ὅτι τοὺς
δέκα πήχεις προπίπτειν ἀνάγκη τὴν σάρισαν
πρὸ τῶν σωμάτων ἑκάστου τῶν ὁπλιτῶν, ὅταν
ἴῃ δι᾽ ἀμφοῖν τοῖν χεροῖν προβαλόμενος ἐπὶ
5 τοὺς πολεμίους. ἐκ δὲ τούτου συμβαίνει τὰς
μὲν τοῦ δευτέρου καὶ τρίτου καὶ τετάρτου πλεῖον,
τὰς δὲ τοῦ πέμπτου ζυγοῦ σαρίσας δύο προ-
πίπτειν πήχεις πρὸ τῶν πρωτοστατῶν, ἐχούσης
τῆς φάλαγγος τὴν αὑτῆς ἰδιότητα καὶ πύκνωσιν
6 κατ᾽ ἐπιστάτην καὶ κατὰ παραστάτην, ὡς "Ομη-
ρος ὑποδείκνυσιν ἐν τούτοις·

ἀσπὶς ἄρ᾽ ἀσπίδ᾽ ἔρειδε, κόρυς κόρυν, ἀνέρα δ᾽
    ἀνήρ·
ψαῦον δ᾽ ἱππόκομοι κόρυθες λαμπροῖσι φάλοισι
νευόντων· ὣς πυκνοὶ ἐφέστασαν ἀλλήλοισι.

7 τούτων δ᾽ ἀληθινῶς καὶ καλῶς λεγομένων, δῆλον
ὡς ἀνάγκη καθ᾽ ἕκαστον τῶν πρωτοστατῶν

by these few words in order that my statements may
meet with no contradiction. I will now proceed to
the comparison itself.

29. That when the phalanx has its characteristic
virtue and strength nothing can sustain its frontal
attack or withstand the charge can be easily under-
stood for many reasons. For since, when it has
closed up for action, each man, with his arms,
occupies a space of three feet in breadth, and the
length of the pikes is according to the original
design sixteen cubits, but as adapted to actual
needs fourteen cubits, from which we must subtract
the distance between the bearer's two hands and
the length of the weighted portion of the pike
behind which serves to keep it couched—four cubits
in all—it is evident that it must extend ten cubits
beyond the body of each hoplite when he charges
the enemy grasping it with both hands. The con-
sequence is that while the pikes of the second, third,
and fourth ranks extend farther than those of the
fifth rank, those of that rank extend two cubits
beyond the bodies of the men in the first rank,
when the phalanx has its characteristic close order
as regards both depth and breadth, as Homer
expresses it in these verses :

> Spear crowded spear,
> Shield, helmet, man press'd helmet, man, and shield ;
> The hairy crests of their resplendent casques
> Kiss'd close at every nod, so wedged they stood.[a]

This description is both true and fine, and it is
evident that each man of the first rank must have

[a] Homer, *Iliad*, xiii. 131, Cowper's translation.

σαρίσας προπίπτειν πέντε, δυσὶ πήχεσι διαφερού
σας ἀλλήλων κατὰ μῆκος.

30 Ἐκ δὲ τούτου ῥᾴδιον ὑπὸ τὴν ὄψιν λαβεῖν τὴν
(13) τῆς ὅλης φάλαγγος ἔφοδον καὶ προβολήν, ποίαν
τιν' εἰκὸς εἶναι καὶ τίνα δύναμιν ἔχειν, ἐφ' ἑκκαί
2 δεκα τὸ βάθος οὖσαν. ὧν ὅσοι ⟨τὸ⟩ πέμπτον
ζυγὸν ὑπεραίρουσι, ταῖς μὲν σαρίσαις οὐδὲν οἷοί
τ' εἰσὶ συμβαλέσθαι πρὸς τὸν κίνδυνον· διόπερ
3 οὐδὲ ποιοῦνται κατ' ἄνδρα τὴν προβολήν, παρὰ
δὲ τοὺς ὤμους τῶν προηγουμένων ἀνανενευκυίας
φέρουσι χάριν τοῦ τὸν κατὰ κορυφὴν τόπον ἀσφα
λίζειν τῆς ἐκτάξεως, εἰργουσῶν τῇ πυκνώσει
τῶν σαρισῶν ὅσα τῶν βελῶν ὑπερπετῆ τῶν πρω
τοστατῶν φερόμενα δύναται προσπίπτειν πρὸς
4 τοὺς ἐφεστῶτας. αὐτῷ γε μὴν τῷ τοῦ σώματος
βάρει κατὰ τὴν ἐπαγωγὴν πιεζοῦντες οὗτοι τοὺς
προηγουμένους βιαίαν μὲν ποιοῦσι τὴν ἔφοδον,
ἀδύνατον δὲ τοῖς πρωτοστάταις τὴν εἰς τοὔπισθεν
μεταβολήν.

5 Τοιαύτης περὶ τὴν φάλαγγα διαθέσεως καὶ
καθόλου καὶ κατὰ μέρος ⟨οὔσης⟩, ῥητέον ἂν εἴη
καὶ τοῦ Ῥωμαίων καθοπλισμοῦ καὶ τῆς ὅλης
συντάξεως τὰς ἰδιότητας καὶ διαφορὰς ἐκ παρα
6 θέσεως. ἵστανται μὲν οὖν ἐν τρισὶ ποσὶ μετὰ
7 τῶν ὅπλων καὶ Ῥωμαῖοι· τῆς μάχης δ' αὐτοῖς
κατ' ἄνδρα τὴν κίνησιν λαμβανούσης διὰ τὸ τῷ
μὲν θυρεῷ σκέπειν τὸ σῶμα, συμμετατιθεμένους
αἰεὶ πρὸς τὸν τῆς πληγῆς καιρόν τῇ μαχαίρᾳ δ'
ἐκ καταφορᾶς καὶ διαιρέσεως ποιεῖσθαι τὴν μά
8 χην προφανὲς ὅτι χάλασμα καὶ διάστασιν ἀλλήλων
ἔχειν δεήσει τοὺς ἄνδρας ἐλάχιστον τρεῖς πόδας
κατ' ἐπιστάτην καὶ κατὰ παραστάτην, εἰ μέλ

the points of five pikes extending beyond him, each at a distance of two cubits from the next.

30. From this we can easily conceive what is the nature and force of a charge by the whole phalanx when it is sixteen deep. In this case those further back than the fifth rank cannot use their pikes so as to take any active part in the battle. They therefore do not severally level their pikes, but hold them slanting up in the air over the shoulders of those in front of them, so as to protect the whole formation from above, keeping off by this serried mass of pikes all missiles which, passing over the heads of the first ranks, might fall on those immediately in front of and behind them. But these men by the sheer pressure of their bodily weight in the charge add to its force, and it is quite impossible for the first ranks to face about.

Such being in general and in detail the disposition of the phalanx, I have now, for purposes of comparison, to speak of the peculiarities of the Roman equipment and system of formation and the points of difference in both. Now in the case of the Romans also each soldier with his arms occupies a space of three feet in breadth, but as in their mode of fighting each man must move separately, as he has to cover his person with his long shield, turning to meet each expected blow, and as he uses his sword both for cutting and thrusting it is obvious that a looser order is required, and each man must be at a distance of at least three feet from the man next him in the same rank and those in front of and behind him,

9 λουσιν εὐχρηστεῖν πρὸς τὸ δέον. ἐκ δὲ τούτου
συμβήσεται τὸν ἕνα Ῥωμαῖον ἵστασθαι κατὰ
δύο πρωτοστάτας τῶν φαλαγγιτῶν, ὥστε πρὸς
δέκα σαρίσας αὐτῷ γίνεσθαι τὴν ἀπάντησιν καὶ
10 τὴν μάχην, ἃς οὔτε κόπτοντα τὸν ἕνα κατα-
ταχῆσαι δυνατόν, ὅταν ἅπαξ συνάψωσιν εἰς τὰς
χεῖρας, οὔτε βιάσασθαι ῥᾴδιον, μηδέν γε τῶν
ἐφεστώτων δυναμένων συμβάλλεσθαι τοῖς πρω-
τοστάταις μήτε πρὸς τὴν βίαν μήτε πρὸς τὴν
11 τῶν μαχαιρῶν ἐνέργειαν. ἐξ ὧν εὐκατανόητον
ὡς οὐχ οἷόν τε μεῖναι κατὰ πρόσωπον τὴν τῆς
φάλαγγος ἔφοδον οὐδέν, διατηρούσης τὴν αὑτῆς
ἰδιότητα καὶ δύναμιν, ὡς ἐν ἀρχαῖς εἶπα.

31 Τίς οὖν αἰτία τοῦ νικᾶν Ῥωμαίους καὶ τί τὸ
(14) σφάλλον ἐστὶ τοὺς ταῖς φάλαγξι χρωμένους;
2 ὅτι συμβαίνει τὸν μὲν πόλεμον ἀορίστους ἔχειν
καὶ τοὺς καιροὺς καὶ τοὺς τόπους τοὺς πρὸς τὴν
χρείαν, τῆς δὲ φάλαγγος ἕνα καιρὸν εἶναι καὶ
τόπων ἓν γένος, ἐν οἷς δύναται τὴν αὑτῆς χρείαν
3 ἐπιτελεῖν. εἰ μὲν οὖν τις ἦν ἀνάγκη τοῖς ἀντι-
πάλοις εἰς τοὺς τῆς φάλαγγος καιροὺς καὶ τόπους
συγκαταβαίνειν, ὅτε μέλλοιεν κρίνεσθαι περὶ τῶν
ὅλων, εἰκὸς ἦν κατὰ τὸν ἄρτι λόγον ἀεὶ φέρεσθαι
4 τὸ πρωτεῖον τοὺς ταῖς φάλαγξι χρωμένους· εἰ
δὲ δυνατὸν ἐκκλίνειν καὶ τοῦτο ποιεῖν ῥᾳδίως,
πῶς ἂν ἔτι φοβερὸν εἴη τὸ προειρημένον σύνταγμα;
5 καὶ μὴν ὅτι χρείαν ἔχει τόπων ἐπιπέδων καὶ
ψιλῶν ἡ φάλαγξ, πρὸς δὲ τούτοις μηδὲν ἐμπόδιον
ἐχόντων, λέγω δ' οἷον τάφρους, ἐκρήγματα,
συναγκείας, ὀφρῦς, ῥεῖθρα ποταμῶν, ὁμολογού-
6 μενόν ἐστι. πάντα γὰρ τὰ προειρημένα παρα-
ποδίζειν καὶ λύειν τὴν τοιαύτην τάξιν ἱκανὰ

152

if they are to be of proper use. The consequence
will be that one Roman must stand opposite two
men in the first rank of the phalanx, so that he has
to face and encounter ten pikes, and it is both
impossible for a single man to cut through them all in
time once they are at close quarters and by no means
easy to force their points away, as the rear ranks
can be of no help to the front rank either in thus
forcing the pikes away or in the use of the sword.
So it is easy to see that, as I said at the beginning,
nothing can withstand the charge of the phalanx
as long as it preserves its characteristic formation
and force.

31. What then is the reason of the Roman success,
and what is it that defeats the purpose of those who
use the phalanx ? It is because in war the time
and place of action is uncertain and the phalanx
has only one time and one place in which it can
perform its peculiar service. Now, if the enemy
were obliged to adapt themselves to the times
and places required by the phalanx when a decisive
battle was impending, those who use the phalanx
would in all probability, for the reasons I stated
above, always get the better of their enemies ;
but if it is not only possible but easy to avoid its
onset why should one any longer dread an attack
of a body so constituted ? Again, it is acknowledged
that the phalanx requires level and clear ground
with no obstacles such as ditches, clefts, clumps of
trees, ridges and water courses, all of which are
sufficient to impede and break up such a formation.

7 γίνεται. διότι δ' εὑρεῖν τόπους ποτὲ μὲν ἐπὶ
σταδίους εἴκοσι, ποτὲ δὲ καὶ πλείους, ἐν οἷς
μηδέν τι τοιοῦτον ὑπάρχει, σχεδόν, ὡς εἰπεῖν,
ἀδύνατόν ἐστιν, εἰ δὲ μή γε, τελέως σπάνιον,
8 καὶ τοῦτο πᾶς ἄν τις ὁμολογήσειεν. οὐ μὴν
ἀλλ' ἔστω τόπους εὑρῆσθαι τοιούτους. ἐὰν οὖν
οἱ [μὲν] πολεμοῦντες εἰς μὲν τούτους μὴ συγ-
καταβαίνωσι, περιπορευόμενοι δὲ πορθῶσι τὰς
πόλεις καὶ τὴν χώραν τὴν τῶν συμμάχων, τί τῆς
9 τοιαύτης ὄφελος ἔσται συντάξεως; μένουσα μὲν
γὰρ ἐν τοῖς ἐπιτηδείοις αὐτῇ τόποις οὐχ οἷον
ὠφελεῖν δύναιτ' ἂν τοὺς φίλους, ἀλλ' οὐδ' ἑαυτὴν
10 σῴζειν. αἱ γὰρ τῶν ἐπιτηδείων παρακομιδαὶ
κωλυθήσονται ῥᾳδίως ὑπὸ τῶν πολεμίων, ὅταν
11 ἀκονιτὶ κρατῶσι τῶν ὑπαίθρων· ἐὰν δ' ἀπο-
λιποῦσα τοὺς οἰκείους τόπους βούληταί τι πράτ-
12 τειν, εὐχείρωτος ἔσται τοῖς πολεμίοις. οὐ μὴν
ἀλλὰ κἂν εἰς τοὺς ἐπιπέδους συγκαταβάς τις
τόπους μὴ πᾶν ἅμα τὸ σφέτερον στρατόπεδον
ὑπὸ τὴν ἐπαγωγὴν τῆς φάλαγγος καὶ τὸν ἕνα
καιρὸν ὑποβάλῃ, βραχέα δὲ φυγομαχήσῃ κατ'
αὐτὸν τὸν τοῦ κινδύνου καιρὸν εὐθεώρητον γί-
νεται τὸ συμβησόμενον ἐξ ὧν ποιοῦσι Ῥωμαῖοι
32 νῦν. οὐκέτι γὰρ ἐκ τοῦ λόγου δεῖ τεκμαίρεσθαι
(15) τὸ νυνὶ λεγόμενον ὑφ' ἡμῶν, ἀλλ ἐκ τῶν ἤδη
2 γεγονότων. οὐ γὰρ ἐξισώσαντες τὴν παράταξιν
πᾶσιν ἅμα συμβάλλουσι τοῖς στρατοπέδοις με-
τωπηδὸν πρὸς τὰς φάλαγγας, ἀλλὰ τὰ μὲν ἐφ-
εδρεύει τῶν μερῶν αὐτοῖς, τὰ δὲ συμμίσγει τοῖς
3 πολεμίοις. λοιπόν, ἄν τ' ἐκπέσωσιν οἱ φαλαγ-
γῖται τοὺς καθ' αὑτοὺς προσβάλλοντες ἄν τ'
4 ἐκπιεσθῶσιν ὑπὸ τούτων, λέλυται τὸ τῆς φάλαγ-

154

Every one would also acknowledge that it is almost impossible except in very rare cases to find spaces of say twenty stades or even more in length with no such obstacles. But even if we assume it to be possible, supposing those who are fighting against us refuse to meet us on such ground, but go round sacking the cities and devastating the territory of our allies, what is the use of such a formation? For by remaining on the ground that suits it, not only is it incapable of helping its friends but cannot even ensure its own safety. For the arrival of supplies will easily be prevented by the enemy, when they have undisturbed command of the open country. But if the phalanx leaves the ground proper to it and attempts any action, it will be easily overcome by the enemy. And again, if it is decided to engage the enemy on level ground, but instead of availing ourselves of our total force when the phalanx has its one opportunity for charging, we keep out of action even a small portion of it at the moment of the shock, it is easy to tell what will happen from what the Romans always do at present, (32) the likelihood of the result I now indicate requiring no argument but only the evidence of actual facts. For the Romans do not make their line equal in force to the enemy and expose all the legions to a frontal attack by the phalanx, but part of their forces remain in reserve and the rest engage the enemy. Afterwards whether the phalanx drives back by its charge the force opposed to it or is repulsed by this force, its own peculiar formation

γος ἴδιον· ἢ γὰρ ἑπόμενοι τοῖς ὑποχωροῦσιν
ἢ φεύγοντες τοὺς προσκειμένους ἀπολείπουσι τὰ
5 λοιπὰ μέρη τῆς οἰκείας δυνάμεως, οὗ γενομένου
δέδοται τοῖς ἐφεδρεύουσι τῶν πολεμίων διάστημα
καὶ τόπος, ὃν οὗτοι κατεῖχον, πρὸς τὸ μηκέτι
κατὰ πρόσωπον ὁρμᾶν, ἀλλὰ παρεισπεσόντας πλα-
γίους παρίστασθαι καὶ κατὰ νώτου τοῖς φαλαγ-
6 γίταις. ὅταν δὲ τοὺς μὲν τῆς φάλαγγος καιροὺς
καὶ τὰ προτερήματα ῥᾴδιον ᾖ φυλάξασθαι, τοὺς
δὲ κατὰ τῆς φάλαγγος ἀδύνατον, πῶς οὐ μεγάλην
εἰκὸς εἶναι τὴν διαφορὰν ἐπὶ τῆς ἀληθείας τῶν
7 προειρημένων; καὶ μὴν πορευθῆναι διὰ τόπων
παντοδαπῶν ἀναγκαῖον τοὺς χρωμένους φάλαγγι
καὶ καταστρατοπεδεῦσαι, ἔτι δὲ τόπους εὐκαί-
ρους προκαταλαβέσθαι καὶ πολιορκῆσαί τινας
καὶ πολιορκηθῆναι καὶ παραδόξοις ἐπιφανείαις
8 περιπεσεῖν· ἅπαντα γὰρ ταῦτ' ἐστὶ πολέμου
μέρη καὶ ῥοπὰς ποιεῖ πρὸς τὸ νικᾶν, ποτὲ μὲν
9 ὁλοσχερεῖς, ποτὲ δὲ μεγάλας. ἐν οἷς πᾶσιν ἡ
μὲν Μακεδόνων ἐστὶ σύνταξις δύσχρηστος, ποτὲ
δ' ἄχρηστος, διὰ τὸ μὴ δύνασθαι τὸν φαλαγγίτην
μήτε κατὰ τάγμα μήτε κατ' ἄνδρα παρέχεσθαι
10 χρείαν, ἡ δὲ Ῥωμαίων εὔχρηστος· πᾶς γὰρ
Ῥωμαῖος, ὅταν ἅπαξ καθοπλισθεὶς ὁρμήσῃ πρὸς
τὴν χρείαν, ὁμοίως ἥρμοσται πρὸς πάντα τόπον
11 καὶ καιρὸν καὶ πρὸς πᾶσαν ἐπιφάνειαν. καὶ μὴν
ἕτοιμός ἐστι καὶ τὴν αὐτὴν ἔχει διάθεσιν, ἄν τε
μετὰ πάντων δέῃ κινδυνεύειν ἄν τε μετὰ μέρους
12 ἄν τε κατὰ σημαίαν ἄν τε κατ' ἄνδρα. διὸ
καὶ παρὰ πολὺ τῆς κατὰ μέρος εὐχρηστίας δια-
φερούσης, παρὰ πολὺ καὶ τὰ τέλη συνεξακολουθεῖ
ταῖς Ῥωμαίων προθέσεσι μᾶλλον ἢ ταῖς τῶν
156

is broken up. For either in following up a retreating foe or in flying before an attacking foe, they leave behind the other parts of their own army, upon which the enemy's reserve have room enough in the space formerly held by the phalanx to attack no longer in front but appearing by a lateral movement on the flank and rear of the phalanx. When it is thus easy to guard against the opportunities and advantages of the phalanx, but impossible to prevent the enemy from taking advantage of the proper moment to act against it, the one kind of formation naturally proves in reality superior to the other. Again, those who employ the phalanx have to march through and encamp in every variety of country ; they are compelled to occupy favourable positions in advance, to besiege certain positions and to be besieged in others, and to meet attacks from quarters the least expected. For all such contingencies are parts of war, and victory sometimes wholly and sometimes very largely depends on them. Now in all these matters the Macedonian formation is at times of little use and at times of no use at all, because the phalanx soldier can be of service neither in detachments nor singly, while the Roman formation is efficient. For every Roman soldier, once he is armed and sets about his business, can adapt himself equally well to every place and time and can meet attack from every quarter. He is likewise equally prepared and equally in condition whether he has to fight together with the whole army or with a part of it or in maniples or singly. So since in all particulars the Romans are much more serviceable, Roman plans are much more apt

13 ἄλλων. περὶ μὲν ⟨οὖν⟩ τούτων ἀναγκαῖον ἡγη-
σάμην εἶναι τὸ διὰ πλειόνων ποιήσασθαι μνήμην
διὰ τὸ καὶ παρ᾽ αὐτὸν τὸν καιρὸν πολλοὺς τῶν
Ἑλλήνων διαλαμβάνειν, ὅτε Μακεδόνες ἡττή-
θησαν, ἀπίστῳ τὸ γεγονὸς ἐοικέναι, καὶ μετὰ
ταῦτα πολλοὺς διαπορήσειν διὰ τί καὶ πῶς λεί-
πεται τὸ σύνταγμα τῆς φάλαγγος ὑπὸ τοῦ Ῥω-
μαίων καθοπλισμοῦ.

33 Φίλιππος δέ, τὰ δυνατὰ πεποιηκὼς πρὸς τὸν
(16) ἀγῶνα, τοῖς δ᾽ ὅλοις πράγμασιν ἐσφαλμένος,
ἀναδεξάμενος ὅσους ἐδύνατο πλείστους τῶν ἐκ
τῆς μάχης ἀνασῳζομένων, αὐτὸς μὲν ὥρμησε
2 διὰ τῶν Τεμπῶν εἰς Μακεδονίαν. εἰς δὲ τὴν
Λάρισαν ἔτι τῇ προτεραίᾳ νυκτὶ διεπέμψατό
τινα τῶν ὑπασπιστῶν, ἐντειλάμενος ἀφανίσαι καὶ
κατακαῦσαι τὰ βασιλικὰ γράμματα, ποιῶν πρᾶγμα
βασιλικὸν τὸ μηδ᾽ ἐν τοῖς δεινοῖς λήθην ποιεῖσθαι
3 τοῦ καθήκοντος· σαφῶς γὰρ ᾔδει διότι πολλὰς
ἀφορμὰς δώσει τοῖς ἐχθροῖς καὶ καθ᾽ ἑαυτοῦ
καὶ κατὰ τῶν φίλων, ἐὰν κρατήσωσι Ῥωμαῖοι
4 τῶν ὑπομνημάτων. ἴσως μὲν οὖν καὶ ἑτέροις
ἤδη τοῦτο συμβέβηκε, τὸ τὰς μὲν ἐν ταῖς ἐπι-
τυχίαις ἐξουσίας μὴ δύνασθαι φέρειν ἀνθρωπίνως,
ἐν δὲ ταῖς περιπετείαις εὐλαβῶς ἵστασθαι καὶ
5 νουνεχῶς· ἐν τοῖς δὲ μάλιστα καὶ περὶ Φίλιππον
τοῦτο γέγονε. δῆλον δ᾽ ἔσται τοῦτο διὰ τῶν
6 μετὰ ταῦτα ῥηθησομένων· καθάπερ γὰρ καὶ
τὰς ἐξ ἀρχῆς ὁρμὰς ἐπὶ τὸ δέον αὐτοῦ σαφῶς
ἐδηλώσαμεν, καὶ πάλιν τὴν ἐπὶ τὸ χεῖρον μετα-
βολήν, καὶ πότε καὶ διὰ τί καὶ πῶς ἐγένετο,
καὶ τὰς ἐν ταύτῃ πράξεις μετ᾽ ἀποδείξεως ἐξη-
7 γησάμεθα, τὸν αὐτὸν τρόπον χρὴ καὶ τὴν μετά-

to result in success than those of others. I thought
it necessary to speak on this subject at some length
because many Greeks on the actual occasions when
the Macedonians suffered defeat considered the
event as almost incredible, and many will still
continue to wonder why and how the phalanx comes
to be conquered by troops armed in the Roman
fashion.

33. Philip had done his best in the battle, but on
being thus thoroughly defeated, after first picking
up as many as he could of the survivors from the
battle himself hastily retired through Tempe to
Macedonia. He had sent one of his aides-de-camp
on the previous night to Larisa, with orders to
destroy and burn the royal correspondence, acting
like a true king in not forgetting his duty even in
the hour of disaster : for he well knew that if the
documents fell into the hands of the Romans he
would be giving them much material to use against
himself and his friends. Perhaps in the case of
others also it has happened that in seasons of
prosperity they have not been able to wear their
authority with the moderation that befits a man,
yet in the hour of danger have exercised due
caution and kept their heads, but this was
particularly so with Philip, as will be evident
from what I am about to say. For just as I
have clearly pointed out his early impulse to do
what was right, and again the time, reasons, and
circumstances of the change for the worse in him,
narrating with documentary proofs his actions after
this change, so must I in the same manner point

νοιαν αὐτοῦ δηλῶσαι καὶ τὴν εὐστοχίαν, καθ᾽
ἣν μεταθέμενος τοῖς ἐκ τῆς τύχης ἐλαττώμασιν
εὐλογιστότατα δοκεῖ κεχρῆσθαι τοῖς καθ᾽ αὑτὸν
8 καιροῖς. Τίτος δὲ μετὰ τὴν μάχην ποιησάμενος
τὴν καθήκουσαν πρόνοιαν περί τε τῶν αἰχμα-
λώτων καὶ τῶν ἄλλων λαφύρων, ᾔει πρὸς Λά-
ρισαν.

34 . . . καθόλου τῇ περὶ τὰ λάφυρα πλεονεξίᾳ
(17) τῶν Αἰτωλῶν . . . εἴτ᾽ οὐκ ἐβούλετο Φίλιππον
ἐκβαλὼν ἐκ τῆς ἀρχῆς Αἰτωλοὺς καταλιπεῖν
2 δεσπότας τῶν Ἑλλήνων. δυσχερῶς δ᾽ ἔφερε καὶ
τὴν ἀλαζονείαν αὐτῶν, θεωρῶν ἀντεπιγραφομέ-
νους ἐπὶ τὸ νίκημα καὶ πληροῦντας τὴν Ἑλλάδα
3 τῆς αὑτῶν ἀνδραγαθίας. διὸ καὶ κατά τε τὰς
ἐντεύξεις ἀγερωχότερον αὐτοῖς ἀπήντα καὶ περὶ
τῶν κοινῶν ἀπεσιώπα, τὰ δὲ προκείμενα συν-
ετέλει καὶ δι᾽ αὑτοῦ καὶ διὰ τῶν ἰδίων φίλων.
4 τοιαύτης δ᾽ οὔσης δυσχρηστίας ἐν ἀμφοτέροις,
ἧκον πρεσβευταὶ μετά τινας ἡμέρας παρὰ τοῦ
Φιλίππου Δημοσθένης καὶ Κυκλιάδας καὶ Λι-
5 μναῖος. πρὸς οὓς κοινολογηθεὶς ὁ Τίτος ἐπὶ πλεῖον
μετὰ τῶν χιλιάρχων πεντεκαιδεχημέρους ἀνοχὰς
ἐποιήσατο παραχρῆμα, συνετάξατο δὲ καὶ συμ-
πορεύεσθαι τῷ Φιλίππῳ κοινολογησόμενος ὑπὲρ
6 τῶν καθεστώτων ἐν ταύταις. γενομένης δὲ
ταύτης τῆς ἐντεύξεως φιλανθρώπου, διπλασίως ἐξ-
7 εκάετο τὰ τῆς ὑποψίας κατὰ τοῦ Τίτου· ἤδη γὰρ
κατὰ τὴν Ἑλλάδα τῆς δωροδοκίας ἐπιπολαζούσης
καὶ τοῦ μηδένα μηδὲν δωρεὰν πράττειν, καὶ
τοῦ χαρακτῆρος τούτου νομιστευομένου παρὰ
τοῖς Αἰτωλοῖς, οὐκ ἐδύναντο πιστεύειν διότι
χωρὶς δώρων ἡ τηλικαύτη μεταβολὴ γέγονε τοῦ

out his new change of mind and the ability with
which, adapting himself to the reverses of fortune,
he faced the situation in which he found himself
until his death with exceptional prudence.

After the battle Flamininus took the requisite steps
regarding the prisoners and other booty and then
advanced towards Larisa. . . . 34. He was gener-
ally displeased with the overreaching conduct of the
Aetolians about the booty, and did not wish, now
he had expelled Philip, to leave them masters of
Greece. Also he could ill brook their bragging,
when he saw them claiming equal credit with the
Romans for the victory and filling the whole of
Greece with the story of their prowess. In conse-
quence he was somewhat brusque in his replies when
he had interviews with them and kept silent about
public affairs, carrying out his projects himself or
with the aid of his friends. While these stiff rela-
tions on both sides still continued there came a
few days after the battle a legation from Philip
composed of Demosthenes, Cycliades, and Limnaeus.
Flamininus, after conferring with them at some
length in the presence of his military tribunes,
granted Philip an armistice of fifteen days at once,
and arranged to return with them to confer with
Philip about the situation during the armistice.
As the interview had been conducted with perfect
courtesy, the suspicions of Flamininus entertained
by the Aetolians became twice as vehement. For
since by this time bribery and the notion that no one
should do anything gratis were very prevalent in
Greece, and so to speak quite current coin among the
Aetolians, they could not believe that Flamininus's
complete change of attitude towards Philip could

8 Τίτου πρὸς τὸν Φίλιππον, οὐκ εἰδότες τὰ Ῥω-
μαίων ἔθη καὶ νόμιμα περὶ τοῦτο τὸ μέρος, ἀλλ'
ἐξ αὐτῶν τεκμαιρόμενοι καὶ συλλογιζόμενοι διότι
τὸν μὲν Φίλιππον εἰκὸς ἦν προτείνειν πλῆθος χρη-
μάτων διὰ τὸν καιρόν, τὸν δὲ Τίτον μὴ δύνασθαι
τούτοις ἀντοφθαλμεῖν.

35 Ἐγὼ δὲ κατὰ μὲν τοὺς ἀνωτέρω χρόνους καὶ
(18) κοινὴν ἂν ποιούμενος ἀπόφασιν ἐθάρρησα περὶ
πάντων Ῥωμαίων εἰπεῖν ὡς οὐδὲν ἂν πράξαιεν
τοιοῦτον, λέγω δὲ πρότερον ἢ τοῖς διαποντίοις
αὐτοὺς ἐγχειρῆσαι πολέμοις, ἕως ἐπὶ τῶν ἰδίων
2 ἐθῶν καὶ νομίμων ἔμενον. ἐν δὲ τοῖς νῦν καιροῖς
περὶ πάντων μὲν οὐκ ἂν τολμήσαιμι τοῦτ' εἰπεῖν·
κατ' ἰδίαν μέντοι γε περὶ πλειόνων ἀνδρῶν ἐν
Ῥώμη θαρρήσαιμ' ἂν ἀποφήνασθαι διότι δύνανται
τὴν πίστιν ἐν τούτῳ τῷ μέρει διαφυλάττειν.
3 μαρτυρίας δὲ χάριν ὁμολογούμενα δύ' ὀνόματα
4 . . . τοῦ μὴ δοκεῖν ἀδύνατα λέγειν. Λεύκιος
μὲν γὰρ Αἰμίλιος ὁ Περσέα νικήσας, κύριος γε-
νόμενος τῆς Μακεδόνων βασιλείας, ἐν ᾗ τῆς ἄλλης
χωρὶς κατασκευῆς καὶ χορηγίας ἐν αὐτοῖς εὑ-
ρέθη τοῖς θησαυροῖς ἀργυρίου καὶ χρυσίου πλείω
5 τῶν ἑξακισχιλίων ταλάντων, οὐχ οἷον ἐπεθύμησε
τούτων τινός, ἀλλ' οὐδ' αὐτόπτης ἠβουλήθη γενέ-
σθαι, δι' ἑτέρων δὲ τὸν χειρισμὸν ἐποιήσατο τῶν
προειρημένων, καίτοι κατὰ τὸν ἴδιον βίον οὐ
περιττεύων τῇ χορηγίᾳ, τὸ δ' ἐναντίον ἐλλείπων
6 μᾶλλον. μεταλλάξαντος γοῦν αὐτοῦ τὸν βίον οὐ
πολὺ κατόπιν τοῦ πολέμου, βουληθέντες οἱ κατὰ
φύσιν υἱοὶ Πόπλιος Σκιπίων καὶ Κόιντος Μάξιμος
ἀποδοῦναι τῇ γυναικὶ τὴν φερνήν, εἴκοσι τάλαντα
καὶ πέντε, ἐπὶ τοσοῦτον ἐδυσχρηστήθησαν ὡς

have been brought about without a bribe, since they were ignorant of the Roman principles and practice in this matter, but judged from their own, and calculated that it was probable that Philip would offer a very large sum owing to his actual situation and Flamininus would not be able to resist the temptation.

35. If I were dealing with earlier times, I would have confidently asserted about all the Romans in general, that no one of them would do such a thing ; I speak of the years before they undertook wars across the sea and during which they preserved their own principles and practices. At the present time, however, I would not venture to assert this of all, but I could with perfect confidence say of many particular men in Rome that in this matter they can maintain their faith. That I may not appear to be stating what is impossible, I will cite as evidence the names of two men regarding whom none will dispute my assertion. The first is Lucius Aemilius Paullus, the conqueror of Perseus. For when he became master of the palace of the Macedonian kings, in which, apart from the splendid furniture and other riches, more than six thousand talents of gold and silver were found in the treasury alone, not only did he not covet any of his treasure, but did not even wish to look upon it, and disposed of it all by the hands of others, and this although his private fortune was by no means ample, but on the contrary rather meagre. At least when he died not long after the war, and his sons by birth, Publius Scipio and Quintus Fabius Maximus, wished to give back to his wife her dowry of twenty-five talents they found such difficulty in raising the sum that

οὐδ' εἰς τέλος ἐδυνήθησαν, εἰ μὴ τὴν ἐνδουχίαν
ἀπέδοντο καὶ τὰ σώματα καὶ σὺν τούτοις ἔτι
7 τινὰς τῶν κτήσεων. εἰ δέ τισιν ἀπίστῳ τὸ λε-
γόμενον ἐοικέναι δόξει, ῥᾴδιον ὑπὲρ τούτου λαβεῖν
8 πίστιν· πολλῶν γὰρ ἀμφισβητουμένων παρὰ Ῥω-
μαίοις καὶ μάλιστα περὶ τοῦτο τὸ μέρος διὰ τὰς
πρὸς ἀλλήλους ἀντιπαραγωγάς, ὅμως τὸ νῦν
εἰρημένον ὑφ' ἡμῶν ὁμολογούμενον εὑρήσει παρὰ
9 πᾶσιν ὁ ζητῶν. καὶ μὴν Πόπλιος Σκιπίων ὁ
τούτου μὲν κατὰ φύσιν υἱός, Ποπλίου δὲ τοῦ
μεγάλου κληθέντος κατὰ θέσιν υἱωνός, κύριος
γενόμενος τῆς Καρχηδόνος, ἥτις ἐδόκει πολυχρη-
μονεστάτη τῶν κατὰ τὴν οἰκουμένην εἶναι πό-
λεων, ἁπλῶς τῶν ἐξ ἐκείνης οὐδὲν εἰς τὸν ἴδιον
βίον μετήγαγεν, οὔτ' ὠνησάμενος οὔτ' ἄλλῳ
10 τρόπῳ κτησάμενος οὐδέν, καίπερ οὐχ ὅλως εὐπο-
ρούμενος κατὰ τὸν βίον, ἀλλὰ μέτριος ὢν κατὰ
11 τὴν ὕπαρξιν, ὡς Ῥωμαῖος. οὐχ οἷον δὲ τῶν
ἐξ αὐτῆς τῆς Καρχηδόνος ἀπέσχετο μόνον, ἀλλὰ
καὶ καθόλου τῶν ἐκ τῆς Λιβύης οὐδὲν ἐπιμιχθῆναι
12 πρὸς τὸν ἴδιον εἴασε βίον. περὶ δὲ τούτου πάλιν
τἀνδρὸς ὁ ζητῶν ἀληθινῶς ἀναμφισβήτητον εὑ-
ρήσει παρὰ Ῥωμαίοις τὴν περὶ τοῦτο τὸ μέρος
δόξαν.

36 Ἀλλὰ γὰρ ὑπὲρ μὲν τούτων οἰκειότερον λαβόν-
(19) τες καιρὸν ποιησόμεθα ⟨τὴν⟩ ἐπὶ πλεῖον δια-
στολήν. ὁ δὲ Τίτος ταξάμενος ἡμέραν πρὸς
τὸν Φίλιππον τοῖς μὲν συμμάχοις ἔγραψε παρα-
χρῆμα, διασαφῶν πότε δεήσει παρεῖναι πρὸς
τὸν σύλλογον, αὐτὸς δὲ μετά τινας ἡμέρας ἧκε
πρὸς τὴν εἰσβολὴν τῶν Τεμπῶν εἰς τὸν ταχθέντα

they could not possibly have done it had they not
sold the household goods, the slaves, and some real
property in addition. If what I say seems incredible
to anyone he can easily assure himself of its truth.
For though many facts and especially those con-
cerning this matter are subjects of dispute at Rome
owing to their political dissensions, still on inquiry
you will find that the statement I have just made is
acknowledged to be true by all. Again, take the
case of Publius Scipio, Aemilius's son by birth, but
grandson by adoption of Publius Scipio, known as
the great. When he became master of Carthage,
which was considered the wealthiest city in the world,
he took absolutely nothing from it to add to his
own fortune, either by purchase or by any other
means of acquisition, and this although he was not
particularly well off, but only moderately so for a
Roman. And not only did he keep his hands off
the treasure in Carthage itself, but in general did
not allow any of that from Africa to be mixed up
with his private fortune. In the case of this man
again anyone who really inquires will find that no
one disputes the reputation he enjoyed at Rome in
this respect.

36. But regarding these men, when I find a more
suitable opportunity I will speak more at large.
Flamininus in the meanwhile, after fixing on a day
to meet Philip, at once wrote to the allies instructing
them at what date they should be present for the
conference, and then a few days afterwards came to
the entrance of Tempe at the time determined on.

2 χρόνον. ἀθροισθέντων δὲ τῶν συμμάχων καὶ
τοῦ συνεδρίου συναχθέντος ἐξ αὐτῶν τούτων,
ἀναστὰς ὁ τῶν Ῥωμαίων στρατηγὸς ἐκέλευε
λέγειν ἕκαστον ἐφ' οἷς δεῖ ποιεῖσθαι τὰς πρὸς
3 τὸν Φίλιππον διαλύσεις. Ἀμύνανδρος μὲν οὖν
ὁ βασιλεὺς βραχέα διαλεχθεὶς καὶ μέτρια κατ-
4 έπαυσε τὸν λόγον· ἠξίου γὰρ πρόνοιαν αὐτοῦ
ποιήσασθαι πάντας, ἵνα μὴ χωρισθέντων Ῥω-
μαίων ἐκ τῆς Ἑλλάδος εἰς ἐκεῖνον ἀπερείδηται
τὴν ὀργὴν ὁ Φίλιππος· εἶναι γὰρ εὐχειρώτους
Ἀθαμᾶνας αἰεὶ Μακεδόσι διά τε τὴν ἀσθένειαν
5 καὶ γειτνίασιν τῆς χώρας. μετὰ δὲ τοῦτον Ἀλέξ-
ανδρος ὁ Αἰτωλὸς ἀναστάς, καθότι μὲν ἤθροικε
τοὺς συμμάχους ἐπὶ τὸ περὶ τῶν διαλύσεων
διαβούλιον καὶ καθόλου νῦν ἑκάστους ἀξιοῖ λέγειν
6 τὸ φαινόμενον, ἐπῄνεσε τὸν Τίτον, τοῖς δ' ὅλοις
πράγμασιν ἀγνοεῖν ἔφη καὶ παραπίπτειν αὐτόν,
εἰ πέπεισται διαλύσεις ποιησάμενος πρὸς Φίλ-
ιππον ἢ Ῥωμαίοις τὴν εἰρήνην ἢ τοῖς Ἕλλησι
τὴν ἐλευθερίαν βέβαιον ἀπολείψειν ·οὐδέτερον
7 γὰρ εἶναι τούτων δυνατόν, ἀλλ' εἰ βούλεται καὶ
τὴν τῆς πατρίδος πρόθεσιν ἐπιτελῆ ποιεῖν καὶ
τὰς ἰδίας ὑποσχέσεις, ἃς ὑπέσχηται πᾶσι τοῖς
Ἕλλησι, μίαν ὑπάρχειν ἔφη διάλυσιν πρὸς Μα-
κεδόνας τὸ Φίλιππον ἐκβάλλειν ἐκ τῆς ἀρχῆς.
8 τοῦτο δ' εἶναι καὶ λίαν εὐχερές, ἐὰν μὴ παρῇ
9 τὸν ἐνεστῶτα καιρόν. πλείω δὲ πρὸς ταύτην
τὴν ὑπόθεσιν διαλεχθεὶς κατέπαυσε τὸν λόγον.

37 Ὁ δὲ Τίτος ἀναδεξάμενος ἀστοχεῖν αὐτὸν
(20) ἔφησεν οὐ μόνον τῆς Ῥωμαίων προαιρέσεως,
ἀλλὰ καὶ τῆς αὐτοῦ προθέσεως καὶ μάλιστα τοῦ
2 τῶν Ἑλλήνων συμφέροντος. οὔτε γὰρ Ῥω-

When the allies had assembled, and while the
council was exclusively composed of them, the
Roman proconsul got up and asked them to state
severally on what terms peace should be made with
Philip. King Amynander resumed his seat after
speaking briefly and with moderation. For he
begged them all to take steps for his protection,
in case, when the Romans had left Greece, Philip
might vent his anger on him. For, he said, the
Athamanians were always easy victims of the Mace-
donians owing to their weakness and the closeness
of the two countries. After him Alexander the
Aetolian got up. He praised Flamininus for having
called the allies to take part in the Peace Con-
ference and for inviting them now to give their
several opinions, but he said he was much mistaken
and wide of the mark if he believed that by coming
to terms with Philip he would ensure either peace
for the Romans or liberty for the Greeks. For neither
of these results was possible ; but if he wished to
carry out completely the policy of his country and
fulfil the promises he had given to all the Greeks,
there was but one way of making peace with Mace-
donia and that was to depose Philip. To do so, he
said, was really quite easy, if he did not let the
present opportunity slip. After speaking at some
length in the same sense he resumed his seat.

37. Flamininus spoke next. He said that Alex-
ander was mistaken not only as to the policy of
Rome, but as to his own particular design, and
especially as to the interests of Greece. For neither

μαίους οὐδενὶ τὸ πρῶτον πολεμήσαντας εὐθέως
3 ἀναστάτους ποιεῖν τούτους· πίστιν δ' ἔχειν τὸ
λεγόμενον ἔκ [τε] τῶν κατ' Ἀννίβαν καὶ Καρ-
χηδονίους, ὑφ' ὧν τὰ δεινότατα παθόντας Ῥω-
μαίους, καὶ μετὰ ταῦτα γενομένους κυρίους ὃ
βουληθεῖεν πρᾶξαι κατ' αὐτῶν ἁπλῶς, οὐδὲν
4 ἀνήκεστον βουλεύσασθαι περὶ Καρχηδονίων· καὶ
μὴν οὐδ' αὐτὸς οὐδέποτε ταύτην ἐσχηκέναι τὴν
αἵρεσιν, ὅτι δεῖ πολεμεῖν πρὸς τὸν Φίλιππον
ἀδιαλύτως· ἀλλ' εἴπερ ἐβουλήθη ποιεῖν τὰ παρα-
καλούμενα πρὸ τῆς μάχης, ἑτοίμως ἂν διαλελύ-
5 σθαι πρὸς αὐτόν. διὸ καὶ θαυμάζειν ἔφη πῶς
μετέχοντες τότε τῶν περὶ τῆς διαλύσεως συλ-
6 λόγων ἅπαντες νῦν ἀκαταλλάκτως ἔχουσιν. " ἢ
δῆλον ὅτι νενικήκαμεν; ἀλλὰ τοῦτό γ' ἐστὶ πάν-
7 των ἀγνωμονέστατον· πολεμοῦντας γὰρ δεῖ τοὺς
ἀγαθοὺς ἄνδρας βαρεῖς εἶναι καὶ θυμικούς, ἡττω-
μένους δὲ γενναίους καὶ μεγαλόφρονας, νικῶντάς
γε μὴν μετρίους καὶ πραεῖς καὶ φιλανθρώπους.
8 ὑμεῖς δὲ τἀναντία παρακαλεῖτε νῦν. ἀλλὰ μὴν
καὶ τοῖς Ἕλλησι ταπεινωθῆναι μὲν ἐπὶ πολὺ
συμφέρει τὴν Μακεδόνων ἀρχήν, ἀρθῆναί γε μὴν
9 οὐδαμῶς." τάχα γὰρ αὐτοὺς πεῖραν λήψεσθαι
τῆς Θρᾳκῶν καὶ Γαλατῶν παρανομίας· τοῦτο
10 γὰρ ἤδη καὶ πλεονάκις γεγονέναι. καθόλου δ'
αὐτὸς μὲν ἔφη καὶ τοὺς παρόντας Ῥωμαίων
κρίνειν, ἐὰν Φίλιππος ὑπομένῃ πάντα ποιεῖν τὰ
πρότερον ὑπὸ τῶν συμμάχων ἐπιταττόμενα, δι-
δόναι τὴν εἰρήνην αὐτῷ, προσλαβόντας καὶ τὴν
τῆς συγκλήτου γνώμην· Αἰτωλοὺς δὲ κυρίους
11 εἶναι βουλευομένους ὑπὲρ σφῶν αὐτῶν. τοῦ δὲ
Φαινέου μετὰ ταῦτα βουλομένου λέγειν ὅτι μάταια
168

did the Romans ever after a single war at once exterminate their adversaries, as was proved by their conduct towards Hannibal and the Carthaginians, at whose hands they had suffered injuries so grievous, but yet afterwards, when it was in their power to treat them exactly as they chose, they had not resolved on any extreme measures. Nor, he said, had he himself ever entertained the idea that they should wage war on Philip without any hope of reconciliation; but if the king had consented to the conditions imposed on him before the battle, he would gladly have made peace with him. " Therefore it indeed surprises me," he said, " that after taking part in the conferences for peace you are now all irreconcilable. Is it, as seems evident, because we won the battle? But nothing can be more unfeeling. Brave men should be hard on their foes and wroth with them in battle, when conquered they should be courageous and high-minded, but when they conquer, gentle and humane. What you exhort me to do now is exactly the reverse. Again it is in the interest of the Greeks that the Macedonian dominion should be humbled for long, but by no means that it should be destroyed." For in that case, he said, they would very soon experience the lawless violence of the Thracians and Gauls, as they had on more than one occasion. On the whole, he continued, he and the other Romans present judged it proper, if Philip agreed to do everything that the allies had previously demanded, to grant him peace after first consulting the Senate. As for the Aetolians, they were at liberty to take their own counsel. When Phaeneas after this attempted to say that

πάντα τὰ πρὸ τοῦ γέγονε· τὸν γὰρ Φίλιππον,
ἐὰν διολίσθῃ τὸν παρόντα καιρόν, ἤδη πάλιν
12 ἀρχὴν ἄλλην ποιήσεσθαι πραγμάτων· ὁ Τίτος
αὐτόθεν ἐξ ἕδρας καὶ θυμικῶς "παῦσαι" φησί
"Φαινέα, ληρῶν· ἐγὼ γὰρ οὕτως χειριῶ τὰς
διαλύσεις ὥστε μηδὲ βουληθέντα τὸν Φίλιππον
ἀδικεῖν δύνασθαι τοὺς Ἕλληνας."

38 Καὶ τότε μὲν ἐπὶ τούτοις ἐχωρίσθησαν. τῇ δ'
(21) ὑστεραίᾳ παραγενομένου τοῦ βασιλέως, καὶ τῇ
τρίτῃ πάντων εἰς τὸν σύλλογον ἀθροισθέντων,
εἰσελθὼν ὁ Φίλιππος εὐστόχως καὶ συνετῶς
2 ὑπετέμετο τὰς πάντων ὁρμάς· ἔφη γὰρ τὰ μὲν
πρότερον ὑπὸ Ῥωμαίων καὶ τῶν συμμάχων
ἐπιταττόμενα πάντα συγχωρεῖν καὶ ποιήσειν,
περὶ δὲ τῶν λοιπῶν διδόναι τῇ συγκλήτῳ τὴν
3 ἐπιτροπήν. τούτων δὲ ῥηθέντων οἱ μὲν ἄλλοι
πάντες ἀπεσιώπησαν, ὁ δὲ τῶν Αἰτωλῶν Φαινέας
"τί οὖν ἡμῖν οὐκ ἀποδίδως, Φίλιππε." ἔφη
"Λάρισαν τὴν Κρεμαστήν, Φάρσαλον, Θήβας
4 τὰς Φθίας, Ἐχῖνον;" ὁ μὲν οὖν Φίλιππος ἐκέλευε
παραλαμβάνειν αὐτούς, ὁ δὲ Τίτος τῶν μὲν ἄλλων
οὐκ ἔφη δεῖν οὐδεμίαν, Θήβας δὲ μόνον τὰς Φθίας·
5 Θηβαίους γὰρ ἐγγίσαντος αὐτοῦ μετὰ τῆς δυνά-
μεως καὶ παρακαλοῦντος σφᾶς εἰς τὴν Ῥωμαίων
πίστιν οὐ βουληθῆναι· διὸ νῦν, κατὰ πόλεμον
ὑποχειρίων ὄντων, ἔχειν ἐξουσίαν ἔφη βουλεύεσθαι
6 περὶ αὐτῶν ὡς ἂν προαιρῆται. τῶν δὲ περὶ τὸν
Φαινέαν ἀγανακτούντων, καὶ λεγόντων ὅτι δέον
αὐτοὺς εἴη, πρῶτον μέν, καθότι συνεπολέμησαν
νῦν, κομίζεσθαι τὰς πόλεις τὰς πρότερον μεθ'
7 αὐτῶν συμπολιτευομένας, ἔπειτα κατὰ τὴν ἐξ
ἀρχῆς συμμαχίαν, καθ' ἣν ἔδει τῶν κατὰ πόλεμον

all that had happened was of no use, for Philip, if he
could wriggle out of the present crisis, would at once
begin to re-establish his power, Flamininus inter-
rupted him angrily and without rising from his seat,
exclaiming, " Stop talking nonsense, Phaeneas ; for
I will so manage the peace that Philip will not, even
if he wishes it, be able to wrong the Greeks."

38. On that day they broke up on these terms.
Next day the king arrived, and on the following day,
when all had assembled at the conference, Philip
entered and with great skill and sound sense cut
away the ground on which they all based their
violent demands by saying that he yielded to and
would execute all the former demands of the Romans
and the allies, and that he submitted all other
questions to the decision of the Senate. After he had
said this, all the others remained silent, but Phaeneas
the Aetolian representative said, " Why then,
Philip, do you not give up to us Larisa Cremaste,
Pharsalus, Phthiotic Thebes, and Echinus ? " Philip
told him to take them, but Flamininus said that
they ought not to take any of the other towns,
but only Phthiotic Thebes. For the Thebans,
when on approaching the town with his army he
demanded that they should submit to Rome, had
refused. So that, now that they had been reduced
by force of arms, he had a right to decide
as he chose about them. When, upon this,
Phaeneas grew indignant and said that in the first
place the Aetolians should, as they had fought side
by side with the Romans, receive back the towns
which had formerly been members of their League,
and next that the same resulted from the terms
of their original alliance, by which the possessions

ἑλόντων τὰ μὲν ἔπιπλα Ῥωμαίων εἶναι, τὰς δὲ
πόλεις Αἰτωλῶν, ὁ Τίτος ἀγνοεῖν αὐτοὺς ἔφη κατ'
8 ἀμφότερα. τήν τε γὰρ συμμαχίαν λελύσθαι, καθ'
ὃν καιρὸν τὰς διαλύσεις ἐποιήσαντο πρὸς Φίλιππον
ἐγκαταλείποντες Ῥωμαίους, εἴ τε καὶ μένειν ἔτι
9 τὴν συμμαχίαν, δεῖν αὐτοὺς κομίζεσθαι καὶ παρα-
λαμβάνειν, οὐκ εἴ τινες ἐθελοντὴν σφᾶς εἰς τὴν
Ῥωμαίων πίστιν ἐνεχείρισαν, ὅπερ αἱ κατὰ Θετ-
ταλίαν πόλεις ἅπασαι πεποιήκασι νῦν, ἀλλ' εἴ
τινες κατὰ κράτος ἑάλωσαν.

39 Τοῖς μὲν οὖν ἄλλοις ὁ Τίτος ἤρεσκε ταῦτα λέ-
(22) γων, οἱ δ' Αἰτωλοὶ βαρέως ἤκουον καί τις οἷον
2 ἀρχὴ κακῶν ἐγεννᾶτο μεγάλων· ἐκ γὰρ ταύτης
τῆς διαφορᾶς καὶ τούτου τοῦ σπινθῆρος μετ'
ὀλίγον ὅ τε πρὸς Αἰτωλοὺς ὅ τε πρὸς Ἀντίοχον
3 ἐξεκαύθη πόλεμος. τὸ δὲ συνέχον ἦν τῆς ὁρμῆς
τῆς τοῦ Τίτου πρὸς τὰς διαλύσεις, ἐπυνθάνετο
τὸν Ἀντίοχον ἀπὸ Συρίας <ἀν>ῆχθαι μετὰ δυνά-
μεως, ποιούμενον τὴν ὁρμὴν ἐπὶ τὴν Εὐρώπην.
4 διόπερ ἠγωνία μὴ ταύτης ὁ Φίλιππος τῆς ἐλπίδος
ἀντιλαμβανόμενος ἐπὶ τὸ πολιοφυλακεῖν ὁρμήσῃ
καὶ τρίβειν τὸν πόλεμον, εἶθ' ἑτέρου παραγενηθέντος
ὑπάτου τὸ κεφάλαιον τῶν πράξεων εἰς ἐκεῖνον
5 ἀνακλασθῇ. διὸ συνεχωρήθη τῷ βασιλεῖ, καθάπερ
ἠξίου, λαβόντα τετραμήνους ἀνοχὰς παραχρῆμα
μὲν δοῦναι τῷ Τίτῳ τὰ διακόσια τάλαντα καὶ
Δημήτριον τὸν υἱὸν εἰς ὁμηρείαν καί τινας ἑτέρους
τῶν φίλων, περὶ δὲ τῶν ὅλων πέμπειν εἰς τὴν
Ῥώμην καὶ διδόναι τῇ συγκλήτῳ τὴν ἐπιτροπήν.
6 καὶ τότε μὲν ἐχωρίσθησαν πιστωσάμενοι περὶ
τῶν ὅλων πρὸς ἀλλήλους, ἐφ' ᾧ Τίτον, ἐὰν μὴ
συντελῆται τὰ κατὰ τὰς διαλύσεις, ἀποδοῦναι

of those captured in war were to go to the Romans
and the towns to the Aetolians, Flamininus said
they were mistaken on both points. For the alliance
had been dissolved, when, deserting the Romans,
they made terms with Philip, and even if it still
subsisted, they should receive back and occupy not
the towns which had surrendered to the Romans
of their own free will, as all the Thessalian cities
had now done, but any that had fallen by force of
arms.

39. Flamininus, in speaking thus, pleased the
others, but the Aetolians listened to him sullenly,
and we may say that the prelude of great evils
began to come into being. For it was the spark
of this quarrel that set alight the war with the
Aetolians and that with Antiochus. What chiefly
urged Flamininus to hasten to make peace, was the
news that had reached him of Antiochus's having
put to sea in Syria with an army directed against
Europe. This made him fearful lest Philip, catching
at this hope of support, might shut himself up in
his towns and drag on the war, and that on the arrival
of another consul, the principal glory of his achieve-
ment would be lost to him and reflected on his
successor. He therefore yielded to the king's
request and allowed him an armistice of four months.
He was at once to pay Flamininus the two hundred
talents and give his son Demetrius with some other
of his friends as hostages, sending to Rome to
submit the whole question to the Senate. They
now separated after exchanging mutual pledges
about the whole question, Flamininus engaging,
if the peace were not finally made, to return the

Φιλίππῳ τὰ διακόσια τάλαντα καὶ τοὺς ὁμήρους· μετὰ
7 δὲ ταῦτα πάντες ἔπεμπον εἰς τὴν ῾Ρώμην, οἱ μὲν
συνεργοῦντες, οἱ δ᾽ ἀντιπράττοντες τῇ διαλύσει. . . .
40 Τί δήποτ᾽ ἐστὶν ὅτι τοῖς αὐτοῖς καὶ διὰ τῶν
(23) αὐτῶν ἀπατώμενοι πάντες οὐ δυνάμεθα λῆξαι
2 ⟨τῆς⟩ ἀνοίας; τοῦτο γὰρ τὸ γένος τῆς ῥᾳδιουργίας
3 πολλάκις ὑπὸ πολλῶν ἤδη γέγονε· καὶ τὸ μὲν
παρὰ τοῖς ἄλλοις διαχωρεῖν ἴσως οὐ θαυμαστόν,
τὸ δέ, παρ᾽ οἷς ἡ πηγὴ τῆς τοιαύτης ὑπάρχει
4 κακοπραγμοσύνης. ἀλλ᾽ ἔστιν αἴτιον τὸ μὴ πρό-
χειρον ὑπάρχειν τὸ παρ᾽ Ἐπιχάρμῳ καλῶς εἰρη-
μένον

νᾶφε καὶ μέμνασ᾽ ἀπιστεῖν· ἄρθρα ταῦτα τᾶν
φρενῶν.

II. Res Asiae

40ᵃ Ὅτι Ἀντίοχος ὁ βασιλεὺς πάνυ ὠρέγετο τῆς
Ἐφέσου διὰ τὴν εὐκαιρίαν, τῷ δοκεῖν μὲν κατὰ
τῆς Ἰωνίας καὶ τῶν ἐφ᾽ Ἑλλησπόντου πόλεων
καὶ κατὰ γῆν καὶ κατὰ θάλατταν ἀκροπόλεως ἔχειν
θέσιν, κατὰ δὲ τῆς Εὐρώπης ἀμυντήριον ὑπάρχειν
ἀεὶ τοῖς Ἀσίας βασιλεῦσιν εὐκαιρότατον.

41 Ὅτι φησὶν ὁ Πολύβιος ἐν τῷ ιη΄ λόγῳ. ὅτι
(24) Ἄτταλος ἐτελεύτησε τὸν βίον· ὑπὲρ οὗ δίκαιόν
ἐστι, καθάπερ περὶ τῶν ἄλλων εἰθίσμεθα ποιεῖν, καὶ
περὶ τούτου νῦν ἐπιφθέγξασθαι τὸν ἁρμόζοντα
2 λόγον. ἐκείνῳ γὰρ ἐξ ἀρχῆς ἄλλο μὲν οὐδὲν
ἐφόδιον ὑπῆρξε πρὸς βασιλείαν τῶν ἐκτός, πλοῦτος
3 δὲ μόνον, ὃς μετὰ νοῦ μὲν καὶ τόλμης χειριζόμενος
ὡς ἀληθῶς μεγάλην παρέχεται χρείαν πρὸς πᾶσαν
ἐπιβολήν, ἄνευ δὲ τῶν προειρημένων τοῖς πλείστοις
174

two hundred talents and the hostages. After this all the parties sent to Rome, some working for the peace and others against it. . . .

40. What can the reason be that we all, though deceived by the same means and through the same persons, cannot yet give over our folly? For this sort of fraud has been practised often and by many. It is perhaps not surprising that it succeeds with others, but it is indeed astonishing that it does so with those who are the very fount of such trickery. The reason however is that we do not bear in mind Epicharmus's excellent advice, " Be sober and mindful to mistrust; these are the thews of the mind."

II. Affairs of Asia

Advantageous Site of Ephesus

40a. King Antiochus was very anxious to get 197 B.C. possession of Ephesus because of its favourable site, as it may be said to stand in the position of a citadel both by land and sea for anyone with designs on Ionia and the cities of the Hellespont, and is always a most favourable point of defence against Europe for the kings of Asia.

Character of Attalus

41. So died Attalus, and justice demands that, as is my practice in the case of others, I should pronounce a few befitting words over his grave. He possessed at the outset no other quality fitting him to rule over those outside his own household but wealth, a thing that when used with intelligence and daring is of real service in all enterprises but, when these virtues are absent, proves in most

175

κακῶν παραίτιος πέφυκε γίνεσθαι καὶ συλλήβδην
4 ἀπωλείας. καὶ γὰρ φθόνους γεννᾷ καὶ ἐπιβουλὰς
καὶ πρὸς διαφθορὰν σώματος καὶ ψυχῆς μεγίστας
ἔχει ῥοπάς. ὀλίγαι δέ τινές εἰσι ψυχαὶ παντάπασιν
αἱ ταῦτα δυνάμεναι διωθεῖσθαι τῇ τοῦ πλούτου
5 δυνάμει. διὸ καὶ τοῦ προειρημένου ἄξιον ἀγασθῆ-
ναι τὴν μεγαλοψυχίαν, ὅτι πρὸς οὐδὲν τῶν ἄλλων
ἐπεβάλετο χρήσασθαι τοῖς χορηγίοις ἀλλὰ πρὸς
βασιλείας κατάκτησιν, οὗ μεῖζον ἢ κάλλιον οὐδὲν
6 οἷόν τ' ἐστὶν οὐδ' εἰπεῖν· ὃς τὴν ἀρχὴν ἐνεστήσατο
τῆς προειρημένης ἐπιβολῆς οὐ μόνον διὰ τῆς εἰς
τοὺς φίλους εὐεργεσίας καὶ χάριτος, ἀλλὰ καὶ
7 διὰ τῶν κατὰ πόλεμον ἔργων. νικήσας γὰρ μάχῃ
Γαλάτας, ὃ βαρύτατον καὶ μαχιμώτατον ἔθνος
ἦν τότε κατὰ τὴν Ἀσίαν, ταύτην ἀρχὴν ἐποιήσατο
8 καὶ τότε πρῶτον αὐτὸν ἔδειξε βασιλέα. τυχὼν
δὲ τῆς τιμῆς ταύτης καὶ βιώσας ἔτη δύο πρὸς τοῖς
ἑβδομήκοντα, τούτων δὲ βασιλεύσας τετταράκοντα
καὶ τέτταρα, σωφρονέστατα μὲν ἐβίωσε καὶ
9 σεμνότατα πρὸς γυναῖκα καὶ τέκνα, διεφύλαξε
δὲ τὴν πρὸς πάντας τοὺς συμμάχους καὶ φίλους
πίστιν, ἐναπέθανε δ' ἐν αὐτοῖς τοῖς καλλίστοις
ἔργοις, ἀγωνιζόμενος ὑπὲρ τῆς τῶν Ἑλλήνων
10 ἐλευθερίας. τὸ δὲ μέγιστον, τέτταρας υἱοὺς ἐν
ἡλικίᾳ καταλιπὼν οὕτως ἡρμόσατο τὰ κατὰ τὴν
ἀρχὴν ὥστε παισὶ παίδων ἀστασίαστον παρα-
δοθῆναι τὴν βασιλείαν.

III. Res Italiae

42 Ὅτι ἐπὶ Μαρκέλλου Κλαυδίου ὑπάτου παρειλη-
(25) φότος τὴν ὕπατον ἀρχὴν ἧκον εἰς τὴν Ῥώμην
176

cases the cause of disaster and in fact of utter ruin. For it is the source of jealousy and plotting, and contributes more than anything else to the corruption of body and soul. Those souls indeed are few who can arrest these consequences by the mere power that riches give. We should therefore reverence this king's loftiness of mind, in that he did not attempt to use his great possessions for any other purpose than the attainment of sovereignty, a thing than which nothing greater or more splendid can be named. He laid the foundation of his design not only by the largesses and favours he conferred on his friends, but by his success in war. For having conquered the Gauls, then the most formidable and warlike nation in Asia Minor, he built upon this foundation, and then first showed he was really a king. And after he had received this honourable title, he lived until the age of seventy-two and reigned for forty-four years, ever most virtuous and austere as husband and father, never breaking his faith to his friends and allies, and finally dying when engaged on his best work, fighting for the liberties of Greece. Add to this what is most remarkable of all, that having four grown-up sons, he so disposed of his kingdom that he handed on the crown in undisputed succession to his children's children.

III. Affairs of Italy

The Embassies to the Senate

42. After Claudius Marcellus, the consul, had 196 B.C. entered upon office there arrived in Rome the am-

οἵ τε παρὰ τοῦ Φιλίππου πρέσβεις οἵ τε παρὰ τοῦ
Τίτου καὶ τῶν συμμάχων ὑπὲρ τῶν πρὸς Φίλιππον
2 συνθηκῶν. λόγων δὲ πλειόνων γενομένων ἐν τῇ
συγκλήτῳ, ταύτῃ μὲν ἐδόκει βεβαιοῦν τὰς ὁμολο-
3 γίας· εἰς δὲ τὸν δῆμον εἰσενεχθέντος τοῦ δια-
βουλίου Μάρκος, αὐτὸς ἐπιθυμῶν τῆς εἰς τὴν
Ἑλλάδα διαβάσεως, ἀντέλεγε καὶ πολλὴν ἐποιεῖτο
4 σπουδὴν εἰς τὸ διακόψαι τὰς συνθήκας. οὐ μὴν
ἀλλ᾽ ὅ γε δῆμος κατὰ τὴν τοῦ Τίτου προαίρεσιν
5 ἐπεκύρωσε τὰς διαλύσεις. ὧν ἐπιτελεσθεισῶν
εὐθέως ἡ σύγκλητος ἄνδρας δέκα καταστήσασα
τῶν ἐπιφανῶν ἐξέπεμπε τοὺς χειριοῦντας τὰ κατὰ
τὴν Ἑλλάδα μετὰ τοῦ Τίτου καὶ βεβαιώσοντας
6 τοῖς Ἕλλησι τὴν ἐλευθερίαν. ἐποιήσαντο δὲ
λόγους ἐν τῇ συγκλήτῳ καὶ περὶ τῆς συμμαχίας οἱ
παρὰ τῶν Ἀχαιῶν πρέσβεις, οἱ περὶ Δαμόξενον
7 τὸν Αἰγιέα· γενομένης δ᾽ ἀντιρρήσεως κατὰ τὸ
παρὸν διὰ τὸ κατὰ πρόσωπον Ἠλείους μὲν ἀμφι-
σβητεῖν τοῖς Ἀχαιοῖς ὑπὲρ τῆς Τριφυλίας, Μεσ-
σηνίους δ᾽ ὑπὲρ Ἀσίνης καὶ Πύλου, συμμάχους
τότε Ῥωμαίων ὑπάρχοντας, Αἰτωλοὺς δὲ περὶ
τῆς Ἡραιῶν πόλεως, ὑπέρθεσιν ἔλαβε τὸ δια-
8 βούλιον ἐπὶ τοὺς δέκα. καὶ τὰ μὲν κατὰ τὴν
σύγκλητον ἐπὶ τούτοις ἦν.

IV. RES GRAECIAE

43 Ὅτι κατὰ τὴν Ἑλλάδα μετὰ τὴν μάχην Τίτου
(26) παραχειμάζοντος ἐν Ἐλατείᾳ Βοιωτοὶ, σπου-
δάζοντες ἀνακομίσασθαι τοὺς ἄνδρας τοὺς παρ᾽
αὐτῶν στρατευσαμένους παρὰ τῷ Φιλίππῳ, δι-
επρεσβεύοντο περὶ τῆς ἀσφαλείας αὐτῶν πρὸς
178

bassadors from Philip and also the legates sent
by Flamininus and the allies on the subject of the
peace with Philip. After considerable discussion
in the Senate that body resolved to confirm the
peace. But when the senatus-consultum was brought
before the People, Marcus, who himself was desirous
of crossing to Greece, spoke against it and did
all in his power to break off the negotiation. But
in spite of this the people yielded to the wishes
of Flamininus and ratified the peace. Upon the
conclusion of peace the Senate at once nominated
ten of its most distinguished members and sent
them to manage Grecian affairs in conjunction with
Flamininus, and to assure the liberties of the Greeks.
The Achaean legate Damoxenus of Aegae also spoke
in the Senate on the subject of the alliance. But
since some opposition was raised for the time being,
because the Eleans made a claim against the
Achaeans for Triphylia, the Messenians (who were
then the allies of Rome) for Asine and Pylus, and
the Aetolians for the possession of Heraea, the
decision was referred to the ten commissioners.
Such was the result of the proceedings in the Senate.

IV. Affairs of Greece

Conduct of the Boeotians

43. While Flamininus was wintering in Elatea 196 B.C.
after the battle, the Boeotians, anxious to recover
the men they had sent to serve under Philip in the
campaign, sent an embassy to Flamininus begging

179

2 Τίτον. ὁ δὲ βουλόμενος ἐκκαλεῖσθαι τοὺς Βοιω-
τοὺς πρὸς τὴν σφετέραν εὔνοιαν διὰ τὸ προορᾶσθαι
3 τὸν Ἀντίοχον, ἑτοίμως συνεχώρησεν. ταχὺ δὲ
πάντων ἀνακομισθέντων ἐκ τῆς Μακεδονίας, ἐν
οἷς ἦν καὶ Βραχύλλης, τοῦτον μὲν εὐθέως βοιω-
τάρχην κατέστησαν, παραπλησίως δὲ καὶ τοὺς
ἄλλους τοὺς δοκοῦντας εἶναι φίλους τῆς Μακεδόνων
οἰκίας ἐτίμων καὶ προῆγον οὐχ ἧττον ἢ πρότερον.
4 ἔπεμψαν δὲ καὶ πρεσβείαν πρὸς τὸν Φίλιππον τὴν
εὐχαριστήσουσαν ἐπὶ τῇ τῶν νεανίσκων ἐπανόδῳ,
5 λυμαινόμενοι τὴν τοῦ Τίτου χάριν. ἃ συνορῶντες
οἱ περὶ τὸν Ζεύξιππον καὶ Πεισίστρατον, καὶ
πάντες οἱ δοκοῦντες εἶναι Ῥωμαίοις φίλοι δυσχερῶς
ἔφερον, προορώμενοι τὸ μέλλον καὶ δεδιότες περὶ
6 σφῶν αὐτῶν καὶ τῶν ἀναγκαίων· σαφῶς γὰρ
ᾔδεισαν ὡς, ἐὰν μὲν οἱ Ῥωμαῖοι χωρισθῶσιν ἐκ
τῆς Ἑλλάδος, ὁ δὲ Φίλιππος μένῃ παρὰ πλευράν,
συνεπισχύων αἰεὶ τοῖς πρὸς σφᾶς ἀντιπολιτευομέ-
νοις, οὐδαμῶς ἀσφαλῆ σφίσιν ἐσομένην τὴν ἐν τῇ
7 Βοιωτίᾳ πολιτείαν. διὸ καὶ συμφρονήσαντες ἐπρέ-
8 σβευον πρὸς Τίτον εἰς τὴν Ἐλάτειαν. συμμίξαντες
δὲ τῷ προειρημένῳ πολλοὺς καὶ ποικίλους εἰς
τοῦτο τὸ μέρος διετίθεντο λόγους, ὑποδεικνύντες
τὴν ὁρμὴν τοῦ πλήθους τὴν οὖσαν ἤδη νῦν καθ'
9 αὑτῶν καὶ τὴν ἀχαριστίαν τῶν ὄχλων. καὶ τέλος
ἐθάρρησαν εἰπεῖν ⟨ὡς⟩, ἐὰν μὴ τὸν Βραχύλλην
ἐπανελόμενοι καταπλήξωνται τοὺς πολλούς, οὐκ
ἔστιν ἀσφάλεια τοῖς Ῥωμαίων φίλοις χωρισθέντων
10 τῶν στρατοπέδων. ὁ δὲ Τίτος ταῦτα διακούσας
αὐτὸς μὲν οὐκ ἔφη κοινωνεῖν τῆς πράξεως ταύτης,
11 τοὺς δὲ βουλομένους πράττειν οὐ κωλύειν· καθόλου
δὲ λαλεῖν αὐτοὺς ἐκέλευε περὶ τούτων Ἀλεξαμενῷ

him to provide for their safety, and he gladly consented as, foreseeing the arrival of Antiochus, he wished to conciliate the Boeotians. Upon all the men being very soon sent back from Macedonia, among them Brachylles, they at once appointed the latter boeotarch, and continued, no less than formerly, to advance and honour the others who were considered to be friends of the house of Macedon. They also sent an embassy to Philip thanking him for the return of the soldiers, thus depreciating the grace of Flamininus's act. When Zeuxippus, Pisistratus and all who were considered the friends of Rome saw this, they were much displeased, as they foresaw what might happen and feared for themselves and their relatives. For they well knew that if the Romans quitted Greece and Philip remained on their flanks, his strength continuing to increase together with that of their political opponents, it would by no means be safe for them to take part in public life in Boeotia. They therefore clubbed together and sent envoys to Flamininus at Elatea. On meeting him they used a great variety of arguments, pointing out the violent feeling against them at present existing among the people and the noted ingratitude of a multitude, and finally they made bold to say that unless they struck terror into the populace by killing Brachylles there would be no security for the friends of the Romans once the legions had left. Flamininus, after listening to this, said that he himself would take no part in this deed, but would put no obstacles in the way of anyone who wished to do so. He advised them on the whole to speak to Alexamenus, the Aetolian strategus.

12 τῷ τῶν Αἰτωλῶν στρατηγῷ. τῶν δὲ περὶ τὸν
Ζεύξιππον πειθαρχησάντων καὶ διαλεγομένων,
ταχέως ὁ προειρημένος πεισθεὶς καὶ συγκατα-
θέμενος τοῖς λεγομένοις τρεῖς μὲν τῶν Αἰτωλικῶν
συνέστησε, τρεῖς δὲ τῶν Ἰταλικῶν νεανίσκων
τοὺς προσοίσοντας τὰς χεῖρας τῷ Βραχύλλῃ. . . .
13 Οὐδεὶς γὰρ οὕτως οὔτε μάρτυς ἐστὶ φοβερὸς
οὔτε κατήγορος δεινὸς ὡς ἡ σύνεσις ἡ κατοικοῦσ᾽
ἐν ταῖς ἑκάστων ψυχαῖς.

44 Ὅτι κατὰ τὸν καιρὸν τοῦτον ἧκον ἐκ τῆς Ῥώμης
(27) οἱ δέκα, δι᾽ ὧν ἔμελλε χειρίζεσθαι τὰ κατὰ τοὺς
Ἕλληνας, κομίζοντες τὸ τῆς συγκλήτου ⟨δόγμα⟩
2 τὸ περὶ τῆς πρὸς Φίλιππον εἰρήνης. ἦν δὲ τὰ
συνέχοντα τοῦ δόγματος ταῦτα, τοὺς μὲν ἄλλους
Ἕλληνας πάντας, τούς τε κατὰ τὴν Ἀσίαν καὶ
κατὰ τὴν Εὐρώπην, ἐλευθέρους ὑπάρχειν καὶ
3 νόμοις χρῆσθαι τοῖς ἰδίοις· τοὺς δὲ ταττομένους
ὑπὸ Φίλιππον καὶ τὰς πόλεις τὰς ἐμφρούρους
παραδοῦναι Φίλιππον Ῥωμαίοις πρὸ τῆς τῶν
4 Ἰσθμίων πανηγύρεως, Εὔρωμον δὲ καὶ Πήδασα
καὶ Βαργύλια καὶ τὴν Ἰασέων πόλιν, ὁμοίως
Ἄβυδον, Θάσον, Μύριναν, Πέρινθον, ἐλευθέρας
ἀφεῖναι τὰς φρουρὰς ἐξ αὐτῶν μεταστησάμενον·
5 περὶ δὲ τῆς τῶν Κιανῶν ἐλευθερώσεως Τίτον
γράψαι πρὸς Προυσίαν κατὰ τὸ δόγμα τῆς συγ-
6 κλήτου· τὰ δ᾽ αἰχμάλωτα καὶ τοὺς αὐτομόλους
ἅπαντας ἀποκαταστῆσαι Φίλιππον Ῥωμαίοις ἐν
τοῖς αὐτοῖς χρόνοις, ὁμοίως δὲ καὶ τὰς κατα-
φράκτους ναῦς πλὴν πέντε σκαφῶν καὶ τῆς ἐκ-
7 καιδεκήρους· δοῦναι δὲ καὶ χίλια τάλαντα, τούτων
τὰ μὲν ἡμίση παραυτίκα, τὰ δ᾽ ἡμίση κατὰ φόρους
ἐν ἔτεσι δέκα.

When Zeuxippus and the others acted on this advice and spoke about the matter, Alexamenus was soon persuaded and agreeing to what they said, arranged for three Aetolians and three Italian soldiers to assassinate Brachylles. . . .

For no one is such a terrible witness or such a dread accuser as the conscience that dwells in all our hearts.

Flamininus and the Roman Commissioners in Greece

44. At this time the ten commissioners who were to control the affairs of Greece arrived from Rome bringing the senatus-consultum about the peace with Philip. Its principal contents were as follows : All the rest of the Greeks in Asia and Europe were to be free and subject to their own laws ; Philip was to surrender to the Romans before the Isthmian games those Greeks subject to his rule and the cities in which he had garrisons ; he was to leave free, withdrawing his garrisons from them, the towns of Euromus, Pedasa, Bargylia, and Iasus, as well as Abydus, Thasos, Myrina, and Perinthus ; Flamininus was to write to Prusias in the terms of the senatus-consultum about restoring the freedom of Cius ; Philip was to restore to the Romans all prisoners of war and deserters before the same date, and to surrender to them all his warships with the exception of five light vessels and his great ship of sixteen banks of oars ; he was to pay them a thousand talents, half at once and the other half by instalments extending over ten years.

THE HISTORIES OF POLYBIUS

45 Τούτου δὲ τοῦ δόγματος διαδοθέντος εἰς τοὺς
(28) Ἕλληνας οἱ μὲν ἄλλοι πάντες εὐθαρσεῖς ἦσαν καὶ
περιχαρεῖς, μόνοι δ' Αἰτωλοί, δυσχεραίνοντες ἐπὶ
τῷ μὴ τυγχάνειν ὧν ἤλπιζον, κατελάλουν τὸ
δόγμα, φάσκοντες οὐ πραγμάτων, ἀλλὰ γραμμάτων
2 μόνον ἔχειν αὐτὸ διάθεσιν. καί τινας ἐλάμβανον
πιθανότητας ἐξ αὐτῶν τῶν ἐγγράπτων πρὸς τὸ
3 διασείειν τοὺς ἀκούοντας τοιαύτας. ἔφασκον γὰρ
εἶναι δύο γνώμας ἐν τῷ δόγματι περὶ τῶν ὑπὸ
Φιλίππου φρουρουμένων πόλεων, τὴν μὲν μίαν
ἐπιτάττουσαν ἐξάγειν τὰς φρουρὰς τὸν Φίλιππον,
τὰς δὲ πόλεις παραδιδόναι Ῥωμαίοις, τὴν δ'
ἑτέραν ἐξάγοντα τὰς φρουρὰς ἐλευθεροῦν τὰς
4 πόλεις. τὰς μὲν οὖν ἐλευθερουμένας ἐπ' ὀνόματος
δηλοῦσθαι, ταύτας δ' εἶναι τὰς κατὰ τὴν Ἀσίαν,
τὰς δὲ παραδιδομένας Ῥωμαίοις φανερὸν ὅτι τὰς
5 κατὰ τὴν Εὐρώπην. εἶναι δὲ ταύτας Ὠρεόν,
6 Ἐρέτριαν, Χαλκίδα, Δημητριάδα, Κόρινθον. ἐκ
δὲ τούτων εὐθεώρητον ὑπάρχειν πᾶσιν ὅτι μετα-
λαμβάνουσι τὰς Ἑλληνικὰς πέδας παρὰ Φιλίππου
Ῥωμαῖοι, καὶ γίνεται μεθάρμοσις δεσποτῶν, οὐκ
ἐλευθέρωσις τῶν Ἑλλήνων.
7 Ταῦτα μὲν οὖν ὑπ' Αἰτωλῶν ἐλέγετο κατακόρως.
ὁ δὲ Τίτος ὁρμήσας ἐκ τῆς Ἐλατείας μετὰ τῶν
δέκα καὶ κατάρας εἰς τὴν Ἀντίκυραν, παραυτίκα
διέπλευσεν εἰς τὸν Κόρινθον, κἀκεῖ παραγενό-
μενος συνήδρευε μετὰ τούτων καὶ διελάμβανε
8 περὶ τῶν ὅλων. πλεοναζούσης δὲ τῆς τῶν Αἰτωλῶν
διαβολῆς καὶ πιστευομένης παρ' ἐνίοις, πολλοὺς
καὶ ποικίλους ἠναγκάζετο ποιεῖσθαι λόγους ὁ
9 Τίτος ἐν τῷ συνεδρίῳ, διδάσκων ὡς εἴπερ βούλονται
καὶ τὴν τῶν Ἑλλήνων εὔκλειαν ὁλόκληρον περι-
184

45. When the report of this senatus-consultum
was spread in Greece, all except the Aetolians were
of good heart and overjoyed. The latter alone,
disappointed at not obtaining what they had hoped
for, spoke ill of the decree, saying that it contained
an arrangement of words and not an arrangement
of things. Even from the actual terms of the
document they drew certain probable conclusions
calculated to confuse the minds of those who listened
to them. For they said there were two decisions in
it about the cities garrisoned by Philip, one ordering
him to withdraw his garrisons and surrender the
cities to the Romans and the other to withdraw his
garrisons and set the cities free. The towns to be
set free were named and they were those in Asia,
while evidently those to be surrendered to the
Romans were those in Europe, that is to say Oreum,
Eretria, Chalcis, Demetrias, and Corinth. From this
anyone could easily see that the Romans were
taking over from Philip the fetters of Greece, and
that what was happening was a readjustment of
masters and not the delivery of Greece out of
gratitude.

Such things were being said by the Aetolians *ad
nauseam*. But Flamininus, moving from Elatea with
the ten commissioners, came down to Anticyra
and at once sailed across to Corinth. On arriving
there he sat in conference with the commissioners,
deciding about the whole situation. As the slan-
derous reflections of the Aetolians were becoming
more current and were credited by some, he was
obliged to address his colleagues at length and in
somewhat elaborate terms, pointing out to them
that if they wished to gain universal renown in

ποιήσασθαι, καὶ καθόλου πιστευθῆναι παρὰ πᾶσι
διότι καὶ τὴν ἐξ ἀρχῆς ἐποιήσαντο διάβασιν οὐ
τοῦ συμφέροντος ἕνεκεν, ἀλλὰ τῆς τῶν Ἑλλήνων
ἐλευθερίας, ἐκχωρητέον εἴη πάντων τῶν τόπων
καὶ πάσας ἐλευθερωτέον τὰς πόλεις τὰς νῦν
10 ὑπὸ Φιλίππου φρουρουμένας. ταύτην δὲ συνέβαινε
γίνεσθαι τὴν ἀπορίαν ἐν τῷ συνεδρίῳ διὰ τὸ περὶ
μὲν τῶν ἄλλων ἐν τῇ Ῥώμῃ προδιειλῆφθαι καὶ
ῥητὰς ἔχειν τοὺς δέκα παρὰ τῆς συγκλήτου τὰς
ἐντολάς, περὶ δὲ Χαλκίδος καὶ Κορίνθου καὶ
Δημητριάδος ἐπιτροπὴν αὐτοῖς δεδόσθαι διὰ
τὸν Ἀντίοχον, ἵνα βλέποντες πρὸς τοὺς καιροὺς
βουλεύωνται περὶ τῶν προειρημένων πόλεων κατὰ
11 τὰς αὑτῶν προαιρέσεις· ὁ γὰρ προειρημένος βασι-
λεὺς δῆλος ἦν ἐπέχων πάλαι τοῖς κατὰ τὴν
12 Εὐρώπην πράγμασιν. οὐ μὴν ἀλλὰ τὸν μὲν
Κόρινθον ὁ Τίτος ἔπεισε τὸ συνέδριον ἐλευθεροῦν
παραχρῆμα καὶ τοῖς Ἀχαιοῖς ἐγχειρίζειν διὰ τὰς
ἐξ ἀρχῆς ὁμολογίας, τὸν δ' Ἀκροκόρινθον καὶ
Δημητριάδα καὶ Χαλκίδα παρακατέσχεν.

46 Δοξάντων δὲ τούτων, καὶ τῆς Ἰσθμίων παν-
(29) ηγύρεως ἐπελθούσης, καὶ σχεδὸν ἀπὸ πάσης τῆς
οἰκουμένης τῶν ἐπιφανεστάτων ἀνδρῶν συνεληλυ-
θότων διὰ τὴν προσδοκίαν τῶν ἀποβησομένων,
πολλοὶ καὶ ποικίλοι καθ' ὅλην τὴν πανήγυριν
2 ἐνέπιπτον λόγοι, τῶν μὲν ἀδύνατον εἶναι φασκόντων
Ῥωμαίους ἐνίων ἀποστῆναι τόπων καὶ πόλεων,
τῶν δὲ διοριζομένων ὅτι τῶν μὲν ἐπιφανῶν εἶναι
δοκούντων τόπων ἀποστήσονται, τοὺς δὲ φαν-
τασίαν μὲν ἔχοντας ἐλάττω, χρείαν δὲ τὴν αὐτὴν
3 παρέχεσθαι δυναμένους καθέξουσι. καὶ τούτους

Greece and in general convince all that the Romans
had originally crossed the sea not in their own interest
but in that of the liberty of Greece, they must
withdraw from every place and set free all the cities
now garrisoned by Philip. The hesitation felt in
the conference was due to the fact that, while a
decision had been reached in Rome about all other
questions, and the commissioners had definite
instructions from the Senate on all other matters,
the question of Chalcis, Corinth, and Demetrias had
been left to their discretion owing to the fear of
Antiochus, in order that with an eye to circum-
stances they should take any course on which they
determined. For it was evident that Antiochus had
been for some time awaiting his opportunity to
interfere in the affairs of Greece. However, Flami-
ninus persuaded his colleagues to set Corinth free
at once, handing it over to the Achaeans, as had
originally been agreed, while he remained in occu-
pation of the Acrocorinth, Demetrias, and Chalcis.

46. This having been decided and the Isthmian
games being now close at hand, the most distin-
guished men from almost the whole world having
assembled there owing to their expectation of what
would take place, many and various were the reports
prevalent during the whole festival, some saying
that it was impossible for the Romans to abandon
certain places and cities, and others declaring
that they would abandon the places which were
considered famous, but would retain those, which
while less illustrious, would serve their purpose
equally well, even at once naming these latter out

εὐθέως ἐπεδείκνυσαν αὐτοὶ καθ᾽ αὑτῶν διὰ τῆς
4 πρὸς ἀλλήλους εὑρεσιλογίας. τοιαύτης δ᾽ οὔσης
ἐν τοῖς ἀνθρώποις τῆς ἀπορίας, ἀθροισθέντος τοῦ
πλήθους εἰς τὸ στάδιον ἐπὶ τὸν ἀγῶνα, προελθὼν
ὁ κῆρυξ καὶ ⟨κατα⟩σιωπησάμενος τὰ πλήθη διὰ
τοῦ σαλπικτοῦ τόδε ⟨τὸ⟩ κήρυγμ᾽ ἀνηγόρευσεν·
5 ῾῾Ἡ σύγκλητος ἡ Ῥωμαίων καὶ Τίτος Κοῖντιος
στρατηγὸς ὕπατος, καταπολεμήσαντες βασιλέα
Φίλιππον καὶ Μακεδόνας, ἀφιᾶσιν ἐλευθέρους,
ἀφρουρήτους, ἀφορολογήτους, νόμοις χρωμένους
τοῖς πατρίοις, Κορινθίους, Φωκέας, Λοκρούς,
Εὐβοεῖς, Ἀχαιοὺς τοὺς Φθιώτας, Μάγνητας,
6 Θετταλούς, Περραιβούς·᾽᾽ κρότου δ᾽ ἐν ἀρχαῖς
εὐθέως ἐξαισίου γενομένου τινὲς μὲν οὐδ᾽ ἤκουσαν
τοῦ κηρύγματος, τινὲς δὲ πάλιν ἀκούειν ἐβούλοντο.
7 τὸ δὲ πολὺ μέρος τῶν ἀνθρώπων διαπιστούμενον
καὶ δοκοῦν ὡς ἂν εἰ καθ᾽ ὕπνον ἀκούειν τῶν
λεγομένων διὰ τὸ παράδοξον τοῦ συμβαίνοντος,
8 πᾶς τις ἐξ ἄλλης ὁρμῆς ἐβόα προάγειν τὸν κήρυκα
καὶ τὸν σαλπικτὴν εἰς μέσον τὸ στάδιον καὶ λέγειν
πάλιν ὑπὲρ τῶν αὐτῶν, ὡς μὲν ἐμοὶ δοκεῖ, βου-
λομένων τῶν ἀνθρώπων μὴ μόνον ἀκούειν, ἀλλὰ
καὶ βλέπειν τὸν λέγοντα διὰ τὴν ἀπιστίαν τῶν
9 ἀναγορευομένων. ὡς δὲ πάλιν ὁ κῆρυξ, προελθὼν
εἰς τὸ μέσον καὶ κατασιωπησάμενος διὰ τοῦ
σαλπικτοῦ τὸν θόρυβον, ἀνηγόρευσε ταὐτὰ καὶ
ὡσαύτως τοῖς πρόσθεν, τηλικοῦτον συνέβη καταρ-
ραγῆναι τὸν κρότον ὥστε καὶ μὴ ῥᾳδίως ἂν ὑπὸ
τὴν ἔννοιαν ἀγαγεῖν τοῖς νῦν ἀκούουσι τὸ γεγονός.
10 ὡς δέ ποτε κατέληξεν ὁ κρότος, τῶν μὲν ἀθλητῶν
ἁπλῶς οὐδεὶς οὐδένα λόγον εἶχεν ἔτι, πάντες δὲ
διαλαλοῦντες, οἱ μὲν ἀλλήλοις, οἱ δὲ πρὸς σφᾶς

of their own heads, each more ingenious than the other. Such was the doubt in men's minds when, the crowd being now collected in the stadium to witness the games, the herald came forward and, having imposed universal silence by his bugler, read this proclamation : " The senate of Rome and Titus Quintius the proconsul having overcome King Philip and the Macedonians, leave the following peoples free, without garrisons and subject to no tribute and governed by their countries' laws— the Corinthians, Phocians, Locrians, Euboeans, Phthiotic Achaeans, Magnesians, Thessalians, and Perrhaebians." At once at the very commencement a tremendous shout arose, and some did not even hear the proclamation, while others wanted to hear it again. But the greater part of the crowd, unable to believe their ears and thinking that they were listening to the words as if in a dream owing to the event being so unexpected, demanded loudly, each prompted by a different impulse, that the herald and bugler should advance into the middle of the stadium and repeat the announcement, wishing, as I suppose, not only to hear the speaker, but to see him owing to the incredible character of his proclamation. But when the herald, coming forward to the middle of the stadium and again silencing the noise by his bugler, made the same identical proclamation, such a mighty burst of cheering arose that those who listen to the tale to-day cannot easily conceive what it was. When at length the noise had subsided, not a soul took any further interest in the athletes, but all, talking either to their neighbours or to themselves, were almost like

αὐτούς, οἷον εἰ παραστατικοὶ τὰς διανοίας ἦσαν.
11 ᾗ καὶ μετὰ τὸν ἀγῶνα διὰ τὴν ὑπερβολὴν τῆς
χαρᾶς μικροῦ διέφθειραν τὸν Τίτον εὐχαριστοῦντες·
12 οἱ μὲν γὰρ ἀντοφθαλμῆσαι κατὰ πρόσωπον καὶ
σωτῆρα προσφωνῆσαι βουλόμενοι, τινὲς δὲ τῆς
δεξιᾶς ἅψασθαι σπουδάζοντες, οἱ δὲ πολλοὶ στεφά-
νους ἐπιρριπτοῦντες καὶ λημνίσκους, παρ᾽ ὀλίγον
13 διέλυσαν τὸν ἄνθρωπον. δοκούσης δὲ τῆς εὐχα-
ριστίας ὑπερβολικῆς γενέσθαι, θαρρῶν ἄν τις εἶπε
διότι πολὺ καταδεεστέραν εἶναι συνέβαινε τοῦ τῆς
14 πράξεως μεγέθους. θαυμαστὸν γὰρ ἦν καὶ τὸ
Ῥωμαίους ἐπὶ ταύτης γενέσθαι τῆς προαιρέσεως
καὶ τὸν ἡγούμενον αὐτῶν Τίτον, ὥστε πᾶσαν
ὑπομεῖναι δαπάνην καὶ πάντα κίνδυνον χάριν τῆς
τῶν Ἑλλήνων ἐλευθερίας· μέγα δὲ καὶ τὸ δύναμιν
15 ἀκόλουθον τῇ προαιρέσει προσενέγκασθαι· τούτων
δὲ μέγιστον ἔτι τὸ μηδὲν ἐκ τῆς τύχης ἀντιπαῖσαι
πρὸς τὴν ἐπιβολήν, ἀλλ᾽ ἁπλῶς ἅπαντα πρὸς ἕνα
καιρὸν ἐκδραμεῖν, ὥστε διὰ κηρύγματος ἑνὸς
ἅπαντας καὶ τοὺς τὴν Ἀσίαν κατοικοῦντας Ἕλλη-
νας καὶ τοὺς τὴν Εὐρώπην ἐλευθέρους, ἀφρουρήτους,
ἀφορολογήτους γενέσθαι, νόμοις χρωμένους τοῖς
ἰδίοις.

47 Διελθούσης δὲ τῆς πανηγύρεως πρώτοις μὲν
(30) ἐχρημάτισαν τοῖς παρ᾽ Ἀντιόχου πρεσβευταῖς,
διακελευόμενοι τῶν ἐπὶ τῆς Ἀσίας πόλεων τῶν
μὲν αὐτονόμων ἀπέχεσθαι καὶ μηδεμιᾷ πολεμεῖν,
ὅσας δὲ νῦν παρείληφε τῶν ὑπὸ Πτολεμαῖον καὶ
2 Φίλιππον ταττομένων, ἐκχωρεῖν. σὺν δὲ τούτοις
προηγόρευον μὴ διαβαίνειν εἰς τὴν Εὐρώπην μετὰ
δυνάμεως· οὐδένα γὰρ ἔτι τῶν Ἑλλήνων οὔτε
πολεμεῖσθαι νῦν ὑπ᾽ οὐδενὸς οὔτε δουλεύειν οὐδενί.

190

men beside themselves. So much so indeed that
after the games were over they very nearly put an
end to Flamininus by their expressions of thanks.
For some of them, longing to look him in the face
and call him their saviour, others in their anxiety
to grasp his hand, and the greater number throwing
crowns and fillets on him, they all but tore the man
in pieces. But however excessive their gratitude
may seem to have been, one may confidently say
that it was far inferior to the greatness of the event.
For it was a wonderful thing, to begin with, that the
Romans and their general Flamininus should enter-
tain this purpose incurring every expense and
facing every danger for the freedom of Greece; it
was a great thing that they brought into action a
force adequate to the execution of their purpose ;
and greatest of all was the fact that no mischance
of any kind counteracted their design, but every-
thing without exception conduced to this one
crowning moment, when by a single proclamation
all the Greeks inhabiting Asia and Europe became
free, ungarrisoned, subject to no tribute and governed
by their own laws.

47. When the festival was over, the commissioners
first gave audience to the ambassadors of Antiochus.
They ordered him, as regards the Asiatic cities, to
keep his hands off those which were autonomous
and make war on none of them and to withdraw
from those previously subject to Ptolemy and
Philip which he had recently taken. At the same
time they enjoined him not to cross to Europe with
an army, for none of the Greeks were any longer
being attacked by anyone or the subjects of any-

3 καθόλου δὲ καὶ ἐξ αὐτῶν τινας ἔφασαν ἥξειν πρὸς
4 τὸν Ἀντίοχον. ταύτας μὲν οὖν οἱ περὶ τὸν Ἡγη-
σιάνακτα καὶ Λυσίαν λαβόντες τὰς ἀποκρίσεις
5 ἐπανῆλθον· μετὰ δὲ τούτους εἰσεκαλοῦντο πάντας
τοὺς ἀπὸ τῶν ἐθνῶν καὶ πόλεων παραγεγονότας,
6 καὶ τὰ δόξαντα τῷ συνεδρίῳ διεσάφουν. Μακε-
δόνων μὲν οὖν τοὺς Ὀρέστας καλουμένους διὰ τὸ
προσχωρῆσαι σφίσι κατὰ τὸν πόλεμον αὐτονόμους
ἀφεῖσαν, ἠλευθέρωσαν δὲ Περραιβοὺς καὶ Δόλοπας
7 καὶ Μάγνητας. Θετταλοῖς δὲ μετὰ τῆς ἐλευθερίας
καὶ τοὺς Ἀχαιοὺς τοὺς Φθιώτας προσένειμαν,
8 ἀφελόμενοι Θήβας τὰς Φθίας καὶ Φάρσαλον· οἱ
γὰρ Αἰτωλοὶ περί τε τῆς Φαρσάλου μεγάλην
ἐποιοῦντο φιλοτιμίαν, φάσκοντες αὐτῶν δεῖν
ὑπάρχειν κατὰ τὰς ἐξ ἀρχῆς συνθήκας, ὁμοίως δὲ
9 καὶ περὶ Λευκάδος. οἱ δ' ἐν τῷ συνεδρίῳ περὶ
μὲν τούτων τῶν πόλεων ὑπερέθεντο τοῖς Αἰτωλοῖς
τὸ διαβούλιον πάλιν ἐπὶ τὴν σύγκλητον, τοὺς δὲ
Φωκέας καὶ τοὺς Λοκροὺς συνεχώρησαν αὐτοῖς
ἔχειν, καθάπερ εἶχον καὶ πρότερον, ἐν τῇ συμ-
10 πολιτείᾳ. Κόρινθον δὲ καὶ τὴν Τριφυλίαν καὶ
<τὴν Ἡραιῶν πόλιν Ἀχαιοῖς ἀπέδωκαν. Ὠρεὸν
δ'>, ἔτι δὲ τὴν Ἐρετριέων πόλιν ἐδόκει μὲν τοῖς
11 πλείοσιν Εὐμένει δοῦναι· Τίτου δὲ πρὸς τὸ συν-
έδριον διαστείλαντος οὐκ ἐκυρώθη τὸ διαβούλιον·
διὸ καὶ μετά τινα χρόνον ἠλευθερώθησαν αἱ πόλεις
αὗται διὰ τῆς συγκλήτου καὶ σὺν ταύταις Κάρυστος.
12 ἔδωκαν δὲ καὶ Πλευράτῳ Λυχνίδα καὶ Πάρθον,
οὔσας μὲν Ἰλλυρίδας, ὑπὸ Φίλιππον δὲ ταττομένας.
13 Ἀμυνάνδρῳ δὲ συνεχώρησαν, ὅσα παρευπάσατο
κατὰ πόλεμον ἐρύματα τοῦ Φιλίππου, κρατεῖν
τούτων.

one, and they announced in general terms that some
of their own body would come to see Antiochus.
Hegesianax and Lysias returned on receiving this
answer, and after them the commissioners called
before them all the representatives of different
nations and cities, and explained to them the
decisions of the board. As for Macedonia they
gave autonomy to the tribe called Orestae for having
joined them during the war, and freed the Perrhae-
bians, Dolopes, and Magnesians. Besides giving
the Thessalians their freedom they assigned to
Thessaly the Phthiotic Achaeans, taking away
from it Phthiotic Thebes and Pharsalus; for the
Aetolians had claimed Pharsalus with great vehe-
mence, saying that it ought to be theirs according
to the terms of the original treaty and Leucas as
well. The members of the board deferred their
decision until the Aetolians could lay the matter
before the senate, but allowed them to include the
Phocians and Locrians in their League, as had
formerly been the case. They gave Corinth,
Triphylia, and Heraea to the Achaeans, and most
members were in favour of giving Oreum and Eretria
to Eumenes. But Flamininus having addressed
the board on that subject, the proposal was not
ratified, so that after a short time these towns were
set free by the senate as well as Carystus. To
Pleuratus they gave Lychnis and Parthus, which
were Illyrian but subject to Philip, and they allowed
Amynander all the forts he had wrested from Philip
in war.

48 (31) Ταῦτα δὲ διοικήσαντες ἐμέρισαν σφᾶς αὐτούς,
2 καὶ Πόπλιος μὲν Λέντλος εἰς Βαργύλια πλεύσας
ἠλευθέρωσε τούτους, Λεύκιος δὲ Στερτίνιος εἰς
Ἡφαιστίαν καὶ Θάσον ἀφικόμενος καὶ τὰς ἐπὶ
3 Θράκης πόλεις ἐποίησε τὸ παραπλήσιον. πρὸς
δὲ τὸν Ἀντίοχον ὥρμησαν Πόπλιος Οὐίλλιος καὶ
Λεύκιος Τερέντιος, οἱ δὲ περὶ Γνάιον τὸν Κορνήλιον
4 πρὸς τὸν βασιλέα Φίλιππον. ᾧ καὶ συμμίξαντες
πρὸς τοῖς Τέμπεσι περί τε τῶν ἄλλων διελέχθησαν
ὑπὲρ ὧν εἶχον τὰς ἐντολάς, καὶ συνεβούλευον
αὐτῷ πρεσβευτὰς πέμπειν εἰς τὴν Ῥώμην ὑπὲρ
συμμαχίας, ἵνα μὴ δοκῇ τοῖς καιροῖς ἐφεδρεύων
5 ἀποκαραδοκεῖν τὴν Ἀντιόχου παρουσίαν. τοῦ δὲ
βασιλέως συγκαταθεμένου τοῖς ὑποδεικνυμένοις,
εὐθέως ἀπ' ἐκείνου χωρισθέντες ἧκον ἐπὶ τὴν τῶν
6 Θερμικῶν σύνοδον, καὶ παρελθόντες εἰς τὰ πλήθη
παρεκάλουν τοὺς Αἰτωλοὺς διὰ πλειόνων μένειν
ἐπὶ τῆς ἐξ ἀρχῆς αἱρέσεως καὶ διαφυλάττειν τὴν
7 πρὸς Ῥωμαίους εὔνοιαν. πολλῶν δὲ παριστα-
μένων, καὶ τῶν μὲν πράως καὶ πολιτικῶς μεμψι-
μοιρούντων αὐτοῖς ἐπὶ τῷ μὴ κοινωνικῶς χρῆσθαι
τοῖς εὐτυχήμασι μηδὲ τηρεῖν τὰς ἐξ ἀρχῆς συνθήκας,
8 τῶν δὲ λοιδορούντων καὶ φασκόντων οὔτ' ἂν
ἐπιβῆναι τῆς Ἑλλάδος οὐδέποτε Ῥωμαίους οὔτ'
9 ἂν νικῆσαι Φίλιππον, εἰ μὴ δι' ἑαυτούς, τὸ μὲν
ἀπολογεῖσθαι πρὸς ἕκαστα τούτων οἱ περὶ τὸν
Γνάιον ἀπεδοκίμασαν, παρεκάλουν δ' αὐτοὺς πρε-
σβεύειν εἰς τὴν Ῥώμην, διότι πάντων παρὰ τῆς
συγκλήτου τεύξονται τῶν δικαίων· ὃ καὶ πεισθέντες
10 ἐποίησαν. καὶ τὸ μὲν τέλος τοῦ πρὸς Φίλιππον
⟨πολέμου⟩ τοιαύτην ἔσχε διάθεσιν.

48. After making these arrangements they separated. Publius Lentulus sailed to Bargylia and set it free, and Lucius Stertinius proceeded to Hephaestia, Thasos and the Thracian cities for the same purpose. Publius Villius and Lucius Terentius went to King Antiochus and Gnaeus Cornelius to King Philip. Encountering him near Tempe he conveyed his other instructions to him and advised him to send an embassy to Rome to ask for an alliance, that they might not think he was watching for his opportunity and looking forward to the arrival of Antiochus. Upon the king's accepting this suggestion, Lentulus at once took leave of him and proceeded to Thermae, where the general assembly of the Aetolians was in session. Appearing before the people he exhorted them, speaking at some length, to maintain their original attitude and keep up their friendliness to Rome. Upon many speakers presenting themselves, some gently and diplomatically rebuking the Romans for not having used their success in a spirit of partnership or observed the terms of the original treaty, while others spoke abusively saying that the Romans could never have landed in Greece or conquered Philip except through the Aetolians, he refrained from replying to these different accusations, but begged them to send an embassy, as they would obtain complete justice from the senate. This he persuaded them to do. Such was the situation at the end of the war against Philip.

V. Res Asiae

49 Ἐάν, τὸ δὴ λεγόμενον, τρέχωσι τὴν ἐσχάτην,
(35 6) ἐπὶ τοὺς Ῥωμαίους καταφεύξονται καὶ τούτοις
ἐγχειριοῦσι σφᾶς αὐτοὺς καὶ τὴν πόλιν.
(32 3) 2 Ὅτι προχωρούσης τῷ Ἀντιόχῳ κατὰ νοῦν τῆς
ἐπιβολῆς παρόντι ἐν Θράκῃ τῷ Ἀντιόχῳ κατέπλευ-
3 (4) σαν εἰς Σηλυβρίαν οἱ περὶ Λεύκιον Κορνήλιον.
οὗτοι δ' ἦσαν παρὰ τῆς συγκλήτου πρέσβεις ἐπὶ
50 τὰς διαλύσεις ἐξαπεσταλμένοι τὰς Ἀντιόχου καὶ
(33) Πτολεμαίου. κατὰ δὲ τὸν αὐτὸν καιρὸν ἧκον καὶ
2 τῶν δέκα Πόπλιος μὲν Λέντλος ἐκ Βαργυλίων,
Λεύκιος δὲ Τερέντιος καὶ Πόπλιος Οὐίλλιος ἐκ
3 Θάσου. ταχὺ δὲ τῷ βασιλεῖ διασαφηθείσης τῆς
τούτων παρουσίας, πάντες ἐν ὀλίγαις ἡμέραις
ἡθροίσθησαν εἰς τὴν Λυσιμάχειαν. συνεκύρησαν
4 δὲ καὶ οἱ περὶ τὸν Ἡγησιάνακτα καὶ Λυσίαν οἱ
πρὸς τὸν Τίτον ἀποσταλέντες εἰς τὸν καιρὸν
τοῦτον. αἱ μὲν οὖν κατ' ἰδίαν ἐντεύξεις τοῦ τε
βασιλέως καὶ τῶν Ῥωμαίων τελέως ἦσαν ἀφελεῖς
5 καὶ φιλάνθρωποι· μετὰ δὲ ταῦτα γενομένης
συνεδρείας κοινῆς ὑπὲρ τῶν ὅλων ἀλλοιοτέραν
ἔλαβε τὰ πράγματα διάθεσιν. ὁ γὰρ Λεύκιος ὁ
Κορνήλιος ἠξίου μὲν καὶ τῶν ὑπὸ Πτολεμαῖον
6 ταττομένων πόλεων, ὅσας νῦν εἴληφε κατὰ τὴν
Ἀσίαν, παραχωρεῖν τὸν Ἀντίοχον, τῶν δ' ὑπὸ
Φίλιππον διεμαρτύρετο φιλοτίμως ἐξίστασθαι·
γελοῖον γὰρ εἶναι τὰ Ῥωμαίων ἆθλα τοῦ γεγονότος
αὐτοῖς πολέμου πρὸς Φίλιππον Ἀντίοχον ἐπελθόντα
7 παραλαμβάνειν. παρῄνει δὲ καὶ τῶν αὐτονόμων
8 ἀπέχεσθαι πόλεων. καθόλου δ' ἔφη θαυμάζειν
τίνι λόγῳ τοσαύταις μὲν πεζικαῖς, τοσαύταις δὲ

V. Affairs of Asia

49. If, as the phrase is, they are at their last gasp, 196 B.C. they will take refuge with the Romans and put themselves and the city in their hands.

Antiochus and the Roman Envoys

Antiochus's project was going on as well as he could wish, and while he was in Thrace, Lucius Cornelius arrived by sea at Selymbria. He was the ambassador sent by the Senate to establish peace between Antiochus and Ptolemy. 50. At the same time arrived three of the ten commissioners, Publius Lentulus from Bargylia and Lucius Terentius and Publius Villius from Thasos. Their arrival was at once reported to the king and a few days afterwards they all assembled at Lysimachia. Hegesianax and Lysias, the envoys who had been sent to Flamininus, arrived there at the same time. In the unofficial interviews of the king and the Romans the conversation was simple and friendly, but afterwards when an official conference about the situation in general was held, things assumed another aspect. For Lucius Cornelius asked Antiochus to retire from the cities previously subject to Ptolemy which he had taken possession of in Asia, while as to those previously subject to Philip he demanded with urgency that he should evacuate them. For it was a ridiculous thing, he said, that Antiochus should come in when all was over and take the prizes they had gained in their war with Philip. He also advised him to keep his hands off the autonomous cities. And generally speaking he said he wondered on what pretext the king had crossed to Europe with

ναυτικαῖς δυνάμεσι πεποίηται τὴν εἰς τὴν Εὐρώπην
9 διάβασιν· πλὴν γὰρ τοῦ προτίθεσθαι Ῥωμαίοις
ἐγχειρεῖν αὐτόν, οὐδ' ἔννοιαν ἑτέραν καταλείπεσθαι
παρὰ τοῖς ὀρθῶς λογιζομένοις. οἱ μὲν οὖν Ῥω-
51 μαῖοι ταῦτ' εἰπόντες ἀπεσιώπησαν· ὁ δὲ βασιλεὺς
(34) πρῶτον μὲν διαπορεῖν ἔφη κατὰ τίνα λόγον ἀμφι-
σβητοῦσι πρὸς αὐτὸν ὑπὲρ τῶν ἐπὶ τῆς Ἀσίας
πόλεων· πᾶσι γὰρ μᾶλλον ἐπιβάλλειν τοῦτο
2 ποιεῖν ἢ Ῥωμαίοις. δεύτερον δ' ἠξίου μηδὲν
αὐτοὺς πολυπραγμονεῖν καθόλου τῶν κατὰ τὴν
Ἀσίαν· οὐδὲ γὰρ αὐτὸς περιεργάζεσθαι τῶν κατὰ
3 τὴν Ἰταλίαν ἁπλῶς οὐδέν. εἰς δὲ τὴν Εὐρώπην
ἔφη διαβεβηκέναι μετὰ τῶν δυνάμεων ἀνακτησόμε-
νος τὰ κατὰ τὴν Χερρόνησον καὶ τὰς ἐπὶ Θρᾴκης
πόλεις· τὴν γὰρ τῶν τόπων τούτων ἀρχὴν μάλιστα
4 πάντων αὐτῷ καθήκειν. εἶναι μὲν γὰρ ἐξ ἀρχῆς
τὴν δυναστείαν ταύτην Λυσιμάχου, Σελεύκου δὲ
πολεμήσαντος πρὸς αὐτὸν καὶ κρατήσαντος τῷ
πολέμῳ πᾶσαν τὴν Λυσιμάχου βασιλείαν δορί-
5 κτητον γενέσθαι Σελεύκου. κατὰ δὲ τοὺς τῶν
αὐτοῦ προγόνων περισπασμοὺς ἐν τοῖς ἑξῆς χρόνοις
πρῶτον μὲν Πτολεμαῖον παρασπασάμενον σφετερί-
σασθαι τοὺς τόπους τούτους, δεύτερον δὲ Φίλιππον.
6 αὐτὸς δὲ νῦν οὐ κτᾶσθαι τοῖς Φιλίππου καιροῖς
συνεπιτιθέμενος, ἀλλ' ἀνακτᾶσθαι τοῖς ἰδίοις δι-
7 καίοις συγχρώμενος. Λυσιμαχεῖς δέ, παραλόγως
ἀναστάτους γεγονότας ὑπὸ Θρᾳκῶν, οὐκ ἀδικεῖν
8 Ῥωμαίους κατάγων καὶ συνοικίζων· ποιεῖν γὰρ
τοῦτ' ἔφη βουλόμενος οὐ Ῥωμαίοις τὰς χεῖρας
ἐπιβαλεῖν, Σελεύκῳ δ' οἰκητήριον ἑτοιμάζειν.

198

such large military and naval forces. For anyone
who judged correctly could not suppose that the
reason was any other than that he was trying to
put himself in the way of the Romans. The Roman
envoy having concluded his speech thus, (51) the
king replied that in the first place he was at a loss
to know by what right they disputed his possession
of the Asiatic towns; they were the last people
who had any title to do so. Next he requested them
not to trouble themselves at all about Asiatic affairs;
for he himself did not in the least go out of his way
to concern himself with the affairs of Italy. He said
that he had crossed to Europe with his army for
the purpose of recovering the Chersonese and the
cities in Thrace, for he had a better title to the
sovereignty of these places than anyone else.
They originally formed part of Lysimachus's kingdom,
but when Seleucus went to war with that prince
and conquered him in the war, the whole of Lysi-
machus's kingdom came to Seleucus by right of
conquest. But during the years that followed, when
his ancestors had their attention deflected elsewhere,
first of all Ptolemy and then Philip had robbed them
of those places and appropriated them. At present
he was not possessing himself of them by taking
advantage of Philip's difficulties, but he was re-
possessing himself of them by his right as well as
by his might. As for the Lysimachians, who had
been unexpectedly expelled from their homes
by the Thracians, he was doing no injury to
Rome in bringing them back and resettling them;
for he did this not with the intention of doing
violence to the Romans, but of providing a resi-
dence for Seleucus. And regarding the auto-

9 τὰς δ' αὐτονόμους τῶν κατὰ τὴν Ἀσίαν πόλεων
οὐ διὰ τῆς Ῥωμαίων ἐπιταγῆς δέον εἶναι τυγ-
χάνειν τῆς ἐλευθερίας, ἀλλὰ διὰ τῆς αὐτοῦ χάριτος.
10 τὰ δὲ πρὸς Πτολεμαῖον αὐτὸς ἔφη διεξάξειν
εὐδοκουμένως ἐκείνῳ· κρίνειν γὰρ οὐ φιλίαν
μόνον, ἀλλὰ καὶ μετὰ τῆς φιλίας ἀναγκαιότητα
συντίθεσθαι πρὸς αὐτόν.

52 Τῶν δὲ περὶ τὸν Λεύκιον οἰομένων δεῖν καλεῖ-
(35) σθαι τοὺς Λαμψακηνοὺς καὶ τοὺς Σμυρναίους καὶ
2 δοῦναι λόγον αὐτοῖς, ἐγένετο τοῦτο. παρῆσαν δὲ
παρὰ μὲν Λαμψακηνῶν οἱ περὶ Παρμενίωνα καὶ
Πυθόδωρον, παρὰ δὲ Σμυρναίων οἱ περὶ Κοίρανον.
3 ὧν μετὰ παρρησίας διαλεγομένων, δυσχεράνας ὁ
βασιλεὺς ἐπὶ τῷ δοκεῖν λόγον ὑπέχειν ἐπὶ Ῥωμαίων
τοῖς πρὸς αὐτὸν ἀμφισβητοῦσι, μεσολαβήσας τὸν
4 Παρμενίωνα "παῦσαι" φησὶ "τῶν πολλῶν· οὐ
γὰρ ἐπὶ Ῥωμαίων, ἀλλ' ἐπὶ Ῥοδίων ὑμῖν εὐδοκῶ
5 διακριθῆναι περὶ τῶν ἀντιλεγομένων." καὶ τότε
μὲν ἐπὶ τούτοις διέλυσαν τὸν σύλλογον, οὐδαμῶς
εὐδοκήσαντες ἀλλήλοις.

VI. Res Aegypti

53 (36) Τῶν γὰρ παραβόλων καὶ καλῶν ἔργων ἐφίενται
2 μὲν πολλοί, τολμῶσι δ' ὀλίγοι ψαύειν. καίτοι
πολὺ καλλίους ἀφορμὰς εἶχε Σκόπας Κλεομένους
3 πρὸς τὸ παραβάλλεσθαι καὶ τολμᾶν. ἐκεῖνος μὲν
γὰρ προκαταληφθεὶς εἰς αὐτὰς συνεκλείσθη τὰς
ἐν τοῖς ἰδίοις οἰκέταις καὶ φίλοις ἐλπίδας· ἀλλ'
ὅμως οὐδὲ ταύτας ἐγκατέλιπεν, ἀλλ' ἐφ' ὅσον ἦν
δυνατὸς ἐξήλεγξε, τὸ καλῶς ἀποθανεῖν τοῦ ζῆν
4 αἰσχρῶς περὶ πλείονος ποιησάμενος. Σκόπας δέ,

nomous cities of Asia it was not proper for them to receive their liberty by order of the Romans, but by his own act of grace. As for his relations with Ptolemy, he would himself settle everything in a manner agreeable to that king, for he had decided not only to establish friendship with him but to unite him to himself by a family alliance.

52. Upon Lucius and his colleagues deciding to summon the representatives of Smyrna and Lampsacus and give them a hearing, this was done. The Lampsacenes sent Parmenion and Pythodorus and the Smyrnaeans Coeranus. When these envoys spoke with some freedom, the king, taking it amiss that he should seem to be submitting their dispute against him to a Roman tribunal, interrupted Parmenion, saying, " Enough of that long harangue : for it is my pleasure that our differences should be submitted to the Rhodians and not to the Romans." Hereupon they broke up the conference, by no means pleased with each other.

VI. Affairs of Egypt

Scopas and other Aetolians at Alexandria

53. There are many who crave after deeds of 196 B.C. daring and renown, but few venture to set their hand to them. And yet Scopas had better resources at his command for facing peril and acting boldly than Cleomenes. For the latter, anticipated in his design, could hope for no support except from his own servants and friends, but yet instead of abandoning this slender hope, put it as far as it was in his power to the touch, valuing more highly a glorious death than a life of ignominy. Scopas,

καὶ χεῖρα βαρεῖαν ἔχων συνεργὸν καὶ καιρόν, ἅτε
τοῦ βασιλέως ἔτι παιδὸς ὄντος, μέλλων καὶ βου-
5 λευόμενος προκατελήφθη. γνόντες γὰρ αὐτὸν οἱ
περὶ τὸν Ἀριστομένην συναθροίζοντα τοὺς φίλους
εἰς τὴν ἰδίαν οἰκίαν καὶ συνεδρεύοντα μετὰ τούτων,
πέμψαντές τινας τῶν ὑπασπιστῶν ἐκάλουν εἰς τὸ
6 συνέδριον. ὁ δ᾽ οὕτω παρειστήκει τῶν φρενῶν
ὡς οὔτε πράττειν ἐτόλμα τῶν ἑξῆς οὐδὲν οὔτε
καλούμενος ὑπὸ τοῦ βασιλέως οἷός τ᾽ ἦν πειθαρχεῖν,
7 ὃ πάντων ἐστὶν ἔσχατον, ἕως οἱ περὶ τὸν Ἀρι-
στομένην γνόντες αὐτοῦ τὴν ἀλογίαν τοὺς μὲν
στρατιώτας καὶ τὰ θηρία περιέστησαν περὶ τὴν
8 οἰκίαν, Πτολεμαῖον δὲ τὸν Εὐμένους πέμψαντες
μετὰ νεανίσκων ἄγειν αὐτὸν ἐκέλευον, ἐὰν μὲν
ἑκὼν βούληται πειθαρχεῖν· εἰ δὲ μή, μετὰ βίας.
9 τοῦ δὲ Πτολεμαίου παρεισελθόντος εἰς τὴν οἰκίαν
καὶ δηλοῦντος ὅτι καλεῖ Σκόπαν ὁ βασιλεύς, τὰς
μὲν ἀρχὰς οὐ προσεῖχε τοῖς λεγομένοις, ἀλλὰ καὶ
βλέπων εἰς τὸν Πτολεμαῖον ἀτενὲς ἔμενε καὶ
πλείω χρόνον ὡς ἂν εἰ προσανατεινόμενος αὐτῷ
10 καὶ θαυμάζων τὴν τόλμαν. ὡς δ᾽ ἐπελθὼν ὁ
Πτολεμαῖος θρασέως ἐπελάβετο τῆς χλαμύδος
11 αὐτοῦ, τότε βοηθεῖν ἠξίου τοὺς παρόντας. ὄντων
δὲ καὶ τῶν εἰσελθόντων νεανίσκων πλειόνων καὶ
τὴν ἔξω περίστασιν διασαφήσαντός τινος, συνείξας
τοῖς παροῦσιν ἠκολούθει μετὰ τῶν φίλων.

54 Ἅμα δὲ τῷ παρελθεῖν εἰς τὸ συνέδριον βραχέα
(37) μὲν ὁ βασιλεὺς κατηγόρησε, μετὰ δὲ τοῦτον
Πολυκράτης, ἄρτι παραγεγονὼς ἀπὸ Κύπρου,
2 τελευταῖος δ᾽ Ἀριστομένης. ἦν δὲ τὰ μὲν ἄλλα
παραπλήσιος ἡ κατηγορία πάντων τοῖς ἄρτι
ῥηθεῖσι, προσετέθη δὲ τοῖς προειρημένοις ἡ μετὰ

on the contrary, while he had a numerous band of supporters and a fine opportunity, as the king was still a child, was forestalled while still deferring and planning. For Aristomenes, having discovered that he used to collect his friends in his own house and hold conferences there with them, sent some officers to summon him before the royal council. But he had so far lost his head that he neither dared to carry on his project, nor, worst of all, even felt himself capable of obeying when summoned by the king, until Aristomenes recognizing his confusion surrounded his house with soldiers and elephants. They then sent Ptolemy, the son of Eumenes, with some soldiers with orders to bring him, if he were willing to obey so much the better, but if not by force. When Ptolemy made his way into the house and announced that the king summoned Scopas, at first he paid no attention to what was said, but simply stared at Ptolemy for a considerable time, as if inclined to threaten him and astonished at his audacity. But when Ptolemy came up to him and boldly took hold of his cloak, he then called on those present to assist him. But as the number of soldiers who had entered the house was considerable, and as some one informed him that it was surrounded outside, he yielded to circumstances and followed Ptolemy accompanied by his friends.

54. When he entered the council-chamber, the king first accused him in a few words and was followed by Polycrates who had lately arrived from Cyprus, and last by Aristomenes. The accusations brought by all were similar to those I have just stated, but in addition they mentioned his conferences with

τῶν φίλων συνεδρεία καὶ τὸ μὴ πειθαρχῆσαι
3 καλούμενον ὑπὸ τοῦ βασιλέως. ἐφ᾽ οἷς οὐ μόνον
οἱ τοῦ συνεδρίου κατεγίγνωσκον αὐτοῦ πάντες,
ἀλλὰ καὶ τῶν ἔξωθεν τῶν πρεσβευτῶν οἱ συμ-
4 παρόντες. ὁ δ᾽ Ἀριστομένης, ὅτε κατηγορεῖν
ἔμελλε, πολλοὺς μὲν καὶ ἑτέρους παρέλαβε τῶν
ἐπιφανῶν ἀνδρῶν ἀπὸ τῆς Ἑλλάδος, καὶ τοὺς
παρὰ τῶν Αἰτωλῶν δὲ πρεσβεύοντας ἐπὶ τὰς
διαλύσεις, ἐν οἷς ἦν καὶ Δωρίμαχος ὁ Νικοστράτου.
5 ῥηθέντων δὲ τούτων μεταλαβὼν ὁ Σκόπας ἐπειρᾶτο
μὲν φέρειν τινὰς ἀπολογισμούς, οὐδενὸς δὲ προσ-
έχοντος αὐτῷ διὰ τὴν τῶν πραγμάτων ἀλογίαν,
εὐθέως οὗτος μὲν εἰς φυλακὴν ἀπήγετο μετὰ
6 τῶν φίλων· ὁ δ᾽ Ἀριστομένης ἐπιγενομένης τῆς
νυκτὸς τὸν μὲν Σκόπαν καὶ τοὺς συγγενεῖς αὐτοῦ
7 καὶ φίλους πάντας διέφθειρε φαρμάκῳ, Δικαιάρχῳ
δὲ καὶ στρέβλας καὶ μάστιγας προσαγαγὼν οὕτως
αὐτὸν ἐπανείλετο, λαβὼν παρ᾽ αὐτοῦ δίκην καθή-
κουσαν καὶ κοινὴν ὑπὲρ πάντων τῶν Ἑλλήνων.
8 ὁ γὰρ Δικαίαρχος οὗτος ἦν, ὃν Φίλιππος, ὅτε
προέθετο παρασπονδεῖν τὰς Κυκλάδας νήσους
καὶ τὰς ἐφ᾽ Ἑλλησπόντου πόλεις, ἀπέδειξε τοῦ
στόλου παντὸς ἡγεμόνα καὶ τῆς ὅλης πράξεως
9 προστάτην. ὃς ἐπὶ πρόδηλον ἀσέβειαν ἐκπεμπό-
μενος οὐχ οἷον ἄτοπόν τι πράττειν ἐνόμιζεν, ἀλλὰ
τῇ τῆς ἀπονοίας ὑπερβολῇ καὶ τοὺς θεοὺς ὑπέλαβε
10 καταπλήξεσθαι καὶ τοὺς ἀνθρώπους· οὗ γὰρ ὁρ-
μίσειε τὰς ναῦς, δύο κατεσκεύαζε βωμούς, τὸν
μὲν Ἀσεβείας, τὸν δὲ Παρανομίας, καὶ ἐπὶ τούτοις
ἔθυε καὶ τούτους προσεκύνει καθάπερ ἂν εἰ δαί-
11 μονας. διὸ καὶ δοκεῖ μοι τυχεῖν τῆς ἁρμοζούσης
δίκης καὶ παρὰ θεῶν καὶ ⟨παρ᾽⟩ ἀνθρώπων·

his friends and his refusal to obey the royal summons. He was condemned for these various reasons not only by the council but by those foreign ambassadors who were present. Aristomenes also, when about to impeach him, brought with him besides many other men of distinction from Greece, the Aetolian envoys also who had come to make peace, one of whom was Dorimachus, son of Nicostratus. The speeches of the accusers over, Scopas, speaking in his turn, attempted to offer some defence, but as no one paid any heed to him owing to the confusion of the circumstances he was at once led off to prison with his friends. Aristomenes after nightfall killed Scopas and all his friends by poison, but before killing Dicaearchus he had him racked and scourged, thus punishing him as he deserved and on behalf of all the Greeks. For this Dicaearchus was the man whom Philip, when he decided on treacherously attacking the Cyclades and the cities on the Hellespont, appointed to take command of all his fleet and direct the whole operation. Being thus sent forth on an evidently impious mission, he not only did not consider himself to be guilty of any exceptional wickedness, but by the excess of his insolence thought to terrify both gods and men : for wherever he anchored his ships he constructed two altars, one of Impiety and the other of Lawlessness, and on these he sacrificed and worshipped these powers as if they were divine. He therefore must be pronounced to have suffered the punishment he deserved at the hands of gods and men alike ; for having

παρὰ φύσιν γὰρ ἐνστησάμενος τὸν αὑτοῦ βίον
εἰκότως παρὰ φύσιν καὶ τῆς εἱμαρμένης ἔτυχε.
12 τῶν δὲ λοιπῶν Αἰτωλῶν τοὺς βουλομένους εἰς τὴν
οἰκείαν ἀπαλλάττεσθαι πάντας ἀπέλυσεν ὁ βασιλεὺς
μετὰ τῶν ὑπαρχόντων.

55 Σκόπα δὲ καὶ ζῶντος μὲν ἐπίσημος ἦν ἡ
(38) φιλαργυρία—πολὺ γὰρ δή τι τοὺς ἄλλους ἀνθρώπους
ὑπερέθετο κατὰ τὴν πλεονεξίαν—ἀποθανόντος δὲ καὶ
μᾶλλον ἐγενήθη διὰ τοῦ πλήθους τοῦ χρυσίου καὶ
2 τῆς κατασκευῆς τῆς εὑρημένης παρ' αὑτῷ. λαβὼν
γὰρ συνεργὸν τὴν ἀγριότητα τὴν Χαριμόρτου καὶ
τὴν μέθην, ἄρδην ἐξετοιχωρύχησε τὴν βασιλείαν.
3 Ἐπειδὴ δὲ τὰ κατὰ τοὺς Αἰτωλοὺς ἔθεντο
καλῶς οἱ περὶ τὴν αὐλήν, εὐθέως ἐγίνοντο περὶ
τὸ ποιεῖν Ἀνακλητήρια τοῦ βασιλέως, οὐδέπω
μὲν τῆς ἡλικίας κατεπειγούσης, νομίζοντες δὲ
λήψεσθαί τινα τὰ πράγματα κατάστασιν καὶ
πάλιν ἀρχὴν τῆς ἐπὶ τὸ βέλτιον προκοπῆς, δόξαντος
αὐτοκράτορος ἤδη γεγονέναι τοῦ βασιλέως.
4 χρησάμενοι δὲ ταῖς παρασκευαῖς μεγαλομερῶς,
ἐπετέλουν τὴν πρᾶξιν ἀξίως τοῦ τῆς βασιλείας
προσχήματος, πλεῖστα Πολυκράτους δοκοῦντος
εἰς τὴν ἐπιβολὴν ταύτην αὐτοῖς συνηργηκέναι.
5 ὁ γὰρ προειρημένος ἀνὴρ καὶ κατὰ τὸν πατέρα
μὲν ἔτι νέος ὢν οὐδενὸς ἐδόκει τῶν περὶ τὴν
αὐλὴν δευτερεύειν οὔτε κατὰ τὴν πίστιν οὔτε κατὰ
τὰς πράξεις, ὁμοίως δὲ κατὰ τὸν ἐνεστῶτα βασιλέα.
6 πιστευθεὶς γὰρ τῆς Κύπρου καὶ τῶν ἐν ταύτῃ
προσόδων ἐν καιροῖς ἐπισφαλέσι καὶ ποικίλοις,
οὐ μόνον διεφύλαξε τῷ παιδὶ τὴν νῆσον, ἀλλὰ καὶ
πλῆθος ἱκανὸν ἤθροισε χρημάτων, ἃ τότε παρα-
γεγόνει κομίζων τῷ βασιλεῖ, παραδεδωκὼς τὴν

regulated his life by unnatural principles he met likewise with no natural death. The other Aetolians who wished to leave for home, were all allowed by the king to depart with their property.

55. The avarice of Scopas had been notorious even when he was alive—for his rapacity much excelled that of any other man—but by his death it became more so owing to the quantity of money and precious objects found in his house. For, aided by the savagery and drunken violence of Charimortus he had utterly stripped the palace like a burglar.

After the officials of the court had set to rights the matter of the Aetolians, they at once began to occupy themselves with the celebration of the king's Proclamation (Anacleteria). Although his age was not such as to make it pressing, they thought that it would contribute to the settlement of affairs and be the beginning of a change for the better if the king were thought to be now invested with full authority. Having made preparations on a generous scale they carried out the ceremony in a manner worthy of His Majesty's dignity, Polycrates, as it appears, having taken the greatest share in furthering this scheme of theirs. This man had while still young, during the reign of the king's father, been considered second to none at court in loyalty and energy, and so he continued to be under the present king. For, being entrusted with the government of Cyprus and its revenue in hazardous and complicated circumstances, he had not only preserved the island for the boy but had collected a considerable sum of money, and had now come to Alexandria to bring this money to the king, having handed over

ἀρχὴν τῆς Κύπρου Πτολεμαίῳ τῷ Μεγαλοπολίτῃ.
7 τυχὼν δὲ διὰ ταῦτα μεγάλης ἀποδοχῆς καὶ περι-
ουσίας ἐν τοῖς ἑξῆς χρόνοις, μετὰ ταῦτα προ-
βαινούσης τῆς ἡλικίας ὁλοσχερῶς εἰς ἀσέλγειαν
8 ἐξώκειλε καὶ βίον ἀσυρῆ. παραπλησίαν δέ τινα
τούτῳ φήμην ἐκληρονόμησεν ἐπὶ γήρως καὶ Πτο-
9 λεμαῖος ὁ Ἀγησάρχου. περὶ ὧν, ὅταν ἐπὶ τοὺς
καιροὺς ἔλθωμεν, οὐκ ὀκνήσομεν διασαφεῖν τὰ
παρακολουθήσαντα ταῖς ἐξουσίαις αὐτῶν ἀπρεπῆ.

the government of Cyprus to Ptolemaeus of Megalopolis. Having, owing to this, been very well received and having amassed a large fortune in the years which followed, he afterwards, as he grew older, entirely wrecked his good name by the licentiousness and depravity of his life. A very similar reputation was acquired in his old age by Ptolemy, son of Agesarchus. When I reach that period I will have no hesitation in exposing the disgraceful circumstances attendant on their power.

FRAGMENTA LIBRI XX

I. Res Graeciae

1 Καὶ αὖθις Πολύβιος· τριάκοντα τῶν ἀποκλήτων[a]
προεχειρίσαντο τοὺς συνεδρεύσοντας μετὰ τοῦ βασι-
λέως. καὶ αὖθις· ὁ δὲ συνῆγε τοὺς ἀποκλήτους
καὶ διαβούλιον ἀνεδίδου περὶ τῶν ἐνεστώτων.—

2 Ὅτι Φιλίππου[b] πρεσβεύσαντος πρὸς Βοιωτοὺς
οἱ Βοιωτοὶ ἀπεκρίθησαν τοῖς πρεσβευταῖς διότι
παραγενομένου τοῦ βασιλέως πρὸς αὐτούς, τότε
βουλεύσονται περὶ τῶν παρακαλουμένων.—

3 Ὅτι Ἀντιόχου διατρίβοντος ἐν τῇ Χαλκίδι καὶ
τοῦ χειμῶνος καταρχομένου παρεγένοντο πρὸς
αὐτὸν πρεσβευταὶ παρὰ μὲν τοῦ τῶν Ἠπειρωτῶν
ἔθνους οἱ περὶ Χάροπα, παρὰ δὲ τῆς τῶν Ἠλείων
2 πόλεως οἱ περὶ Καλλίστρατον. οἱ μὲν οὖν Ἠπει-
ρῶται παρεκάλουν αὐτὸν μὴ προεμβιβάζειν σφᾶς
εἰς τὸν πρὸς Ῥωμαίους πόλεμον, θεωροῦντα διότι
πρόκεινται πάσης τῆς Ἑλλάδος πρὸς τὴν Ἰταλίαν·
3 ἀλλ᾽ εἰ μὲν αὐτὸς δύναται προκαθίσας τῆς Ἠπείρου
παρασκευάζειν σφίσι τὴν ἀσφάλειαν, ἔφασαν αὐτὸν

---

[a] The Apocleti were a select council. See Livy xxxv.
34. 2.
[b] The excerptor by mistake has substituted Philip for
Antiochus.

FRAGMENTS OF BOOK XX

I. Affairs of Greece

(Suid.; cp. Livy xxxv. 48. 2.)

1. " The Aetolians appointed thirty of the Apo- 192-191
B.C.
cleti *a* to sit with King Antiochus," and again, " He
summoned the Apocleti to meet and submitted the
situation to them."

Antiochus and Boeotia

(Cp. Livy xxxv. 50. 5.)

2. When Antiochus *b* sent an embassy to the
Boeotians, they replied to the envoys that on the
king presenting himself in person, they would take
his demands into consideration.

Embassies to Antiochus from Epirus and Elis

(Cp. Livy xxxvi. 5. 1–8.)

3. While Antiochus was at Chalcis at the begin-
ning of the winter, Charops came to him as envoy
on the part of the whole nation of Epirus, and
Callistratus on that of the city of Elis. The Epirots
begged him not to involve them in the first place
in a war with Rome, exposed as they were to Italy
in front of all Greece. If indeed he was capable of
protecting Epirus and assuring their safety, they

211

4 δέξασθαι καὶ ταῖς πόλεσι καὶ τοῖς λιμέσιν· εἰ δὲ
μὴ κρίνει τοῦτο πράττειν κατὰ τὸ παρόν, συγ-
γνώμην ἔχειν ἠξίουν αὐτοῖς δεδιόσι τὸν ἀπὸ
5 Ῥωμαίων πόλεμον. οἱ δ' Ἠλεῖοι παρεκάλουν
πέμπειν τῇ πόλει βοήθειαν· ἐψηφισμένων γὰρ
τῶν Ἀχαιῶν τὸν πόλεμον εὐλαβεῖσθαι τὴν τούτων
6 ἔφοδον. ὁ δὲ βασιλεὺς τοῖς μὲν Ἠπειρώταις
ἀπεκρίθη διότι πέμψει πρεσβευτὰς τοὺς διαλεχθη-
σομένους αὐτοῖς ὑπὲρ τῶν κοινῇ συμφερόντων,
7 τοῖς δ' Ἠλείοις ἐξαπέστειλε χιλίους πεζούς, ἡγε-
μόνα συστήσας Εὐφάνη τὸν Κρῆτα.—

4 Ὅτι Βοιωτοὶ ἐκ πολλῶν ἤδη χρόνων καχεκ-
τοῦντες ἦσαν καὶ μεγάλην εἶχον διαφορὰν πρὸς
τὴν γεγενημένην εὐεξίαν καὶ δόξαν αὐτῶν τῆς
2 πολιτείας. οὗτοι γὰρ μεγάλην περιποιησάμενοι
καὶ δόξαν καὶ δύναμιν ἐν τοῖς Λευκτρικοῖς καιροῖς,
οὐκ οἶδ' ὅπως κατὰ τὸ συνεχὲς ἐν τοῖς ἑξῆς χρό-
νοις ἀφῄρουν ἀμφοτέρων αἰεὶ τῶν προειρημένων,
3 ἔχοντες στρατηγὸν Ἀβαιόκριτον. ἀπὸ δὲ τούτων
τῶν καιρῶν οὐ μόνον ἀφῄρουν, ἀλλ' ἁπλῶς εἰς
τἀναντία τραπέντες καὶ τὴν πρὸ τοῦ δόξαν ἐφ'
4 ὅσον οἷοί τ' ἦσαν ἠμαύρωσαν. Ἀχαιῶν γὰρ
αὐτοὺς πρὸς Αἰτωλοὺς ἐκπολεμωσάντων, μετα-
σχόντες τούτοις τῆς αὐτῆς αἱρέσεως καὶ ποιη-
σάμενοι συμμαχίαν, μετὰ ταῦτα κατὰ τὸ συνεχὲς
5 ἐπολέμουν πρὸς Αἰτωλούς. ἐμβαλόντων δὲ μετὰ
δυνάμεως εἰς τὴν Βοιωτίαν τῶν Αἰτωλῶν ἐκ-
στρατεύσαντες πανδημεί, καὶ τῶν Ἀχαιῶν ἠθροι-
σμένων καὶ μελλόντων παραβοηθεῖν οὐκ ἐκδεξάμενοι

said they would be glad to receive him in their
cities and harbours, but if he did not decide to do
this at present they asked him to pardon them if
they were afraid of war with Rome. The Eleans
begged him to send succour to their city, for as the
Achaeans had voted for war, they were appre-
hensive of being attacked by them. The king re-
plied to the Epirots that he would send envoys to
speak to them on the subject of their joint interests,
and to Elis he dispatched a force of a thousand
infantry under the command of the Cretan Euphanes.

Decadence of Boeotia

(Cp. Livy xxxvi. 6.)

4. For many years Boeotia had been in a morbid
condition very different from the former sound
health and renown of that state. After the battle
of Leuctra the Boeotians had attained great cele-
brity and power, but by some means or other during
the period which followed they continued constantly
to lose both the one and the other under the leader-
ship of the strategus Abaeocritus, and in subsequent
years not only did this diminishment go on, but
there was an absolute change for the contrary, and
they did all they could to obscure their ancient
fame as well. For when the Achaeans had succeeded
in making them go to war with the Aetolians, they
took the side of the former and made an alliance
with them, after which they continued to make
war on the Aetolians. On one occasion when the
latter had invaded Boeotia, they marched out in
full force, and the Achaeans having collected their
forces and being about to come to their help, without

213

τὴν τούτων παρουσίαν συνέβαλον τοῖς Αἰτωλοῖς,
6 ἡττηθέντες δὲ κατὰ τὸν κίνδυνον οὕτως ἀνέπεσον
ταῖς ψυχαῖς ὥστ' ἀπ' ἐκείνης τῆς χρείας ἁπλῶς
οὐδενὸς ἔτι τῶν καλῶν ἀμφισβητεῖν ἐτόλμησαν
οὐδ' ἐκοινώνησαν οὔτε πράξεως οὔτ' ἀγῶνος
οὐδενὸς ἔτι τοῖς Ἕλλησι μετὰ κοινοῦ δόγματος,
7 ἀλλ' ὁρμήσαντες πρὸς εὐωχίαν καὶ μέθας οὐ
μόνον τοῖς σώμασιν ἐξελύθησαν, ἀλλὰ καὶ ταῖς
ψυχαῖς.
5 Τὰ δὲ κεφάλαια τῆς κατὰ μέρος ἀγνοίας ἐχειρίσθη
2 παρ' αὐτοῖς τὸν τρόπον τοῦτον. μετὰ γὰρ τὴν
προειρημένην ἧτταν εὐθέως ἐγκαταλιπόντες τοὺς
3 Ἀχαιοὺς προσένειμαν Αἰτωλοῖς τὸ ἔθνος. ἀνελο-
μένων δὲ καὶ τούτων πόλεμον μετά τινα χρόνον
πρὸς Δημήτριον τὸν Φιλίππου πατέρα, πάλιν
ἐγκαταλιπόντες τούτους, καὶ παραγενομένου Δη-
μητρίου μετὰ δυνάμεως εἰς τὴν Βοιωτίαν οὐδενὸς
πεῖραν λαβόντες τῶν δεινῶν, ὑπέταξαν σφᾶς
4 αὐτοὺς ὁλοσχερῶς Μακεδόσι. βραχέος ⟨δ'⟩ αἰθύγ-
ματος ἐγκαταλειπομένου τῆς προγονικῆς δόξης,
ἦσάν τινες οἳ δυσηρεστοῦντο τῇ παρούσῃ κατα-
5 στάσει καὶ τῷ πάντα πείθεσθαι Μακεδόσι. διὸ
καὶ μεγάλην ἀντιπολιτείαν εἶναι συνέβαινε τούτοις
πρὸς τοὺς περὶ τὸν Ἀσκώνδαν καὶ Νέωνα, τοὺς
Βραχύλλου προγόνους· οὗτοι γὰρ ἦσαν οἱ μάλιστα
6 τότε μακεδονίζοντες. οὐ μὴν ἀλλὰ τέλος κατ-
ίσχυσαν οἱ περὶ τὸν Ἀσκώνδαν γενομένης τινὸς
7 περιπετείας τοιαύτης. Ἀντίγονος μετὰ τὸν Δη-
μητρίου θάνατον ἐπιτροπεύσας Φιλίππου, πλέων
ἐπί τινας πράξεις πρὸς τὰς ἐσχατιὰς τῆς Βοιωτίας
πρὸς Λάρυμναν, παραδόξου γενομένης ἀμπώτεως
8 ἐκάθισαν εἰς τὸ ξηρὸν αἱ νῆες αὐτοῦ. κατὰ δὲ
214

waiting for their arrival they engaged the Aetolians.
When defeated in the battle they so much lost
their spirit, that they never after that affair
ventured to pretend to any honourable distinction,
nor did they ever by public decree take part with
the other Greeks in any action or in any struggle,
but abandoning themselves to good cheer and strong
drink sapped the energy not only of their bodies but
of their minds.

5. The chief errors into which they fell, leading
to many minor ones, were the following. After
the defeat I mentioned they at once abandoned
the Achaeans and attached their own League to
that of the Aetolians. Shortly afterwards, when
the Aetolians undertook a war against Demetrius,
the father of Philip, the Boeotians again deserted
them and on the arrival of Demetrius with his army
in Boeotia would not face any danger whatever but
completely submitted to Macedonia. But as there
were some slight sparks left of their ancestral
glory, there were some who were by no means
pleased with the present situation and this implicit
obedience to the Macedonians. There was in
consequence a violent opposition on the part of
these to Ascondas and Neon, the grandfather and
father of Brachylles, who were then the warmest
partisans of Macedonia. However, in the end,
Ascondas and Neon got the upper hand owing to the
following accident. Antigonus, who after the death
of Demetrius had become Philip's guardian, was
sailing on some business to Larymna at the extremity
of Boeotia, when owing to an extraordinarily low
ebb tide his vessels settled on the land. It had just

τὸν καιρὸν τοῦτον προσπεπτωκυίας φήμης ὅτι
μέλλει κατατρέχειν τὴν χώραν Ἀντίγονος, Νέων,
ἱππαρχῶν τότε καὶ πάντας τοὺς Βοιωτῶν ἱππεῖς
μεθ᾽ αὑτοῦ περιαγόμενος χάριν τοῦ παραφυλάττειν
τὴν χώραν, ἐπεγένετο τοῖς περὶ τὸν Ἀντίγονον
ἀπορουμένοις καὶ δυσχρηστουμένοις διὰ τὸ συμ-
9 βεβηκός, καὶ δυνάμενος μεγάλα βλάψαι τοὺς
Μακεδόνας ἔδοξε φείσασθαι παρὰ τὴν προσδοκίαν
10 αὐτῶν. τοῖς μὲν οὖν ἄλλοις Βοιωτοῖς ἤρεσκε
τοῦτο πράξας, τοῖς δὲ Θηβαίοις οὐχ ὅλως εὐδόκει
11 τὸ γεγονός. ὁ δ᾽ Ἀντίγονος, ἐπελθούσης μετ᾽
ὀλίγον τῆς πλήμης καὶ κουφισθεισῶν τῶν νεῶν,
τῷ μὲν Νέωνι μεγάλην εἶχε χάριν ἐπὶ τῷ μὴ
συνεπιτεθεῖσθαι σφίσι κατὰ τὴν περιπέτειαν, αὐτὸς
δὲ τὸν προκείμενον ἐτέλει πλοῦν εἰς τὴν Ἀσίαν.
12 διὸ καὶ μετὰ ταῦτα, νικήσας Κλεομένη τὸν Σπαρ-
τιάτην καὶ κύριος γενόμενος τῆς Λακεδαίμονος,
ἐπιστάτην ἀπέλειπε τῆς πόλεως Βραχύλλην, ταύτῃ
αὐτῷ χάριν ἀποδιδοὺς τῆς τοῦ πατρὸς Νέωνος
εὐεργεσίας· ἐξ ὧν οὐδὲ κατὰ μικρὸν συνέβη τὴν
οἰκίαν ἐπανορθωθῆναι τὴν περὶ τὸν Βραχύλλην.
13 οὐ μόνον δὲ ταύτην αὐτῶν ἔσχε τὴν πρόνοιαν, ἀλλὰ
καὶ κατὰ τὸ συνεχές, ὁτὲ μὲν αὐτός, ὁτὲ δὲ Φιλίππος,
χορηγοῦντες καὶ συνεπισχύοντες αἰεί, ταχέως
κατηγωνίσαντο τοὺς ἐν ταῖς Θήβαις αὐτοῖς ἀντι-
πολιτευομένους καὶ πάντας ἠνάγκασαν μακεδονίζειν
πλὴν τελέως ὀλίγων τινῶν.

14   Τὰ μὲν οὖν κατὰ τὴν οἰκίαν τὴν Νέωνος τοιαύτην
ἔλαβε τὴν ἀρχὴν καὶ τῆς πρὸς Μακεδόνας συστάσεως
6 καὶ τῆς κατὰ τὴν οὐσίαν ἐπιδόσεως· τὰ δὲ κοινὰ
τῶν Βοιωτῶν εἰς τοσαύτην παραγεγόνει καχεξίαν
ὥστε σχεδὸν εἴκοσι καὶ πέντ᾽ ἐτῶν τὸ δίκαιον

been reported that Antigonus was about to raid the
country, and Neon, who was then hipparch and was
on the move with the whole of the Boeotian cavalry
with the object of protecting the country, lighted
upon Antigonus, who was in a state of dismay and
in a difficult position owing to the accident ; and
though it was in his power to inflict much damage
on the Macedonians, decided, contrary to their
expectation, to spare them. The other Boeotians
approved of his conduct, but the Thebans were not
entirely pleased with it. Antiochus, when the
flood tide very shortly came in and his ships had
been lightened, was very thankful to Neon for not
having availed himself of the accident to attack
him, and now continued the voyage to Asia, upon
which he had set out. In consequence of this, when,
at a later period, he had conquered Cleomenes of
Sparta and become master of Lacedaemon, he left
Brachylles in that town as his commissioner, bestow-
ing this post on him out of gratitude for the kind
service that Neon, the father of Brachylles had
rendered him. This contributed no little to the
fortunes of Brachylles and his house ; and not only
did Antigonus show him this mark of his regard,
but ever afterwards both he and Philip continued
to furnish him with money and strengthen his posi-
tion, and thus they soon crushed those opposed
to them at Thebes and compelled all, with quite a
few exceptions, to take the part of Macedon.

It was thus that the attachment of the house of
Neon to Macedonia and the increase in its fortunes
originated. 6. But public affairs in Boeotia had
fallen into such a state of disorder that for nearly
twenty-five years justice, both civil and criminal,

μὴ διεξῆχθαι παρ᾽ αὐτοῖς μήτε περὶ τῶν ἰδιωτικῶν
συμβολαίων μήτε περὶ τῶν κοινῶν ἐγκλημάτων,
2 ἀλλ᾽ οἱ μὲν φρουρὰς παραγγέλλοντες τῶν ἀρχόντων,
οἱ δὲ στρατείας κοινάς, ἐξέκοπτον ἀεὶ τὴν δικαιο-
δοσίαν· ἔνιοι δὲ τῶν στρατηγῶν καὶ μισθοδοσίας
ἐποίουν ἐκ τῶν κοινῶν τοῖς ἀπόροις τῶν ἀνθρώπων.
3 ἐξ ὧν ἐδιδάχθη τὰ πλήθη τούτοις προσέχειν καὶ
τούτοις περιποιεῖν τὰς ἀρχάς, δι᾽ ὧν ἔμελλε τῶν
μὲν ἀδικημάτων καὶ τῶν ὀφειλημάτων οὐχ ὑφέξειν
δίκας, προσλήψεσθαι ⟨δὲ⟩ τῶν κοινῶν αἰεί τι διὰ
4 τὴν τῶν ἀρχόντων χάριν. πλεῖστα δὲ συνεβάλετο
πρὸς τὴν τοιαύτην . . . Ὀφέλτας, αἰεί τι προσ-
επινοῶν ὃ κατὰ τὸ παρὸν ἐδόκει τοὺς πολλοὺς
ὠφελεῖν, μετὰ δὲ ταῦτα πάντας ἀπολεῖν ἔμελλεν
5 ὁμολογουμένως. τούτοις δ᾽ ἠκολούθησε καὶ ἕτερος
ζῆλος οὐκ εὐτυχής. οἱ μὲν γὰρ ἄτεκνοι τὰς
οὐσίας οὐ τοῖς κατὰ γένος ἐπιγενομένοις τελευ-
τῶντες ἀπέλειπον, ὅπερ ἦν ἔθος παρ᾽ αὐτοῖς
πρότερον, ἀλλ᾽ εἰς εὐωχίας καὶ μέθας διετίθεντο
6 καὶ κοινὰς τοῖς φίλοις ἐποίουν· πολλοὶ δὲ καὶ
τῶν ἐχόντων γενεὰς ἀπεμέριζον τοῖς συσσιτίοις τὸ
πλεῖον μέρος τῆς οὐσίας, ὥστε πολλοὺς εἶναι
Βοιωτῶν οἷς ὑπῆρχε δεῖπνα τοῦ μηνὸς πλείω τῶν
εἰς τὸν μῆνα διατεταγμένων ἡμερῶν.
7 Διὸ καὶ Μεγαρεῖς, μισήσαντες μὲν τὴν τοιαύτην
κατάστασιν, μνησθέντες δὲ τῆς προγεγενημένης
αὐτοῖς μετὰ τῶν Ἀχαιῶν συμπολιτείας, αὖτις
ἀπένευσαν πρὸς τοὺς Ἀχαιοὺς καὶ τὴν ἐκείνων
8 αἵρεσιν. Μεγαρεῖς γὰρ ἐξ ἀρχῆς μὲν ἐπολιτεύοντο
μετὰ τῶν Ἀχαιῶν ἀπὸ τῶν κατ᾽ Ἀντίγονον τὸν

218

had ceased to be administered there, the magistrates by issuing orders, some of them for the dispatch of garrisons and others for general campaigns, always contriving to abolish legal proceedings. Certain strategi even provided pay out of the public funds for the indigent, the populace thus learning to court and invest with power those men who would help them to escape the legal consequences of their crimes and debts and even in addition to get something out of the public funds as a favour from the magistrates. The chief abettor of these abuses was Opheltas, who was constantly contriving some scheme apparently calculated to benefit the populace for the moment, but perfectly sure to ruin everyone at the end. Incident upon all this was another most unfortunate mania. For childless men, when they died, did not leave their property to their nearest heirs, as had formerly been the custom there, but disposed of it for purposes of junketing and banqueting and made it the common property of their friends. Even many who had families distributed the greater part of their fortune among their clubs, so that there were many Boeotians who had each month more dinners than there were days in the calendar.

Defection of Megara from the Boeotian League

One consequence of this was that the Megarians, detesting this state of affairs and mindful of their former confederacy with the Achaean League, once more inclined towards the Achaeans and their policy. For the Megarians had originally, from the days of Antigonus Gonatas, formed part of the

Γονατᾶν χρόνων· ὅτε δὲ Κλεομένης εἰς τὸν Ἰσθμὸν
προεκάθισεν, διακλεισθέντες προσέθεντο τοῖς Βοιω-
9 τοῖς μετὰ τῆς τῶν Ἀχαιῶν γνώμης. βραχὺ δὲ
πρὸ τῶν νῦν λεγομένων καιρῶν δυσαρεστήσαντες
τῇ πολιτείᾳ τῶν Βοιωτῶν αὖτις ἀπένευσαν πρὸς
10 τοὺς Ἀχαιούς. οἱ δὲ Βοιωτοὶ διοργισθέντες ἐπὶ
τῷ καταφρονεῖσθαι δοκεῖν ἐξῆλθον ἐπὶ τοὺς
11 Μεγαρεῖς πανδημεὶ σὺν τοῖς ὅπλοις. οὐδένα δὲ
ποιουμένων λόγον τῶν Μεγαρέων τῆς παρουσίας
αὐτῶν, οὕτω θυμωθέντες πολιορκεῖν ἐπεβάλοντο
12 καὶ προσβολὰς ποιεῖσθαι τῇ πόλει. πανικοῦ δ᾿
ἐμπεσόντος αὐτοῖς καὶ φήμης ὅτι πάρεστιν Φιλο-
ποίμην τοὺς Ἀχαιοὺς ἔχων, ἀπολιπόντες πρὸς τῷ
τείχει τὰς κλίμακας ἔφυγον προτροπάδην εἰς τὴν
οἰκείαν.

7 Τοιαύτην δ᾿ ἔχοντες οἱ Βοιωτοὶ τὴν διάθεσιν τῆς
πολιτείας, εὐτυχῶς πως διώλισθον καὶ τοὺς κατὰ
2 Φίλιππον καὶ τοὺς κατ᾿ Ἀντίοχον καιρούς. ἔν γε
μὴν τοῖς ἑξῆς οὐ διέφυγον, ἀλλ᾿ ὥσπερ ἐπίτηδες
ἀνταπόδοσιν ἡ τύχη ποιουμένη βαρέως ἔδοξεν
αὐτοῖς ἐπεμβαίνειν· ὑπὲρ ὧν ἡμεῖς ἐν τοῖς ἑξῆς
ποιησόμεθα μνήμην.

3 Ὅτι οἱ πολλοὶ πρόφασιν μὲν εἶχον τῆς πρὸς
Ῥωμαίους ἀλλοτριότητος τὴν ἐπαναίρεσιν τὴν
Βραχύλλου καὶ τὴν στρατείαν, ἣν ἐποιήσατο Τίτος
ἐπὶ Κορώνειαν διὰ τοὺς ἐπιγινομένους φόνους ἐν
4 ταῖς ὁδοῖς τῶν Ῥωμαίων, τῇ δ᾿ ἀληθείᾳ καχ-
εκτοῦντες ⟨ἦσαν⟩ ταῖς ψυχαῖς διὰ τὰς προ-
5 ειρημένας αἰτίας. καὶ γὰρ τοῦ βασιλέως συνεγ-
γίζοντος ἐξῄεσαν ἐπὶ τὴν ἀπάντησιν οἱ τῶν Βοιω-

Achaean League, but when Cleomenes intercepted
them by occupying the Isthmus, they were cut off,
and with the consent of the Achaeans, joined the
Boeotian League. But shortly before the time I
am speaking of, they became displeased with the
conduct of affairs in Boeotia, and again turned to
the Achaeans. Hereupon the Boeotians, indignant
at seeing to be flouted, marched out with all their
forces against Megara, and when the Megarians
treated their arrival as of no importance, they began
in their anger to besiege Megara and make assaults
on it. But, being seized by panic owing to a report
that Philopoemen with the Achaeans had arrived,
they left their ladders against the wall and fled
in utter rout to their own country.

7. Such being the condition of public affairs in
Boeotia, they were lucky enough to scrape through
by some means or other the critical period of Philip
and Antiochus. Subsequently, however, they did
not escape, but Fortune, it seems as if purposely
requiting them, fell heavily upon them, as I shall
tell in due course.

(Cp. Livy xxxvi. 6.)

Most of the Boeotian people assigned as a reason
for their hostility to Rome the assassination of
Brachylles[a] and the expedition made by Flamini-
nus against Coronea owing to the frequent murders
of Romans on the roads ; but the real reason was
that morbid condition of their minds due to the causes
I have mentioned. For when King Antiochus was
near at hand, those who had held office in Boeotia

[a] Cp. xviii. 43.

τῶν ἄρξαντες· συμμίξαντες δὲ καὶ φιλανθρώπως
ὁμιλήσαντες ἦγον αὐτὸν εἰς τὰς Θήβας.

8 Ἀντίοχος δὲ ὁ μέγας ἐπικαλούμενος, ὃν Ῥωμαῖοι
καθεῖλον, ὡς ἱστορεῖ Πολύβιος ἐν τῇ εἰκοστῇ,
παρελθὼν εἰς Χαλκίδα τῆς Εὐβοίας συνετέλει
γάμους, πεντήκοντα μὲν ἔτη γεγονὼς καὶ δύο τὰ
μέγιστα τῶν ἔργων ἀνειληφώς, τήν τε τῶν Ἑλλή-
νων ἐλευθέρωσιν, ὡς αὐτὸς ἐπηγγέλλετο, καὶ τὸν
2 πρὸς Ῥωμαίους πόλεμον. ἐρασθεὶς οὖν παρθένου
Χαλκιδικῆς κατὰ τὸν τοῦ πολέμου καιρὸν ἐφιλοτι-
μήσατο γῆμαι αὐτήν, οἰνοπότης ὢν καὶ μέθαις
3 χαίρων. ἦν δ' αὕτη Κλεοπτολέμου μὲν θυγάτηρ,
ἑνὸς τῶν ἐπιφανῶν, κάλλει δὲ πάσας ὑπερβάλλουσα.
4 καὶ τοὺς γάμους συντελῶν ἐν τῇ Χαλκίδι αὐτόθι
διέτριψε τὸν χειμῶνα, τῶν ἐνεστώτων οὐδ' ἡντινοῦν
ποιούμενος πρόνοιαν. ἔθετο δὲ καὶ τῇ παιδὶ ὄνομα
5 Εὔβοιαν. ἡττηθεὶς οὖν τῷ πολέμῳ ἔφυγεν εἰς
Ἔφεσον μετὰ τῆς νεογάμου.

6 Nec praeter quingentos, qui circa regem fuerunt,
ex toto exercitu quisquam effugit, etiam ex decem
milibus militum, quos Polybio auctore traiecisse
secum regem in Graeciam scripsimus, exiguus
numerus.

9 Ὅτι οἱ περὶ τὸν Φαινέαν τὸν τῶν Αἰτωλῶν
στρατηγὸν μετὰ τὸ γενέσθαι τὴν Ἡράκλειαν
222

went out to meet him, and on joining him addressed
him in courteous terms and brought him into Thebes.

Wedding of Antiochus

(From Athen. x. 439 c, f.)

8. Antiochus, surnamed the Great, he whom the
Romans overthrew, upon reaching Chalcis, as Poly-
bius tells us in his 20th Book, celebrated his wedding.
He was then fifty years old, and had undertaken
two very serious tasks, one being the liberation of
Greece, as he himself gave out, the other a war with
Rome. He fell in love, then, with a maiden of
Chalcis at the time of the war, and was most eager
to make her his wife, being himself a wine-bibber
and fond of getting drunk. She was the daughter
of Cleoptolemus, a noble Chalcidian, and of surpassing
beauty. So celebrating his wedding at Chalcis, he
spent the whole winter there not giving a moment's
thought to the situation of affairs. He gave the girl
the name Euboea, and when defeated in the war
fled to Ephesus with his bride.

Battle of Thermopylae

(Livy xxxvi. 19. 11.)

Not a soul escaped from the whole army except
the five hundred who were round the king, and a
very small number of the ten thousand soldiers whom
Polybius tells us he had brought over with him to
Greece.

The Achaeans make Peace

(Cp. Livy xxxvi. 27.)

9. After Heraclea had fallen into the hands of
the Romans, Phaeneas, the strategus of the Aetolians,

ὑποχείριον τοῖς Ῥωμαίοις, ὁρῶντες τὸ ὑπεριεστῶτα
καιρὸν τὴν Αἰτωλίαν καὶ λαμβάνοντες πρὸ ὀφθαλμῶν
τὰ συμβησόμενα ταῖς ἄλλαις πόλεσιν, ἔκριναν
διαπέμπεσθαι πρὸς τὸν Μάνιον ὑπὲρ ἀνοχῶν καὶ
2 διαλύσεως. ταῦτα δὲ διαλαβόντες ἐξαπέστειλαν
3 Ἀρχέδαμον καὶ Πανταλέοντα καὶ Χάλεπον· οἱ
συμμίξαντες τῷ στρατηγῷ τῶν Ῥωμαίων προ-
έθεντο μὲν καὶ πλείους ποιεῖσθαι λόγους, μεσο-
4 λαβηθέντες δὲ κατὰ τὴν ἔντευξιν ἐκωλύθησαν. ὁ
γὰρ Μάνιος κατὰ μὲν τὸ παρὸν οὐκ ἔφασκεν
εὐκαιρεῖν, περισπώμενος ὑπὸ τῆς τῶν ἐκ τῆς
5 Ἡρακλείας λαφύρων οἰκονομίας· δεχημέρους δὲ
ποιησάμενος ἀνοχὰς ἐκπέμψειν ἔφη μετ᾽ αὐτῶν
Λεύκιον, πρὸς ὃν ἐκέλευε λέγειν ὑπὲρ ὧν ἂν δέοιντο.
6 γενομένων δὲ τῶν ἀνοχῶν, καὶ τοῦ Λευκίου συνελ-
θόντος εἰς τὴν Ὑπάταν, ἐγένοντο λόγοι καὶ πλείους
7 ὑπὲρ τῶν ἐνεστώτων. οἱ μὲν οὖν Αἰτωλοὶ συν-
ίσταντο τὴν δικαιολογίαν ἀνέκαθεν προφερόμενοι
τὰ προγεγονότα σφίσι φιλάνθρωπα πρὸς τοὺς
8 Ῥωμαίους· ὁ δὲ Λεύκιος ἐπιτεμὼν αὐτῶν τὴν
ὁρμὴν οὐκ ἔφη τοῖς παροῦσι καιροῖς ἁρμόζειν
τοῦτο τὸ γένος τῆς δικαιολογίας· λελυμένων γὰρ
τῶν ἐξ ἀρχῆς φιλανθρώπων δι᾽ ἐκείνους, καὶ
τῆς ἐνεστώσης ἔχθρας δι᾽ Αἰτωλοὺς γεγενημένης,
οὐδὲν ἔτι συμβάλλεσθαι τὰ τότε φιλάνθρωπα πρὸς
9 τοὺς νῦν καιρούς. διόπερ ἀφεμένους τοῦ δι-
καιολογεῖσθαι συνεβούλευε τρέπεσθαι πρὸς τὸν
ἀξιωματικὸν λόγον καὶ δεῖσθαι τοῦ στρατηγοῦ
10 συγγνώμης τυχεῖν ἐπὶ τοῖς ἡμαρτημένοις. οἱ δ᾽
Αἰτωλοὶ καὶ πλείω λόγον ποιησάμενοι περὶ τῶν
ὑποπιπτόντων ἔκριναν ἐπιτρέπειν τὰ ὅλα Μανίῳ,
11 δόντες αὑτοὺς εἰς τὴν Ῥωμαίων πίστιν, οὐκ

seeing Aetolia threatened with peril on all sides
and realizing what was likely to happen to the other
towns, decided to send an embassy to Manius
Acilius Glabrio to beg for an armistice and peace.
Having resolved on this he dispatched Archedamus,
Pantaleon, and Chalepus. They had intended on
meeting the Roman general to address him at length,
but at the interview they were cut short and pre-
vented from doing so. For Glabrio told them that
for the present he had no time as he was occupied
by the disposal of the booty from Heraclea, but
granting them a ten days' armistice, he said he would
send back with them Lucius Valerius Flaccus, to
whom he begged them to submit their request.
The armistice having been made, and Flaccus having
met them at Hypata, there was considerable discus-
sion of the situation. The Aetolians, in making out
their case, went back to the very beginning, reciting
all their former deeds of kindness to the Romans,
but Flaccus cut the flood of their eloquence short
by saying that this sort of pleading did not suit
present circumstances. For as it was they who had
broken off their originally kind relations, and as
their present enmity was entirely their own fault,
former deeds of kindness no longer counted as an
asset. Therefore he advised them to leave off trying
to justify themselves and resort rather to depreca-
tory language, begging the consul to grant them
pardon for their offences. The Aetolians, after some
further observations about the actual situation,
decided to refer the whole matter to Glabrio,
committing themselves " to the faith *a* " of the

a fides.

εἰδότες τίνα δύναμιν ἔχει τοῦτο, τῷ δὲ τῆς πίστεως ὀνόματι πλανηθέντες, ὡς ἂν διὰ τοῦτο τελειοτέρου 12 σφίσιν ἐλέους ὑπάρξοντος. παρὰ ⟨δὲ⟩ Ῥωμαίοις ἰσοδυναμεῖ τό τ᾽ εἰς τὴν πίστιν αὐτὸν ἐγχειρίσαι καὶ τὸ τὴν ἐπιτροπὴν δοῦναι περὶ αὐτοῦ τῷ κρατοῦντι.

10 Πλὴν ταῦτα κρίναντες ἐξέπεμψαν ἅμα τῷ Λευκίῳ τοὺς περὶ Φαινέαν διασαφήσοντας τὰ 2 δεδογμένα τῷ Μανίῳ κατὰ σπουδήν· οἳ καὶ συμμίξαντες τῷ στρατηγῷ καὶ πάλιν ὁμοίως δικαιολογηθέντες ὑπὲρ αὐτῶν, ἐπὶ καταστροφῆς εἶπαν διότι κέκριται τοῖς Αἰτωλοῖς σφᾶς αὐτοὺς 3 ἐγχειρίζειν εἰς τὴν Ῥωμαίων πίστιν. ὁ δὲ Μάνιος μεταλαβὼν "οὐκοῦν οὕτως ἔχει ταῦτα," φησίν, 4 "ὦ ἄνδρες Αἰτωλοί;" τῶν δὲ κατανευσάντων, "τοιγαροῦν πρῶτον μὲν δεήσει μηδένα διαβαίνειν ὑμῶν εἰς τὴν Ἀσίαν, μήτε κατ᾽ ἰδίαν μήτε μετὰ 5 κοινοῦ δόγματος, δεύτερον Δικαίαρχον ἔκδοτον δοῦναι καὶ Μενέστρατον τὸν Ἠπειρώτην," ὃς ἐτύγχανε τότε παραβεβοηθηκὼς εἰς Ναύπακτον, "σὺν δὲ τούτοις Ἀμύνανδρον τὸν βασιλέα καὶ τῶν Ἀθαμάνων τοὺς ἅμα τούτῳ συναποχωρήσαντας 6 πρὸς αὐτούς." ὁ δὲ Φαινέας μεσολαβήσας "ἀλλ᾽ οὔτε δίκαιον," ἔφησεν, "οὔθ᾽ Ἑλληνικόν ἐστιν, 7 ὦ στρατηγέ, τὸ παρακαλούμενον." ὁ δὲ Μάνιος οὐχ οὕτως ὀργισθεὶς ὡς βουλόμενος εἰς ἔννοιαν αὐτοὺς ἀγαγεῖν τῆς περιστάσεως καὶ καταπλήξασθαι τοῖς ὅλοις, "ἔτι γὰρ ὑμεῖς ἑλληνοκοπεῖτε" φησί "καὶ περὶ τοῦ πρέποντος καὶ καθήκοντος ποιεῖσθε λόγον, δεδωκότες ἑαυτοὺς εἰς τὴν πίστιν; οὓς ἐγὼ δήσας εἰς τὴν ἅλυσιν ἀπάξω πάντας, ἂν 8 τοῦτ᾽ ἐμοὶ δόξῃ." ταῦτα λέγων φέρειν ἅλυσιν

226

Romans, not knowing the exact meaning of the phrase, but deceived by the word " faith " as if they would thus obtain more complete pardon. But with the Romans to commit oneself to the faith of a victor is equivalent to surrendering at discretion.

10. However, having reached this decision they sent off Phaeneas and others to accompany Flaccus and convey it at once to Glabrio. On meeting the general, after again pleading in justification of their conduct, they wound up by saying that the Aetolians had decided to commit themselves to the faith of the Romans. Upon this Glabrio, taking them up, said, " So that is so, is it, ye men of Aetolia ? " and when they assented, " Very well," he said, " then in the first place none of you must cross to Asia, either on his own account or by public decree ; next you must surrender Dicaearchus and Menestratus of Epirus " (the latter had recently come to their assistance at Naupactus) " and at the same time King Amynander and all the Athamanians who went off to join you together with him." Phaeneas now interrupted him and said, " But what you demand, O General, is neither just nor Greek." Glabrio, not so much incensed, as wishing to make them conscious of the real situation they were in and thoroughly intimidate them, said : " So you still give yourselves Grecian airs and speak of what is meet and proper after surrendering uncondition- ally ? I will have you all put in chains if I think fit." Saying this he ordered a chain to be brought

ἐκέλευσε καὶ σκύλακα σιδηροῦν ἑκάστῳ περι-
9 θεῖναι περὶ τὸν τράχηλον. οἱ μὲν οὖν περὶ τὸν
Φαινέαν ἔκθαμβοι γεγονότες ἕστασαν ἄφωνοι
πάντες, οἱονεὶ παραλελυμένοι καὶ τοῖς σώμασι
καὶ ταῖς ψυχαῖς διὰ τὸ παράδοξον τῶν ἀπαντω-
10 μένων· ὁ δὲ Λεύκιος καί τινες ἕτεροι τῶν συμ-
παρόντων χιλιάρχων ἐδέοντο τοῦ Μανίου μηδὲν
βουλεύσασθαι δυσχερὲς ὑπὲρ τῶν παρόντων ἀνδρῶν,
11 ἐπεὶ τυγχάνουσιν ὄντες πρεσβευταί. τοῦ δὲ συγ-
χωρήσαντος ἤρξατο λέγειν ὁ Φαινέας· ἔφη γὰρ
αὐτὸν καὶ τοὺς ἀποκλήτους ποιήσειν τὰ προσ-
ταττόμενα, προσδεῖσθαι δὲ καὶ τῶν πολλῶν, εἰ
12 μέλλει κυρωθῆναι τὰ παραγγελλόμενα. τοῦ δὲ
Μανίου φήσαντος αὐτὸν ὀρθῶς λέγειν, ἠξίου
πάλιν ἀνοχὰς αὐτοῖς δοθῆναι δεχημέρους. συγ-
χωρηθέντος δὲ καὶ τούτου, τότε μὲν ἐπὶ τούτοις
13 ἐχωρίσθησαν· παραγενόμενοι δ᾽ εἰς τὴν Ὑπάταν
διεσάφουν τοῖς ἀποκλήτοις τὰ γεγονότα καὶ τοὺς
ῥηθέντας λόγους. ὧν ἀκούσαντες τότε πρῶτον
ἔννοιαν ἔλαβον Αἰτωλοὶ τῆς αὑτῶν ἀγνοίας καὶ
14 τῆς ἐπιφερομένης αὐτοῖς ἀνάγκης. διὸ γράφειν
ἔδοξεν εἰς τὰς πόλεις καὶ συγκαλεῖν τοὺς Αἰτωλοὺς
χάριν τοῦ βουλεύσασθαι περὶ τῶν προσταττομένων.
15 διαδοθείσης δὲ τῆς φήμης ὑπὲρ τῶν ἀπηντημένων
τοῖς περὶ τὸν Φαινέαν, οὕτως ἀπεθηριώθη τὸ
πλῆθος ὥστ᾽ οὐδ᾽ ἀπαντᾶν οὐδεὶς ἐπεβάλετο πρὸς
16 τὸ διαβούλιον. τοῦ δ᾽ ἀδυνάτου κωλύσαντος βου-
λεύσασθαι περὶ τῶν ἐπιταττομένων, ἅμα δὲ καὶ
τοῦ Νικάνδρου κατὰ τὸν καιρὸν τοῦτον καταπλεύ-
σαντος ἐκ τῆς Ἀσίας εἰς τὰ Φάλαρα τοῦ κόλπου
τοῦ Μηλιέως, ὅθεν καὶ τὴν ὁρμὴν ἐποιήσατο, καὶ
διασαφοῦντος ⟨τὴν⟩ τοῦ βασιλέως εἰς αὐτὸν προ-

and an iron collar to be put round the neck of each. Phaeneas and the rest were thunderstruck, and all stood there speechless as if paralysed in body and mind by this extraordinary experience. But Flaccus and some of the other military tribunes who were present entreated Glabrio not to treat the men with excessive harshness, in view of the fact that they were ambassadors. Upon his consenting, Phaeneas began to speak. He said that he and the Apocleti would do what Glabrio ordered, but that the consent of the people was required if the orders were to be enforced. Glabrio now said that he was right, upon which he called for a renewal of the armistice for ten days more. This request also was granted, and they parted on this understanding. On reaching Hypata the envoys informed the Apocleti of what had taken place and what had been said, and it was only now, on hearing all, that the Aetolians became conscious of their mistake and of the constraint now brought to bear on them. It was therefore decided to write to the towns and call an assembly of the nation to take the demands into consideration. When the report of the Roman answer was spread abroad, the people became so savage, that no one even would attend the meeting to discuss matters. As sheer impossibility thus prevented any discussion of the demands, and as at the same time Nicander arrived from Asia Minor at Phalara[a] in the Melian gulf, from which he had set forth, and informed them of King Antiochus's cordial reception

[a] The harbour of Lamia in Thessaly.

θυμίαν καὶ τὰς εἰς τὸ μέλλον ἐπαγγελίας, ἔτι
μᾶλλον ὠλιγώρησαν, τοῦ μηδὲν γενέσθαι πέρας
17 ὑπὲρ τῆς εἰρήνης. ὅθεν ἅμα τῷ διελθεῖν τὰς ἐν
ταῖς ἀνοχαῖς ἡμέρας κατάμονος αὖθις ὁ πόλεμος
ἐγεγόνει τοῖς Αἰτωλοῖς.

11 Περὶ δὲ τῆς συμβάσης τῷ Νικάνδρῳ περι-
2 πετείας οὐκ ἄξιον παρασιωπῆσαι. παρεγενήθη
μὲν γὰρ ἐκ τῆς Ἐφέσου δωδεκαταῖος εἰς τὰ
3 Φάλαρα πάλιν, ἀφ’ ἧς ὥρμηθ’ ἡμέρας· καταλαβὼν
δὲ τοὺς Ῥωμαίους ἔτι περὶ τὴν Ἡράκλειαν, τοὺς
⟨δὲ⟩ Μακεδόνας ἀφεστῶτας μὲν ἀπὸ τῆς Λαμίας,
4 οὐ μακρὰν δὲ στρατοπεδεύοντας τῆς πόλεως, τὰ
μὲν χρήματ’ εἰς τὴν Λαμίαν διεκόμισε παραδόξως,
αὐτὸς δὲ τῆς νυκτὸς ἐπεβάλετο κατὰ τὸν μεταξὺ
τόπον τῶν στρατοπέδων διαπεσεῖν εἰς τὴν Ὑπάταν.
5 ἐμπεσὼν δ’ εἰς τοὺς προκοίτους τῶν Μακεδόνων
ἀνήγετο πρὸς τὸν Φίλιππον ἔτι τῆς συνουσίας
ἀκμαζούσης, προσδο⟨κῶν⟩ πείσεσθαί τι δεινὸν
πεσὼν ὑπὸ τοῦ Φιλίππου τὸν θυμὸν ἢ παραδοθή-
6 σεσθαι τοῖς Ῥωμαίοις. τοῦ δὲ πράγματος ἀγ-
γελθέντος τῷ βασιλεῖ, ταχέως ἐκέλευσε τοὺς ἐπὶ
τούτων ὄντας θεραπεῦσαι τὸν Νίκανδρον καὶ τὴν
λοιπὴν ἐπιμέλειαν αὐτοῦ ποιήσασθαι φιλάνθρωπον.
7 μετὰ δέ τινα χρόνον αὐτὸς ἐξαναστὰς συνέμιξε
τῷ Νικάνδρῳ καὶ πολλὰ καταμεμψάμενος τὴν
κοινὴν τῶν Αἰτωλῶν ἄγνοιαν, ἐξ ἀρχῆς μέν, ὅτι
Ῥωμαίους ἐπαγάγοιεν τοῖς Ἕλλησι, μετὰ δὲ
ταῦτα πάλιν Ἀντίοχον, ὅμως ἔτι καὶ νῦν παρε-
κάλει λήθην ποιησαμένους τῶν προγεγονότων ἀντ-
έχεσθαι τῆς πρὸς αὐτὸν εὐνοίας καὶ μὴ θελῆσαι
8 συνεπεμβαίνειν τοῖς κατ’ ἀλλήλων καιροῖς. ταῦτα
μὲν οὖν παρῄνει τοῖς προεστῶσι τῶν Αἰτωλῶν

of him and his promises of future assistance, they
neglected the matter more and more ; so that no
steps tending to the conclusion of peace were taken.
In consequence, after the termination of the armis-
tice, the Aetolians remained as before *in statu belli*.

11. The dangerous experience that had befallen
Nicander must not be passed over in silence. For
starting from Ephesus he reached Phalara on the
twelfth day after he had set sail from it. Finding
that the Romans were still near Heraclea and that
the Macedonians had retired from Lamia, but were
encamped not far from the town, he managed by a
wonder to convey the money to Lamia, and himself
attempted at night to escape between the two armies
to Hypata. Falling into the hands of the Macedonian
sentries, he was being brought before Philip while
the banquet was still at its height, quite expecting
to suffer the worst at the hands of the enraged king,
or to be given up to the Romans. But when the
matter was reported to Philip, he at once ordered
those whose business this was, to attend to Nicander's
personal wants and treat him kindly in every respect.
After a little he himself rose from table and came
to visit Nicander. He severely blamed the errors
into which the Aetolian state had fallen, by calling
in first of all the Romans and subsequently Antio-
chus to attack the Greeks, but nevertheless he still
implored them to forget the past, and to cultivate
their friendship with himself, and not be ever dis-
posed to take advantage of circumstances adverse to
either. This message he begged him to convey to
the leading Aetolian statesmen, and after exhorting

231

ἀναγγέλλειν· αὐτὸν δὲ τὸν Νίκανδρον παρακαλέσας
μνημονεύειν τῆς εἰς αὐτὸν γεγενημένης εὐεργεσίας
ἐξέπεμπε μετὰ προπομπῆς ἱκανῆς, παραγγείλας
τοῖς ἐπὶ τούτῳ τεταγμένοις ἀσφαλῶς εἰς τὴν
9 Ὑπάταν αὐτὸν ἀποκαταστῆσαι. ὁ δὲ Νίκανδρος,
τελέως ἀνελπίστου καὶ παραδόξου φανείσης αὐτῷ
τῆς ἀπαντήσεως, τότε μὲν ἀνεκομίσθη πρὸς τοὺς
οἰκείους, κατὰ δὲ τὸν ἑξῆς χρόνον ἀπὸ ταύτης
τῆς συστάσεως εὔνους ὢν διετέλει τῇ Μακεδόνων
10 οἰκίᾳ. διὸ καὶ μετὰ ταῦτα κατὰ τοὺς Περσικοὺς
καιροὺς ἐνδεδεμένος τῇ προειρημένῃ χάριτι καὶ
δυσχερῶς ἀντιπράττων ταῖς τοῦ Περσέως ἐπι-
βολαῖς, εἰς ὑποψίας καὶ διαβολὰς ἐμπεσὼν καὶ
τέλος ἀνακληθεὶς εἰς Ῥώμην ἐκεῖ μετήλλαξε τὸν
βίον.—

12 . . . ἐξ αὐτῶν τὸν ἐροῦντα περὶ τούτων πρὸς
(xxi. 15) αὐτόν· ἀλλ' ὥσπερ ἐπὶ τῶν πλείστων ἐργολάβοι
πολλοὶ προσφέρουσι τὰς τοιαύτας χάριτας καὶ
ταύτην ἀρχὴν ποιοῦνται φιλίας καὶ συστάσεως,
οὕτως ἐπὶ Φιλοποίμενος ὁ προσοίσων ταύτην τὴν
2 χάριν ἑκὼν οὐχ εὑρίσκετο τὸ παράπαν, ἕως [ἂν]
ἐξαπορήσαντες ψήφῳ προεχειρίσαντο Τιμόλαον,
ὃς ὑπάρχων καὶ ξένος πατρικὸς καὶ συνήθης ἐπὶ
πολὺ τῷ Φιλοποίμενι, δὶς εἰς τὴν Μεγάλην πόλιν
ἐκδημήσας αὐτοῦ τούτου χάριν οὐκ ἐτόλμησε
φθέγξασθαι περὶ τούτων οὐδέν, μέχρις ὅτε μυωπί-
σας ἑαυτὸν καὶ τρίτον ἐλθὼν ἐθάρρησε μνησθῆναι
3 τῆς δωρεᾶς. τοῦ δὲ Φιλοποίμενος παραδόξως
αὐτὸν ἐπὶ τούτοις ἀποδεξαμένου καὶ φιλανθρώπως,

Nicander himself to be ever mindful of the kindness
he had shown him, sent him off with an adequate
escort, ordering the officers whose duty it was to
bring him back to Hypata in safety. Nicander,
finding himself thus met by Philip in a spirit which
he never dared to hope for or expect, was now
restored to his relatives, and ever after this friendly
approach remained well inclined to the house of
Macedon. Thus even later in the time of Perseus
still feeling the obligation he was under for this
favour and ill disposed to oppose the projects of
Perseus, he exposed himself to suspicion and obloquy,
and finally was summoned to Rome and ended his
days there.

Philopoemen at Sparta

(Cp. Plutarch, *Philop*. xv.)

12. The Spartans wished to find one of their own
citizens to speak to Philopoemen about this. But
while in most cases there are many enterprising
schemers ready to offer such favours and thus take
the first steps to recommend and establish friend-
ship, in the case of Philopoemen they could not
find a single man willing to offer him this favour,
until at last being hard put to it they appointed by
vote Timolaus, who though he was a family friend
of Philopoemen and had been intimate with him for
long, had visited Megalopolis twice for this very
purpose without being able to summon up courage
to mention the matter to him, until spurring himself
on and going there a third time he ventured to
address him on the subject of the gift. When
Philopoemen, as he never had expected, received

4 ὁ μὲν Τιμόλαος περιχαρὴς ἦν, ὑπολαβὼν καθῖχθαι τῆς ἐπιβολῆς, ὁ δὲ Φιλοποίμην ἥξειν ἔφη μετ᾽ ὀλίγας ἡμέρας εἰς τὴν Λακεδαίμονα· θέλειν γὰρ εὐχαριστῆσαι πᾶσι τοῖς ἄρχουσι περὶ τούτων.
5 ἐλθὼν δὲ μετὰ ταῦτα καὶ κληθεὶς εἰς τὸ συνέδριον πάλαι μὲν ἔφη γινώσκειν τὴν τῶν Λακεδαιμονίων πρὸς αὑτὸν εὔνοιαν, μάλιστα δ᾽ ἐκ τοῦ νῦν προτεινομένου στεφάνου καὶ τῆς τοιαύτης τιμῆς.
6 τὴν μὲν οὖν προαίρεσιν αὐτῶν ἔφησεν ἀποδέχεσθαι, τῷ δὲ χειρισμῷ δυσωπεῖσθαι. δεῖν γὰρ οὐ τοῖς φίλοις δίδοσθαι τὰς τοιαύτας τιμὰς καὶ τοὺς στεφάνους, ἐξ ὧν ὁ περιθέμενος οὐδέποτε μὴ τὸν
7 ἰὸν ἐκνίψηται, πολὺ δὲ μᾶλλον τοῖς ἐχθροῖς, ἵν᾽ οἱ μὲν φίλοι τηροῦντες τὴν παρρησίαν πιστεύωνται παρὰ τοῖς Ἀχαιοῖς, ἐπὰν προθῶνται τῇ πόλει βοηθεῖν, οἱ δ᾽ ἐχθροὶ καταπιόντες τὸ δέλεαρ ἢ συνηγορεῖν αὐτοῖς ἀναγκάζωνται ἢ σιωπῶντες μηδὲν δύνωνται βλάπτειν.

II. Fragmentum Incertae Sedis

8 Ὅτι οὐχ ὅμοιόν ἐστιν ἐξ ἀκοῆς περὶ πραγμάτων διαλαμβάνειν καὶ γενόμενον αὐτόπτην, ἀλλὰ καὶ μεγάλα διαφέρει, πολὺ δέ τι συμβάλλεσθαι πέφυκεν ἑκάστοις ἡ κατὰ τὴν ἐνάργειαν πίστις.

the proposal quite courteously, he was delighted, as he thought he had attained his object, and Philopoemen said he would come to Sparta in a few days, as he wished to thank all the magistrates for this favour. Upon his going there later and being invited to attend the Council, he said that he had long recognized the kind feelings the Spartans entertained for him and now did so more than ever from the crown and very high honour that they offered him. So, he said, he perfectly appreciated their intentions, but was a little abashed by the manner in which they proceeded. For such honours and such crowns, the rust of which he who once put them on would never wash off his head, should never be given to friends, but much rather to enemies, in order that their friends, retaining the right to speak their minds, might be trusted by the Achaeans when they proposed to help Sparta, while their enemies, who had swallowed the bait, might either be compelled to support the proposal or have to hold their tongues and be incapacitated from doing any harm.

II. A Fragment, the Place of which is uncertain

It is not at all the same to judge of things from hearsay and from having actually witnessed them, but there is a great difference. In all matters a certainty founded on the evidence of one's eyes is of the greatest value.

FRAGMENTA LIBRI XXI

I. Res Italiae

1 Ὅτι κατὰ τὸν καιρὸν τοῦτον συνέβη καὶ τὴν
(xx. 21) ἐκ τῆς Ῥώμης πρεσβείαν, ἣν ἀπέστειλαν οἱ
Λακεδαιμόνιοι, παραγενέσθαι διεψευσμένην τῶν
2 ἐλπίδων. ἐπρέσβευον μὲν γὰρ περὶ τῶν ὁμήρων
3 καὶ τῶν κωμῶν· ἡ δὲ σύγκλητος περὶ μὲν τῶν
κωμῶν ἔφησεν ἐντολὰς δώσειν τοῖς παρ' αὑτῶν
ἀποστελλομένοις πρέσβεσιν, περὶ δὲ τῶν ὁμήρων
4 ἔτι βουλεύσασθαι θέλειν. περὶ δὲ τῶν φυγάδων
τῶν ἀρχαίων θαυμάζειν ἔφησαν, πῶς οὐ κατ-
άγουσιν αὐτοὺς εἰς τὴν οἰκείαν, ἠλευθερωμένης
τῆς Σπάρτης.

2 Ὅτι τοῖς Ῥωμαίοις τῆς κατὰ τὴν ναυμαχίαν
(3) (1) νίκης ἄρτι προσηγγελμένης, πρῶτον μὲν τῷ
δήμῳ παρήγγειλαν ἑλινύας ἄγειν ἡμέρας ἐννέα—
2 τοῦτο δ' ἔστιν σχολάζειν πανδημεὶ καὶ θύειν τοῖς
3 θεοῖς χαριστήρια τῶν εὐτυχημάτων—μετὰ δὲ ταῦτα
τοὺς παρὰ τῶν Αἰτωλῶν πρέσβεις καὶ τοὺς παρὰ
4 τοῦ Μανίου προσῆγον τῇ συγκλήτῳ. γενομένων

236

FRAGMENTS OF BOOK XXI

I. Affairs of Italy

Embassy of the Lacedaemonians to Rome

1. At this time the embassy which the Lace- ₁₉₀₋₁₉₁ daemonians had sent to Rome arrived disappointed ^{B.C.} in their hopes. For they had been sent on the subject of the hostages and villages, but regarding the villages the senate replied that they would give orders to the legates they were sending, and as for the hostages they must consult further about the matter. As to the old exiles they said they wondered why the Spartans did not call them home, now that Sparta was free.

Embassy of the Aetolians

2. Immediately upon the announcement of the naval victory,^a the Romans ordered the people to observe nine days of rest,^b i.e. to keep a general holiday and sacrifice to the gods in thanks for their success. After this they introduced into the Senate the Aetolian embassy and the legates from Glabrio.

^a That of the Roman Fleet over that of Antiochus, off Phocaea. See Livy xxxvi. 43.
^b A supplicatio.

237

δὲ πλειόνων παρ᾽ ἀμφοῖν λόγων, ἔδοξε τῷ συνεδρίῳ
δύο προτείνειν γνώμας τοῖς Αἰτωλοῖς, ἢ διδόναι
τὴν ἐπιτροπὴν περὶ πάντων τῶν καθ᾽ αὑτοὺς ἢ
χίλια τάλαντα παραχρῆμα δοῦναι καὶ τὸν αὐτὸν
5 ἐχθρὸν καὶ φίλον νομίζειν Ῥωμαίοις. τῶν δ᾽
Αἰτωλῶν ἀξιούντων διασαφῆσαι ῥητῶς ἐπὶ τίσι
δεῖ διδόναι τὴν ἐπιτροπήν, οὐ προσδέχεται τὴν
6 διαστολὴν ἡ σύγκλητος. διὸ καὶ τούτοις γέγονε
κατάμονος ὁ πόλεμος.

3 (2) Ὅτι κατὰ τοὺς αὐτοὺς καιροὺς ἡ σύγκλητος
(xx. 13) ἐχρημάτισε τοῖς παρὰ Φιλίππου πρεσβευταῖς·
2 ἧκον γὰρ παρ᾽ αὐτοῦ πρέσβεις ἀπολογιζόμενοι
τὴν εὔνοιαν καὶ προθυμίαν, ἣν παρέσχηται Ῥω-
μαίοις ὁ βασιλεὺς ἐν τῷ πρὸς Ἀντίοχον πολέμῳ.
3 ὧν διακούσασα τὸν μὲν υἱὸν Δημήτριον ἀπέλυσε
τῆς ὁμηρείας παραχρῆμα· ὁμοίως δὲ καὶ τῶν
φόρων ἐπηγγείλατο παραλύσειν, διαφυλάξαντος
4 αὐτοῦ τὴν πίστιν ἐν τοῖς ἐνεστῶσι καιροῖς. παρα-
πλησίως δὲ καὶ τοὺς τῶν Λακεδαιμονίων ὁμήρους
ἀφῆκε πλὴν Ἀρμένα τοῦ Νάβιδος υἱοῦ· τοῦτον
δὲ μετὰ ταῦτα συνέβη νόσῳ μεταλλάξαι τὸν βίον.

II. Res Graeciae

3ᵇ Ὅτι καὶ κατὰ τὴν Ἑλλάδα, πρεσβείας παρα-
(9) (7) γενομένης εἰς Ἀχαΐαν παρ᾽ Εὐμένους τοῦ βασιλέως
2 ὑπὲρ συμμαχίας, ἀθροισθέντες εἰς ἐκκλησίαν οἱ
πολλοὶ τῶν Ἀχαιῶν τήν τε συμμαχίαν ἐπεκύρωσαν
καὶ νεανίσκους ἐξαπέστειλαν, πεζοὺς μὲν χιλίους

After both had addressed them at some length,
the senate decided to give the Aetolians the choice
of two courses, either to submit all matters to the
decision of the senate or to pay at once a thousand
talents and enter into an offensive and defensive
alliance with Rome. When they demanded a
definite statement of what matters were to be
submitted to the senate's decision, that body refused
to admit any distinction, and therefore the Aetolians
remained *in statu belli*.

Embassy from Philip

3. At about the same time the senate gave a
hearing to the envoys of Philip; for he had sent this
embassy to call attention in his favour to the good-
will and readiness to help he had shown in the
war with Antiochus. After listening to him the
senate at once set free his son Demetrius, who was
their hostage, and also promised to relieve him of
some of the payments due, if he kept his faith to
them under present circumstances. They also set
free the Lacedaemonian hostages except Armenas,
the son of Nabis, who soon after this sickened and
died.

II. Affairs of Greece

Eumenes and Achaea

3b. In Greece, too, when an embassy reached
Achaea from King Eumenes proposing an alliance,
the Achaean people meeting in a general assembly
voted the alliance and sent off soldiers—a thousand

ἱππεῖς δ' ἑκατόν, ὧν ἡγεῖτο Διοφάνης ὁ Μεγαλο-
πολίτης.

4 (2) Ὅτι πολιορκουμένων τῶν Ἀμφισσέων ὑπὸ
Μανίου τοῦ Ῥωμαίων στρατηγοῦ, κατὰ τὸν
καιρὸν τοῦτον ὁ τῶν Ἀθηναίων δῆμος, πυνθανό-
μενος τήν τε τῶν Ἀμφισσέων ταλαιπωρίαν καὶ
τὴν τοῦ Ποπλίου παρουσίαν, ἐξαπέστειλε πρε-
2 σβευτὰς τοὺς περὶ τὸν Ἐχέδημον, ἐντειλάμενος
ἅμα μὲν ἀσπάσασθαι τοὺς περὶ τὸν Λεύκιον καὶ
Πόπλιον, ἅμα δὲ καταπειράζειν τῆς πρὸς Αἰτωλοὺς
3 διαλύσεως. ὧν παραγενομένων ἀσμένως ἀπο-
δεξάμενος ὁ Πόπλιος ἐφιλανθρώπει τοὺς ἄνδρας,
θεωρῶν ὅτι παρέξονται χρείαν αὐτῷ πρὸς τὰς
4 προκειμένας ἐπιβολάς. ὁ γὰρ προειρημένος ἀνὴρ
ἐβούλετο θέσθαι μὲν καλῶς τὰ κατὰ τοὺς Αἰτωλούς·
εἰ δὲ μὴ συνυπακούοιεν, πάντως διειλήφει παρα-
5 λιπὼν ταῦτα διαβαίνειν εἰς τὴν Ἀσίαν, σαφῶς
γινώσκων διότι τὸ τέλος ἐστὶ τοῦ πολέμου καὶ
τῆς ὅλης ἐπιβολῆς οὐκ ἐν τῷ χειρώσασθαι τὸ τῶν
Αἰτωλῶν ἔθνος, ἀλλ' ἐν τῷ νικήσαντας τὸν Ἀντίοχον
6 κρατῆσαι τῆς Ἀσίας. διόπερ ἅμα τῷ μνησθῆναι
τοὺς Ἀθηναίους ὑπὲρ τῆς διαλύσεως, ἑτοίμως
προσδεξάμενος τοὺς λόγους ἐκέλευσε παραπλησίως
7 πειράζειν αὐτοὺς καὶ τῶν Αἰτωλῶν. οἱ δὲ περὶ
τὸν Ἐχέδημον, προδιαπεμψάμενοι καὶ μετὰ ταῦτα
πορευθέντες εἰς τὴν Ὑπάταν αὐτοί, διελέγοντο
περὶ τῆς διαλύσεως τοῖς ἄρχουσι τῶν Αἰτωλῶν.
8 ἑτοίμως δὲ κἀκείνων συνυπακουόντων κατεστά-
9 θησαν οἱ συμμίξοντες τοῖς Ῥωμαίοις· οἳ καὶ
παραγενόμενοι πρὸς τοὺς περὶ τὸν Πόπλιον,
καταλαβόντες αὐτοὺς στρατοπεδεύοντας ἐν ἑξή-
κοντα σταδίοις ἀπὸ τῆς Ἀμφίσσης, πολλοὺς

foot and a hundred horse under the command of
Diophanes of Megalopolis.

The Aetolians and the Roman Governors

4. While Glabrio, the Roman general, was besieg-
ing Amphissa, the Athenian people, hearing of the
distress of the Amphissians and the arrival of Publius
Scipio, sent an embassy at the head of which was
Echedemus, with instructions to salute Lucius and
Publius Scipio and to attempt to procure terms
of peace for the Aetolians. Publius was very glad
of their arrival and paid much attention to them,
as he saw they would be of service to him in the
projects he entertained. For the general wished
to settle the Aetolian matter, and even if the
Aetolians did not submit, had in any case resolved
to neglect them and cross to Asia, as he well knew
that the object of the war and the whole expedition
was not to subdue the Aetolian League but to conquer
Antiochus and become masters of Asia. Therefore
as soon as the Athenians mentioned peace, he
readily accepted the proposal, and told them to
sound the Aetolians also. Echedemus, having sent
a message in advance, proceeded himself to Hypata,
and spoke about the question of peace to the Aetolian
authorities. They also readily lent an ear, and
delegates were appointed to meet the Romans.
Upon reaching Publius, whom they found encamped
at a distance of sixty stades from Amphissa, they

διετίθεντο λόγους, ἀναμιμνήσκοντες τῶν γεγο-
10 νότων σφίσι φιλανθρώπων πρὸς Ῥωμαίους. ἔτι
δὲ πραότερον καὶ φιλανθρωπότερον ὁμιλήσαντος
τοῦ Ποπλίου καὶ προφερομένου τάς τε κατὰ τὴν
Ἰβηρίαν καὶ τὴν Λιβύην πράξεις καὶ διασαφοῦντος
τίνα τρόπον κέχρηται τοῖς κατ' ἐκείνους τοὺς
τόπους αὐτῷ πιστεύσασιν καὶ τέλος οἰομένου
11 δεῖν ἐγχειρίζειν σφᾶς αὐτῷ καὶ πιστεύειν, τὰς μὲν
ἀρχὰς ἅπαντες οἱ παρόντες εὐέλπιδες ἐγενήθησαν,
ὡς αὐτίκα μάλα τελεσιουργηθησομένης τῆς δια-
12 λύσεως· ἐπεὶ δέ, πυθομένων τῶν Αἰτωλῶν ἐπὶ τίσι
δεῖ ποιεῖσθαι τὴν εἰρήνην, ὁ Λεύκιος διεσάφησεν
διότι δυεῖν προκειμένων αὐτοῖς αἵρεσις ὑπάρχει—
13 δεῖν γὰρ ἢ τὴν ἐπιτροπὴν διδόναι περὶ πάντων τῶν
καθ' αὑτοὺς ἢ χίλια τάλαντα παραχρῆμα καὶ τὸν
14 αὐτὸν ἐχθρὸν αἱρεῖσθαι καὶ φίλον Ῥωμαίοις—ἐδυ-
σχρήστησαν μὲν οἱ παρόντες τῶν Αἰτωλῶν ὡς ἔνι
μάλιστα διὰ τὸ μὴ γίνεσθαι τὴν ἀπόφασιν ἀκόλουθον
τῇ προγενομένῃ λαλιᾷ, πλὴν ἐπανοίσειν ἔφασαν
ὑπὲρ τῶν ἐπιταττομένων τοῖς Αἰτωλοῖς.
5 (3)   Οὗτοι μὲν οὖν ἐπανῄεσαν βουλευσόμενοι περὶ
2 τῶν προειρημένων· οἱ ⟨δὲ⟩ περὶ τὸν Ἐχέδημον
συμμίξαντες τοῖς ἀποκλήτοις ἐβουλεύοντο περὶ
3 τῶν προειρημένων. ἦν δὲ τῶν ἐπιταττομένων τὸ
μὲν ἀδύνατον διὰ τὸ πλῆθος τῶν χρημάτων, τὸ δὲ
φοβερὸν διὰ τὸ πρότερον αὐτοὺς ἀπατηθῆναι,
καθ' ὃν καιρὸν ἐπινεύσαντες ὑπὲρ τῆς ἐπιτροπῆς
4 παρὰ μικρὸν εἰς τὴν ἄλυσιν ἐνέπεσον. διόπερ
ἀπορούμενοι καὶ δυσχρηστούμενοι περὶ ταῦτα
πάλιν ἐξέπεμπον τοὺς αὐτοὺς δεησομένους ἢ τῶν
χρημάτων ἀφελεῖν, ἵνα δύνωνται τελεῖν, ἢ τῆς
ἐπιτροπῆς ἐκτὸς ποιῆσαι τοὺς πολιτικοὺς ἄνδρας

made a long speech reminding him of all the kindness they had shown the Romans. When Scipio addressed them in a still milder and kinder tone, recounting his action in Spain and Africa, and explaining how he had dealt with people in those countries who had relied on him, and when he finally expressed his opinion that they ought to place themselves in his hands and rely on him, all those present at first became most sanguine, thinking that peace would be at once concluded. But when, upon the Actolians inquiring on what conditions they should make peace, Lucius Scipio informed them that there were two alternatives open to them, either to submit entirely to Rome or to pay a thousand talents at once and make a defensive and offensive alliance, the Aetolians present were exceedingly distressed to find that this decision was not at all conformable to their previous conversation. They, however, said they would submit the conditions to the people of Aetolia.

5. These delegates, then, returned home to discuss the matter, and Echedemus meeting the Apocleti also talked it over. One of the alternative conditions was impossible owing to the magnitude of the sum demanded, and the other frightened them owing to what had taken place on the occasion of their former mistake, when after having assented to absolute submission they came very near being placed in chains. Consequently, in their difficulty and distress, they sent off the same envoys again to beg either that the sum might be reduced so that they would be able to pay it, or that their politicians and their women should be excluded from the total

5 καὶ τὰς γυναῖκας. οἳ καὶ συμμίξαντες τοῖς περὶ
6 τὸν Πόπλιον διεσάφουν τὰ δεδογμένα. τοῦ δὲ
Λευκίου φήσαντος ἐπὶ τούτοις ἔχειν παρὰ τῆς
συγκλήτου τὴν ἐξουσίαν, ἐφ᾽ οἷς ἀρτίως εἶπεν,
7 οὗτοι μὲν αὖθις ἐπανῆλθον, οἱ δὲ περὶ τὸν Ἐχέδημον
ἐπακολουθήσαντες εἰς τὴν Ὕπάταν συνεβούλευσαν
τοῖς Αἰτωλοῖς, ἐπεὶ τὰ τῆς διαλύσεως ἐμποδίζοιτο
κατὰ τὸ παρόν, ἀνοχὰς αἰτησαμένους καὶ τῶν
ἐνεστώτων κακῶν ὑπέρθεσιν ποιησαμένους πρε-
σβεύειν πρὸς τὴν σύγκλητον, κἂν μὲν ἐπιτυγχάνωσι
8 περὶ τῶν ἀξιουμένων· εἰ δὲ μή, τοῖς καιροῖς
9 ἐφεδρεύειν. χείρω μὲν γὰρ ἀδύνατον γενέσθαι
τῶν ὑποκειμένων τὰ περὶ σφᾶς, βελτίω γε μὴν
10 οὐκ ἀδύνατον διὰ πολλὰς αἰτίας. φανέντων δὲ
καλῶς λέγειν τῶν περὶ τὸν Ἐχέδημον, ἔδοξε
πρεσβεύειν τοῖς Αἰτωλοῖς ὑπὲρ τῶν ἀνοχῶν.
11 ἀφικόμενοι δὲ πρὸς τὸν Λεύκιον ἐδέοντο συγχωρη-
θῆναι σφίσι κατὰ τὸ παρὸν ἐξαμήνους ἀνοχάς,
12 ἵνα πρεσβεύσωσι πρὸς τὴν σύγκλητον. ὁ δὲ
Πόπλιος, πάλαι πρὸς τὰς κατὰ τὴν Ἀσίαν πράξεις
παρωρμημένος, ταχέως ἔπεισε τὸν ἀδελφὸν ὑπ-
13 ακοῦσαι τοῖς ἀξιουμένοις. γραφεισῶν δὲ τῶν ὁμο-
λογιῶν, ὁ μὲν Μάνιος, λύσας τὴν πολιορκίαν καὶ
παραδοὺς ἅπαν τὸ στράτευμα καὶ τὰς χορηγίας
τοῖς περὶ τὸν Λεύκιον, εὐθέως ἀπηλλάττετο μετὰ
τῶν χιλιάρχων εἰς τὴν Ῥώμην.

III. Res Asiae

6 (4)   Οἱ δὲ Φωκαιεῖς, τὰ μὲν ὑπὸ τῶν ἀπολειφθέντων
Ῥωμαίων ἐν ταῖς ναυσὶν ἐπισταθμευόμενοι, τὰ
δὲ τὰς ἐπιταγὰς δυσχερῶς φέροντες, ἐστασίαζον.

submission. Meeting Publius and his brother they communicated the decree of the Aetolians on the subject, but when Lucius said that he was only empowered by the senate to propose the conditions he had stated, they again returned to Actolia, and Echedemus following them to Hypata, advised the Aetolians, since there was this obstacle at present to the conclusion of peace, to ask for an armistice and gaining thus a temporary relief from present ills, to send an embassy to the senate, when if they were successful in obtaining their request well and good, but if not they might watch for a change of circumstances. For it was impossible for their situation to be worse than it actually was, but there were many reasons why it might improve. Echedemus's advice seemed to them to be good, and it was decided to send envoys asking for a truce. So coming to Lucius they begged him to grant them for the present a truce for six months, in order to send an embassy to the Senate. Publius, who had for long been eager to play a part in Asiatic affairs, soon persuaded his brother to accede to the request. Upon the signature of the agreement, Glabrio, after raising the siege and handing over his whole army and his stores to Lucius, at once left for Rome with his military tribunes.

III. Affairs of Asia
State of Phocaea
(Suid. ; cp. Livy xxxvii. 9. 1.)

6. The Phocaeans, partly because the Romans left in the ships were quartered upon them and partly because they objected to the enforced contributions, became disaffected.

2 Ὅτι κατὰ τοὺς αὐτοὺς χρόνους οἱ τῶν Φωκαιέων
ἄρχοντες, δεδιότες τάς τε τῶν πολλῶν ὁρμὰς διὰ
τὴν σιτοδείαν καὶ τὴν τῶν Ἀντιοχιστῶν φιλο-
τιμίαν, ἐξέπεμψαν πρεσβευτὰς πρὸς Σέλευκον,
3 ὄντα πρὸς τοῖς ὅροις τῆς χώρας αὐτῶν, ἀξιοῦντες
μὴ πελάζειν τῆς πόλεως, ὅτι πρόκειται σφίσι τὴν
ἡσυχίαν ἄγειν καὶ καραδοκεῖν τὴν τῶν ὅλων
κρίσιν, μετὰ δὲ ταῦτα πειθαρχεῖν τοῖς εἰρημένοις.
4 ἦσαν δὲ τῶν πρεσβευτῶν ἴδιοι μὲν τοῦ Σελεύκου
καὶ ταύτης τῆς ὑποθέσεως Ἀρίσταρχος καὶ
Κάσσανδρος καὶ Ῥόδων, ἐναντίοι δὲ καὶ πρὸς
5 Ῥωμαίους ἀπονενευκότες Ἡγίας καὶ Γελίας. ὧν
συμμιξάντων ὁ Σέλευκος εὐθέως τοὺς μὲν περὶ
τὸν Ἀρίσταρχον ἀνὰ χεῖρας εἶχε, τοὺς δὲ περὶ
6 τὸν Ἡγίαν παρεώρα. πυθόμενος δὲ τὴν ὁρμὴν
τῶν πολλῶν καὶ τὴν σπάνιν τοῦ σίτου, παρεὶς
τὸν χρηματισμὸν καὶ τὴν ἔντευξιν τῶν παρα-
γεγονότων προῆγε πρὸς τὴν πόλιν.

7 Ἐξελθόντες μὲν Γάλλοι δύο μετὰ τύπων καὶ
προστηθιδίων ἐδέοντο μηδὲν ἀνήκεστον βου-
λεύεσθαι περὶ τῆς πόλεως.

7 (5) Πυρφόρος, ᾧ ἐχρήσατο Παυσίστρατος ὁ τῶν
2 Ῥοδίων ναύαρχος. ἦν δὲ κημός· ἐξ ἑκατέρου δὲ
τοῦ μέρους τῆς πρώρρας ἀγκύλαι δύο παρέκειντο
παρὰ τὴν ἐντὸς ἐπιφάνειαν τῶν τοίχων, εἰς ἃς
ἐνηρμόζοντο κοντοὶ προτείνοντες τοῖς κέρασιν
3 εἰς θάλατταν. ἐπὶ δὲ τὸ τούτων ἄκρον ὁ κημὸς
4 ἁλύσει σιδηρᾷ προσήρτητο πλήρης πυρός, ὥστε

---

[a] Son of Antiochus the Great, afterwards King Seleucus IV.

At the same date the magistrates of Phocaea, afraid both of the excited state the people were in owing to the dearth of corn and of the active propaganda of the partisans of Antiochus, sent envoys to Seleucus,[a] who was on the borders of their territory, begging him not to approach the town, as it was their intention to keep quiet and await the issue of events, after which they would yield obedience to orders given them. Of these envoys Aristarchus, Cassander, and Rhodon were attached to Seleucus and his cause, while Hegias and Gelias were opposed to him and inclined to favour the Romans. Upon their meeting him, Seleucus at once admitted the three first into his intimacy, neglecting Hegias and Gelias. But when he heard of the excitement of the populace and the dearth of corn he advanced to the town without giving the envoys a formal audience.

(Suid.; cp. Livy xxxvii. 11. 7.)

Two Galli or priests of Cybele with images and pectorals came out of the town, and besought them not to resort to extreme measures against the city.

Naval Matters

(Suid.)

7. The engine for throwing fire used by Pausistratus, the Rhodian admiral, was funnel-shaped. On each side of the ship's prow noosed ropes were run along the inner side of the hull, into which were fitted poles stretching out seawards. From the extremity of each hung by an iron chain the funnel-shaped vessel full of fire, so that, in charging or

κατὰ τὰς ἐμβολὰς καὶ παραβολὰς εἰς μὲν τὴν
πολεμίαν ναῦν ἐκτινάττεσθαι πῦρ, ἀπὸ δὲ τῆς
οἰκείας πολὺν ἀφεστάναι τόπον διὰ τὴν ἔγκλισιν.

5 Ὅτι Παμφιλίδας ὁ τῶν Ῥοδίων ναύαρχος
ἐδόκει πρὸς πάντας τοὺς καιροὺς εὐαρμοστότερος
εἶναι τοῦ Παυσιστράτου διὰ τὸ βαθύτερος τῇ
φύσει καὶ στασιμώτερος μᾶλλον ἢ τολμηρότερος
6 ὑπάρχειν. ἀγαθοὶ γὰρ οἱ πολλοὶ τῶν ἀνθρώπων
οὐκ ἐκ τῶν κατὰ λόγον, ἀλλ' ἐκ τῶν συμβαινόντων
7 ποιεῖσθαι τὰς διαλήψεις. ἄρτι γὰρ δι' αὐτὸ τοῦτο
προκεχειρισμένοι τὸν Παυσίστρατον, διὰ τὸ πρᾶξιν
ἔχειν τινὰ καὶ τόλμαν, παραχρῆμα μετέπιπτον
εἰς τἀναντία ταῖς γνώμαις διὰ τὴν περιπέτειαν.

8 (6) Ὅτι κατὰ τὸν καιρὸν τοῦτον εἰς τὴν Σάμον
προσέπεσε γράμματα τοῖς περὶ τὸν Λεύκιον καὶ
τὸν Εὐμένη παρά τε τοῦ Λευκίου τοῦ τὴν ὕπατον
ἀρχὴν ἔχοντος καὶ παρὰ Ποπλίου Σκιπίωνος,
2 δηλοῦντα τὰς πρὸς τοὺς Αἰτωλοὺς γεγενημένας
συνθήκας ὑπὲρ τῶν ἀνοχῶν καὶ τὴν ἐπὶ τὸν Ἑλλήσ-
ποντον πορείαν τῶν πεζικῶν στρατοπέδων. ὁμοίως
3 δὲ καὶ τοῖς περὶ τὸν Ἀντίοχον καὶ Σέλευκον ταῦτα
διεσαφεῖτο παρὰ τῶν Αἰτωλῶν.

9 Ὅτι Διοφάνης ὁ Μεγαλοπολίτης μεγάλην ἕξιν
(7) (3) εἶχεν ἐν τοῖς πολεμικοῖς διὰ τὸ πολυχρονίου
γεγονότος τοῦ πρὸς Νάβιν πολέμου τοῖς Μεγαλο-
πολίταις ἀστυγείτονος πάντα συνεχῶς τὸν χρόνον
ὑπὸ τὸν Φιλοποίμενα τεταγμένος τριβὴν ἐσχηκέναι
2 (4) τῶν κατὰ πόλεμον ἔργων ἀληθινήν. χωρίς τε
τούτων κατὰ τὴν ἐπιφάνειαν καὶ κατὰ τὴν σω-
ματικὴν χρείαν ἦν ὁ προειρημένος ἀνὴρ δυνατὸς

passing, the fire was shot out of it into the enemy's ship, but was a long way from one's own ship owing to the inclination.

(Cp. Suid.)

Pamphilidas, the Rhodian admiral, was considered more adequate to any occasion than Pausistratus because he was by nature rather wise and steadfast than venturesome. For most men are good at judging of a situation rather from what happens to occur than by reasoning things out. They had appointed Pausistratus for this very reason, that he was energetic and daring, but all of a sudden they entirely changed their minds owing to his disaster.

(Cp. Livy xxxvii. 18. 10.)

8. At this time letters reached Samos addressed to Lucius Aemilius Regillus and Eumenes from Lucius Scipio the consul and from Publius Scipio informing them of the truce made with the Aetolians and of the march of the Roman army towards the Hellespont. The Aetolians had also informed Antiochus and Seleucus of this.

Diophanes of Megalopolis

9. Diophanes of Megalopolis had had great practice in war, because during the long war against Nabis, which was waged in the immediate vicinity of Megalopolis, he had constantly served under Philopoemen and thus acquired actual experience in the methods of warfare. Add to this that the man I am speaking of was both in personal appearance and in personal combat very powerful and

3 (5) καὶ καταπληκτικός. τὸ δὲ κυριώτατον, πρὸς
πόλεμον ὑπῆρχεν ἀνὴρ ἀγαθὸς καὶ τοῖς ὅπλοις
ἐχρῆτο διαφερόντως.

10 (8) Ὅτι Ἀντίοχος ὁ βασιλεὺς εἰς τὸν Πέργαμον
ἐμβαλών, πυθόμενος δὲ τὴν παρουσίαν Εὐμένους
τοῦ βασιλέως καὶ θεωρῶν οὐ μόνον τὰς ναυτικάς,
ἀλλὰ καὶ τὰς πεζικὰς δυνάμεις ἐπ' αὐτὸν παραγινο-
μένας, ἐβουλεύετο λόγους ποιήσασθαι περὶ δια-
λύσεως ὁμοῦ πρός τε Ῥωμαίους καὶ τὸν Εὐμένη
2 καὶ τοὺς Ῥοδίους. ἐξάρας οὖν ἅπαντι τῷ στρα-
τεύματι παρῆν πρὸς τὴν Ἐλαίαν καὶ λαβὼν λόφον
τινὰ καταντικρὺ τῆς πόλεως τὸ μὲν πεζικὸν ἐπὶ
τούτου κατέστησε, τοὺς δ' ἱππεῖς παρ' αὐτὴν τὴν
πόλιν παρενέβαλε, πλείους ὄντας ἑξακισχιλίων.
3 αὐτὸς δὲ μεταξὺ τούτων γενόμενος διεπέμπετο
πρὸς τοὺς περὶ τὸν Λεύκιον εἰς τὴν πόλιν ὑπὲρ
4 διαλύσεων. ὁ δὲ στρατηγὸς ὁ τῶν Ῥωμαίων
συναγαγὼν τούς τε Ῥοδίους καὶ τὸν Εὐμένην
ἠξίου λέγειν περὶ τῶν ἐνεστώτων τὸ φαινόμενον.
5 οἱ μὲν οὖν περὶ τὸν Εὔδαμον καὶ Παμφιλίδαν οὐκ
ἀλλότριοι τῆς διαλύσεως ἦσαν· ὁ δὲ βασιλεὺς οὔτ'
εὐσχήμονα τὴν διάλυσιν οὔτε δυνατὴν ἔφησε
6 κατὰ τὸ παρὸν εἶναι. "εὐσχήμονα γάρ" ἔφη
"πῶς οἷόν τε γίνεσθαι τὴν ἔκβασιν, ἐὰν τειχήρεις
7 ὄντες ποιώμεθα τὰς διαλύσεις;" καὶ μὴν οὐδὲ
δυνατὴν ἔφησε κατὰ τὸ παρόν· "πῶς γὰρ ἐνδέχεται,
μὴ προσδεξαμένους ὕπατον, ἄνευ τῆς ἐκείνου
γνώμης βεβαιῶσαι τὰς ὁμολογηθείσας συνθήκας;
8 χωρίς τε τούτων, ἐὰν ὅλως γένηταί τι σημεῖον
ὁμολογίας πρὸς Ἀντίοχον, οὔτε τὰς ναυτικὰς
δυνάμεις δυνατὸν ἐπανελθεῖν δήπουθεν εἰς τὴν

redoubtable. And, most important of all, he was a gallant man-at-arms and exceptionally skilled in their use.

Antiochus negotiates

(Cp. Livy xxxvii. 18. 6.)

10. King Antiochus had entered the territory of Pergamus, where hearing of the arrival of King Eumenes, and seeing that both the naval and military forces were coming up to the assistance of that prince, was desirous of making proposals for peace simultaneously to the Romans, to Eumenes and to the Rhodians. Setting out, then, with his whole army he came to Elaea, and seizing on an eminence opposite the town, established his infantry there, encamping his cavalry, more than six thousand in number, under the walls of the town. He accompanied the latter force, and sent a messenger to Lucius Aemilius, who was within the town, on the subject of peace. The Roman general, summoning Eumenes and the Rhodians to meet him, begged them to give him their view of the situation. Eudamus and Pamphilidas were not opposed to peace, but the king said that for the present peace neither befitted their dignity nor was possible. "For how," he said, "can the result fail to be undignified if we make peace while we are shut up within the walls? And indeed how is it even possible for the present? For how can we, unless we await the arrival of a general of consular rank, confirm any agreement we arrive at without his consent? And, apart from this, if we manage at all to come to some semblance of an agreement with Antiochus, I scarcely suppose that your naval and military forces

ἰδίαν οὔτε τὰς πεζικάς, ἐὰν μὴ πρότερον ὅ τε
δῆμος ἥ τε σύγκλητος ἐπικυρώσῃ τὰ δοχθέντα.
9 λείπεται δὴ καραδοκοῦντας τὴν ἐκείνων ἀπόφασιν
παραχειμάζειν ἐνθάδε καὶ πράττειν μὲν μηδέν,
ἐκδαπανᾶν δὲ τὰς τῶν ἰδίων συμμάχων χορηγίας
10 καὶ παρασκευάς· ἔπειτ', ἂν μὴ σφίσι παρῇ τῇ
συγκλήτῳ διαλύεσθαι, καινοποιεῖν πάλιν ἀπ' ἀρχῆς
τὸν πόλεμον, παρέντας τοὺς ἐνεστῶτας καιρούς,
ἐν οἷς δυνάμεθα θεῶν βουλομένων πέρας ἐπιθεῖναι
11 τοῖς ὅλοις." ὁ μὲν οὖν Εὐμένης ταῦτ' εἶπεν· ὁ
δὲ Λεύκιος ἀποδεξάμενος τὴν συμβουλίαν, ἀπεκρίθη
τοῖς περὶ τὸν Ἀντίοχον ὅτι πρὸ τοῦ τὸν ἀνθύπατον
12 ἐλθεῖν οὐκ ἐνδέχεται γενέσθαι τὰς διαλύσεις. ὧν
ἀκούσαντες οἱ περὶ τὸν Ἀντίοχον παραυτίκα μὲν
13 ἐδῄουν τὴν τῶν Ἐλαϊτῶν χώραν· ἑξῆς δὲ τούτοις
Σέλευκος μὲν ἐπὶ τούτων ἔμεινε τῶν τόπων,
Ἀντίοχος δὲ κατὰ τὸ συνεχὲς ἐπιπορευόμενος
14 ἐνέβαλλεν εἰς τὸ Θήβης καλούμενον πεδίον, καὶ
παραβεβληκὼς εἰς χώραν εὐδαίμονα καὶ γέμουσαν
ἀγαθῶν ἐπλήρου τὴν στρατιὰν παντοδαπῆς λείας.—

11 (9)   Ὅτι Ἀντίοχος ὁ βασιλεὺς παραγενόμενος εἰς
τὰς Σάρδεις ἀπὸ τῆς προρρηθείσης στρατείας
2 διεπέμπετο συνεχῶς πρὸς Προυσίαν, παρακαλῶν
αὐτὸν εἰς τὴν σφετέραν συμμαχίαν. ὁ δὲ Προυσίας
κατὰ μὲν τοὺς ἀνώτερον χρόνους οὐκ ἀλλότριος
ἦν τοῦ κοινωνεῖν τοῖς περὶ τὸν Ἀντίοχον· πάνυ
γὰρ ἐδεδίει τοὺς Ῥωμαίους, μὴ ποιῶνται τὴν εἰς
Ἀσίαν διάβασιν ἐπὶ καταλύσει πάντων τῶν δυνα-
3 στῶν. παραγενομένης δ' ἐπιστολῆς αὐτῷ παρά τε
Λευκίου καὶ Ποπλίου τῶν ἀδελφῶν, κομισάμενος
ταύτην καὶ δια‹να›γνοὺς ἐπὶ ποσὸν ἔστη τῇ διανοίᾳ
4 καὶ προείδετο τὸ μέλλον ἐνδεχομένως, ἅτε τῶν
252

can return home, unless the Senate and People
ratify your decision. All that will be left for you
to do, then, is to spend the winter here awaiting
their pronouncement, perfectly inactive, but ex-
hausting the stores and material of your allies ; and
afterwards, if the Senate does not approve of your
making peace, you will have to begin the war afresh
from the beginning, after having thrown away the
present opportunity we have of putting an end by
the grace of God to the whole business." Eumenes
spoke so, and Aemilius, approving his advice, replied
to Antiochus that it was impossible for peace to be
made before the arrival of the proconsul. Antiochus,
on hearing this, at once began to lay waste the terri-
tory of Elaea. After this, while Seleucus remained
in this neighbourhood, Antiochus made constant
incursions into the so-called plain of Thebe, and
lighting upon this most fertile district, abounding
in produce, plentifully supplied his army with every
variety of booty.

Antiochus approaches Prusias

(Cp. Livy xxxvii. 25. 4.)

11. King Antiochus, on returning to Sardis from the
expedition I have described, sent frequent messages
to Prusias inviting him to enter into alliance with
him. Prusias previously had not been disinclined
to join Antiochus, for he was very much afraid of
the Romans crossing to Asia with the object of
deposing all the princes there. But on a letter
reaching him from the brothers Publius and Lucius
Scipio, after having received and read it, he hesitated
considerably and foresaw tolerably well what would

περὶ τὸν Πόπλιον ἐναργέσι κεχρημένων καὶ πολ-
λοῖς μαρτυρίοις πρὸς πίστιν διὰ τῶν ἐγγράπτων.
5 οὐ γὰρ μόνον ὑπὲρ τῆς ἰδίας προαιρέσεως ἔφερον
ἀπολογισμούς, ἀλλὰ καὶ περὶ τῆς κοινῆς ἁπάντων
6 Ῥωμαίων, δι' ὧν παρεδείκνυον οὐχ οἷον ἀφηρη-
μένοι τινὸς τῶν ἐξ ἀρχῆς βασιλέων τὰς δυναστείας,
ἀλλὰ τινὰς μὲν καὶ προσκατεσκευακότες αὐτοὶ
δυνάστας, ἐνίους δ' ηὐξηκότες καὶ πολλαπλασίους
7 αὐτῶν τὰς ἀρχὰς πεποιηκότες. ὧν κατὰ μὲν τὴν
Ἰβηρίαν Ἀνδοβάλην καὶ Κολίχαντα προεφέροντο,
κατὰ δὲ τὴν Λιβύην Μασαννάσαν, ἐν δὲ τοῖς κατὰ
8 τὴν Ἰλλυρίδα τόποις Πλευρᾶτον· οὓς ἅπαντας
ἔφασαν ἐξ ἐλαφρῶν καὶ τῶν τυχόντων δυναστῶν
9 πεποιηκέναι βασιλεῖς ὁμολογουμένως. ὁμοίως κατὰ
τὴν Ἑλλάδα Φίλιππον καὶ Νάβιν, ὧν Φίλιππον μὲν
καταπολεμήσαντες καὶ συγκλείσαντες εἰς ὅμηρα
καὶ φόρους, βραχεῖαν αὐτοῦ νῦν λαβόντες ἀπό-
δειξιν εὐνοίας ἀποκαθεστακέναι μὲν αὐτῷ τὸν
υἱὸν καὶ τοὺς ἅμα τούτῳ συνομηρεύοντας νεανί-
σκους, ἀπολελυκέναι δὲ τῶν φόρων, πολλὰς δὲ τῶν
πόλεων ἀποδεδωκέναι τῶν ἁλουσῶν κατὰ πόλεμον·
10 Νάβιν δὲ δυνηθέντες ἄρδην ἐπανελέσθαι, τοῦτο μὲν
οὐ ποιῆσαι, φείσασθαι δ' αὐτοῦ, καίπερ ὄντος
11 τυράννου, λαβόντες πίστεις τὰς εἰθισμένας. εἰς
ἃ βλέποντα παρεκάλουν τὸν Προυσίαν διὰ τῆς
ἐπιστολῆς μὴ δεδιέναι περὶ τῆς ἀρχῆς, θαρροῦντα
δ' αἱρεῖσθαι τὰ Ῥωμαίων· ἔσεσθαι γὰρ ἀμετα-
12 μέλητον αὐτῷ τὴν τοιαύτην προαίρεσιν. ὧν ὁ
Προυσίας διακούσας ἐπ' ἄλλης ἐγένετο γνώμης.
ὡς δὲ καὶ παρεγενήθησαν πρὸς αὐτὸν πρέσβεις οἱ
περὶ τὸν Γάιον Λίβιον, τελέως ἀπέστη τῶν κατὰ
τὸν Ἀντίοχον ἐλπίδων, συμμίξας τοῖς προειρη-

happen, as the Scipios in their communication
employed many clear arguments in confirmation
of their assertions. For they not only pleaded their
own policy but the universal policy of Rome, pointing
out that not only had the Romans deprived no
former prince of his kingdom, but had even them-
selves created some new kingdoms, and had aug-
mented the power of other princes, making their
dominion many times more extensive than formerly.
In Spain they cited the cases of Andobales and
Colichas, in Africa that of Massanissa, and that of
Pleuratus in Illyria; all of whom they said they
had made real and acknowledged kings out of petty
and insignificant princelets. In Greece itself they
adduced the cases of Philip and Nabis. As for Philip,
after they had crushed him in war and tied his hands
by imposing hostages and tribute on him, no sooner
had they received from him a slight proof of his
goodwill than they had restored to him his son
and the other young men who were held as hostages
together with Demetrius; they had remitted the
tribute and given him back many of the cities taken
in the war. And while they could have utterly
annihilated Nabis, they had not done so, but spared
him, although he was a tyrant, on receipt of the
usual pledges. They wrote begging Prusias, in
view of this, not to be afraid about his kingdom,
but confidently to take the side of the Romans, for
he would never repent of his decision. Prusias, then,
after reading the letter, changed his mind, and
when Gaius Livius also arrived on an embassy to
him, after meeting that legate he entirely relin-

13 μένοις ἀνδράσιν. Ἀντίοχος δὲ ταύτης ἀποπεσὼν
τῆς ἐλπίδος παρῆν εἰς Ἔφεσον καὶ συλλογιζόμενος
ὅτι μόνως ἂν οὕτω δύναιτο κωλῦσαι τὴν τῶν
πεζικῶν στρατοπέδων διάβασιν καὶ καθόλου τὸν
πόλεμον ἀπὸ τῆς Ἀσίας ἀποτρίβεσθαι . . . βε-
βαίως κρατοίη τῆς θαλάττης, προέθετο ναυμαχεῖν
καὶ κρίνειν τὰ πράγματα διὰ τῶν κατὰ θάλατταν
κινδύνων.

12 Πολύβιος· οἱ δὲ πειραταὶ θεασάμενοι τὸν ἐπί-
πλουν τῶν Ῥωμαϊκῶν πλοίων, ἐκ μεταβολῆς
ἐποιοῦντο τὴν ἀναχώρησιν.—

13 (10) Ὅτι ὁ Ἀντίοχος μετὰ τὴν κατὰ τὴν ναυμαχίαν
γενομένην ἧτταν ἐν ταῖς Σάρδεσιν παριεὶς τοὺς
2 καιροὺς καὶ καταμέλλων ἐν τοῖς ὅλοις, ἅμα τῷ
πυθέσθαι τῶν πολεμίων τὴν διάβασιν συντριβεὶς
τῇ διανοίᾳ καὶ δυσελπιστήσας ἔκρινεν διαπέμ-
πεσθαι πρὸς τοὺς περὶ τὸν Λεύκιον καὶ Πόπλιον
3 ὑπὲρ διαλύσεων. προχειρισάμενος οὖν Ἡρα-
κλείδην τὸν Βυζάντιον ἐξέπεμψε, δοὺς ἐντολὰς
ὅτι παραχωρεῖ τῆς τε τῶν Λαμψακηνῶν καὶ
Σμυρναίων, ἔτι δὲ τῆς Ἀλεξανδρέων πόλεως,
4 ἐξ ὧν ὁ πόλεμος ἔλαβε τὰς ἀρχάς· ὁμοίως δὲ
κἄν τινας ἑτέρας ὑφαιρεῖσθαι βούλωνται τῶν κατὰ
τὴν Αἰολίδα καὶ τὴν Ἰωνίαν, ὅσαι τἀκείνων
5 ᾕρηνται κατὰ τὸν ἐνεστῶτα πόλεμον. πρὸς δὲ
τούτοις ὅτι τὴν ἡμίσειαν δώσει τῆς γεγενημένης
σφίσι δαπάνης εἰς τὴν πρὸς αὐτὸν διαφοράν.
6 ταύτας μὲν οὖν ὁ πεμπόμενος εἶχε τὰς ἐντολὰς
πρὸς τὴν κατὰ κοινὸν ἔντευξιν, ἰδίᾳ δὲ πρὸς τὸν

---

^a In the bay of Teos. See Livy xxxvii. 30.

quished all hope in Antiochus. Antiochus thus
disappointed, proceeded to Ephesus, and calculating
that the only way to prevent the enemy's army
from crossing and generally avert the war from Asia
was to obtain definite command of the sea, deter-
mined to give battle by sea and thus decide matters.

Flight of the Pirates

(Suid. ; cp. Livy xxxvii. 27. 5.)

12. The pirates, when they saw the Roman fleet
advancing on them, turned and fled.

Attempt of Antiochus to make peace

(Livy xxxvii. 34–36.)

13. Antiochus, who, after his defeat in the naval
engagement,[a] remained in Sardis neglecting his
opportunities and generally deferring action of any
kind, on learning that the enemy had crossed to
Asia, was crushed in spirit and, abandoning all
hope, decided to send to the Scipios to beg for
peace. He therefore appointed and dispatched
Heracleides of Byzantium, instructing him to say
that he gave up Lampsacus, Smyrna, and Alexandria
Troas, the towns which were the cause of the war,
as well as such other places in Aeolis and Ionia
as they chose to take among those which had sided
with Rome in the present war. He also engaged
to pay half the expenses which their quarrel with
him had caused them. These were the instructions
that his envoy was to deliver in his public audience,
and there were other private ones he was to convey

Πόπλιον ἑτέρας, ὑπὲρ ὧν τὰ κατὰ μέρος ἐν τοῖς
7 ἑξῆς δηλώσομεν. ἀφικόμενος δ' εἰς τὸν Ἑλλήσ-
ποντον ὁ προειρημένος πρεσβευτὴς καὶ καταλαβὼν
τοὺς Ῥωμαίους μένοντας ἐπὶ τῆς στρατοπεδείας,
8 οὗ πρῶτον κατεσκήνωσαν ἀπὸ τῆς διαβάσεως, τὰς
μὲν ἀρχὰς ἤσθη, νομίζων αὐτῷ συνεργὸν εἶναι
πρὸς τὴν ἔντευξιν τὸ μένειν ἐπὶ τῶν ὑποκειμένων
καὶ πρὸς μηδὲν ὡρμηκέναι τῶν ἑξῆς τοὺς ὑπ-
9 εναντίους, πυθόμενος δὲ τὸν Πόπλιον ἔτι μένειν ἐν
τῷ πέραν ἐδυσχρήστησε διὰ τὸ τὴν πλείστην
ῥοπὴν κεῖσθαι τῶν πραγμάτων ἐν τῇ 'κείνου
10 προαιρέσει. αἴτιον δ' ἦν καὶ τοῦ μένειν τὸ στρα-
τόπεδον ἐπὶ τῆς πρώτης παρεμβολῆς καὶ τοῦ
κεχωρίσθαι τὸν Πόπλιον ἀπὸ τῶν δυνάμεων τὸ
σάλιον εἶναι τὸν προειρημένον ἄνδρα. τοῦτο δ'
11 ἔστιν, καθάπερ ἡμῖν ἐν τοῖς περὶ τῆς πολιτείας
εἴρηται, τῶν τριῶν ἓν σύστημα, δι' ὧν συμβαίνει
τὰς ἐπιφανεστάτας θυσίας ἐν τῇ Ῥώμῃ συντελεῖσθαι
12 τοῖς θεοῖς· . . . τριακονθήμερον μὴ μεταβαίνειν
κατὰ τὸν καιρὸν τῆς θυσίας, ἐν ᾗ <ποτ'> ἂν χώρᾳ
13 καταληφθῶσιν [οἱ σάλιοι οὗτοι]. ὃ καὶ τότε
συνέβη γενέσθαι Ποπλίῳ· τῆς γὰρ δυνάμεως
μελλούσης περαιοῦσθαι κατέλαβεν αὐτὸν οὗτος ὁ
χρόνος, ὥστε μὴ δύνασθαι μεταβαλεῖν τὴν χώραν.
14 διὸ συνέβη τόν τε Σκιπίωνα χωρισθῆναι τῶν
στρατοπέδων καὶ μεῖναι κατὰ τὴν Εὐρώπην, τὰς
δὲ δυνάμεις περαιωθείσας μένειν ἐπὶ τῶν ὑποκει-
μένων καὶ μὴ δύνασθαι πράττειν τῶν ἑξῆς μηθέν,
προσαναδεχομένας τὸν προειρημένον ἄνδρα.

14 (11) Ὁ δ' Ἡρακλείδης, μετά τινας ἡμέρας παρα-
γενομένου τοῦ Ποπλίου, κληθεὶς πρὸς τὸ συνέδριον
εἰς ἔντευξιν διελέγετο περὶ ὧν εἶχε τὰς ἐντολάς,

258

to Scipio of which I will give a detailed account
further on. Heracleides, on reaching the Hellespont
and finding the Romans still encamped on the place
where they had pitched their tents immediately
after crossing, was at first glad of this, thinking that
the fact that the enemy remained stationary and
had as yet not attempted to make any progress
would tell in his favour at the audience; but on
learning that Publius Scipio still remained on the
further side, he was distressed, as the result very
largely depended on the intentions of that com-
mander. The real reason why both the army re-
mained in its first camp and Scipio was apart from
it was that the latter was one of the Salii. These
are, as I said in my book on the Roman constitution,
one of the three colleges whose duty it is to perform
the principal sacrifices, and, no matter where they
happen to be, it is forbidden for them to change
their residence for thirty days during the celebration
of the sacrifices. This was now the case with Scipio;
for just as his army was crossing, he was caught by
this period, so that he could not change his resi-
dence. The consequence was that he was separated
from his army and stopped behind in Europe, while
the legions after crossing remained inactive, and
were unable to make any progress as they were
awaiting his arrival.

14. When Scipio arrived a few days afterwards,
Heracleides was summoned for an audience to the
Army Council and addressed them on the subject

2 φάσκων τῆς τε τῶν Λαμψακηνῶν καὶ Σμυρναίων,
ἔτι δὲ τῆς τῶν Ἀλεξανδρέων πόλεως ἐκχωρεῖν
τὸν Ἀντίοχον, ὁμοίως δὲ καὶ τῶν κατὰ τὴν Αἰολίδα
καὶ τὴν Ἰωνίαν, ὅσαι τυγχάνουσιν ᾑρημέναι τὰ
3 Ῥωμαίων· πρὸς δὲ τούτοις τὴν ἡμίσειαν ἀνα-
δέχεσθαι τῆς γεγενημένης αὐτοῖς δαπάνης εἰς τὸν
4 ἐνεστῶτα πόλεμον. πολλὰ δὲ καὶ ἕτερα πρὸς
ταύτην τὴν ὑπόθεσιν διελέχθη, παρακαλῶν τοὺς
Ῥωμαίους μήτε τὴν τύχην λίαν ἐξελέγχειν ἀνθρώ-
πους ὑπάρχοντας, μήτε τὸ μέγεθος τῆς αὑτῶν
ἐξουσίας ἀόριστον ποιεῖν, ἀλλὰ περιγράφειν, μά-
5 λιστα μὲν τοῖς τῆς Εὐρώπης ὅροις· καὶ γὰρ
ταύτην μεγάλην ὑπάρχειν καὶ παράδοξον διὰ τὸ
6 μηδένα καθῖχθαι τῶν προγεγονότων αὐτῆς· εἰ δὲ
πάντως καὶ τῆς Ἀσίας βούλονταί τινα προσεπι-
δράττεσθαι, διορίσαι ταῦτα· πρὸς πᾶν γὰρ τὸ
7 δυνατὸν προσελεύσεσθαι τὸν βασιλέα. ῥηθέντων
δὲ τούτων, ἔδοξε τῷ συνεδρίῳ τὸν στρατηγὸν ἀπο-
κριθῆναι διότι τῆς μὲν δαπάνης οὐ τὴν ἡμίσειαν,
ἀλλὰ πᾶσαν δίκαιόν ἐστιν Ἀντίοχον ἀποδοῦναι·
φῦναι γὰρ τὸν πόλεμον ἐξ ἀρχῆς οὐ δι᾽ αὑτούς,
8 ἀλλὰ δι᾽ ἐκεῖνον· τῶν δὲ πόλεων μὴ τὰς κατὰ τὴν
Αἰολίδα καὶ τὴν Ἰωνίαν μόνον ἐλευθεροῦν, ἀλλὰ
πάσης τῆς ἐπὶ τάδε τοῦ Ταύρου δυναστείας ἐκ-
9 χωρεῖν. ὁ μὲν οὖν πρεσβευτὴς ταῦτ᾽ ἀκούσας
παρὰ τοῦ συνεδρίου, διὰ τὸ πολὺ τῶν ἀξιουμένων
τὰς ἐπιταγὰς ὑπεραίρειν οὐδένα λόγον ποιησάμενος,
τῆς μὲν κοινῆς ἐντεύξεως ἀπέστη, τὸν δὲ Πόπλιον
ἐθεράπευσε φιλοτίμως.

15 (12)   Λαβὼν δὲ καιρὸν ἁρμόζοντα διελέγετο περὶ ὧν
2 εἶχε τὰς ἐντολάς. αὗται δ᾽ ἦσαν διότι πρῶτον μὲν
χωρὶς λύτρων ὁ βασιλεὺς αὐτῷ τὸν υἱὸν ἀποδώσει·

of his instructions, saying that Antiochus offered
to retire from Lampsacus, Smyrna, and Alexandria,
and such other cities of Aeolis and Ionia as had made
common cause with Rome, and that he also offered
to pay half the expenses they had incurred in the
present war. He spoke at considerable length on the
subject, exhorting the Romans first to remember that
they were but men and not to test fortune too severely,
and next to impose some limit on the extent of their
empire, confining it if possible to Europe, for even
so it was vast and unexampled, no people in the past
having attained to this. But if they must at all
hazards grasp for themselves some portions of Asia
in addition, let them definitely state which, for the
king would accede to anything that was in his power.
After this speech the council decided that the consul
should answer that in justice Antiochus should pay
not half the expense but the whole, for the war
was originally due to him and not to them. He
must also not only set free the cities of Aeolis and
Ionia, but retire from all the country subject to
him on this side Taurus. Upon hearing this from
the Council the envoy, as these demands far exceeded
the conditions he had asked for, did not give them
consideration, but withdrawing from the public
audience devoted himself to cultivating relations
with Publius Scipio.

15. As soon as he had a fitting opportunity, he
spoke to Scipio according to his instructions. These
were to tell him that in the first place the king
would restore his son to him without ransom—for

3 συνέβαινε γὰρ ἐν ἀρχαῖς τοῦ πολέμου τὸν υἱὸν τὸν
τοῦ Σκιπίωνος γεγονέναι τοῖς περὶ Ἀντίοχον
4 ὑποχείριον· δεύτερον δὲ διότι καὶ κατὰ τὸ παρὸν
ἕτοιμός ἐστιν ὁ βασιλεὺς ὅσον ἂν ἀποδείξῃ διδόναι
πλῆθος χρημάτων καὶ μετὰ ταῦτα κοινὴν ποιεῖν
τὴν ἐκ τῆς βασιλείας χορηγίαν, ἐὰν συνεργήσῃ
ταῖς ὑπὸ τοῦ βασιλέως προτεινομέναις διαλύσεσιν.
5 ὁ δὲ Πόπλιος τὴν μὲν κατὰ τὸν υἱὸν ἐπαγγελίαν
ἔφη δέχεσθαι καὶ μεγάλην χάριν ἕξειν ἐπὶ τούτοις,
6 ἐὰν βεβαιώσῃ τὴν ὑπόσχεσιν· περὶ δὲ τῶν ἄλλων
ἀγνοεῖν αὐτὸν ἔφη καὶ παραπαίειν ὁλοσχερῶς τοῦ
σφετέρου συμφέροντος οὐ μόνον κατὰ τὴν πρὸς
αὐτὸν ἔντευξιν, ἀλλὰ ⟨καὶ⟩ κατὰ τὴν πρὸς τὸ
7 συνέδριον. εἰ μὲν γὰρ ἔτι Λυσιμαχείας καὶ τῆς
εἰς τὴν Χερρόνησον εἰσόδου κύριος ὑπάρχων
ταῦτα προύτεινε, ταχέως ἂν αὐτὸν ἐπιτυχεῖν.
8 ὁμοίως, εἰ καὶ τούτων ἐκχωρήσας παραγεγόνει
πρὸς τὸν Ἑλλήσποντον μετὰ τῆς δυνάμεως καὶ
δῆλος ὢν ὅτι κωλύσει τὴν διάβασιν ἡμῶν ἐπρέσβευε
περὶ τῶν αὐτῶν τούτων, ἢν ἂν οὕτως αὐτὸν ἐφ-
9 ικέσθαι τῶν ἀξιουμένων. ὅτε δ' ἐάσας ἐπιβῆναι
τῆς Ἀσίας τὰς ἡμετέρας δυνάμεις καὶ προσδεξά-
μενος οὐ μόνον τὸν χαλινόν, ἀλλὰ καὶ τὸν ἀναβάτην
παραγίνεται πρεσβεύων περὶ διαλύσεων ἴσων,
εἰκότως αὐτὸν ἀποτυγχάνειν καὶ διεψεῦσθαι τῶν
10 ἐλπίδων. διόπερ αὐτῷ παρῄνει βέλτιον βουλεύε-
σθαι περὶ τῶν ἐνεστώτων καὶ βλέπειν τοὺς καιροὺς
11 ἀληθινῶς. ἀντὶ δὲ τῆς κατὰ τὸν υἱὸν ἐπαγγελίας
ὑπισχνεῖτο δώσειν αὐτῷ συμβουλίαν ἀξίαν τῆς
προτεινομένης χάριτος· παρεκάλει γὰρ αὐτὸν εἰς
πᾶν συγκαταβαίνειν, μάχεσθαι δὲ κατὰ μηδένα
12 τρόπον Ῥωμαίοις. ὁ μὲν ⟨οὖν⟩ Ἡρακλείδης

at the beginning of the war Scipio's son had happened to fall into the hands of Antiochus ; secondly that he was ready to give to Scipio at present any sum he named and afterwards to share the revenue of his kingdom with him, if he helped him now to obtain the terms of peace he proposed. Scipio answered that he accepted the promise about his son, and would be most grateful to Antiochus if he fulfilled it ; but as to the rest he made a great mistake and had entirely failed to recognize the king's own true interest not only in this private interview with himself, but at his audience before the Council. For had he made these proposals while he was still master of Lysimachia and the approach to the Chersonese, he would soon have obtained his terms. Or again, even after retiring from those positions, had he proceeded to the Hellespont with his army, and showing that he would prevent our crossing, had sent to propose the same terms, it would still have been possible for him to obtain them. " But now," he said, " that he has allowed our army to land in Asia, when after letting himself not only be bitted but mounted he comes to us asking for peace on equal terms he naturally fails to get it and is foiled in his hopes." He advised him, therefore, to take better counsel in his present situation and look facts in the face. In return for his promise about his son, he would give him a piece of advice equal in value to the favour he offered, and that was to consent to everything and avoid at all cost a battle with the Romans. Heracleides,

ταῦτ' ἀκούσας ἐπανῆλθε καὶ συμμίξας διεσάφει
13 τῷ βασιλεῖ τὰ κατὰ μέρος· Ἀντίοχος ⟨δὲ⟩ νομίσας
οὐδὲν ἂν βαρύτερον αὐτῷ γενέσθαι πρόσταγμα
τῶν νῦν ἐπιταττομένων, εἰ λειφθείη μαχόμενος,
τῆς μὲν περὶ τὰς διαλύσεις ἀσχολίας ἀπέστη, τὰ
δὲ πρὸς ἀγῶνα πάντα καὶ πανταχόθεν ἡτοίμαζεν.

16 (13)   Ὅτι μετὰ τὴν νίκην οἱ Ῥωμαῖοι τὴν αὑτῶν πρὸς
Ἀντίοχον παρειληφότες καὶ τὰς Σάρδεις καὶ τὰς
ἀκροπόλεις ἄρτι . . . ἧκε Μουσαῖος ἐπικηρυκευό-
2 μενος παρ' Ἀντιόχου. τῶν δὲ περὶ τὸν Πόπλιον
φιλανθρώπως προσδεξαμένων αὐτόν, ἔφη βούλεσθαι
τὸν Ἀντίοχον ἐξαποσταλῆναι πρεσβευτὰς τοὺς
3 διαλεχθησομένους ὑπὲρ τῶν ὅλων. διόπερ ἀσφά-
4 λειαν ἠξίου δοθῆναι τοῖς παραγινομένοις. τῶν
δὲ συγχωρησάντων οὗτος μὲν ἐπανῆλθεν, μετὰ δέ
τινας ἡμέρας ἧκον πρέσβεις παρὰ τοῦ βασιλέως
Ἀντιόχου Ζεῦξις ὁ πρότερον ὑπάρχων Λυδίας
5 σατράπης καὶ Ἀντίπατρος ἀδελφιδοῦς. οὗτοι δὲ
πρῶτον μὲν ἔσπευδον ἐντυχεῖν Εὐμένει τῷ βασιλεῖ,
διευλαβούμενοι μὴ διὰ τὴν προγεγενημένην παρα-
τριβὴν φιλοτιμότερος ᾖ πρὸς τὸ βλάπτειν αὐτούς.
6 εὑρόντες δὲ παρὰ τὴν προσδοκίαν μέτριον αὐτὸν
καὶ πρᾷον, εὐθέως ἐγίνοντο περὶ τὴν κοινὴν ἔντευξιν.
7 κληθέντες δ' εἰς τὸ συνέδριον πολλὰ μὲν καὶ
ἕτερα διελέχθησαν, παρακαλοῦντες πρᾴως χρή-
8 σασθαι καὶ μεγαλοψύχως τοῖς εὐτυχήμασι, φά-
σκοντες οὐχ οὕτως Ἀντιόχῳ τοῦτο συμφέρειν ὡς
αὐτοῖς Ῥωμαίοις, ἐπείπερ ἡ τύχη παρέδωκεν

after listening to this, returned, and on joining the king, gave him a detailed report. But Antiochus, thinking that no more severe demands than the present could be imposed on him even if he were worsted in a battle, ceased to occupy himself with peace, and began to make every preparation and avail himself of every resource for the struggle.

Conditions imposed by Scipio after the Battle of Magnesia

(Cp. Livy xxxvii. 45. 3.)

16. After the victory gained by the Romans over Antiochus they occupied Sardis and its citadels, . . . and Musaeus came from Antiochus under flag of truce. Upon Scipio receiving him courteously, he said that Antiochus wished to send envoys to discuss the whole situation. He therefore desired that a safe conduct should be given to this mission. Upon Scipio's consenting, he returned, and after a few days the king's envoys arrived. They were Zeuxis, the former governor of Lydia, and Antipater the king's nephew. They were anxious first of all to meet King Eumenes, as they were alarmed lest owing to previous friction he might be somewhat disposed to do them injury. But on finding him, contrary to their expectation, quite reasonable and gentle, they at once took steps to obtain a public audience. Upon being summoned to the Army Council, they first of all made a general appeal of some length to the Romans, exhorting them to use their success mildly and magnanimously, and saying that this would not so much further the interest of Antiochus as that of the Romans themselves, now

THE HISTORIES OF POLYBIUS

αὐτοῖς τὴν τῆς οἰκουμένης ἀρχὴν καὶ δυναστείαν·
9 τὸ δὲ συνέχον ἠρώτων τί δεῖ ποιήσαντας τυχεῖν
τῆς εἰρήνης καὶ τῆς φιλίας τῆς πρὸς Ῥωμαίους.
10 οἱ δ᾽ ἐν τῷ συνεδρίῳ πρότερον ἤδη συνηδρευκότες
καὶ βεβουλευμένοι περὶ τούτων, τότ᾽ ἐκέλευον
διασαφεῖν τὰ δεδογμένα τὸν Πόπλιον.

17 (14)   Ὁ δὲ προειρημένος ἀνὴρ οὔτε νικήσαντας ἔφη
2 Ῥωμαίους οὐδέποτε γενέσθαι βαρυτέρους, . . . διὸ
καὶ νῦν αὐτοῖς τὴν αὐτὴν ἀπόκρισιν δοθήσεσθαι
παρὰ Ῥωμαίων, ἣν καὶ πρότερον ἔλαβον, ὅτε
πρὸ τῆς μάχης παρεγενήθησαν ἐπὶ τὸν Ἑλλής-
3 ‹ποντον›. δεῖν γὰρ αὐτοὺς ἔκ τε τῆς Εὐρώπης
ἐκχωρεῖν καὶ ‹τῆς Ἀσίας› τῆς ἐπὶ τάδε τοῦ
4 Ταύρου πάσης. πρὸς δὲ τούτοις Εὐβοϊκὰ τάλαντ᾽
ἐπιδοῦναι μύρια καὶ πεντακισχίλια Ῥωμαίοις ἀντὶ
5 τῆς εἰς τὸν πόλεμον δαπάνης. τούτων δὲ πεντα-
κόσια μὲν παραχρῆμα, δισχίλια δὲ καὶ πεντακόσια
πάλιν, ἐπειδὰν ὁ δῆμος κυρώσῃ τὰς διαλύσεις, τὰ
δὲ λοιπὰ τελεῖν ἐν ἔτεσι δώδεκα, διδόντα καθ᾽
6 ἕκαστον ἔτος χίλια τάλαντα. ἀποδοῦναι δὲ καὶ
Εὐμένει τετρακόσια τάλαντα ‹τὰ› προσοφειλόμενα
καὶ τὸν ἐλλείποντα σῖτον κατὰ τὰς πρὸς τὸν
7 πατέρα συνθήκας. σὺν δὲ τούτοις Ἀννίβαν ἐκ-
δοῦναι τὸν Καρχηδόνιον καὶ Θόαντα τὸν Αἰτωλὸν
καὶ Μνασίλοχον Ἀκαρνᾶνα καὶ Φίλωνα καὶ
8 Εὐβουλίδαν τοὺς Χαλκιδέας. πίστιν δὲ τούτων
ὁμήρους εἴκοσι δοῦναι παραχρῆμα τὸν Ἀντίοχον
9 τοὺς παραγραφέντας. ταῦτα μὲν οὖν ὁ Πόπλιος
ἀπεφήναθ᾽ ὑπὲρ παντὸς τοῦ συνεδρίου. συγκατα-
θεμένων δὲ τῶν περὶ τὸν Ἀντίπατρον καὶ Ζεῦξιν,
ἔδοξε πᾶσιν ἐξαποστεῖλαι πρεσβευτὰς εἰς τὴν
Ῥώμην τοὺς παρακαλέσοντας τὴν σύγκλητον καὶ

that Fortune had made them rulers and masters of the whole world. But their main object was to ask what they must do in order to secure peace and alliance with Rome. The members of the Council had previously sat to consider this, and they now asked Scipio to communicate their decision.

17. Scipio said that victory had never made the Romans more exacting nor defeat less so : therefore they would now give them the same answer as they had formerly received, when before the battle they came to the Hellespont. They must retire from Europe and from all Asia on this side Taurus : Antiochus must pay to the Romans for the expenses of the war 15,000 Euboean talents, 500 at once, 2500 upon the peace being ratified by the People, and the remainder in twelve yearly instalments of 1000 talents each : he must also pay to Eumenes the 400 talents he still owed him and the corn he had not yet delivered according to the terms of his agreement with his father Attalus. In addition he was to give up Hannibal the Carthaginian, Thoas the Aetolian, Mnasilochus the Acarnanian, and Philo and Eubulidas of Chalcis. As security Antiochus was to give at once the twenty hostages whose names were appended. Such was the decision which Scipio pronounced in the name of the whole Council. Upon Antipater and Zeuxis accepting the terms, it was universally decided to send envoys to Rome to beg the Senate and People to ratify the

10 τὸν δῆμον ἐπικυρῶσαι τὰς συνθήκας. καὶ τότε
μὲν ἐπὶ τούτοις ἐχωρίσθησαν, ταῖς δ᾽ ἑξῆς ἡμέραις
11 οἱ Ῥωμαῖοι διεῖλον τὰς δυνάμεις . . . μετὰ δέ
τινας ἡμέρας παραγενομένων <τῶν> ὁμήρων εἰς
τὴν Ἔφεσον, εὐθέως ἐγίνοντο περὶ τὸ πλεῖν εἰς
τὴν Ῥώμην ὅ τ᾽ Εὐμένης οἵ τε παρ᾽ Ἀντιόχου
12 πρεσβευταί, παραπλησίως δὲ καὶ παρὰ Ῥοδίων
καὶ παρὰ Σμυρναίων καὶ σχεδὸν τῶν ἐπὶ τάδε τοῦ
Ταύρου πάντων τῶν κατοικούντων ἐθνῶν καὶ
πολιτευμάτων ἐπρέσβευον εἰς τὴν Ῥώμην.

IV. Res Italiae

18 Ὅτι ἤδη τῆς θερείας ἐνισταμένης μετὰ τὴν
(xxii. 1) νίκην τῶν Ῥωμαίων τὴν πρὸς Ἀντίοχον παρῆν
ὅ τε βασιλεὺς Εὐμένης οἵ τε παρ᾽ Ἀντιόχου
πρέσβεις οἵ τε παρὰ τῶν Ῥοδίων, ὁμοίως δὲ καὶ
2 παρὰ τῶν ἄλλων· σχεδὸν γὰρ ἅπαντες οἱ κατὰ τὴν
Ἀσίαν εὐθέως μετὰ τὸ γενέσθαι τὴν μάχην ἔπεμπον
πρεσβευτὰς εἰς τὴν Ῥώμην, διὰ τὸ πᾶσιν τότε καὶ
πάσας τὰς ὑπὲρ τοῦ μέλλοντος ἐλπίδας ἐν τῇ
3 συγκλήτῳ κεῖσθαι. ἅπαντας μὲν οὖν τοὺς παρα-
γενομένους ἐπεδέχετο φιλανθρώπως ἡ σύγκλητος,
μεγαλομερέστατα δὲ καὶ κατὰ τὴν ἀπάντησιν καὶ
τὰς τῶν ξενίων παροχὰς Εὐμένη τὸν βασιλέα,
4 μετὰ δὲ τοῦτον τοὺς Ῥοδίους. ἐπειδὴ δ᾽ ὁ τῆς
ἐντεύξεως καιρὸς ἦλθεν, εἰσεκαλέσαντο πρῶτον
τὸν βασιλέα καὶ λέγειν ἠξίουν μετὰ παρρησίας
5 ὧν βούλεται τυχεῖν παρὰ τῆς συγκλήτου. τοῦ
δ᾽ Εὐμένους φήσαντος διότι εἰ καὶ παρ᾽ ἑτέρων
τυχεῖν τινος ἐβούλετο φιλανθρώπου, Ῥωμαίοις
ἂν ἐχρήσατο συμβούλοις πρὸς τὸ μήτ᾽ ἐπιθυμεῖν

peace, and on this understanding the envoys took leave. On the following days the Romans divided their forces . . . and a few days afterwards, when the hostages arrived at Ephesus, Eumenes and the envoys of Antiochus prepared to sail for Rome, as well as embassies from Rhodes, Smyrna, and almost all peoples and cities on this side Taurus.

IV. AFFAIRS OF ITALY

The Embassies at Rome

(Cp. Livy xxxvii. 52–56.)

18. At the beginning of the summer following the victory of the Romans over Antiochus, King Eumenes, the envoys of Antiochus, and those from Rhodes and elsewhere arrived at Rome : for nearly all the communities of Asia Minor sent envoys to Rome immediately after the battle, as the whole future of all of them depended on the senate. The senate received all the arrivals courteously, but treated with especial splendour, both in the mode of their reception and the richness of the gifts they bestowed on them, King Eumenes, and after him the Rhodians. When the date fixed for the audience arrived, they called in first the king and begged him to speak frankly stating what he wished the senate to do for him. Eumenes said that had he wished to ask a kindness of any other people, he would have taken the advice of the Romans so that he might neither nourish any immoderate desire

190-189 B.C.

269

μηδενὸς παρὰ τὸ δέον μήτ᾽ ἀξιοῦν μηδ᾽ ἐν πέρα
6 τοῦ καθήκοντος· ὁπότε δ᾽ αὐτῶν πάρεστι δεόμενος
Ῥωμαίων, ἄριστον εἶναι νομίζει τὸ διδόναι τὴν
ἐπιτροπὴν ἐκείνοις καὶ περὶ αὑτοῦ καὶ περὶ τῶν
7 ἀδελφῶν· τῶν δὲ πρεσβυτέρων τινὸς ἀναστάντος
καὶ κελεύοντος μὴ κατορρωδεῖν, ἀλλὰ λέγειν τὸ
φαινόμενον, διότι πρόκειται τῇ συγκλήτῳ πᾶν
αὐτῷ χαρίζεσθαι τὸ δυνατόν, ἔμεινεν ἐπὶ τῆς
8 αὐτῆς γνώμης. χρόνου δ᾽ ἐγγινομένου ὁ μὲν
βασιλεὺς ἐξεχώρησεν, ἡ δὲ ἐντὸς ἐβουλεύετο τί
9 δεῖ ποιεῖν. ἔδοξεν οὖν τὸν Εὐμένη παρακαλεῖν
αὐτὸν ὑποδεικνύναι θαρροῦντα περὶ ὧν πάρεστιν·
καὶ γὰρ εἰδέναι τὰ διαφέροντα τοῖς ἰδίοις πράγ-
μασιν ἐκεῖνον ἀκριβέστερον τὰ κατὰ τὴν Ἀσίαν.
10 δοξάντων δὲ τούτων εἰσεκλήθη, καὶ τῶν πρε-
σβυτέρων τινὸς ἀποδείξαντος τὰ δεδογμένα λέγειν
19 ἠναγκάσθη περὶ τῶν προκειμένων. ἔφασκεν οὖν
(xxii. 2) ἄλλο μὲν οὐδὲν ἂν εἰπεῖν περὶ τῶν καθ᾽ αὑτόν,
ἀλλὰ μεῖναι . . . τελέως διδοὺς ἐκείνοις τὴν
ἐξουσίαν· ἕνα δὲ τόπον ἀγωνιᾶν τὸν κατὰ τοὺς
2 Ῥοδίους· διὸ καὶ προῆχθαι νῦν εἰς τὸ λέγειν ὑπὲρ
3 τῶν ἐνεστώτων. ἐκείνους γὰρ παρεῖναι μὲν οὐδὲν
ἧττον ὑπὲρ τῆς σφετέρας πατρίδος συμφερόντως
σπουδάζοντας ἤπερ αὐτοὺς ὑπὲρ τῆς ἰδίας ἀρχῆς
4 φιλοτιμεῖσθαι κατὰ τὸ παρόν· τοὺς δὲ λόγους
αὐτῶν τὴν ἐναντίαν ἔμφασιν ἔχειν τῇ προθέσει τῇ
κατὰ τὴν ἀλήθειαν. τοῦτο δ᾽ εἶναι ῥάδιον κατα-
5 μαθεῖν. ἐρεῖν μὲν γὰρ αὐτούς, ἐπειδὰν εἰσπορευ-
θῶσιν, διότι πάρεισιν οὔτε παρ᾽ ὑμῶν αἰτούμενοι
τὸ παράπαν οὐδὲν οὔθ᾽ ἡμᾶς βλάπτειν θέλοντες
κατ᾽ οὐδένα τρόπον, πρεσβεύονται δὲ περὶ τῆς

nor make any exorbitant demand, but now that he
appeared as a suppliant before the Romans he
thought it best to commit to them the decision
about himself and his brothers. Here one of the
senators interrupted him and bade him not to be
afraid, but say what he thought, as the senate
were resolved to grant him anything that was in
their power, but Eumenes held to his opinion.
After some time had elapsed, the king took his
departure, and the senate considered what they
should do. It was resolved to beg Eumenes to
appear alone and indicate to them frankly the object
of his visit. For he knew more accurately than
anyone what was in his own interest so far as Asia
was concerned. After this decision he was again
called in ; and, upon one of the senators showing
him the decree, he was compelled to speak about
the matter at issue. 19. He said, then, that he had
nothing further to say about what concerned him
personally but adhered to his resolution, giving the
senate complete authority to decide. But there
was one point on which he was anxious, and that
was the action of the Rhodians ; and for this reason
he had now been induced to speak about the situa-
tion. " For the Rhodians," he said, " have come
to promote the interests of their country, with just
as much warmth as we at the present crisis plead
for our dominions. But at the present crisis, what-
ever they say is meant to give an impression quite
contrary to their real purpose, and this you will
easily discover. For when they enter this house
they will say that they have come neither to beg
for anything at all from you nor with the wish to
harm myself in any way, but that they send this

ἐλευθερίας τῶν τὴν Ἀσίαν κατοικούντων Ἑλλήνων.
6 "τοῦτο δ' οὐχ οὕτως αὐτοῖς εἶναι κεχαρισμένον
φήσουσιν ὡς ὑμῖν καθῆκον καὶ τοῖς γεγονόσιν
7 ἔργοις ἀκόλουθον. ἡ μὲν οὖν διὰ τῶν λόγων
φαντασία τοιαύτη τις αὐτῶν ἔσται· τὰ δὲ κατὰ
τὴν ἀλήθειαν τὴν ἐναντίαν ἔχοντα τούτοις εὑρε-
8 θήσεται διάθεσιν. τῶν γὰρ πόλεων ἐλευθερω-
θεισῶν, ὡς αὐτοὶ παρακαλοῦσιν, τὴν μὲν τούτων
συμβήσεται δύναμιν αὐξηθῆναι πολλαπλασίως, τὴν
9 δ' ἡμετέραν τρόπον τινὰ καταλυθῆναι. τὸ γὰρ
τῆς ἐλευθερίας ὄνομα καὶ τῆς αὐτονομίας ἡμῖν
μὲν ἄρδην ἀποσπάσει πάντας οὐ μόνον τοὺς νῦν
ἐλευθερωθησομένους, ἀλλὰ καὶ τοὺς πρότερον
ἡμῖν ὑποταττομένους, ἐπειδὰν ὑμεῖς ἐπὶ ταύτης
ὄντες φανεροὶ γένησθε τῆς προαιρέσεως, τούτοις
10 δὲ προσθήσει πάντας. τὰ γὰρ πράγματα φύσιν
ἔχει τοιαύτην· δόξαντες γὰρ ἠλευθερῶσθαι διὰ
τούτους ὀνόματι μὲν ἔσονται σύμμαχοι τούτων,
τῇ δ' ἀληθείᾳ πᾶν ποιήσουσι τὸ κελευόμενον
ἑτοίμως, τῇ μεγίστῃ χάριτι γεγονότες ὑπόχρεοι.
11 διόπερ, ὦ ἄνδρες, ἀξιοῦμεν ὑμᾶς τοῦτον τὸν τόπον
ὑπιδέσθαι, μὴ λάθητε τοὺς μὲν παρὰ τὸ δέον
αὔξοντες, τοὺς δ' ἐλαττοῦντες τῶν φίλων ἀλόγως,
12 ἅμα δὲ τούτοις τοὺς μὲν πολεμίους γεγονότας
εὐεργετοῦντες, τοὺς δ' ἀληθινοὺς φίλους παρ-
20 ορῶντες καὶ κατολιγωροῦντες τούτων. ἐγὼ δὲ περὶ
(xxii. 3) μὲν τῶν ἄλλων, ὅτου δέοι, παντὸς ⟨ἂν⟩ παρα-
χωρήσαιμι τοῖς πέλας ἀφιλονίκως, περὶ δὲ τῆς
ὑμετέρας φιλίας καὶ τῆς εἰς ὑμᾶς εὐνοίας ἁπλῶς
οὐδέποτ' ἂν οὐδενὶ τῶν ὄντων ἐκχωρήσαιμι κατὰ
2 δύναμιν. δοκῶ δὲ καὶ τὸν πατέρα τὸν ἡμέτερον,
εἴπερ ἔζη, τὴν αὐτὴν ἂν προέσθαι φωνὴν ἐμοί.

embassy to plead for the freedom of the Greek inhabitants of Asia Minor. They will say that this is not so much a favour to themselves as your duty, and the natural consequence of what you have already achieved. Such will be the false impression their words will be meant to produce on you, but you will find that their actual intentions are of quite a different character. When the towns for which they plead are set at liberty their own power in Asia will be immensely increased, and mine will be more or less destroyed. For this fine name of freedom and autonomy will, the moment it becomes evident that you have decided to act so, entirely detach from me not only the cities now about to be liberated, but those previously subject to me, and add them all to the Rhodian dominion. For such is the nature of things : thinking that they owe their freedom to Rhodes, they will be nominally the allies of the Rhodians, but in reality ready to obey all their orders, feeling indebted to them for the greatest of services. Therefore, I beg you, sirs, to be suspicious on this point, in case unawares you strengthen some of your friends more than is meet and unwisely weaken others, at the same time conferring favours on your enemies and neglecting and making light of those who are truly your friends. 20. As for myself I would, as regards other matters, make any necessary concession to my neighbours without disputing it, but I would never, as long as I could help, yield to any man alive in my friendship with you and the goodwill I bear you. And I think my father, were he alive, would give utterance to

3 καὶ γὰρ ἐκεῖνος, πρῶτος μετασχὼν τῆς ὑμετέρας
φιλίας καὶ συμμαχίας, σχεδὸν πάντων τῶν [κατὰ]
τὴν Ἀσίαν καὶ τὴν Ἑλλάδα νεμομένων, εὐγενέ-
στατα διεφύλαξε ταύτην ἕως τῆς τελευταίας
ἡμέρας, οὐ μόνον κατὰ τὴν προαίρεσιν, ἀλλὰ καὶ
4 κατὰ τὰς πράξεις. πάντων γὰρ ὑμῖν ἐκοινώνησε
τῶν κατὰ τὴν Ἑλλάδα πολέμων καὶ πλείστας
μὲν εἰς τούτους καὶ πεζικὰς καὶ ναυτικὰς δυνάμεις
παρέσχετο τῶν ἄλλων συμμάχων, πλείστην δὲ
συνεβάλετο χορηγίαν καὶ μεγίστους ὑπέμεινε κιν-
5 δύνους· τέλος δ' εἰπεῖν, κατέστρεψε τὸν βίον ἐν
αὐτοῖς τοῖς ἔργοις κατὰ τὸν Φιλιππικὸν πόλε-
μον, παρακαλῶν Βοιωτοὺς εἰς τὴν ὑμετέραν
6 φιλίαν καὶ συμμαχίαν. ἐγὼ δὲ διαδεξάμενος τὴν
ἀρχὴν τὴν μὲν προαίρεσιν τὴν τοῦ πατρὸς διεφύ-
λαξα—ταύτην γὰρ οὐχ οἷόν τ' ἦν ὑπερθέσθαι—
7 τοῖς δὲ πράγμασιν ὑπερεθέμην. οἱ γὰρ καιροὶ
τὴν ἐκ πυρὸς βάσανον ἐμοὶ μᾶλλον ἢ 'κείνῳ
8 προσῆγον. Ἀντιόχου γὰρ σπουδάζοντος ἡμῖν θυ-
γατέρα δοῦναι καὶ συνοικειωθῆναι τοῖς ὅλοις,
διδόντος ⟨δὲ⟩ παραχρῆμα μὲν τὰς πρότερον
ἀπηλλοτριωμένας ἀφ' ἡμῶν πόλεις, μετὰ δὲ
ταῦτα πᾶν ὑπισχνουμένου ποιήσειν, εἰ μετα-
9 σχοιμεν τοῦ πρὸς ὑμᾶς πολέμου, τοσοῦτον ἀπ-
έσχομεν τοῦ προσδέξασθαί τι τούτων, ὡς πλεί-
σταις μὲν καὶ πεζικαῖς καὶ ναυτικαῖς δυνάμεσιν
τῶν ἄλλων συμμάχων ἠγωνίσμεθα μεθ' ὑμῶν
πρὸς Ἀντίοχον, πλείστας δὲ χορηγίας συμβε-
βλήμεθα πρὸς τὰς ὑμετέρας χρείας ἐν τοῖς ἀναγ-
καιοτάτοις καιροῖς, εἰς πάντας δὲ τοὺς κινδύνους
δεδώκαμεν αὐτοὺς ἀπροφασίστως μετά γε τῶν
10 ὑμετέρων ἡγεμόνων. τὸ δὲ τελευταῖον ὑπεμεί-

the same words. For he, who was, I think, the first
of the inhabitants of Asia and Greece to gain your
friendship and alliance, most nobly maintained these
until the day of his death, and not only in principle,
but by actual deeds, taking part in all your wars in
Greece and furnishing for these wars larger military
and naval forces than any other of your allies ;
contributing the greatest quantity of supplies and
incurring the greatest danger ; and finally ending
his days in the field of action during the war with
Philip, while he was actually exhorting the Boeotians
to become your friends and allies. On succeeding
to the throne I adhered to my father's principles—
those indeed it was impossible to surpass ; but I
surpassed him in putting them in practice ; because
the times were such as to try me as by fire in a
way he never had been tried. For when Antiochus
was anxious to give me his daughter in marriage,
and to cement our union in every respect, giving
me back at once the cities he had formerly alien-
ated from me, and next promising to do everything
for me if I would take part in the war against you,
I was so far from accepting any of these offers that
I fought at your side against Antiochus with larger
naval and military forces than any other of your
allies, and contributed the greatest quantity of
supplies to meet your needs when they were most
urgent : I shared unhesitatingly with your generals
the danger of all the battles that were fought, and

ναμεν συγκλεισθέντες εἰς αὐτὸν τὸν Πέργαμον
πολιορκεῖσθαι καὶ κινδυνεύειν ἅμα περὶ τοῦ βίου
καὶ τῆς ἀρχῆς διὰ τὴν πρὸς τὸν ὑμέτερον δῆμον
21 εὔνοιαν. ὥσθ᾽ ὑμᾶς, ἄνδρες Ῥωμαῖοι, πολλοὺς
(xxii. 4) μὲν γεγονότας αὐτόπτας, πάντας δὲ γινώσκοντας
διότι λέγομεν ἀληθῆ, δίκαιόν ἐστι τὴν ἁρμόζουσαν
2 πρόνοιαν ποιήσασθαι περὶ ἡμῶν. καὶ γὰρ ἂν
πάντων γένοιτο δεινότατον, εἰ Μασαννάσαν μὲν
τὸν οὐ μόνον ὑπάρξαντα πολέμιον ὑμῖν, ἀλλὰ καὶ
τὸ τελευταῖον καταφυγόντα πρὸς ὑμᾶς μετά τινων
ἱππέων, τοῦτον, ὅτι καθ᾽ ἕνα πόλεμον τὸν πρὸς
Καρχηδονίους ἐτήρησε τὴν πίστιν, βασιλέα τῶν
3 πλείστων μερῶν τῆς Λιβύης πεποιήκατε, Πλευ-
ρᾶτον δέ, πράξαντα μὲν ἁπλῶς οὐδέν, διαφυλά-
ξαντα δὲ μόνον τὴν πίστιν, μέγιστον τῶν κατὰ
4 τὴν Ἰλλυρίδα δυναστῶν ἀναδεδείχατε, ἡμᾶς δὲ
τοὺς διὰ προγόνων τὰ μέγιστα καὶ κάλλιστα τῶν
ἔργων ὑμῖν συγκατειργασμένους παρ᾽ οὐδὲν ποιή-
5 σεσθε. τί οὖν ἐστιν ὃ παρακαλῶ, καὶ τίνος φημὶ
6 δεῖν ἡμᾶς τυγχάνειν παρ᾽ ὑμῶν; ἐρῶ μετὰ παρ-
ρησίας, ἐπείπερ ἡμᾶς ἐξεκαλέσασθε πρὸς τὸ λέγειν
7 ὑμῖν τὸ φαινόμενον. εἰ μὲν αὐτοὶ κρίνετέ τινας
τόπους διακατέχειν τῆς Ἀσίας τῶν ὄντων μὲν
ἐπὶ τάδε τοῦ Ταύρου, ταττομένων δὲ πρότερον
ὑπ᾽ Ἀντίοχον, τοῦτο καὶ μάλιστα βουλοίμεθ᾽
8 ἂν ἰδεῖν γενόμενον· καὶ γὰρ ἀσφαλέστατα βασι-
λεύσειν ὑμῖν γειτνιῶντες ὑπολαμβάνομεν καὶ μά-
9 λιστα μετέχοντες τῆς ὑμετέρας ἐξουσίας. εἰ δὲ
τοῦτο μὴ κρίνετε ποιεῖν, ἀλλ᾽ ἐκχωρεῖν τῆς
Ἀσίας ὁλοσχερῶς, οὐδενί φαμεν δικαιότερον εἶναι
παραχωρεῖν ὑμᾶς τῶν ἐκ τοῦ πολέμου γεγονότων
10 ἄθλων ἤπερ ἡμῖν. νὴ Δί᾽, ἀλλὰ κάλλιόν ἐστι

finally suffered myself to be besieged in Pergamus itself and risk my life as well as my kingdom, all for the sake of the goodwill I bore to your people. 21. Therefore, ye men of Rome, many of whom saw with your own eyes and all of whom know that what I say is true, it is but just for you to take fitting thought for my welfare. For of all things it would be most shameful if after making Massanissa, who was once your enemy and finally sought safety with you accompanied by only a few horsemen, king of the greater part of Africa, simply because he kept faith with you in one war against Carthage : if after making Pleuratus, who did absolutely nothing except maintain his faith to you, the greatest prince in Illyria, you now ignore myself, who from my father's days onwards have taken part in your greatest and most splendid achievements. What is it then that I beg of you and what do I think you ought to do for me ? I will speak quite frankly, as you begged me to state my real opinion. If you decide to remain in occupation of certain parts of Asia on this side Taurus which were formerly subject to Antiochus, I should be exceedingly grati- fied to see that happen. For I think that my kingdom would be more secure with you on my frontiers, and a portion of your power falling to my share. But if you decide not to do this, but entirely to evacuate Asia, I think there is no one to whom you could cede the prizes of the war with more justice than to myself. But surely, you will

τοὺς δουλεύοντας ἐλευθεροῦν. εἴγε μὴ μετ' Ἀν-
11 τιόχου πολεμεῖν ὑμῖν ἐτόλμησαν. ἐπεὶ δὲ τοῦθ'
ὑπέμειναν, πολλῷ κάλλιον τὸ τοῖς ἀληθινοῖς
φίλοις τὰς ἁρμοζούσας χάριτας ἀποδιδόναι μᾶλλον
ἢ τοὺς πολεμίους γεγονότας εὐεργετεῖν."

22 Ὁ μὲν οὖν Εὐμένης ἱκανῶς εἰπὼν ἀπηλλάγη,
(xxii. 5) τὸ δὲ συνέδριον αὐτόν τε τὸν βασιλέα καὶ τὰ
2 ῥηθέντα φιλοφρόνως ἀπεδέχετο καὶ πᾶν τὸ δυνα-
τὸν προθύμως εἶχεν αὐτῷ χαρίζεσθαι. μετὰ δὲ
τοῦτον ἐβούλοντο μὲν εἰσάγειν Ῥοδίους. ἀφ-
υστεροῦντος δέ τινος τῶν πρεσβευτῶν εἰσεκαλέ-
3 σαντο τοὺς Σμυρναίους. οὗτοι δὲ πολλοὺς μὲν
ἀπολογισμοὺς εἰσήνεγκαν περὶ τῆς αὐτῶν εὐνοίας
καὶ προθυμίας, ἣν παρέσχηνται Ῥωμαίοις κατὰ
4 τὸν ἐνεστῶτα πόλεμον· οὔσης δὲ τῆς περὶ αὐτῶν
δόξης ὁμολογουμένης, διότι γεγόνασι πάντων ἐκ-
τενέστατοι τῶν ἐπὶ τῆς Ἀσίας αὐτονομουμένων,
οὐκ ἀναγκαῖον ἡγούμεθ' εἶναι τοὺς κατὰ μέρος
5 ἐκτίθεσθαι λόγους. ἐπὶ δὲ τούτοις εἰσῆλθον οἱ
Ῥόδιοι καὶ βραχέα προενεγκάμενοι περὶ τῶν
κατ' ἰδίαν σφίσι πεπραγμένων εἰς Ῥωμαίους,
ταχέως εἰς τὸν περὶ τῆς πατρίδος ἐπανῆλθον
6 λόγον. ἐν ᾧ μέγιστον αὐτοῖς ἔφασαν γεγονέναι
σύμπτωμα κατὰ τὴν πρεσβείαν, πρὸς ὃν οἰκειό-
τατα διάκεινται βασιλέα καὶ κοινῇ καὶ κατ' ἰδίαν,
πρὸς τοῦτον αὐτοῖς ἀντιπεπτωκέναι τὴν φύσιν
7 τῶν πραγμάτων. τῇ μὲν γὰρ αὐτῶν πατρίδι
δοκεῖν τοῦτο κάλλιστον εἶναι καὶ μάλιστα πρέπον
Ῥωμαίοις, τὸ τοὺς ἐπὶ τῆς Ἀσίας Ἕλληνας
ἐλευθερωθῆναι ⟨καὶ⟩ τυχεῖν τῆς αὐτονομίας τῆς
ἅπασιν ἀνθρώποις προσφιλεστάτης, Εὐμένει δὲ
8 καὶ τοῖς ἀδελφοῖς ἥκιστα τοῦτο συμφέρειν· φύσει

be told, it is a finer thing to set free those in servi-
tude. Well perhaps, if they had not ventured to
fight against you with Antiochus. But since they
suffered themselves to do so it is far finer to give
your true friends a fitting token of your gratitude
than to confer favours on those who were your
enemies."

22. Eumenes, after having spoken in this capable
manner, withdrew. The senate gave a kind re-
ception to the king himself and to his speech,
and they were ready to grant him any favour in
their power. After him they wished to call in the
Rhodians ; but as one of the envoys was late in
appearing, they summoned those of Smyrna. The
latter pleaded at length the goodwill and prompt-
ness they had shown in helping the Romans in
the late war. As they had the undisputed appro-
bation of the house, since of all the autonomous
states of Asia they had been far the most energetic
supporters of Rome, I do not think it necessary
to report their speech in detail. Next them came
the Rhodians, who after a brief reference to their
particular services to Rome soon brought their
speech round to the question of their country.
Here, they said, their chief misfortune on the
occasion of this embassy was that the very nature
of things placed them in opposition to a prince
with whom their relations both in public and in
private were most close and cordial. To their
country it seemed most noble and most worthy of
Rome that the Greeks in Asia should be freed and
obtain that autonomy which is nearest to the hearts
of all men. But this was not at all in the interest
of Eumenes and his brothers ; for every monarchy

γὰρ πᾶσαν μοναρχίαν τὸ μὲν ἴσον ἐχθαίρειν,
ζητεῖν δὲ πάντας, εἰ δὲ μή γ' ὡς πλείστους, ὑπ-
9 ηκόους εἶναι σφίσι καὶ πειθαρχεῖν. ἀλλὰ καίπερ
τοιούτων ὄντων τῶν πραγμάτων, ὅμως ἔφασαν
πεπεῖσθαι διότι καθίξονται τῆς προθέσεως, οὐ
τῷ πλεῖον Εὐμένους δύνασθαι παρὰ Ῥωμαίοις,
ἀλλὰ τῷ δικαιότερα φαίνεσθαι λέγοντες καὶ συμ-
10 φορώτερα πᾶσιν ὁμολογουμένως. εἰ μὲν γὰρ μὴ
δυνατὸν ἦν ἄλλως Εὐμένει χάριν ἀποδοῦναι Ῥω-
μαίους, εἰ μὴ παραδοῖεν αὐτῷ τὰς αὐτονομου-
μένας πόλεις, ἀπορεῖν εἰκὸς ἦν περὶ τῶν ἐν-
11 εστώτων· ἢ γὰρ φίλον ἀληθινὸν ἔδει παριδεῖν, ἢ
τοῦ καλοῦ καὶ καθήκοντος αὐτοῖς ὀλιγωρῆσαι καὶ
τὸ τέλος τῶν ἰδίων πράξεων ἀμαυρῶσαι καὶ
12 καταβαλεῖν. " εἰ δ' ἀμφοτέρων τούτων ἱκανῶς
ἔξεστι προνοηθῆναι, τίς ἂν ἔτι περὶ τούτου δια-
13 πορήσειεν; καὶ μὴν ὥσπερ ἐν δείπνῳ πολυτελεῖ,
πάντ' ἔνεστιν ἱκανὰ πᾶσιν καὶ πλείω τῶν ἱκανῶν.
14 καὶ γὰρ Λυκαονίαν καὶ Φρυγίαν τὴν ἐφ' Ἑλλησ-
πόντου καὶ τὴν Πισιδικήν, πρὸς δὲ ταύταις Χερρό-
νησον καὶ τὰ προσοροῦντα ταύτῃ τῆς Εὐρώπης
15 ἔξεστιν ὑμῖν οἷς ἂν βούλησθε . . . προστεθέντα
πρὸς τὴν Εὐμένους βασιλείαν δεκαπλασίαν αὐτὴν
δύναται ποιεῖν τῆς νῦν ὑπαρχούσης· πάντων δὲ
τούτων ἢ τῶν πλείστων αὐτῇ προσμερισθέντων,
οὐδεμᾶς ἂν γένοιτο τῶν ἄλλων δυναστειῶν κατα-
23 δεεστέρα. ἔξεστιν οὖν, ὦ ἄνδρες Ῥωμαῖοι, καὶ
(xxii. 6) τοὺς φίλους μεγαλομερῶς σωματοποιῆσαι καὶ
τὸ τῆς ἰδίας ὑποθέσεως λαμπρὸν ⟨μὴ⟩ κατα-
2 βαλεῖν. οὐ γάρ ἐστιν ὑμῖν καὶ τοῖς ἄλλοις ἀν-
θρώποις ταὐτὸν τέλος τῶν ἔργων, ἀλλ' ἕτερον.
3 οἱ μὲν γὰρ ἄλλοι πάντες ὁρμῶσιν πρὸς τὰς πράξεις

by its nature hated equality and strove to make all men or at least as many as possible subject and obedient to it. But although the facts were so, still, they said, they were confident that they would attain their purpose, not because they had more influence with the Romans than Eumenes, but because their plea must appear indisputably the more just and more advantageous to every one concerned. For if the only way in which the Romans could show their gratitude to Eumenes was by giving up to him the autonomous cities, the question at issue admitted of some doubt; since they would have either to overlook a true friend, or else pay no heed to the call of honour and duty and tarnish and degrade the aim and purpose of their achievements. "But if," they said, "it is possible to provide satisfactorily for these two objects, why show any further hesitation? Nay, just as at a sumptuous banquet, there is surely enough and more than enough of everything for all. For Lycaonia, Hellespontic Phrygia, Pisidia, the Chersonese, and the parts of Europe adjacent thereto are at your disposal to give to whom you will. Any one of these, if added to the kingdom of Eumenes, would make it ten times as big as it is now, and if all or most of them were assigned to him, he would not be inferior to any other king. 23. So it is in your power, ye men of Rome, to give a magnificent accretion of strength to your friends, and yet not diminish the splendour of your own rôle. For the ends you propose to achieve are not the same as those of other people. Other men are impelled to armed action by the prospect of getting

ὀρεγόμενοι τοῦ καταστρέψασθαι καὶ προσλαβεῖν
4 πόλεις, χορηγίαν, ναῦς· ὑμᾶς δὲ πάντων τούτων
ἀπροσδεήτους ⟨οἱ θεοὶ⟩ πεποιήκασι, πάντα τὰ
κατὰ τὴν οἰκουμένην τεθεικότες [μὲν] ὑπὸ τὴν
5 ὑμετέραν ἐξουσίαν. τίνος οὖν ἔτι προσδεῖσθε, καὶ
τίνος ἂν ἔτι δέοι πρόνοιαν ὑμᾶς ποιεῖσθαι τὴν
6 ἰσχυροτάτην; δῆλον ὡς ἐπαίνου καὶ δόξης παρ'
ἀνθρώποις, ἃ καὶ κτήσασθαι μέν ἐστι ⟨δυσ-
χερές⟩, δυσχερέστερον δὲ κτησαμένους διαφυλάξαι.
7 γνοίητε δ' ἂν τὸ λεγόμενον οὕτως. ἐπολεμήσατε
πρὸς Φίλιππον καὶ πᾶν ὑπεμείνατε χάριν τῆς
τῶν Ἑλλήνων ἐλευθερίας· τοῦτο γὰρ προέθεσθε,
καὶ τοῦθ' ὑμῖν ἆθλον ἐξ ἐκείνου τοῦ πολέμου περι-
8 γέγονεν, ἕτερον δ' ἁπλῶς οὐδέν. ἀλλ' ὅμως
εὐδοκεῖτε τούτῳ μᾶλλον ἢ τοῖς παρὰ Καρχη-
9 δονίων φόροις· καὶ μάλα δικαίως· τὸ μὲν γὰρ
ἀργύριόν ἐστι κοινόν τι πάντων ἀνθρώπων κτῆμα,
τὸ δὲ καλὸν καὶ πρὸς ἔπαινον καὶ τιμὴν ἀνῆκον
θεῶν καὶ τῶν ἔγγιστα τούτοις πεφυκότων ἀνδρῶν
10 ἐστιν. τοιγαροῦν σεμνότατον τῶν ὑμετέρων ἔρ-
γων ἡ τῶν Ἑλλήνων ἐλευθέρωσις. τούτῳ νῦν
ἐὰν μὲν προσθῆτε τἀκόλουθον, τελειωθήσεται τὰ
τῆς ὑμετέρας δόξης. ἐὰν δὲ παρίδητε, καὶ ⟨τὰ⟩
11 πρὶν ἐλαττωθήσεται φανερῶς. ἡμεῖς μὲν οὖν, ὦ
ἄνδρες, καὶ τῆς προαιρέσεως γεγονότες αἱρετι-
σταὶ καὶ τῶν μεγίστων ἀγώνων καὶ κινδύνων
ἀληθινῶς ὑμῖν μετεσχηκότες, καὶ νῦν οὐκ ἐγκατα-
12 λείπομεν ⟨τὴν⟩ τῶν φίλων τάξιν, ἀλλ' ἅ γε νομίζο-
μεν ὑμῖν καὶ πρέπειν καὶ συμφέρειν, οὐκ ὠκνή-
σαμεν ὑπομνῆσαι μετὰ παρρησίας, οὐδενὸς στο-
χασάμενοι τῶν ἄλλων οὐδὲ περὶ πλείονος οὐδὲν
ποιησάμενοι τοῦ καθήκοντος αὐτοῖς.''

into their power and annexing cities, stores, or ships. But the gods have made all these things superfluous for you, by subjecting the whole world to your dominion. What is it, then, that you really are in want of, and what should you most intently study to obtain? Obviously praise and glory among men, things difficult indeed to acquire and still more difficult to keep when you have them. What we mean we will try to make plainer. You went to war with Philip and made every sacrifice for the sake of the liberty of Greece. For such was your purpose and this alone—absolutely nothing else— was the prize you won by that war. But yet you gained more glory by that than by the tribute you imposed on Carthage. For money is a possession common to all men, but what is good, glorious, and praiseworthy belongs only to the gods and those men who are by nature nearest to them. Therefore, as the noblest of the tasks you accomplished was the liberation of the Greeks, if you now thus supplement it, your glorious record will be complete; but if you neglect to do so, that glory you have already gained will obviously be diminished. We then, ye men of Rome, who have been the devoted supporters of your purpose, and who have taken a real part in your gravest struggles and dangers, do not now abandon our post in the ranks of your friends, but have not hesitated to remind you frankly of what we at least think to be your honour and advantage, aiming at nothing else and estimating nothing higher than our duty."

13 Οἱ μὲν οὖν Ῥόδιοι ταῦτ᾽ εἰπόντες πᾶσιν ἐδόκουν
μετρίως καὶ καλῶς διειλέχθαι περὶ τῶν προ-
24 κειμένων. ἐπὶ δὲ τούτοις εἰσήγαγον τοὺς παρ᾽
(xxii. 7) Ἀντιόχου πρεσβευτὰς Ἀντίπατρον καὶ Ζεῦξιν.
2 ὧν μετ᾽ ἀξιώσεως καὶ παρακλήσεως ποιησαμένων
τοὺς λόγους, εὐδόκησαν ταῖς γεγενημέναις ὁμο-
λογίαις πρὸς τοὺς περὶ τὸν Σκιπίωνα κατὰ τὴν
3 Ἀσίαν, καὶ μετά τινας ἡμέρας τοῦ δήμου συν-
επικυρώσαντος ἔτεμον ὅρκια περὶ τούτων πρὸς
4 τοὺς περὶ τὸν Ἀντίπατρον. μετὰ δὲ ταῦτα καὶ
τοὺς ἄλλους εἰσῆγον, ὅσοι παρῆσαν ἀπὸ τῆς
Ἀσίας πρεσβεύοντες· ὧν ἐπὶ βραχὺ μὲν διή-
κουσαν, ἅπασιν δὲ τὴν αὐτὴν ἔδωκαν ἀπόκρισιν.
5 αὕτη δ᾽ ἦν ὅτι δέκα πρεσβεύοντας ἐξαποστελοῦσι
τοὺς ὑπὲρ ἁπάντων τῶν ἀμφισβητουμένων ταῖς
6 πόλεσι διαγνωσομένους. δόντες δὲ ταύτας τὰς
ἀποκρίσεις μετὰ ταῦτα κατέστησαν δέκα πρε-
σβευτάς, οἷς περὶ μὲν τῶν κατὰ μέρος ἔδωκαν
7 τὴν ἐπιτροπήν, περὶ δὲ τῶν ὅλων αὐτοὶ διέλαβον
ὅτι δεῖ τῶν ἐπὶ τάδε τοῦ Ταύρου κατοικούντων,
ὅσοι μὲν ὑπ᾽ Ἀντίοχον ἐτάττοντο, τούτους Εὐ-
μένει δοθῆναι πλὴν Λυκίαν καὶ Καρίας τὰ μέχρι
8 τοῦ Μαιάνδρου ποταμοῦ, ταῦτα δὲ Ῥοδίων ὑπ-
άρχειν, τῶν <δὲ> πόλεων τῶν Ἑλληνίδων ὅσαι
μὲν Ἀττάλῳ φόρον ὑπετέλουν, ταύτας τὸν αὐτὸν
Εὐμένει τελεῖν, ὅσαι δ᾽ Ἀντιόχῳ, μόνον ταύταις
9 ἀφεῖσθαι τὸν φόρον. δόντες δὲ τοὺς τύπους
τούτους ὑπὲρ τῆς ὅλης διοικήσεως, ἐξέπεμπον
τοὺς δέκα πρὸς Γνάιον τὸν ὕπατον εἰς τὴν Ἀσίαν.
10 ἤδη δὲ τούτων διῳκημένων, προσῆλθον αὖθις
οἱ Ῥόδιοι πρὸς τὴν σύγκλητον, ἀξιοῦντες περὶ
Σόλων τῶν Κιλικίων· διὰ γὰρ τὴν συγγένειαν

284

24. The Rhodians in this speech seemed to all
the house to have expressed themselves modestly
and well about the situation, and they next called
in Antipater and Zeuxis, the envoys of Antiochus.
Upon their having spoken in a tone of supplication
and entreaty, the senate voted its approval of the
terms made with Scipio in Asia ; and when, a few
days afterwards, the People also ratified the treaty,
the oaths of adherence to it were exchanged with
Antipater and his colleague. After this the other
envoys from Asia were introduced, and the Senate,
having given them a short hearing, returned to all
the same answer. This was that they would send
ten legates to pronounce on all disputes between
the towns. After giving this answer they appointed
the ten legates, leaving matters of detail to their
discretion, but themselves deciding on the following
general scheme. Of the inhabitants of Asia on
this side Taurus those provinces formerly subject to
Antiochus were to be given to Eumenes, with the
exception of Lycia and the part of Caria south of
the Meander, which were to go to Rhodes : of the
Greek cities those which formerly paid tribute to
Attalus were to pay the same to Eumenes, and only
in the case of those which were tributary to Antio-
chus was the tribute to be remitted. Having laid
down these general principles for the government
of Asia, they dispatched the ten legates there to
join Gnaeus Manlius Vulso, the proconsul. But
after all had been thus arranged the Rhodians came
before the Senate again on behalf of the people of
Soli in Cilicia ; for they said that owing to their tie

ἔφασαν καθήκειν αὐτοῖς προνοεῖσθαι τῆς πόλεως
11 ταύτης. εἶναι γὰρ Ἀργείων ἀποίκους Σολεῖς,
καθάπερ καὶ Ῥοδίους· ἐξ ὧν ἀδελφικὴν οὖσαν
12 ἀπεδείκνυον τὴν συγγένειαν πρὸς ἀλλήλους. ὧν
ἕνεκα δίκαιον ἔφασαν εἶναι τυχεῖν αὐτοὺς τῆς
ἐλευθερίας ὑπὸ Ῥωμαίων διὰ τῆς Ῥοδίων χάριτος.
13 ἡ δὲ σύγκλητος διακούσασα περὶ τούτων εἰσ-
εκαλέσατο τοὺς παρ' Ἀντιόχου πρεσβευτάς, καὶ
τὸ μὲν πρῶτον ἐπέταττε πάσης Κιλικίας ἐκχωρεῖν
τὸν Ἀντίοχον· οὐ προσδεχομένων δὲ τῶν περὶ
τὸν Ἀντίπατρον διὰ τὸ παρὰ τὰς συνθήκας εἶναι,
πάλιν ὑπὲρ αὐτῶν Σόλων ἐποιοῦντο τὸν λόγον.
14 φιλοτίμως δὲ πρὸς τοῦτο διερειδομένων τῶν
πρεσβευτῶν, τούτους μὲν ἀπέλυσαν, τοὺς δὲ
Ῥοδίους εἰσκαλεσάμενοι διεσάφουν τὰ συναντώ-
μενα παρὰ τῶν περὶ τὸν Ἀντίπατρον καὶ προσ-
επέλεγον ὅτι πᾶν ὑπομενοῦσιν, εἰ πάντως τοῦτο
15 κέκριται Ῥοδίοις. τῶν δὲ πρεσβευτῶν εὐδοκου-
μένων τῇ φιλοτιμίᾳ τῆς συγκλήτου καὶ φασκόν-
των οὐδὲν ἔτι πέρα ζητεῖν, ταῦτα μὲν ἐπὶ τῶν
ὑποκειμένων ἔμεινεν.
16 Ἤδη δὲ πρὸς ἀναζυγὴν τῶν δέκα καὶ τῶν
ἄλλων πρεσβευτῶν ὄντων, κατέπλευσαν τῆς Ἰτα-
λίας εἰς Βρεντέσιον οἵ τε περὶ τὸν Σκιπίωνα καὶ
Λεύκιον οἱ τῇ ναυμαχίᾳ νικήσαντες τὸν Ἀντίοχον·
17 οἳ καὶ μετά τινας ἡμέρας εἰσελθόντες εἰς τὴν
Ῥώμην ἦγον θριάμβους.

V. Res Graeciae

25 Ὅτι Ἀμύνανδρος ὁ τῶν Ἀθαμάνων βασιλεύς,
(xxii. 8) δοκῶν ἤδη τὴν ἀρχὴν ἀνειληφέναι βεβαίως, εἰς

of kinship with this city it was their duty to espouse
its cause, the people of Soli being colonists of Argos,
like the Rhodians themselves ; so that the two were
in the position of sisters, which made it only just
that the Solians should receive their freedom from
Rome through the good graces of the Rhodians.
The senate after listening to them summoned the
envoys of Antiochus, and at first ordered him to
withdraw from the whole of Cilicia ; but when the
envoys refused to assent to this, as it was contrary
to the treaty, they renewed the demand confining
it to Soli alone. But upon the envoys stubbornly
resisting it, they dismissed them, and calling in the
Rhodians informed them of the reply they had
received from Antipater and his colleague, adding
that they would go to any extremity, if the Rhodians
absolutely insisted on this. The Rhodian envoys
however were pleased with the cordial attention of
the senate and said that they would make no
further demand, so that this matter remained as
it was.

The ten legates and the other envoys were pre-
paring to depart, when Publius and Lucius Scipio,
who had defeated Antiochus in the sea battle,
arrived at Brundisium and after a few days entered
Rome and celebrated their triumph.

V. Affairs of Greece

The Situation in Aetolia and Western Greece

(Cp. Livy xxxviii. 3.)

25. Amynander, the king of Athamania, thinking
now that he had for certainty recovered his kingdom,

Ῥώμην ἐξέπεμπε πρεσβευτὰς καὶ πρὸς τοὺς
Σκιπίωνας εἰς τὴν Ἀσίαν—ἔτι γὰρ ἦσαν περὶ
2 τοὺς κατὰ τὴν Ἔφεσον τόπους—τὰ μὲν ἀπο-
λογούμενος τῷ δοκεῖν δι' Αἰτωλῶν πεποιῆσθαι
τὴν κάθοδον, τὰ δὲ κατηγορῶν τοῦ Φιλίππου, τὸ
δὲ πολὺ παρακαλῶν προσδέξασθαι πάλιν αὐτὸν
3 εἰς τὴν συμμαχίαν. οἱ δ' Αἰτωλοὶ νομίσαντες
ἔχειν εὐφυῆ καιρὸν πρὸς τὸ τὴν Ἀμφιλοχίαν
καὶ τὴν Ἀπεραντίαν ἀνακτήσασθαι, προέθεντο
4 στρατεύειν εἰς τοὺς προειρημένους τόπους. ἀθροί-
σαντος δὲ Νικάνδρου τοῦ στρατηγοῦ πάνδημον
5 στρατιάν, ἐνέβαλον εἰς τὴν Ἀμφιλοχίαν. τῶν
δὲ πλείστων αὐτοῖς ἐθελοντὴν προσχωρησάντων
μετῆλθον εἰς τὴν Ἀπεραντίαν. καὶ τούτων δὲ
προσθεμένων ἑκουσίως ἐστράτευσαν εἰς τὴν Δο-
6 λοπίαν. οὗτοι δὲ βραχὺν μέν τινα χρόνον ὑπ-
έδειξαν ὡς ἀντιποιησόμενοι, τηρήσαντες τὴν πρὸς
Φίλιππον πίστιν· λαβόντες δὲ πρὸ ὀφθαλμῶν τὰ
περὶ τοὺς Ἀθαμᾶνας καὶ τὴν τοῦ Φιλίππου . . .,
ταχέως μετενόησαν καὶ προσέθεντο πρὸς τοὺς
7 Αἰτωλούς. γενομένης δὲ τῆς τῶν πραγμάτων
εὐροίας τοιαύτης, ἀπήγαγε τὴν στρατιὰν ὁ Νίκ-
ανδρος εἰς τὴν οἰκείαν, δοκῶν ἠσφαλίσθαι ⟨τὰ⟩
κατὰ τὴν Αἰτωλίαν τοῖς προειρημένοις ἔθνεσι
καὶ τόποις τοῦ μηδένα δύνασθαι κακοποιεῖν τὴν
8 χώραν αὐτῶν. ἄρτι δὲ τούτων συμβεβηκότων
καὶ τῶν Αἰτωλῶν ἐπὶ τοῖς γεγονόσι φρονηματι-
ζομένων, προσέπεσε φήμη περὶ τῆς κατὰ τὴν
Ἀσίαν μάχης, ἐν ᾗ γνόντες ἡττημένον ὁλοσχερῶς
τὸν Ἀντίοχον αὖθις ἀνετράπησαν ταῖς ψυχαῖς.
9 ὡς δὲ παραγενηθεὶς ἐκ τῆς Ῥώμης ὁ Δαμοτέλης
τόν τε πόλεμον ἀνήγγειλε διότι μένει κατάμονος,

sent envoys both to Rome and to the Scipios in
Asia—they were still in the neighbourhood of
Ephesus—excusing himself for having to all appear-
ance returned to Athamania with the help of the
Aetolians, and also bringing accusations against
Philip, but chiefly begging them to receive him
once more into their alliance. The Aetolians, think-
ing this a favourable opportunity for annexing
Amphilochia and Aperantia, decided on an expedi-
tion to the above districts and, Nicander their
strategus having assembled their total forces, they
invaded Amphilochia. Upon most of the inhabi-
tants joining them of their own accord, they went
on to Aperantia, and when the people there also
voluntarily joined them, they invaded Dolopia.
The Dolopians made a show of resistance for a short
time ; but, with the fate of Athamania and the
flight of Philip before their eyes, they soon changed
their minds and also joined the Aetolians. After
this unbroken series of successes Nicander took his
army back to their own country, thinking that by
the annexation of the above countries and peoples
Aetolia was secured against damage from any
quarter. But just after these occurrences, and while
the Aetolians were still elated by their success,
came the news of the battle in Asia, and when they
learnt that Antiochus had been utterly defeated,
their spirits were again dashed. And when now
Damoteles arrived from Rome and announced that
the state of war still subsisted, and that Marcus

καὶ τὴν τοῦ Μάρκου καὶ τῶν δυνάμεων διάβασιν
ἐπ᾽ αὐτούς, τότε δὴ παντελῶς εἰς ἀμηχανίαν
ἐνέπιπτον καὶ διηπόρουν πῶς δεῖ χρήσασθαι τοῖς
10 ἐπιφερομένοις πράγμασιν. ἔδοξεν οὖν αὐτοῖς πρός
τε Ῥοδίους πέμπειν καὶ πρὸς Ἀθηναίους, ἀξιοῦν-
τας καὶ παρακαλοῦντας πρεσβεῦσαι περὶ αὐτῶν
εἰς τὴν Ῥώμην καὶ παραιτησαμένους τὴν ὀργὴν
τῶν Ῥωμαίων ποιήσασθαί τινα λύσιν τῶν περι-
11 εστώτων κακῶν τὴν Αἰτωλίαν. ὁμοίως δὲ καὶ
παρ᾽ αὐτῶν ἐξέπεμψαν πάλιν πρεσβευτὰς εἰς
τὴν Ῥώμην, Ἀλέξανδρον τὸν Ἴσιον ἐπικαλού-
μενον καὶ Φαινέαν, σὺν δὲ τούτοις Χάλεπον, ἔτι
δ᾽ Ἄλυπον τὸν Ἀμβρακιώτην καὶ Λύκωπον.

26 Ὅτι παραγενομένων πρὸς τὸν στρατηγὸν τῶν
(xxii. 9) Ῥωμαίων ἐξ ⟨Ἠπείρου⟩ πρεσβευτῶν, ἐκοινο-
λογεῖτο τούτοις περὶ τῆς ἐπὶ τοὺς Αἰτωλοὺς
2 στρατείας. τῶν δὲ πρεσβευτῶν στρατεύειν ἐπὶ
τὴν Ἀμβρακίαν συμβουλευόντων—συνέβαινε γὰρ
τότε πολιτεύεσθαι τοὺς Ἀμβρακιώτας μετὰ τῶν
3 Αἰτωλῶν—καὶ φερόντων ἀπολογισμοὺς διότι καὶ
πρὸς τὸ μάχεσθαι τοῖς στρατοπέδοις, ἐὰν εἰς
τοῦτο βούλωνται συγκαταβαίνειν Αἰτωλοί, καλ-
λίστους εἶναι τόπους συμβαίνει περὶ τὴν προ-
4 ειρημένην πόλιν, κἂν ἀποδειλιῶσιν, εὐφυῶς αὐτὴν
κεῖσθαι πρὸς πολιορκίαν· καὶ γὰρ ἀφθόνους
ἔχειν τὴν χώραν τὰς χορηγίας πρὸς τὰς τῶν
ἔργων παρασκευάς, καὶ τὸν Ἄρατθον ποταμὸν
ῥέοντα παρὰ τὴν πόλιν συνεργήσειν πρός τε τὰς
τοῦ στρατοπέδου χρείας, ἅτε θέρους ὄντος, καὶ
5 πρὸς τὴν τῶν ἔργων ἀσφάλειαν· δοξάντων δὲ
τῶν πρεσβευτῶν καλῶς συμβουλεύειν, ἀναζεύξας
ὁ στρατηγὸς ἦγε διὰ τῆς Ἠπείρου τὸν στρατὸν

Fulvius Nobilior with his army was crossing to
attack them, they fell into a state of utter help-
lessness, and were at their wits' end as to how they
should meet the danger which threatened them.
They decided, then, to send to Athens and Rhodes
begging and imploring those states to send embassies
to Rome to deprecate the anger of the Romans,
and to avert by some means the evils that encom-
passed Aetolia. At the same time they dispatched
to Rome two envoys of their own, Alexander the
Isian and Phaeneas accompanied by Chalepus,
Alypus of Ambracia and Lycopus.

(Cp. Livy xxxviii. 3. 9.)

26. Upon envoys from Epirus reaching the Roman
consul he took their advice about his expedition to
Aetolia. These envoys recommended him to march
on Ambracia—for at the time the Ambracians were
members of the Aetolian League—alleging that if
the Aetolians were disposed to meet his legions
in the field, the country round that city was the
best for the purpose ; but that if they declined to
give battle, the situation of the town itself made
it easy to besiege it, since the country afforded
abundant material for the construction of siege
works and the river Aratthus, which ran under its
walls, would be of help to him both as a source of
water supply to his army, it being now summer,
and a defence of their works. The advice they
gave was considered good, and the consul led his

291

6 ἐπὶ τὴν Ἀμβρακίαν. ἀφικόμενος δέ, καὶ τῶν
Αἰτωλῶν οὐ τολμώντων ἀπαντᾶν, περιῄει κατ-
οπτεύων τὴν πόλιν καὶ ἐνήργει τὰ τῆς πολιορ-
κίας φιλοτίμως.

7 Καὶ οἱ ⟨μὲν ὑπὸ τῶν Αἰτωλῶν⟩ εἰς τὴν Ῥώμην
ἀποσταλέντες πρέσβεις, παρατηρηθέντες ὑπὸ Σι-
βύρτου τοῦ Πετραίου περὶ τὴν Κεφαλληνίαν,
8 κατήχθησαν εἰς Χάραδρον. τοῖς δ' Ἠπειρώταις
ἔδοξεν τὰς μὲν ἀρχὰς εἰς Βούχετον ἀποθέσθαι
καὶ φυλάττειν ἐπιμελῶς τοὺς ἄνδρας· μετὰ δέ
τινας ἡμέρας ἀπῄτουν αὐτοὺς λύτρα διὰ τὸ πόλε-
9 μον ὑπάρχειν σφίσιν πρὸς τοὺς Αἰτωλούς. συν-
έβαινε δὲ τὸν μὲν Ἀλέξανδρον πλουσιώτατον
εἶναι πάντων τῶν Ἑλλήνων, τοὺς δὲ λοιποὺς
⟨οὐ⟩ καθυστερεῖν τοῖς βίοις, πολὺ δὲ λείπεσθαι
10 τοῦ προειρημένου ταῖς οὐσίαις. καὶ τὸ μὲν πρῶ-
τον ἐκέλευον ἕκαστον ἀποδοῦναι πέντε τάλαντα.
τοῦτο δὲ τοῖς μὲν ἄλλοις οὐδ' ὅλως ἀπήρεσκεν,
ἀλλ' ἐβούλοντο, περὶ πλείστου ποιούμενοι τὴν
11 σφῶν αὐτῶν σωτηρίαν· ὁ δ' Ἀλέξανδρος οὐκ
ἂν ἔφη συγχωρῆσαι, πολὺ γὰρ εἶναι τἀργύριον
[φαίνεται], καὶ τὰς νύκτας διαγρυπνῶν διωλο-
φύρετο πρὸς αὑτόν, εἰ δεήσει πέντε τάλαντα
12 καταβάλλειν. οἱ δ' Ἠπειρῶται προορώμενοι τὸ
μέλλον καὶ διαγωνιῶντες μὴ γνόντες οἱ Ῥωμαῖοι
διότι πρεσβεύοντας πρὸς αὐτοὺς κατεσχήκασι,
κἄπειτα γράψαντες παρακαλῶσι καὶ κελεύωσιν
ἀπολύειν τοὺς ἄνδρας, συγκαταβάντες τρία τά-
13 λαντα πάλιν ἀπῄτουν ἕκαστον. ἀσμένως δὲ τῶν
ἄλλων προσδεξαμένων, οὗτοι μὲν διεγγυηθέντες
ἐπανῆλθον, ὁ δ' Ἀλέξανδρος οὐκ ἂν ἔφη δοῦναι
14 πλεῖον ταλάντου· καὶ γὰρ τοῦτ' εἶναι πολύ. καὶ

army through Epirus to Ambracia. On arriving there and on the Aetolians not venturing to meet him, he went round the city to survey it and made energetic preparations for its siege.

Meanwhile the envoys sent by the Aetolians to Rome were observed and caught by Syburtes of Petra off Cephallenia and were brought in to Charadrus. The Epirots at first decided to lodge them in Buchetus and keep careful guard over them, but after some days they demanded ransom from them, as they were at war with the Aetolians. Alexander happened to be the richest man in Greece and the others were not badly off, but far poorer than he was. At first the Epirots demanded five talents from each, which the others were not entirely indisposed to pay, but rather wished to do so, as they valued their safety above all things. Alexander, however, said he would not yield to the demand, as the sum was too large, and spent sleepless nights bewailing his mischance if he had to pay five talents. The Epirots, foreseeing what was, as a fact, about to happen, and fearing much lest the Romans, on learning that they had arrested envoys on their way to Rome, might write and demand their release, reduced their demand to three talents for each envoy. The others were only too glad to accept, and were allowed to depart after giving surety, but Alexander said he would not pay more than a talent, and even that was too much. Finally he

τέλος ἀπογνοὺς αὑτὸν ἔμεινεν ἐν τῇ φυλακῇ,
πρεσβύτερος ἄνθρωπος, πλειόνων ἢ διακοσίων
ταλάντων ἔχων οὐσίαν· καί μοι δοκεῖ κἂν ἐκλιπεῖν
τὸν βίον ἐφ' ᾧ μὴ δοῦναι τὰ τρία τάλαντα.
15 τοσαύτη τις ἐνίοις πρὸς τὸ πλεῖον ὁρμὴ παρίστα-
16 ται καὶ προθυμία. τότε δ' ἐκείνῳ καὶ ταὐτόματον
συνήργησεν πρὸς τὴν φιλαργυρίαν, ὥστε παρὰ
πᾶσιν ἐπαίνου καὶ συγκαταθέσεως τυχεῖν τὴν
17 ἀλογιστίαν αὐτοῦ διὰ τὴν περιπέτειαν· μετὰ γὰρ
ὀλίγας ἡμέρας γραμμάτων παραγενηθέντων ἐκ
τῆς Ῥώμης περὶ τῆς ἀφέσεως, αὐτὸς μόνος
18 ἀπελύθη χωρὶς λύτρων. οἱ δ' Αἰτωλοί, γνόντες
τὴν αὐτοῦ περιπέτειαν, Δαμοτέλη προεχειρίσαντο
19 πάλιν εἰς τὴν Ῥώμην πρεσβευτήν. ὃς ἐκπλεύσας
μέχρι τῆς Λευκάδος καὶ γνοὺς προάγοντα διὰ
τῆς Ἠπείρου μετὰ τῶν δυνάμεων Μάρκον ἐπὶ
τὴν Ἀμβρακίαν, ἀπογνοὺς τὴν πρεσβείαν αὖθις
ἀνεχώρησεν εἰς τὴν Αἰτωλίαν.

27
(xxii. 10) Αἰτωλοὶ ὑπὸ τοῦ τῶν Ῥωμαίων ὑπάτου Μάρ-
κου πολιορκούμενοι τῇ προσβολῇ τῶν μηχανη-
μάτων καὶ τῶν κριῶν γενναίως ἀντιπαρετάξαντο.
2 οὗτος γὰρ ἀσφαλισάμενος τὰ κατὰ τὰς στρατο-
πεδείας συνίστατο μεγαλομερῶς τὴν πολιορκίαν
καὶ τρία μὲν ἔργα κατὰ τὸ Πύρρειον προσῆγεν
διὰ τῶν ἐπιπέδων [τόπων], διεστῶτα μὲν ἀπ'
ἀλλήλων, παράλληλα δέ, τέταρτον δὲ κατὰ τὸ
Ἀσκληπιεῖον, πέμπτον δὲ κατὰ τὴν ἀκρόπολιν.
3 γινομένης δὲ τῆς προσαγωγῆς ἐνεργοῦ κατὰ
πάντας ἅμα τοὺς τόπους, ἐκπληκτικὴν συν-
έβαινε γίνεσθαι τοῖς ἔνδον τὴν τοῦ μέλλοντος
4 προσδοκίαν. τῶν δὲ κριῶν τυπτόντων ἐνεργῶς
τὰ τείχη, καὶ τῶν δορυδρεπάνων ἀποσυρόντων

gave up all hope, and remained in prison, being then
advanced in years and possessing a fortune of more
than two hundred talents. And, I think, he would
have perished rather than pay the three talents :
so strong is the impulse and so great the eagerness
of some people to make money. In this case, how-
ever, chance furthered his cupidity, so that, owing
to the outcome, this foolish avarice met with universal
praise and approval ; for a few days afterwards a
letter arrived from Rome ordering the envoys to
be liberated, and he alone escaped without paying
ransom. The Aetolians when they heard of the
misfortune that had befallen him appointed Damo-
teles again ambassador to Rome ; but having
sailed as far as Leucas he heard that Marcus Fulvius
was advancing through Epirus with his army on
Ambracia, and abandoning his mission returned to
Aetolia.

Siege of Ambracia

(Hero's *Treatise on Sieges* ; cp. Livy xxxviii. 5.)

27. The Aetolians, besieged in Ambracia by the
Roman consul Marcus Fulvius, gallantly resisted the
assaults of rams and other machines. For the consul,
after securing his camp, had begun siege operations
on an extensive scale. He brought up three machines
through the level country near the Pyrrheium at
some distance from each other but advancing on
parallel lines, a fourth at the Aesculapium and a
fifth at the acropolis. As the assault was vigorously
conducted at one and the same time in all these
places, the besieged were terrified by the prospect
of what awaited them. While the rams continued
to batter the walls and the long sickle-shaped

τὰς ἐπάλξεις, ἐπειρῶντο μὲν οἱ κατὰ τὴν πόλιν
ἀντιμηχανᾶσθαι πρὸς ταῦτα, τοῖς μὲν κριοῖς διὰ
κεραιῶν ἐνιέντες σηκώματα μολιβδᾶ καὶ λίθους
5 καὶ στύπη δρύινα· τοῖς δὲ δρεπάνοις σιδηρᾶς
περιτιθέντες ἀγκύρας καὶ κατασπῶντες ταῦτ'
ἔσω τοῦ τείχους, ὥστ' ἐπὶ τὴν ἔπαλξιν συντρι-
βέντος τοῦ δόρατος ἐγκρατεῖς γίνεσθαι τῶν δρε-
6 πάνων. τὸ δὲ πλεῖον ἐπεξιόντες ἐμάχοντο γεν-
ναίως, ποτὲ μὲν ἐπιτιθέμενοι νύκτωρ τοῖς ἐπι-
κοιτοῦσιν ἐπὶ τῶν ἔργων, ποτὲ δὲ τοῖς ἐφημε-
ρεύουσι μεθ' ἡμέραν προφανῶς ἐγχειροῦντες, καὶ
τριβὴν ἐνεποίουν τῇ πολιορκίᾳ.
7 Τοῦ γὰρ Νικάνδρου ἐκτὸς ἀναστρεφομένου καὶ
πέμψαντος πεντακοσίους ἱππεῖς εἰς τὴν πόλιν,
οἳ καὶ παραβιασάμενοι τὸν μεταξὺ χάρακα τῶν
πολεμίων εἰσέφρησαν εἰς τὴν πόλιν, . . . παρ-
8 αγγείλας, καθ' ἣν ἐτάξαντο ἡμέραν, αὐτοὺς
μὲν ἐξελθόντας . . . ποιήσασθαι, συνεπιλαβέσθαι
9 δὲ αὐτὸν τούτοις τοῦ κινδύνου. . . . αὐτῶν μὲν
εὐψύχως τῆς πόλεως ἐξορμησάντων καὶ γεν-
ναίως ἀγωνισαμένων, τοῦ δὲ Νικάνδρου καθ-
υστερήσαντος, εἴτε καταπλαγέντος τὸν κίνδυνον
εἴτε καὶ ἀναγκαῖα νομίσαντος τὰ ἐν οἷς διέτριβε
πράγμασιν, ἡττήθησαν τῆς ἐπιβολῆς.

28 Οἱ δὲ Ῥωμαῖοι συνεχῶς ἐνεργοῦντες τοῖς
(xxii. 11) 2 κριοῖς ἀεί τι παρέλυον τῶν τειχῶν· οὐ μὴν εἴς
γε τὴν πόλιν ἐδύναντο βιάσασθαι διὰ τῶν πτω-
μάτων, τῷ καὶ τὴν ἀντοικοδομίαν ὑπὸ τῶν ἔνδον
ἐνεργὸν εἶναι καὶ μάχεσθαι γενναίως ἐπὶ τοῦ
3 πίπτοντος μέρους τοὺς Αἰτωλούς. διόπερ ἀπο-
ρούμενοι κατήντησαν ἐπὶ τὸ μεταλλεύειν καὶ
4 χρῆσθαι τοῖς ὀρύγμασιν ὑπὸ γῆς. ἀσφαλισά-

grapplers to drag down the battlements, the defenders
of the city made efforts to counter-engineer them,
dropping by means of cranes leaden weights, stones,
and stumps of trees on to the rams and after catching
the sickles with iron anchors dragging them inside
the wall, so that the pole of the apparatus was
smashed against the battlement and the sickle
itself remained in their hands. They also made
frequent sallies, sometimes attacking by night those
who slept on the machines, and sometimes openly
attempting in daylight to dislodge the day shift,
thus impeding the progress of the siege.

(From Hero; cp. Livy xxxviii. 5–6.)

Nicander, who was hovering round outside the
Roman lines, had sent five hundred horse to the
town, who forced an entrance by breaking through
the entrenchments of the enemy. He had ordered
them on a day agreed upon to make a sortie and
attack the Roman works, engaging to come to their
assistance. . . . But although they made a gallant
dash out of the city and fought bravely, the plan
failed because Nicander failed to appear, either
because he was afraid of the risk, or because he
thought the task on which he was actually occupied
more urgent.

(From Hero; cp. Livy xxxviii. 7. 4.)

28. The Romans, working constantly with their
rams, continued to break down portions of the wall,
but they were not able to force their way in through
the breach, as the defenders worked hard at counter-
walling, and fought gallantly on the ruins. So, as
a last resource, they took to mining and digging
underground. Having secured the middle one of

297

μενοι δὲ τὸ μέσον ἔργον τῶν τριῶν τῶν προ-
ϋπαρχόντων καὶ σκεπάσαντες ἐπιμελῶς [τὴν σύ-
ριγγα] τοῖς γέρροις, προεβάλοντο στοὰν παράλ-
5 ληλον τῷ τείχει σχεδὸν ἐπὶ δύο πλέθρα. καὶ
λαβόντες ἀρχὴν ἐκ ταύτης ὤρυττον ἀδιαπαύστως
6 καὶ τὴν νύκτα καὶ τὴν ἡμέραν ἐκ διαδοχῆς. ἐφ'
ἱκανὰς μὲν οὖν ἡμέρας ἐλάνθανον τοὺς ἔνδον φέ-
7 ροντες ἔξω τὸν χοῦν διὰ τῆς σύριγγος. ὡς δὲ
μέγας ὁ σωρὸς ἐγένετο τῆς ἐκφερομένης γῆς
καὶ σύνοπτος τοῖς ἐκ τῆς πόλεως, οἱ προεστῶτες
τῶν πολιορκουμένων ὤρυττον τάφρον ἔσωθεν ἐν-
εργῶς παράλληλον τῷ τείχει καὶ τῇ στοᾷ τῇ πρὸ
8 τῶν πύργων. ἐπειδὴ δὲ βάθος ἔσχεν ἱκανόν,
ἑξῆς ἔθηκαν παρὰ τὸν ἕνα τοῖχον τῆς τάφρου
τὸν ἐγγὺς τῷ τείχει χαλκώματα συνεχῆ, λεπτό-
τατα ταῖς κατασκευαῖς, καὶ παρὰ ταῦτα διὰ
τῆς τάφρου παριόντες ἠκροῶντο τοῦ ψόφου τῶν
9 ὀρυττόντων ἔξωθεν. ἐπεὶ δ' ἐσημειώσαντο τὸν
τόπον, καθ' ὃν ἐδήλου τινὰ τῶν χαλκωμάτων διὰ
τῆς συμπαθείας, ὤρυττον ἔσωθεν ἐπικαρσίαν πρὸς
τὴν ὑπάρχουσαν ἄλλην κατὰ γῆς τάφρον ὑπὸ τὸ
τεῖχος, στοχαζόμενοι τοῦ συμπεσεῖν ἐναντίοι τοῖς
10 πολεμίοις. ταχὺ δὲ τούτου γενομένου, διὰ τὸ
τοὺς Ῥωμαίους μὴ μόνον ἀφῖχθαι πρὸς τὸ τεῖχος
ὑπὸ γῆς, ἀλλὰ καὶ διεστυλωκέναι τόπον ἱκανὸν
τοῦ τείχους ἐφ' ἑκάτερον τὸ μέρος τοῦ μετάλλου,
11 συνέπεσον ἀλλήλοις. καὶ τὸ μὲν πρῶτον ἐμά-
χοντο ταῖς σαρίσαις ὑπὸ γῆν· ἐπεὶ δ' οὐδὲν ἠδύ-
ναντο μέγα ποιεῖν διὰ τὸ προβάλλεσθαι θυρεοὺς
12 καὶ γέρρα πρὸ αὑτῶν ἀμφότεροι, τὸ τηνικάδ'
ὑπέθετό τις τοῖς πολιορκουμένοις πίθον προ-
θεμένους ἁρμοστὸν κατὰ τὸ πλάτος τῷ μετάλλῳ

the three machines they previously had on this site
and covered it carefully with wattle screens, they
constructed in front of it a covered gallery running
parallel to the wall for about a hundred yards,
from which they dug continuously by day and
night, employing relays. For a good many days
they carried out the earth by the underground
passage without being noticed by the defenders,
but when the heap of earth became considerable
and visible to those in the city, the leaders of the
besieged set vigorously to work to dig a trench
inside the wall parallel to the wall itself and to the
gallery in front of the towers. When it was suffi-
ciently deep, they lined the side of the trench next
the wall with exceedingly thin plates of brass, and
advancing along the trench with their ears close to
these, listened for the noise made by the miners
outside. When they had noted the spot indicated
by the reverberation of some of the brass plates,
they began to dig from within another underground
passage at right angles to the trench and passing
under the wall, their object being to encounter the
enemy. This they soon succeeded in doing, as the
Roman miners had not only reached the wall but
had underpinned a considerable part of it on both
sides of their gallery of approach. On meeting,
they first of all fought underground with their pikes,
but when they found that they could not effect
much by this, as on both sides they used bucklers
and wattles to protect themselves, some one sug-
gested to the besieged to put in front of them a
large corn-jar exactly broad enough to fit into the

τρυπῆσαι τὸν πυθμένα καὶ διώσαντας αὐλίσκον
σιδηροῦν ἴσον τῷ τεύχει πλῆσαι τὸν πίθον ὅλον
πτίλων λεπτῶν καὶ πυρὸς παντελῶς μικρὸν ἐμβα-
13 λεῖν ὑπ᾽ αὐτὸ τὸ τοῦ πίθου περιστόμιον· κἄπειτα
σιδηροῦν πῶμα τρημάτων πλῆρες τῷ στόματι
περιθέντας ἀσφαλῶς εἰσάγειν διὰ τοῦ μετάλλου,
14 νεύοντι τῷ στόματι πρὸς τοὺς ὑπεναντίους· ὁπότε
δ᾽ ἐγγίσαιεν τοῖς πολεμίοις, περισάξαντας τὰ
χείλη τοῦ πίθου πανταχόθεν τρήματα δύο κατα-
λιπεῖν ἐξ ἑκατέρου τοῦ μέρους, δι᾽ ὧν διωθοῦντες
τὰς σαρίσας οὐκ ἐάσουσι προσιέναι τῷ πίθῳ τοὺς
15 ὑπεναντίους· μετὰ δὲ ταῦτα λαβόντας ἀσκόν,
ᾧπερ οἱ χαλκεῖς χρῶνται, καὶ προσαρμόσαντας
πρὸς τὸν αὐλὸν τὸν σιδηροῦν φυσᾶν ἐνεργῶς τὸ
πρὸς τῷ στόματι πῦρ ἐν τοῖς πτίλοις ἐγκείμενον,
κατὰ τοσοῦτον ἐπαγομένους ἀεὶ τὸν αὐλὸν ἐκτός,
16 καθ᾽ ὅσον ἂν ἐκκάηται τὰ πτίλα. γενομένων δὲ
πάντων καθάπερ προείρηται, τό τε πλῆθος τοῦ
καπνοῦ συνέβαινε πολὺ γίνεσθαι καὶ τῇ δριμύτητι
διαφέρον διὰ τὴν φύσιν τῶν πτίλων, φέρεσθαί
17 τε πᾶν εἰς τὸ τῶν πολεμίων μέταλλον. ὥστε
καὶ λίαν κακοπαθεῖν καὶ δυσχρηστεῖσθαι τοὺς
Ῥωμαίους, οὔτε κωλύειν οὔθ᾽ ὑπομένειν δυνα-
18 μένους ἐν τοῖς ὀρύγμασι τὸν καπνόν. τοιαύτην
δὲ λαμβανούσης τριβὴν τῆς πολιορκίας ὁ στρα-
τηγὸς τῶν Αἰτωλῶν πρεσβεύειν ἔγνω πρὸς τὸν
στρατηγὸν τῶν Ῥωμαίων.

29 Ὅτι κατὰ τὸν καιρὸν τοῦτον οἱ παρὰ τῶν
(xxii. 12) Ἀθηναίων καὶ τῶν Ῥοδίων πρέσβεις ἧκον ἐπὶ
τὸ στρατόπεδον τῶν Ῥωμαίων, συνεπιληψόμενοι
2 τῶν διαλύσεων. ὅ τε βασιλεὺς τῶν Ἀθαμάνων
Ἀμύνανδρος παρεγένετο σπουδάζων ἐξελέσθαι

trench. They were to bore a hole in the bottom of
it, and insert into this an iron tube as long as the
jar : next they were to fill the whole jar with fine
feathers and place quite a few pieces of burning
charcoal round its extreme edge : they were now
to fit it on to the mouth of the jar an iron lid full of
holes and introduce the whole carefully into the
mine with its mouth turned towards the enemy.
When they reached the latter they were to stop
up completely the space round the rim of the jar,
leaving two holes, one on either side, through which
they could push their pikes and prevent the enemy
from approaching it. They were then to take a
blacksmith's bellows and fitting it into the iron tube
blow hard on the lighted charcoal that was near
the mouth of the vessel among the feathers, gradu-
ally, as the feathers caught fire, withdrawing the
tube. Upon all those instructions being followed,
a quantity of smoke, especially pungent owing to
its being produced by feathers, was all carried up
the enemy's mine, so that the Romans suffered much
and were in an evil case, as they could neither pre-
vent nor support the smoke in their diggings. While
the siege thus continued to be prolonged, the
strategus of the Aetolians decided to send envoys
to the Roman consul.

Peace made with Aetolia

(Cp. Livy xxxviii. 9.)

29. At this time the envoys from Athens and
Rhodes arrived at the Roman camp to assist in
making the peace. Amynander, the king of Atha-
mania, also came to attempt to deliver the Am-

τοὺς Ἀμβρακιώτας ἐκ τῶν περιεστώτων κακῶν,
δοθείσης αὐτῷ τῆς ἀσφαλείας ὑπὸ τοῦ Μάρκου
3 διὰ τὸν καιρόν· πάνυ γὰρ οἰκείως εἶχε πρὸς τοὺς
Ἀμβρακιώτας διὰ τὸ καὶ πλείω χρόνον ἐν τῇ
4 πόλει ταύτῃ διατετριφέναι κατὰ φυγήν. ἧκον δὲ
καὶ παρὰ τῶν Ἀκαρνάνων μετ᾽ ὀλίγας ἡμέρας
ἄγοντές τινες τοὺς περὶ Δαμοτέλην· ὁ γὰρ Μάρ-
κος πυθόμενος τὴν περιπέτειαν αὐτῶν ἔγραψε
τοῖς Θυρρειεῦσιν ἀνακομίζειν τοὺς ἄνδρας ὡς
5 αὐτόν. πάντων δὲ τούτων ἠθροισμένων ἐνηρ-
6 γεῖτο φιλοτίμως τὰ πρὸς τὰς διαλύσεις. ὁ μὲν
οὖν Ἀμύνανδρος κατὰ τὴν αὐτοῦ πρόθεσιν εἴχετο
τῶν Ἀμβρακιωτῶν, παρακαλῶν σῴζειν σφᾶς
αὐτούς . . . εἶναι δὲ τοῦτον οὐ μακράν, ἐὰν μὴ
7 βουλεύσωνται βέλτιον περὶ αὐτῶν. πλεονάκις δὲ
προσπελάζοντος αὐτοῦ τῷ τείχει καὶ διαλεγο-
μένου περὶ τούτων, ἔδοξε τοῖς Ἀμβρακιώταις
εἰσκαλέσασθαι τὸν Ἀμύνανδρον εἰς τὴν πόλιν.
8 τοῦ δὲ στρατηγοῦ συγχωρήσαντος τῷ βασιλεῖ
τὴν εἴσοδον, οὗτος μὲν εἰσελθὼν διελέγετο τοῖς
9 Ἀμβρακιώταις περὶ τῶν ἐνεστώτων, οἱ δὲ παρὰ
τῶν Ἀθηναίων καὶ τῶν Ῥοδίων πρέσβεις λαμ-
βάνοντες εἰς τὰς χεῖρας τὸν στρατηγὸν τῶν
Ῥωμαίων καὶ ποικίλως ὁμιλοῦντες, πραΰνειν ἐπει-
10 ρῶντο τὴν ὀργὴν αὐτοῦ. τοῖς δὲ περὶ τὸν Δαμο-
τέλη καὶ Φαινέαν ὑπέθετό τις ἔχεσθαι καὶ θερα-
11 πεύειν τὸν Γάιον Οὐαλέριον· οὗτος δ᾽ ἦν Μάρκου
μὲν υἱὸς τοῦ πρώτου συνθεμένου πρὸς Αἰτωλοὺς
τὴν συμμαχίαν, Μάρκου δὲ τοῦ τότε στρατηγοῦν-
τος ἀδελφὸς ἐκ μητρός· ἄλλως δὲ πρᾶξιν ἔχων
νεανικὴν ἦν μάλιστα παρὰ τῷ στρατηγῷ πιστευό-
12 μενος. ὃς παρακληθεὶς ὑπὸ τῶν περὶ τὸν Δαμο-

braciots from their dangerous situation, having received a safe-conduct from Marcus Fulvius, who availed himself of the opportunity ; for this king was on very good terms with the Ambraciots, having lived in the town for a considerable time during his exile. Some representatives of Acarnania also arrived a few days afterwards bringing Damoteles and those with him ; for Fulvius, on learning of their unfortunate situation, had written to the people of Thyrrheium to send the men to him. All the above bodies having thus met, negotiations for peace proceeded energetically. Amynander, in pursuance of his purpose, approached the Ambraciots begging them to save themselves and not to run into the extremity of danger, which was not far off, unless they were better advised in their proceedings. After he had more than once ridden up to the wall and spoken to them, the Ambraciots decided to invite him to enter the city. Having received permission from the consul to do so, he went in and conversed with the Ambraciots about the situation. Meanwhile the envoys of Athens and Rhodes, approaching the Roman consul privately, attempted by various arguments to mitigate his anger. Some one also suggested to Damoteles and Phaeneas to address themselves to Gaius Valerius and cultivate relations with him. He was the son of Marcus Valerius Laevinus, who had been the first to make an alliance with the Aetolians, and was brother by the mother's side of Marcus Fulvius the present consul, besides which, as he was young and active, he especially enjoyed the consul's confidence. Upon Damoteles and his colleague soliciting his

τέλη καὶ νομίσας ἴδιον εἶναι τὸ πρᾶγμα καὶ
καθήκειν αὐτῷ τὸ προστατῆσαι τῶν Αἰτωλῶν,
πᾶσαν εἰσεφέρετο σπουδὴν καὶ φιλοτιμίαν, ἐξ-
ελέσθαι σπουδάζων τὸ ἔθνος ἐκ τῶν περιεστώτων
13 κακῶν. ἐνεργῶς δὲ πανταχόθεν προσαγομένης
14 τῆς φιλοτιμίας, ἔλαβε τὸ πρᾶγμα συντέλειαν. οἱ
μὲν γὰρ Ἀμβρακιῶται πεισθέντες ὑπὸ τοῦ βασι-
λέως ἐπέτρεψαν τὰ καθ᾽ αὑτοὺς τῷ στρατηγῷ
τῶν Ῥωμαίων καὶ παρέδωκαν τὴν πόλιν ἐφ᾽ ᾧ
15 τοὺς Αἰτωλοῦ ὑποσπόνδους ἀπελθεῖν· τοῦτο
γὰρ ὑφείλοντο πρῶτον, τηροῦντες τὴν πρὸς τοὺς
30 συμμάχους πίστιν. ὁ δὲ Μάρκος συγκατέθετο
(xxii. 13) τοῖς Αἰτωλοῖς ἐπὶ τούτῳ ποιήσασθαι τὰς δια-
2 λύσεις, ὥστε διακόσια μὲν Εὐβοϊκὰ τάλαντα
παραχρῆμα λαβεῖν, τριακόσια δ᾽ ἐν ἔτεσιν ἕξ·
3 πεντήκοντα καθ᾽ ἕκαστον ἔτος· ἀποκατασταθῆ-
ναι δὲ <καὶ τοὺς αἰχμαλώτους> καὶ τοὺς αὐτο-
μόλους Ῥωμαίοις ἅπαντας τοὺς παρ᾽ αὐτοῖς
4 ὄντας ἐν ἓξ μησὶ χωρὶς λύτρων· πόλιν δὲ μηδε-
μίαν ἔχειν ἐν τῇ συμπολιτείᾳ μηδὲ μετὰ ταῦτα
προσλαβέσθαι τούτων, ὅσαι μετὰ τὴν Λευκίου
Κορνηλίου διάβασιν ἑάλωσαν ὑπὸ Ῥωμαίων ἢ
5 φιλίαν ἐποιήσαντο πρὸς Ῥωμαίους· Κεφαλλη-
νίους δὲ πάντας ἐκσπόνδους εἶναι τούτων τῶν
συνθηκῶν.
6 Ταῦτα μὲν οὖν ὑπετυπώθη τότε κεφαλαιωδῶς
περὶ τῶν διαλύσεων· ἔδει δὲ τούτοις πρῶτον μὲν
εὐδοκῆσαι τοὺς Αἰτωλούς, μετὰ δὲ ταῦτα γίνε-
7 σθαι τὴν ἀναφορὰν ἐπὶ Ῥωμαίους. οἱ μὲν οὖν
Ἀθηναῖοι καὶ Ῥόδιοι παρέμενον αὐτοῦ, καρα-
δοκοῦντες τὴν τῶν Αἰτωλῶν ἀπόφασιν· οἱ δὲ
περὶ τὸν Δαμοτέλην ἐπανελθόντες διεσάφουν τοῖς

good offices, thinking that it was his own business and his duty to act as protector of the Aetolians, he exerted himself in every way, labouring to rescue that nation from the dangers that beset them. So that, as the matter was pushed forward energetically from all quarters, it was brought to a conclusion. For the Ambraciots, yielding to the advice of the king, placed themselves at the mercy of the Roman consul, and surrendered their city on condition that the Aetolians were allowed to depart under flag of truce. For this was the first condition they wrested from him, keeping their faith to their allies. 30. Fulvius next agreed with the Aetolians to make peace on the following conditions. They were to pay two hundred Euboic talents at once and three hundred more in six years in yearly instalments of fifty ; they were to restore to the Romans in six months without ransom the prisoners and deserters who were in their hands ; they were neither to retain in their League nor to receive into it in future any of the cities which after the crossing of Lucius Cornelius Scipio had been taken by the Romans or had entered into alliance with them ; the whole of Cephallenia was to be excluded from this treaty.

Such were the general conditions of peace then roughly sketched. They had first of all to be accepted by the Aetolians and then submitted to Rome. The Athenians and Rhodians remained on the spot awaiting the decision of the Aetolians, while Damoteles and Phaeneas returned home and explained

8 Αἰτωλοῖς περὶ τῶν συγκεχωρημένων. τοῖς μὲν
οὖν ὅλοις εὐδόκουν· καὶ γὰρ ἦν αὐτοῖς ἅπαντα
παρὰ τὴν προσδοκίαν· περὶ δὲ τῶν πόλεων τῶν
πρότερον συμπολιτευομένων αὐτοῖς διαπορήσαν-
τες ἐπὶ ποσὸν τέλος συγκατέθεντο τοῖς προτει-
9 νομένοις. ὁ δὲ Μάρκος παραλαβὼν τὴν Ἀμ-
βρακίαν τοὺς μὲν Αἰτωλοὺς ἀφῆκεν ὑποσπόνδους,
τὰ δ' ἀγάλματα καὶ τοὺς ἀνδριάντας καὶ τὰς
γραφὰς ἀπήγαγεν ἐκ τῆς πόλεως, ὄντα καὶ πλείω
διὰ τὸ γεγονέναι βασίλειον Πύρρου τὴν Ἀμ-
10 βρακίαν. ἐδόθη δ' αὐτῷ καὶ στέφανος ἀπὸ τα-
11 λάντων ἑκατὸν καὶ πεντήκοντα. ταῦτα δὲ διοικη-
σάμενος ἐποιεῖτο τὴν πορείαν εἰς τὴν μεσόγειον
τῆς Αἰτωλίας, θαυμάζων ἐπὶ τῷ μηδὲν αὐτῷ
12 παρὰ τῶν Αἰτωλῶν ἀπαντᾶσθαι. παραγενόμε-
νος δὲ πρὸς Ἄργος τὸ καλούμενον Ἀμφιλοχικὸν
κατεστρατοπέδευσεν, ὅπερ ἀπέχει τῆς Ἀμβρα-
13 κίας ἑκατὸν ὀγδοήκοντα σταδίους. ἐκεῖ δὲ συμ-
μιξάντων αὐτῷ τῶν περὶ τὸν Δαμοτέλην καὶ
διασαφούντων ὅτι δέδοκται τοῖς Αἰτωλοῖς βε-
βαιοῦν τὰς δι' ἑαυτῶν γεγενημένας ὁμολογίας,
διεχωρίσθησαν, Αἰτωλοὶ μὲν εἰς τὴν οἰκείαν,
14 Μάρκος δ' εἰς τὴν Ἀμβρακίαν. κἀκεῖσε παρα-
γενόμενος οὗτος μὲν ἐγίνετο περὶ τὸ περαιοῦν
15 τὴν δύναμιν εἰς τὴν Κεφαλληνίαν, οἱ δ' Αἰτωλοὶ
προχειρισάμενοι Φαινέαν καὶ Νίκανδρον πρεσβευ-
τὰς ἐξέπεμψαν εἰς τὴν Ῥώμην περὶ τῆς εἰρήνης·
16 ἁπλῶς γὰρ οὐδὲν ἦν κύριον τῶν προειρημένων,
εἰ μὴ καὶ τῷ δήμῳ δόξαι τῷ τῶν Ῥωμαίων.

31 Οὗτοι μὲν οὖν παραλαβόντες τούς τε Ῥοδίους
(xxii. 14) καὶ τοὺς Ἀθηναίους ἔπλεον ἐπὶ τὸ προκείμενον·
2 παραπλησίως δὲ καὶ Μάρκος ἐξαπέστειλε Γάιον

the conditions. On the whole the people were
satisfied with them, for they were all such as they
had not hoped to obtain. For a certain time they
hesitated about the cities belonging to their League ;
but finally agreed to the proposal. Fulvius, having
entered Ambracia, allowed the Aetolians to depart
under flag of truce ; but carried away all the
decorative objects, statues, and pictures, of which
there were a considerable number, as the town had
once been the royal seat of Pyrrhus. A crown[a] of
a hundred and fifty talents was also presented to
him. Having settled everything there, he marched
into the interior of Aetolia, being surprised at re-
ceiving no answer from the Aetolians. On arriving
at Amphilochian Argos, which is a hundred and
eighty stades distance from Ambracia, he encamped
there. Here he was met by Damoteles, who in-
formed him that the Aetolians had passed a decree
ratifying the conditions he had agreed to ; and they
then separated, the Aetolians returning home and
Fulvius proceeding to Ambracia. He there occupied
himself with preparations for taking his army across
to Cephallenia ; and the Aetolians appointed and
dispatched Phaeneas and Nicander as envoys to
Rome about the peace ; for nothing at all in it was
valid without the consent of the Roman People.

31. These envoys, then, taking with them those of
Athens and Rhodes, sailed on their mission ; and
Fulvius also sent Gaius Valerius Laevinus and some

[a] No doubt " crown " is used in the sense of a customary
gift.

τὸν Οὐαλέριον καί τινας ἑτέρους τῶν φίλων
3 πράξοντας τὰ περὶ τῆς εἰρήνης. ἀφικομένων δ᾽
εἰς τὴν Ῥώμην, πάλιν ἐκαινοποιήθη τὰ τῆς
ὀργῆς πρὸς Αἰτωλοὺς διὰ Φιλίππου τοῦ βασιλέως·
4 ἐκεῖνος γὰρ δοκῶν ἀδίκως ὑπὸ τῶν Αἰτωλῶν
ἀφῃρῆσθαι τὴν Ἀθαμανίαν καὶ τὴν Δολοπίαν
διεπέμψατο πρὸς τοὺς φίλους, ἀξιῶν αὐτοὺς
συνοργισθῆναι καὶ μὴ προσδέξασθαι τὰς διαλύσεις.
5 διὸ καὶ τῶν μὲν Αἰτωλῶν εἰσπορευθέντων παρ-
ήκουεν ἡ σύγκλητος, τῶν δὲ Ῥοδίων καὶ τῶν Ἀθη-
6 ναίων ἀξιούντων ἐνετράπη καὶ προσέσχε τον νοῦν.
καὶ γὰρ ἐδόκει ⟨μετὰ⟩ Δάμων ὁ Κιχησίου ⟨Λέ⟩ων
ἄλλα τε καλῶς εἰπεῖν καὶ παραδείγματι πρὸς τὸ
7 παρὸν οἰκείῳ χρήσασθαι κατὰ τὸν λόγον. ἔφη
γὰρ ὀργίζεσθαι μὲν εἰκότως τοῖς Αἰτωλοῖς·
πολλὰ γὰρ εὖ πεπονθότας τοὺς Αἰτωλοὺς ὑπὸ
Ῥωμαίων οὐ χάριν ἀποδεδωκέναι τούτων, ἀλλ᾽
εἰς μέγαν ἐνηνοχέναι κίνδυνον τὴν Ῥωμαίων
ἡγεμονίαν ἐκκαύσαντας τὸν πρὸς Ἀντίοχον πόλε-
8 μον. ἐν τούτῳ δὲ διαμαρτάνειν τὴν σύγκλητον,
9 ἐν ᾧ τὴν ὀργὴν φέρειν ἐπὶ τοὺς πολλούς. εἶναι
γὰρ τὸ συμβαῖνον ἐν ταῖς πολιτείαις περὶ τὰ
πλήθη παραπλήσιον τῷ γινομένῳ περὶ τὴν θάλατ-
10 ταν. καὶ γὰρ ἐκείνην κατὰ μὲν τὴν αὐτῆς φύσιν
ἀεί ποτ᾽ εἶναι γαληνὴν καὶ καθεστηκυῖαν καὶ
συλλήβδην τοιαύτην ὥστε μηδέποτ᾽ ἂν ἐνοχλῆσαι
μηδένα τῶν προσπελαζόντων αὐτῇ καὶ χρωμένων·
11 ἐπειδὰν δ᾽ ἐμπεσόντες εἰς αὐτὴν ἄνεμοι βίαιοι
ταράξωσι καὶ παρὰ φύσιν ἀναγκάσωσι κινεῖ-
σθαι, τότε μηθὲν ἔτι δεινότερον εἶναι μηδὲ φο-
βερώτερον θαλάττης· ὃ καὶ νῦν τοῖς κατὰ τὴν
12 Αἰτωλίαν συμπεσεῖν. "ἕως μὲν γὰρ ἦσαν ἀκέ-

others to further the peace. But when they reached
Rome the anger of the People against Aetolia had
been revived by King Philip, who, thinking that the
Aetolians had unjustly deprived him of Athamania
and Dolopia, sent messages to his friends at Rome
begging them to participate in his indignation and
refuse to accept the peace. In consequence when
the Aetolians were admitted, the senate paid little
heed to them ; but when the Rhodians and Athenians
spoke on their behalf, they grew more respectful
and listened to them with attention. And indeed
Leon, son of Kichesias, who followed Damon, was
judged to have spoken well on the whole and to have
employed in his speech a similitude apt to the present
case. He said that they were justified in being
angry with the Aetolians ; for that people after
receiving many benefits from the Romans had not
shown any gratitude for them but had much en-
dangered the Roman supremacy by stirring up the
war against Antiochus. In one respect, however,
the senate was wrong and that was in being wroth
with the populace. For what happened in states
to the people was very much the same as what
befalls the sea. The sea by its proper nature was
always calm and at rest, and in general of such a
character that it would never give trouble to any of
those who approach it and make use of it ; but when
violent winds fall upon it and stir it up, compelling
it to move contrary to its own nature, nothing was
more terrible and appalling than the sea. " And this,"
he said, " is just what has happened to the Aetolians.
As long as no one tampered with them, they were of

ραιοι, πάντων τῶν Ἑλλήνων ὑπῆρχον ὑμῖν εὐ-
νούστατοι καὶ βεβαιότατοι συνεργοὶ πρὸς τὰς
13 πράξεις· ἐπεὶ δ' ἀπὸ μὲν τῆς Ἀσίας πνεύσαντες
Θόας καὶ Δικαίαρχος, ἀπὸ δὲ τῆς Εὐρώπης
Μενεστᾶς καὶ Δαμόκριτος συνετάραξαν τοὺς ὄχλους
καὶ παρὰ φύσιν ἠνάγκασαν πᾶν καὶ λέγειν καὶ
14 πράττειν, τότε δὴ κακῶς φρονοῦντες ἐβουλήθησαν
15 μὲν ὑμῖν, ἐγένοντο δ' αὐτοῖς αἴτιοι κακῶν. ⟨ἀνθ'
ὧν ὑμᾶς⟩ δεῖ πρὸς ἐκείνους ἔχειν ἀπαραιτήτως,
ἐλεεῖν δὲ τοὺς πολλοὺς καὶ διαλύεσθαι πρὸς
αὐτούς, εἰδότας ὅτι γενόμενοι πάλιν ἀκέραιοι, καὶ
πρὸς τοῖς ἄλλοις ἔτι νῦν ὑφ' ὑμων σωθέντες, εὐ-
16 νούστατοι πάλιν ἔσονται πάντων Ἑλλήνων." ὁ
μὲν οὖν Ἀθηναῖος ταῦτ' εἰπὼν ἔπεισε τὴν σύγ-
κλητον διαλύεσθαι πρὸς τοὺς Αἰτωλούς.

32
(xxii. 15) Δόξαντος δὲ τῷ συνεδρίῳ, καὶ τοῦ δήμου συν-
επιψηφίσαντος, ἐκυρώθη τὰ κατὰ τὰς διαλύσεις.
2 τὰ δὲ κατὰ μέρος ἦν τῶν συνθηκῶν ταῦτα. "ὁ
δῆμος ὁ τῶν Αἰτωλῶν τὴν ἀρχὴν καὶ τὴν δυνα-
3 στείαν τοῦ δήμου τῶν Ῥωμαίων . . . . ⟨πο-
λεμίους⟩ μὴ διέτω διὰ τῆς χώρας καὶ τῶν πό-
λεων ἐπὶ Ῥωμαίους ἢ τοὺς συμμάχους καὶ φίλους
αὐτῶν, μηδὲ χορηγείτω μηδὲν δημοσίᾳ βουλῇ.
4 . . . καὶ ἐὰν πολεμῶσιν πρός τινας Ῥωμαῖοι,
πολεμείτω πρὸς αὐτοὺς ὁ δῆμος ὁ τῶν Αἰτωλῶν.
5 τοὺς δὲ ⟨αὐτομόλους, τοὺς⟩ δραπέτας, τοὺς αἰχ-
μαλώτους πάντας τοὺς Ῥωμαίων καὶ τῶν συμ-
6 μάχων ἀποδότωσαν Αἰτωλοί, χωρὶς τῶν ὅσοι
κατὰ πόλεμον ἁλόντες εἰς τὴν ἰδίαν ἀπῆλθον καὶ
πάλιν ἑάλωσαν, καὶ χωρὶς τῶν ὅσοι πολέμιοι
Ῥωμαίων ἐγένοντο, καθ' ὃν καιρὸν Αἰτωλοὶ
μετὰ Ῥωμαίων συνεπολέμουν, ⟨ἐν⟩ ἡμέραις ἑκα-

all the Greeks your most warm and trustworthy supporters. But when Thoas and Dicaearchus, blowing from Asia, and Menestas and Damocritus from Europe stirred up the people and compelled them, contrary to their nature, to become reckless in word and deed, then of a truth in their folly the Aetolians desired to do you evil but brought evil on their own heads. Therefore, while being implacable to the men who instigated them, you should take pity on the people, and make peace with them, well knowing, that when again they have none to tamper with them and once more owe their preservation to you, they will again be the best disposed to you of all the Greeks." By this speech the Athenian envoy persuaded the Senate to make peace with the Aetolians.

32. When the Senate had passed a consultum, and the people also had voted it, the peace was ratified. The particular conditions were as follows : " The people of Aetolia shall preserve without fraud the empire and majesty of the Roman people : they shall not permit any armed forces proceeding against the Romans, or their allies and friends, to pass through their territory or support such forces in any way by public consent : they shall have the same enemies as the Roman people, and on whomsoever the Romans make war the people of Aetolia shall make war likewise : the Aetolians shall surrender all deserters, fugitives, and prisoners belonging to the Romans and their allies, always excepting such as after being made prisoners of war returned to their own country and were afterwards recaptured, and such as were enemies of the Romans during the time when the Aetolians were fighting in alliance with Rome ; all

311

τὸν ἀφ' ἧς ἂν τὰ ὅρκια τελεσθῇ, τῷ ἄρχοντι τῷ
7 ἐν Κερκύρᾳ· ἐὰν δὲ μὴ εὑρεθῶσίν τινες ἐν τῷ
χρόνῳ τούτῳ, ὅταν ἐμφανεῖς γένωνται, τότε
ἀποδότωσαν χωρὶς δόλου· καὶ τούτοις μετὰ ⟨τὰ⟩
8 ὅρκια μὴ ἔστω ἐπάνοδος εἰς τὴν Αἰτωλίαν. δό-
τωσαν δὲ Αἰτωλοὶ ἀργυρίου μὴ χείρονος Ἀττικοῦ
παραχρῆμα μὲν τάλαντα Εὐβοϊκὰ διακόσια τῷ
στρατηγῷ τῷ ἐν τῇ Ἑλλάδι, ἀντὶ τρίτου μέρους
τοῦ ἀργυρίου χρυσίον, ἐὰν βούλωνται, διδόντες,
τῶν δέκα μνῶν ἀργυρίου χρυσίου μνᾶν διδόντες,
9 ἀφ' ἧς ⟨δ'⟩ ἂν ἡμέρας τὰ ὅρκια τμηθῇ ἐν ἔτεσι
τοῖς πρώτοις ἓξ κατὰ ἔτος ἕκαστον τάλαντα
πεντήκοντα· καὶ τὰ χρήματα καθιστάτωσαν ἐν
10 Ῥώμῃ. δότωσαν Αἰτωλοὶ ὁμήρους τῷ στρα-
τηγῷ τετταράκοντα, μὴ νεωτέρους ἐτῶν δώδεκα
μηδὲ πρεσβυτέρους τετταράκοντα, εἰς ἔτη ἕξ,
οὓς ἂν Ῥωμαῖοι προκρίνωσιν, χωρὶς στρατηγοῦ
καὶ ἱππάρχου καὶ δημοσίου γραμματέως καὶ
τῶν ὠμηρευκότων ἐν Ῥώμῃ. καὶ τὰ ὅμηρα
11 καθιστάτωσαν εἰς Ῥώμην· ἐὰν δέ τις ἀποθάνῃ
12 τῶν ὁμήρων, ἄλλον ἀντικαθιστάτωσαν. περὶ δὲ
13 Κεφαλληνίας μὴ ἔστω ἐν ταῖς συνθήκαις. ὅσαι
χῶραι καὶ πόλεις καὶ ἄνδρες, οἷς οὗτοι ἐχρῶντο,
ἐπὶ Λευκίου Κοϊντίου καὶ Γναΐου Δομετίου στρα-
τηγῶν ἢ ὕστερον ἑάλωσαν ἢ εἰς φιλίαν ἦλθον
Ῥωμαίοις, τούτων τῶν πόλεων καὶ τῶν ἐν ταύταις
14 μηδένα προσλαβέτωσαν Αἰτωλοί. ἡ δὲ πόλις
καὶ ἡ χώρα ἡ τῶν Οἰνιαδῶν Ἀκαρνάνων ἔστω.''
15 τμηθέντων δὲ τῶν ὁρκίων ἐπὶ τούτοις συνετετέ-
λεστο τὰ τῆς εἰρήνης. καὶ τὰ μὲν κατὰ τοὺς
Αἰτωλοὺς καὶ καθόλου τοὺς Ἕλληνας τοιαύτην
ἔσχε τὴν ἐπιγραφήν.

the above to be surrendered, within a hundred days
of the peace being sworn, to the chief magistrate of
Corcyra ; but if some are not to be found up to that
date, whenever they are discovered they shall be
surrendered without fraud, and such shall not be
permitted to return to Aetolia after peace has been
sworn : the Aetolians shall pay in silver specie, not
inferior to Attic money, two hundred Euboic talents
at once to the consul then in Greece, paying a third
part of the sum if they wish, in gold at the rate of
one gold mina for ten silver minae ; and for the
first six years after the final conclusion of the treaty
fifty talents per annum, this sum to be delivered in
Rome : the Aetolians shall give the consul forty
hostages each of more than twelve and less than
forty years of age at the choice of the Romans
and to serve as such for six years, none of them
being either a strategus, a hipparch, or a public
secretary or one who has previously served as
hostage ; these hostages also to be delivered in
Rome, and any one of them who dies to be replaced :
Cephallenia is not to be included in the treaty :
of the cities, villages, and men formerly belonging
to Aetolia but captured by the Romans during or
subsequent to the consulship of Lucius Quintius ^{192 B.C.}
Flamininus and Gnaeus Domitius Ahenobarbus none
are to be annexed by the Aetolians : and the city
and territory of Oeniadae shall belong to Acarnania."
After the oaths had been taken, peace was
established on these conditions and such was the
seal finally set on the affairs of Aetolia and Greece in
general.

32[b] Ὁ δὲ Φολόυιος πραξικοπήσας νυκτὸς κατέ-
(40) λαβε τὸ μέρος τῆς ἀκροπόλεως καὶ τοὺς Ῥωμαίους
(xxii. 23) εἰσήγαγε.

32[c] Ὅτι τὸ καλὸν καὶ τὸ συμφέρον σπανίως εἴωθε
(41) συντρέχειν, καὶ σπάνιοι τῶν ἀνδρῶν εἰσιν οἱ
(xxi. 16) δυνάμενοι ταῦτα συνάγειν καὶ συναρμόζειν πρὸς
2 ἄλληλα. κατὰ μὲν γὰρ τὸ πολὺ πάντες ἴσμεν
διότι τό τε καλὸν φεύγει τὴν τοῦ παραυτίκα λυσι-
τελοῦς φύσιν καὶ τὸ λυσιτελὲς τὴν τοῦ καλοῦ.
3 πλὴν ὁ Φιλοποίμην προέθετο ταῦτα καὶ καθίκετο
τῆς ἐπιβολῆς· καλὸν μὲν γὰρ τὸ κατάγειν τοὺς
αἰχμαλώτους φυγάδας εἰς τὴν Σπάρτην, συμφέρον
δὲ τὸ ταπεινῶσαι τὴν τῶν Λακεδαιμονίων πόλιν,
< καταφονεύσαντ >α τοὺς δεδορυφορηκότας τῇ τῶν
4 τυ< ράν >ν< ω >ν < δυναστείᾳ >. θεωρῶν δ' ὅτι πάσης
βασιλείας ἐπανορθ<ώσεως αἴτια> τὰ χρήματα
<γέγονεν, ἅ>τε φύσει νουνεχὴς ὢν καὶ στρατηγι-
κός, περιεβα . . . . | γέ-
νοιτο κομιδῇ τῶν ἔξω <πορι>ζομένων χρημάτων.

VI. RES ASIAE

33 Ὅτι καθ' ὃν καιρὸν ἐν τῇ Ῥώμῃ τὰ περὶ τὰς
(xxii. 16) συνθήκας τὰς πρὸς Ἀντίοχον καὶ καθόλου περὶ
τῆς Ἀσίας αἱ πρεσβεῖαι διεπράττοντο, κατὰ δὲ
τὴν Ἑλλάδα τὸ τῶν Αἰτωλῶν ἔθνος ἐπολεμεῖτο,
κατὰ τοῦτον συνέβη τὸν περὶ τὴν Ἀσίαν πρὸς
τοὺς Γαλάτας πόλεμον ἐπιτελεσθῆναι, περὶ οὗ
νῦν ἐνιστάμεθα τὴν διήγησιν.

BOOK XXI. 32^b. 1 – 33. 1

Capture of Same in Cephallenia by Fulvius

(Suid.; Livy xxxviii. 29. 10.)

32^b. Fulvius by a secret understanding occupied 192 B.C. part of the acropolis by night and introduced the Romans.

Wisdom of Philopoemen

(Livy xxxviii. 30.)

32^c. What is good very seldom coincides with what is advantageous, and few are those who can combine the two and adapt them to each other. Indeed we all know that for the most part the nature of immediate profit is repugnant to goodness and *vice versa*. But Philopoemen made this his purpose and attained his object. For it was a good act to restore to their country the Spartan exiles who were prisoners, and it was an advantageous one to humble the city of Sparta by destroying the satellites of the tyrants. And being by nature a man of sound sense and a real leader, he saw that money is at the root of the re-establishment of all kingly power, and did his best to prevent the receipt of the sums advanced.

VI. Affairs of Asia

Manlius and the Gallic War

(Cp. Livy xxxviii. 12. 1.)

66. At the same time that the embassies were negotiating at Rome concerning the peace with Antiochus and the fate of Asia Minor in general, and while the war against the Aetolian League still continued in Greece, the war against the Gauls in Asia, which I am now about to describe, was begun and ended.

2 Ὁ δὲ κατευδοκήσας τῷ νεανίσκῳ κατὰ τὴν ἀπάντησιν, τοῦτον ἀπέλυσε παραχρῆμ' εἰς τὸ Πέργαμον.

34 Ὅτι Μοαγέτης ἦν τύραννος Κιβύρας, ὠμὸς
(xxii. 17) γεγονὼς καὶ δόλιος, καὶ οὐκ ἄξιός ἐστιν ἐκ
2 παραδρομῆς, ἀλλὰ μετ' ἐπιστάσεως τυχεῖν τῆς ἁρμοζούσης μνήμης.

3 Πλὴν συνεγγίζοντος Γναΐου ὑπάτου Ῥωμαίων τῇ Κιβύρᾳ, καὶ τοῦ Ἑλουΐου πεμφθέντος εἰς ἀπόπειραν ἐπὶ τίνος ἐστὶ γνώμης, πρεσβευτὰς ἐξέπεμψε, παρακαλῶν μὴ φθεῖραι τὴν χώραν, ὅτι φίλος ὑπάρχει Ῥωμαίων καὶ πᾶν ποιήσει
4 τὸ παραγγελλόμενον. καὶ ταῦτα λέγων ἅμα πρού-
5 τεινε στέφανον ἀπὸ πεντεκαίδεκα ταλάντων. ὧν ἀκούσας αὐτὸς μὲν ἀφέξεσθαι τῆς χώρας ἔφη, πρὸς δὲ τὸν στρατηγὸν ἐκέλευσε πρεσβεύειν ὑπὲρ τῶν ὅλων· ἔπεσθαι γὰρ αὐτὸν μετὰ τῆς
6 στρατείας κατὰ πόδας. γενομένου δὲ τούτου, καὶ πέμψαντος τοῦ Μοαγέτου μετὰ τῶν πρε-σβευτῶν καὶ τὸν ἀδελφόν, ἀπαντήσας κατὰ πο-ρείαν ὁ Γνάιος ἀνατατικῶς καὶ πικρῶς ὡμίλησε
7 τοῖς πρεσβευταῖς, φάσκων οὐ μόνον ἀλλοτριώ-τατον γεγονέναι Ῥωμαίων τὸν Μοαγέτην πάν-των τῶν κατὰ τὴν Ἀσίαν δυναστῶν, ἀλλὰ καὶ κατὰ τὴν ῥώμην ὅλην . . εἰς καθαίρεσιν τῆς ἀρχῆς
8 καὶ ἐπιστροφῆς εἶναι καὶ κολάσεως. οἱ δὲ πρε-σβευταὶ καταπλαγέντες τὴν ἐπίφασιν τῆς ὀργῆς τῶν μὲν ἄλλων ἐντολῶν ἀπέστησαν, ἠξίουν δ'
9 αὐτὸν εἰς λόγους ἐλθεῖν. συγχωρήσαντος δὲ τότε
10 μὲν ἐπανῆλθον εἰς τὴν Κιβύραν, εἰς δὲ τὴν ἐπαύ-

(Suid. ; cp. Livy xxxviii. 12. 7.)

Manlius was favourably impressed by the young man, Attalus, at this interview and at once allowed him to proceed to Pergamus.

(Cp. Livy xxxviii. 14. 3.)

34. Moagetes was tyrant of Cibyra. He was a cruel and treacherous man and worthy of more than a passing notice.

(Cp. Livy xxxviii. 14. 4.)

When Gnaeus Manlius Vulso, the Roman consul, approached Cibyra and sent Helvius to find out what the mind of Moagetes was, the latter sent envoys begging Helvius not to lay the country waste as he was the friend of the Romans and ready to do anything they told him. He at the same time offered a gold crown of fifteen talents. Helvius, after listening to those envoys, promised to spare the country himself, but referred them to the consul for a general settlement. Manlius, he said, was close behind him with his army. Upon this being done, Moagetes having sent his brother in addition to the other envoys, Manlius met them on his march and spoke to them in a threatening and severe manner, saying that not only had Moagetes proved more hostile to the Romans than any other Asiatic prince, but had done all in his power to subvert their rule, and therefore deserved animadversion and chastisement rather than friendship. The envoys, alarmed by the vehemence of his anger, neglected their other instructions and begged him to grant an interview to Moagetes himself. On his agreeing to this request they returned to Cibyra ;

ριον ἐξῆλθεν μετὰ τῶν φίλων ὁ τύραννος κατά
τε τὴν ἐσθῆτα καὶ τὴν ἄλλην προστασίαν λιτὸς
καὶ ταπεινός, ἔν τε τοῖς ἀπολογισμοῖς κατολο-
φυρόμενος τὴν ἀδυναμίαν τὴν αὑτοῦ καὶ τὴν
ἀσθένειαν ὧν ἐπῆρχε πόλεων, καὶ ἠξίου προσ-
δέξασθαι τὰ πεντεκαίδεκα τάλαντα τὸν Γναῖον·
11 ἐκράτει δὲ τῆς Κιβύρας καὶ Συλείου καὶ τῆς ἐν
12 Λίμνῃ πόλεως. ὁ δὲ Γναῖος καταπλαγεὶς τὴν
ἀπόνοιαν ἄλλο μὲν οὐδὲν εἶπε πρὸς αὐτόν, ἐὰν
δὲ μὴ διδῷ πεντακόσια τάλαντα μετὰ μεγάλης
χάριτος, οὐ τὴν χώραν ἔφη φθερεῖν, ἀλλὰ τὴν
13 πόλιν αὐτὴν πολιορκήσειν καὶ διαρπάσειν. ὅθεν
ὁ Μοαγέτης κατορρωδήσας τὸ μέλλον ἐδεῖτο
μηδὲν ποιῆσαι τοιοῦτον, καὶ προσετίθει κατὰ
βραχὺ τῶν χρημάτων, καὶ τέλος ἔπεισε τὸν Γναῖον
ἑκατὸν τάλαντα καὶ μυρίους μεδίμνους λαβόντα
πυρῶν προσδέξασθαι πρὸς τὴν φιλίαν αὐτόν.

35 Ὅτι κατὰ τὸν καιρὸν ἡνίκα Γναῖος διῄει τὸν
(xxii. 18) Κολοβάτον προσαγορευόμενον ποταμόν, ἦλθον πρὸς
αὐτὸν πρέσβεις ἐκ τῆς Ἰσίνδης προσαγορευο-
2 μένης πόλεως, δεόμενοι σφίσι βοηθῆσαι· τοὺς
γὰρ Τερμησσεῖς, ἐπισπασαμένους Φιλόμηλον, τήν
τε χώραν ἔφασαν αὐτῶν ἀνάστατον πεποιηκέναι
καὶ τὴν πόλιν διηρπακέναι, νῦν τε πολιορκεῖν
τὴν ἄκραν, συμπεφευγότων εἰς αὐτὴν πάντων
3 τῶν πολιτῶν ὁμοῦ γυναιξὶ καὶ τέκνοις. ὧν δι-
ακούσας ὁ Γναῖος ἐκείνοις μὲν ὑπέσχετο βοηθήσειν
μετὰ μεγάλης χάριτος, αὐτὸς δὲ νομίσας ἑρμαῖον
εἶναι τὸ προσπεπτωκὸς ἐποιεῖτο τὴν πορείαν ὡς
ἐπὶ τῆς Παμφυλίας.

4 Ὁ δὲ Γναῖος συνεγγίσας τῇ Τερμησσῷ, πρὸς
μὲν τούτους συνέθετο φιλίαν, λαβὼν πεντήκοντα

and next day the tyrant and his friends came out to meet him dressed and escorted in the simplest and most unassuming manner, and in a submissive speech, bewailing his own powerlessness and the weakness of the towns subject to him, begged Manlius to accept the fifteen talents—the places he ruled over being, besides Cibyra, Syleium and that called the town in the Lake. Manlius, amazed at his impudence, said not another word, but merely that if he did not pay five hundred talents and thank his stars, he would not only lay waste his territory, but besiege and sack the city itself. So that Moagetes, in dread of the fate that threatened him, implored him to do nothing of the kind ; and, raising his offer little by little, persuaded Manlius to accept a hundred talents and ten thousand medimni of wheat and to receive him into his alliance.

(Cp. Livy xxxviii. 15. 3.)

35. While Manlius was crossing the river Colobatus, envoys reached him from the city of Isinda begging him to help them ; for the Termessians, summoning Philomelus to their assistance, had devastated their territory and pillaged their city and were now besieging the citadel in which all the citizens with their wives and children had sought refuge. Manlius, after listening to their request, said he would be very pleased to come to their help ; and, looking upon this chance as a godsend, began to march towards Pamphylia.

On approaching Termessus he received that people into his alliance on receipt of fifty talents, and like-

τάλαντα, παραπλησίως δὲ καὶ πρὸς 'Ασπενδίους.
5 ἀποδεξάμενος δὲ καὶ τοὺς παρὰ τῶν ἄλλων πό-
λεων πρεσβευτὰς κατὰ τὴν Παμφυλίαν καὶ τὴν
προειρημένην δόξαν ἐνεργασάμενος ἑκάστοις κατὰ
τὰς ἐντεύξεις, ἅμα δὲ καὶ τοὺς 'Ισινδεῖς ἐξελό-
μενος ἐκ τῆς πολιορκίας, αὖθις ἐποιεῖτο τὴν
πορείαν ὡς ἐπὶ τοὺς Γαλάτας.

36 "Οτι Κύρμασα πόλιν λαβὼν ὁ Γνάιος καὶ λείαν
(xxii. 19) 2 ἄφθονον ἀνέζευξεν. προαγόντων δ' αὐτῶν παρὰ
τὴν λίμνην, παρεγένοντο πρέσβεις ἐκ Λυσινόης
3 διδόντες αὐτοὺς εἰς τὴν πίστιν. οὓς προσδεξά-
μενος ἐνέβαλεν εἰς τὴν τῶν Σαγαλασσέων γῆν
καὶ πολὺ πλῆθος ἐξελασάμενος λείας ἀπεκαρα-
δόκει τοὺς ἐκ τῆς πόλεως ἐπὶ τίνος ἔσονται γνώ-
4 μης. παραγενομένων δὲ πρεσβευτῶν ὡς αὐτόν,
ἀποδεξάμενος τοὺς ἄνδρας καὶ λαβὼν πεντή-
κοντα ταλάντων στέφανον καὶ δισμυρίους κριθῶν
μεδίμνους καὶ δισμυρίους πυρῶν, προσεδέξατο
τούτους εἰς τὴν φιλίαν.

37 "Οτι Γνάιος ὁ στρατηγὸς τῶν 'Ρωμαίων πρέ-
(xxii. 20) σβεις ἐξαπέστειλε πρὸς τὸν 'Εποσόγνατον τὸν
Γαλάτην, ὅπως πρεσβεύσῃ πρὸς τοὺς τῶν Γαλα-
2 τῶν βασιλεῖς. καὶ [ὁ] 'Εποσόγνατος ἔπεμψε
πρὸς Γνάιον πρέσβεις καὶ παρεκάλει [τὸν Γνάιον]
τὸν τῶν 'Ρωμαίων στρατηγὸν μὴ προεξαναστῆναι
μηδ' ἐπιβαλεῖν χεῖρας τοῖς Τολιστοβογίοις Γαλά-
3 ταις, καὶ διότι πρεσβεύσει πρὸς τοὺς βασιλεῖς
αὐτῶν 'Εποσόγνατος καὶ ποιήσεται λόγους ὑπὲρ
τῆς φιλίας, καὶ πεπεῖσθαι πρὸς πᾶν αὐτοὺς παρα-
στήσεσθαι τὸ καλῶς ἔχον.
4 Γνάιος ὁ ὕπατος 'Ρωμαίων διερχόμενος ἐγε-
φύρωσε τὸν Σαγγάριον ποταμόν, τελέως κοῖλον

wise the people of Aspendus. After receiving the
envoys of the other Pamphylian cities, and producing
on all of them on the occasion of their audiences an
impression similar to that I have described, he first
raised the siege of Isinda and then again began to
march against the Gauls.

(Cp. Livy xxxviii. 15. 7.)

36. Manlius, after capturing the city of Cyrmasa
and a quantity of booty, continued his march.
While they were advancing along the shore of the
lake there came envoys from Lysinoë to announce
its submission ; and after receiving them he entered
the territory of Sagalassus and, having carried off
a large amount of booty, waited to see what the
mind of those in the city would be. Upon their
envoys reaching him he received them, and after
accepting a crown of fifty talents, twenty thousand
medimni of barley, and twenty thousand of wheat,
admitted that city into his alliance.

(Cp. Livy xxxviii. 18. 1–3.)

37. Manlius, the Roman consul, sent legates to
the Gaul Eposognatus asking him on his part to
send envoys to the Galatian princes. Eposognatus
thereupon sent envoys to Manlius begging him not
to take the initiative in attacking the Galatian
Tollstobogii, as he would communicate with their
princes suggesting alliance with Rome, and was
convinced that they would accept any reasonable
terms.

(Suid.; cp. Livy xxxviii. 18. 7.)

Manlius, the Roman consul, on his passage through
Asia, bridged the river Sangarius which here runs

5 ὄντα καὶ δύσβατον. καὶ παρ' αὐτὸν τὸν ποταμὸν
στρατοπεδευσαμένου παραγίνονται Γάλλοι παρ'
Ἀττιδος καὶ Βαττάκου τῶν ἐκ Πεσσινοῦντος
6 ἱερέων τῆς Μητρὸς τῶν θεῶν, ἔχοντες προστηθίδια
καὶ τύπους, φάσκοντες προσαγγέλλειν τὴν θεὸν
7 νίκην καὶ κράτος. οὓς ὁ Γνάιος φιλανθρώπως
ὑπεδέξατο.

8   Ὄντος δὲ τοῦ Γναΐου πρὸς τὸ πολισμάτιον τὸ
καλούμενον Γορδίειον, ἧκον παρ' Ἐποσογνάτου
πρέσβεις ἀποδηλοῦντες ὅτι πορευθεὶς διαλεχθείη
9 τοῖς τῶν Γαλατῶν βασιλεῦσιν, οἱ δ' ἁπλῶς εἰς
οὐδὲν συγκαταβαίνοιεν φιλάνθρωπον, ἀλλ' ἠθροι-
κότες ὁμοῦ τέκνα καὶ γυναῖκας καὶ τὴν ἄλλην
κτῆσιν ἅπασαν εἰς τὸ καλούμενον ὄρος Ὄλυμπον
ἕτοιμοι πρὸς μάχην εἰσίν.

38   Χιομάραν δὲ συνέβη τὴν Ὀρτιάγοντος αἰχμά-
(xxii. 21) λωτον γενέσθαι μετὰ τῶν ἄλλων γυναικῶν, ὅτε
Ῥωμαῖοι καὶ Γνάιος ἐνίκησαν μάχῃ τοὺς ἐν
2 Ἀσίᾳ Γαλάτας. ὁ δὲ λαβὼν αὐτὴν ταξίαρχος
ἐχρήσατο τῇ τύχῃ στρατιωτικῶς καὶ κατῄσχυνεν.
3 ἦν δ' ἄρα καὶ πρὸς ἡδονὴν καὶ ἀργύριον ἀμαθὴς
καὶ ἀκρατὴς ἄνθρωπος, ἡττήθη δ' ὅμως ὑπὸ τῆς
φιλαργυρίας, καὶ χρυσίου συχνοῦ διομολογηθέντος
ὑπὲρ τῆς γυναικὸς ἧγεν αὐτὴν ἀπολυτρώσων,
4 ποταμοῦ τινος ἐν μέσῳ διείργοντος. ὡς δὲ δια-
βάντες οἱ Γαλάται τὸ χρυσίον ἔδωκαν αὐτῷ καὶ
παρελάμβανον τὴν Χιομάραν, ἡ μὲν ἀπὸ νεύματος
προσέταξεν ἑνὶ παῖσαι τὸν Ῥωμαῖον ἀσπαζόμενον
5 αὐτὴν καὶ φιλοφρονούμενον, ἐκείνου δὲ πεισθέντος

between deep banks and is very difficult to cross.
As he was encamped close to the river, two Galli,[a]
with pectorals and images, came on behalf of Attis
and Battacus, the priests of the Mother of the Gods
at Pessinus, announcing that the goddess foretold
his victory. Manlius gave them a courteous recep-
tion.

(Cp. Livy xxxviii. 18. 10.)

While Manlius was near the small town of Gordium
envoys from Eposognatus reached him informing
him that he had gone in person to speak with the
Galatian princes, but that they simply refused to
make any advances : they had collected on Mount
Olympus their women and children and all their
possessions, and were prepared to give battle.

(From Plutarch, *The Virtuous Deeds of Women*, xxii. ; cp.
Livy xxxviii. 24. 2.)

38. Chiomara, the wife of Ortiagon, was captured
with the other women when the Asiatic Gauls were
defeated by the Romans under Manlius. The cen-
turion into whose hands she fell took advantage of
his capture with a soldier's brutality and did vio-
lence to her. The man was indeed an ill-bred lout,
the slave both of gain and of lust, but his love of
gain prevailed ; and as a considerable sum had been
promised him for the woman's ransom, he brought
her to a certain place to deliver her up, a river
running between him and the messengers. When
the Gauls crossed and after handing him the money
were taking possession of Chiomara, she signed to
one of them to strike the man as he was taking
an affectionate leave of her. The man obeyed and

[a] See Chapter 6 above.

καὶ τὴν κεφαλὴν ἀποκόψαντος, ἀραμένη καὶ
6 περιστείλασα τοῖς κόλποις ἀπήλαυνεν. ὡς δ'
ἦλθε πρὸς τὸν ἄνδρα καὶ τὴν κεφαλὴν αὐτῷ πρού-
βαλεν, ἐκείνου θαυμάσαντος καὶ εἰπόντος "ὦ
γύναι, καλὸν ἡ πίστις." "ναί," εἶπεν "ἀλλὰ
κάλλιον ἕνα μόνον ζῆν ἐμοὶ συγγεγενημένον."
7 ταύτῃ μὲν ὁ Πολύβιός φησι διὰ λόγων ἐν Σάρδεσι
γενόμενος θαυμάσαι τό τε φρόνημα καὶ τὴν
σύνεσιν.

39 Ὅτι τῶν Ῥωμαίων μετὰ τὴν τῶν Γαλατῶν
(xxii. 22) νίκην αὐτῶν πραχθεῖσαν στρατοπεδευόντων περὶ
τὴν Ἄγκυραν πόλιν, καὶ τοῦ Γναίου τοῦ στρατη-
2 γοῦ προάγειν εἰς τοὔμπροσθεν μέλλοντος, παρα-
γίνονται πρέσβεις παρὰ τῶν Τεκτοσάγων, ἀξιοῦν-
τες τὸν Γναῖον τὰς μὲν δυνάμεις ἐᾶσαι κατὰ χώραν,
αὐτὸν δὲ κατὰ τὴν ἐπιοῦσαν ἡμέραν προελθεῖν εἰς
τὸν μεταξὺ τόπον τῶν στρατοπέδων· ἥξειν δὲ
καὶ τοὺς παρ' αὐτῶν βασιλεῖς κοινολογησομένους
3 ὑπὲρ τῶν διαλύσεων. τοῦ δὲ Γναίου συγκατα-
θεμένου καὶ παραγενηθέντος κατὰ τὸ συνταχθὲν
μετὰ πεντακοσίων ἱππέων, τότε μὲν οὐκ ἦλθον
4 οἱ βασιλεῖς· ἀνακεχωρηκότος δ' αὐτοῦ πρὸς τὴν
ἰδίαν παρεμβολήν, αὖθις ἧκον οἱ πρέσβεις ὑπὲρ
μὲν τῶν βασιλέων σκήψεις τινὰς λέγοντες, ἀξιοῦν-
τες δὲ πάλιν ἐλθεῖν αὐτόν, ἐπειδὴ τοὺς πρώτους
ἄνδρας ἐκπέμψουσιν κοινολογησομένους ὑπὲρ τῶν
5 ὅλων. ὁ δὲ Γναῖος κατανεύσας ἥξειν αὐτὸς μὲν
ἔμεινεν ἐπὶ τῆς ἰδίας στρατοπεδείας, Ἄτταλον δὲ
καὶ τῶν χιλιάρχων τινὰς ἐξαπέστειλεν μετὰ τρια-
6 κοσίων ἱππέων. οἱ δὲ τῶν Γαλατῶν ⟨πρέσβεις⟩
ἦλθον μὲν κατὰ τὸ συνταχθὲν καὶ λόγους ἐποιή-
σαντο περὶ τῶν πραγμάτων, τέλος δ' ἐπιθεῖναι

cut off his head, which she took up and wrapped in the folds of her dress, and then drove off. When she came into the presence of her husband and threw the head at his feet, he was astonished and said, " Ah! my wife, it is good to keep faith." " Yes," she replied, " but it is better still that only one man who has lain with me should remain alive." Polybius tells us that he met and conversed with the lady at Sardis and admired her high spirit and intelligence.

(Cp. Livy xxxviii. 25.)

39. While the Romans after their victory over the Gauls were encamped near Ancyra and Manlius the consul was about to advance, there came envoys from the Tectosages begging him to leave his army where it was and to come out himself next day to the space between the camps, where their princes also would come and communicate with him about peace. Upon Manlius agreeing to this, and keeping the appointment accompanied by five hundred horse, the princes did not come on that occasion, but after he had returned to his camp, the envoys came again offering some excuses on behalf of the princes, but begging him to come once more, as they would send out their leading men to exchange views about the whole situation. Manlius agreed to come, but himself remained in his own camp, sending out Attalus and some of the military tribunes with an escort of three hundred horse. The Gaulish envoys kept their appointment and spoke about the questions at issue, but said it was impossible then to come to a final agreement

τοῖς προειρημένοις ἢ κυρῶσαί τι τῶν δοξάντων
7 οὐκ ἔφασαν εἶναι δυνατόν· τοὺς δὲ βασιλεῖς τῇ
κατὰ πόδας ἥξειν διωρίζοντο, συνθησομένους καὶ
πέρας ἐπιθήσοντας, εἰ καὶ Γνάιος ὁ στρατηγὸς
8 ἔλθοι πρὸς αὐτούς. τῶν δὲ περὶ τὸν Ἄτταλον
ἐπαγγειλαμένων ἥξειν τὸν Γνάιον, τότε μὲν ἐπὶ
9 τούτοις διελύθησαν. ἐποιοῦντο δὲ ⟨τὰς⟩ ὑπερ-
θέσεις ταύτας οἱ Γαλάται καὶ διεστρατήγουν τοὺς
Ῥωμαίους βουλόμενοι τῶν τε σωμάτων τινὰ τῶν
ἀναγκαίων καὶ τῶν χρημάτων ὑπερθέσθαι πέραν
Ἄλυος ποταμοῦ, μάλιστα δὲ τὸν στρατηγὸν τῶν
Ῥωμαίων, εἰ δυνηθεῖεν, λαβεῖν ὑποχείριον· εἰ
10 δὲ μή γε, πάντως ἀποκτεῖναι. ταῦτα δὲ προ-
θέμενοι κατὰ τὴν ἐπιοῦσαν ἐκαραδόκουν τὴν παρ-
ουσίαν τῶν Ῥωμαίων, ἑτοίμους ἔχοντες ἱππεῖς εἰς
11 χιλίους. ὁ δὲ Γνάιος διακούσας τῶν περὶ τὸν
Ἄτταλον καὶ πεισθεὶς ἥξειν τοὺς βασιλεῖς, ἐξῆλθεν,
12 καθάπερ εἰώθει, μετὰ πεντακοσίων ἱππέων. συν-
έβη δὲ ταῖς πρότερον ἡμέραις τοὺς ἐπὶ τὰς
ξυλείας καὶ χορτολογίας ἐκπορευομένους ἐκ τοῦ
τῶν Ῥωμαίων χάρακος ἐπὶ ταῦτα τὰ μέρη πε-
ποιῆσθαι τὴν ἔξοδον, ἐφεδρείᾳ χρωμένους τοῖς
13 ἐπὶ τὸν σύλλογον πορευομένοις ἱππεῦσιν. οὗ καὶ
τότε γενομένου καὶ πολλῶν ἐξεληλυθότων, συν-
έταξαν οἱ χιλίαρχοι ⟨καὶ⟩ τοὺς εἰθισμένους ἐφ-
εδρεύειν τοῖς προνομεύουσιν ἱππεῖς ἐπὶ ταῦτα τὰ
14 μέρη ποιήσασθαι τὴν ἔξοδον. ὧν ἐκπορευθέντων,
αὐτομάτως τὸ δέον ἐγενήθη πρὸς τὴν ἐπιφερο-
μένην χρείαν.

about matters or ratify anything that was decided.
On the following day, however, they engaged that
the princes should come to arrive at an agreement
and complete the negotiations, if the consul Manlius
met them in person. Attalus then promised that
Manlius would come, and they separated on this
understanding. The object of the Gauls in making
these postponements and practising these strata-
gems against the Romans was partly to gain time
to transport certain of their relations and some of
their property across the river Halys ; but chiefly,
if they could, to capture the Roman consul, or at
any rate to kill him. With this intention they
awaited next day the arrival of the Romans, keeping
about a thousand horsemen in readiness. Manlius,
after listening to Attalus and believing that the
princes would come, went out as usual with an escort
of five hundred horse. But it so happened that on
previous days the Romans who left their camp to
collect wood and forage went out in this direction
under cover of the cavalry who were going to the
conference. On this day the same thing took
place, the foragers being very numerous, and the
tribunes ordered the cavalry which used to protect
them to go out in this direction. This was done,
and thus by chance the proper step was taken to
meet the danger which menaced the consul.

VII. Res Asiae

40 (43) Ὅτι κατὰ τοὺς καιροὺς τούτους κατὰ τὴν
(xxii. 24) Ἀσίαν Γναΐου τοῦ τῶν Ῥωμαίων στρατηγοῦ
παραχειμάζοντος ἐν Ἐφέσῳ, κατὰ τὸν τελευταῖον
ἐνιαυτὸν τῆς ὑποκειμένης ὀλυμπιάδος, παρεγέ-
νοντο πρεσβεῖαι παρά τε τῶν Ἑλληνίδων πόλεων
τῶν ἐπὶ τῆς Ἀσίας καὶ παρ' ἑτέρων πλειόνων,
συμφοροῦσαι στεφάνους τῷ Γναΐῳ διὰ τὸ νενικη-
2 κέναι τοὺς Γαλάτας. ἅπαντες γὰρ οἱ τὴν ἐπὶ
τάδε τοῦ Ταύρου κατοικοῦντες οὐχ οὕτως ἐχάρησαν
Ἀντιόχου λειφθέντος ἐπὶ τῷ δοκεῖν ἀπολελύσθαι
τινὲς μὲν φόρων, οἱ δὲ φρουρᾶς, καθόλου δὲ πάντες
βασιλικῶν προσταγμάτων, ὡς ἐπὶ τῷ τὸν ἀπὸ
τῶν βαρβάρων αὐτοῖς φόβον ἀφῃρῆσθαι καὶ δοκεῖν
ἀπηλλάχθαι τῆς τούτων ὕβρεως καὶ παρανομίας.
3 ἦλθε δὲ καὶ παρ' Ἀντιόχου Μουσαῖος καὶ παρὰ
τῶν Γαλατῶν πρεσβευταί, βουλόμενοι μαθεῖν
4 ἐπὶ τίσιν αὐτοὺς δεῖ ποιεῖσθαι τὴν φιλίαν. ὁμοίως
δὲ καὶ παρ' Ἀριαράθου τοῦ τῶν Καππαδοκῶν
βασιλέως· καὶ γὰρ οὗτος, μετασχὼν Ἀντιόχῳ
τῶν αὐτῶν ἐλπίδων καὶ κοινωνήσας τῆς πρὸς
Ῥωμαίους μάχης, ἐδεδίει καὶ διηπορεῖτο περὶ
5 τῶν καθ' αὑτόν. διὸ καὶ πλεονάκις πέμπων
πρεσβευτὰς ἐβούλετο μαθεῖν τί δοὺς ἢ τί πράξας
δύναιτ' ἂν παραιτήσασθαι τὴν σφετέραν ἄγνοιαν.
6 ὁ δὲ στρατηγὸς τὰς μὲν παρὰ τῶν πόλεων πρε-
σβείας πάσας ἐπαινέσας καὶ φιλανθρώπως ἀπο-
δεξάμενος ἐξαπέστειλε, τοῖς δὲ Γαλάταις ἀπ-
εκρίθη διότι προσδεξάμενος Εὐμένη τὸν βασιλέα,
7 τότε ποιήσεται τὰς πρὸς αὐτοὺς συνθήκας. τοῖς
δὲ περὶ Ἀριαράθην εἶπεν ἑξακόσια τάλαντα δόντας

VII. Affairs of Asia

*Further Negotiations with Manlius and the Peace
with Antiochus*

(Cp. Livy xxxviii. 38.)

40. At this period, while Gnaeus Manlius, the ¹⁸⁹⁻¹⁸⁸^{B.C.} Roman consul, was wintering in Ephesus, in the last year of this Olympiad embassies arrived from the Greek cities in Asia and from several other quarters to confer crowns on him for his victories over the Gauls. For all the inhabitants of the country on this side Taurus were not so much pleased at the defeat of Antiochus and at the prospect of the liberation of some of them from tribute, of others from garrisons, and of all from royal domination, as at their release from the fear of the barbarians and at the thought that they were now delivered from the lawless violence of these tribes. Musaeus also came on the part of Antiochus, and some envoys from the Gauls to discover on what terms they might be reconciled with Rome, and likewise an embassy from Ariarathes, the king of Cappadocia; for he too had made common cause with Antiochus and had taken his part in the battle against the Romans, and he was now alarmed and doubtful as to what would befall him; so that he had sent several embassies to learn by what concessions or by what course of conduct he could atone for his error. The consul after thanking and courteously entertaining all the embassies from the towns, dismissed them and replied to the Gauls that he would wait for the arrival of King Eumenes before coming to terms with them. As for Ariarathes he told him to pay two

8 τὴν εἰρήνην ἔχειν. πρὸς δὲ τὸν Ἀντιόχου πρε-
σβευτὴν συνετάξατο μετὰ τῆς δυνάμεως ἥξειν ἐπὶ
τοὺς τῆς Παμφυλίας ὅρους, τά τε δισχίλια τάλαντα
καὶ πεντακόσια κομιούμενος καὶ τὸν σῖτον ὃν
ἔδει δοῦναι τοῖς στρατιώταις αὐτοῦ πρὸ τῶν
συνθηκῶν κατὰ τὰς πρὸς Λεύκιον ὁμολογίας.
9 μετὰ δὲ ταῦτα καθαρμὸν ποιησάμενος τῆς δυνά-
μεως, καὶ τῆς ὥρας παραδιδούσης, παραλαβὼν
Ἄτταλον ἀνέζευξεν καὶ παραγενόμενος εἰς Ἀπά-
μειαν ὀγδοαῖος ἐπέμεινε τρεῖς ἡμέρας, κατὰ δὲ τὴν
τετάρτην ἀναζεύξας προῆγε, χρώμενος ἐνεργοῖς
10 ταῖς πορείαις. ἀφικόμενος δὲ τριταῖος εἰς τὸν
συνταχθέντα τόπον τοῖς περὶ Ἀντίοχον, αὐτοῦ
11 κατεστρατοπέδευσε. συμμιξάντων δὲ τῶν περὶ
τὸν Μουσαῖον καὶ παρακαλούντων αὐτὸν ἐπιμεῖναι,
διότι καθυστεροῦσιν αἵ θ' ἅμαξαι καὶ τὰ κτήνη
τὰ παρακομίζοντα τὸν σῖτον καὶ τὰ χρήματα,
12 πεισθεὶς τούτοις ἐπέμεινε τρεῖς ἡμέρας. τῆς δὲ
χορηγίας ἐλθούσης τὸν μὲν σῖτον ἐμέτρησε ταῖς
δυνάμεσι, τὰ δὲ χρήματα παραδοὺς τινι τῶν
χιλιάρχων συνέταξεν παρακομίζειν εἰς Ἀπάμειαν.

41 (44) Αὐτὸς δὲ πυνθανόμενος τὸν ἐπὶ τῆς Πέργης
(xxii. 25) καθεσταμένον ὑπ' Ἀντιόχου φρούραρχον οὔτε
τὴν φρουρὰν ἐξάγειν οὔτ' αὐτὸν ἐκχωρεῖν ἐκ τῆς
πόλεως, ὥρμησε μετὰ τῆς δυνάμεως ἐπὶ τὴν
2 Πέργην. ἐγγίζοντος δ' αὐτοῦ τῇ πόλει, παρῆν
ἀπαντῶν ὁ τεταγμένος ἐπὶ τῆς φρουρᾶς, ἀξιῶν
καὶ δεόμενος μὴ προκαταγινώσκειν αὐτοῦ· ποιεῖν
3 γὰρ ἕν τι τῶν καθηκόντων· παραλαβὼν γὰρ
ἐν πίστει παρ' Ἀντιόχου τὴν πόλιν τηρεῖν ἔφη
ταύτην, ἕως ἂν διασαφηθῇ πάλιν παρὰ τοῦ πιστεύ-
σαντος τί δεῖ ποιεῖν· μέχρι δὲ τοῦ νῦν ἁπλῶς

hundred talents and consider himself at peace. He
arranged with the envoy of Antiochus to come with
his army to the borders of Pamphylia to get the
two thousand five hundred talents and the corn
that Antiochus had to give to the Roman soldiers
before peace was made, by the terms of his agree-
ment with Lucius Scipio. After this he reviewed
his army, and as the season admitted it, left
Ephesus, taking Attalus with him, and reaching
Apamea in eight days, remained there for three days
and on the fourth left that town and advanced by
forced marches. Reaching the place he had agreed
upon with Antiochus on the third day, he encamped
there. Upon Musacus meeting him and begging
him to have patience, as the carriages and animals
which were bringing the corn and money were
delayed on the road, he was persuaded to do so,
and waited for three days. When the supplies came
he divided the corn among his soldiers and handing
over the money to one of his tribunes ordered him
to convey it to Apamea.

41. Hearing now that the commander of the
garrison at Perga appointed by Antiochus was
neither withdrawing the garrison nor leaving the
town himself, he marched against that place with
his army. When he was near it the commander
came out to meet him, entreating him not to con-
demn him unheard ; for he was doing what was
part of his duty. He had been entrusted by Anti-
ochus with the city and he was holding it until he
was again informed by his master what he should
do, but up to now he had received no instructions

4 οὐδὲν αὐτῷ παρ' οὐδενὸς ἀποδεδηλῶσθαι. διόπερ
ἠξίου τριάκονθ' ἡμέρας χάριν τοῦ διαπεμψάμενος
5 ἐρέσθαι τὸν βασιλέα τί δεῖ πράττειν. ὁ δὲ Γνάιος,
θεωρῶν τὸν Ἀντίοχον ἐν πᾶσι τοῖς ἄλλοις εὐσυν-
θετοῦντα, συνεχώρησε πέμπειν καὶ πυνθάνεσθαι
τοῦ βασιλέως· καὶ μετά τινας ἡμέρας πυθόμενος
παρέδωκε τὴν πόλιν.

6 Κατὰ δὲ τὸν καιρὸν τοῦτον οἱ δέκα πρεσβευταὶ
καὶ [ὁ] βασιλεὺς Εὐμένης εἰς Ἔφεσον κατέ-
πλευσαν, ἤδη τῆς θερείας ἐναρχομένης· καὶ δὔ
ἡμέρας ἐκ τοῦ πλοῦ προσαναλαβόντες αὐτοὺς
7 ἀνέβαινον εἰς τὴν Ἀπάμειαν. ὁ δὲ Γνάιος, προσ-
πεσούσης αὐτῷ τῆς τούτων παρουσίας, Λεύκιον
μὲν τὸν ἀδελφὸν μετὰ τετρακισχιλίων ἐξαπέστειλε
πρὸς τοὺς Ὀροανδεῖς, πειθανάγκης ἔχοντας διά-
θεσιν χάριν τοῦ κομίσασθαι τὰ προσοφειλόμενα
8 τῶν ὁμολογηθέντων χρημάτων, αὐτὸς δὲ μετὰ
τῆς δυνάμεως ἀναζεύξας ἠπείγετο, σπεύδων συν-
9 άψαι τοῖς περὶ τὸν Εὐμένη. παραγενόμενος δ'
εἰς τὴν Ἀπάμειαν καὶ καταλαβὼν τόν τε βασιλέα
καὶ τοὺς δέκα, συνήδρευεν περὶ τῶν πραγμάτων.
10 ἔδοξεν οὖν αὐτοῖς κυρῶσαι πρῶτον τὰ πρὸς
Ἀντίοχον ὅρκια καὶ τὰς συνθήκας, ὑπὲρ ὧν
οὐδὲν ἂν δέοι πλείω διατίθεσθαι λόγον, ἀλλ' ἐξ
αὐτῶν τῶν ἐγγράπτων ποιεῖσθαι τὰς διαλήψεις.

42 (45)
(xxii. 26) Ἦν δὲ τοιαύτη τις ἡ τῶν κατὰ μέρος διάταξις·
φιλίαν ὑπάρχειν Ἀντιόχῳ καὶ Ῥωμαίοις εἰς
ἅπαντα τὸν χρόνον ποιοῦντι τὰ κατὰ τὰς συνθήκας.
2 μὴ διιέναι βασιλέα Ἀντίοχον καὶ τοὺς ὑποτατ-
τομένους διὰ τῆς αὐτῶν χώρας ἐπὶ Ῥωμαίους
καὶ τοὺς συμμάχους πολεμίους μηδὲ χορηγεῖν
3 αὐτοῖς μηδέν· ὁμοίως δὲ καὶ Ῥωμαίους καὶ τοὺς

from anyone on the subject. He therefore asked
for thirty days' grace in order that he might send
and ask the king how to act. Manlius, as he saw
that Antiochus was faithful to his obligations in
all other respects, allowed him to send and inquire,
and after a few days he received an answer and
surrendered the town. •

The ten legates and King Eumenes arrived by
sea at Ephesus in early summer, and after resting
there for two days after their voyage, went up the
country towards Apamea. Manlius, on hearing of
their arrival, dispatched his brother Lucius with
four thousand men to Oroanda, the iron hand in the
velvet glove, to obtain payment of the part still
owing of the sum the people of that place had
agreed to pay. He himself left in haste with his
army, as he was anxious to meet Eumenes. Upon
reaching Apamea and meeting Eumenes and the ten
legates, he sat with them in council discussing the
situation. It was decided in the first place to ratify
the treaty with Antiochus, about the terms of which
I need make no further remarks, but will quote the
actual text.

42. The terms in detail were as follows : " There
shall be friendship between Antiochus and the
Romans for all time if he fulfils the conditions of
the treaty : King Antiochus and his subjects shall
not permit the passage through their territory of
any enemy marching against the Romans and their
allies or furnish such enemy with any supplies :
the Romans and their allies engage to act likewise

συμμάχους ἐπ' Ἀντίοχον καὶ τοὺς ὑπ' ἐκεῖνον
4 ταττομένους. μὴ πολεμῆσαι δὲ Ἀντίοχον τοῖς
5 ἐπὶ ταῖς νήσοις μηδὲ τοῖς κατὰ τὴν Εὐρώπην.
6 ἐκχωρείτω δὲ πόλεων καὶ χώρας. . . . μὴ
ἐξαγέτω μηδὲν πλὴν τῶν ὅπλων ὧν φέρουσιν οἱ
στρατιῶται· εἰ δέ τι τυγχάνουσιν ἀπενηνεγμένοι,
7 καθιστάτωσαν πάλιν εἰς τὰς αὐτὰς πόλεις. μηδ'
ὑποδεχέσθωσαν τοὺς ἐκ τῆς Εὐμένους τοῦ βα-
8 σιλέως μήτε στρατιώτας μήτ' ἄλλον μηδένα. εἰ
δέ τινες ἐξ ὧν ἀπολαμβάνουσιν οἱ Ῥωμαῖοι
πόλεων μετὰ δυνάμεώς εἰσιν Ἀντιόχου, τούτους
9 εἰς Ἀπάμειαν ἀποκαταστησάτωσαν. τοῖς δὲ
Ῥωμαίοις καὶ τοῖς συμμάχοις εἴ τινες εἶεν <ἐκ
τῆς Ἀντιόχου βασιλείας>, εἶναι τὴν ἐξουσίαν καὶ
10 μένειν, εἰ βούλονται, καὶ ἀποτρέχειν. τοὺς δὲ
δούλους Ῥωμαίων καὶ τῶν συμμάχων ἀποδότω
Ἀντίοχος καὶ οἱ ὑπ' αὐτὸν ταττόμενοι, καὶ τοὺς
ἁλόντας καὶ τοὺς αὐτομολήσαντας, καὶ εἴ τινα
11 αἰχμάλωτόν ποθεν εἰλήφασιν. ἀποδότω δὲ Ἀν-
τίοχος, ἐὰν ᾖ δυνατὸν αὐτῷ, καὶ Ἀννίβαν Ἀμίλκου
Καρχηδόνιον καὶ Μνασίλοχον Ἀκαρνᾶνα <καὶ
Θόαντα> Αἰτωλόν, <καὶ> Εὐβουλίδαν καὶ Φίλωνα
Χαλκιδεῖς, καὶ τῶν Αἰτωλῶν ὅσοι κοινὰς εἰλήφασιν
12 ἀρχάς, καὶ τοὺς ἐλέφαντας τοὺς ἐν Ἀπαμείᾳ
13 πάντας, καὶ μηκέτι ἄλλους ἐχέτω. ἀποδότω δὲ
καὶ τὰς ναῦς τὰς μακρὰς καὶ τὰ ἐκ τούτων ἄρμενα
καὶ τὰ σκεύη, καὶ μηκέτι ἐχέτω πλὴν δέκα κατα-
φράκτων· μηδὲ <λέμβον πλείοσι> τριάκοντα κω-
πῶν ἐχέτω ἐλαυνόμενον, μηδὲ μονήρη πολέμου

towards Antiochus and his subjects : Antiochus
shall not make war on the inhabitants of the islands
or of Europe : he shall evacuate all cities, lands,
villages, and forts on this side of Taurus as far as the
river Halys and all between the valley of Taurus
and the mountain ridges that descend to Lycaonia : [a]
from all such places he is to carry away nothing
except the arms borne by his soldiers, and if any-
thing has been carried away, it is to be restored
to the same city : he shall not receive either soldiers
or others from the kingdom of Eumenes : if there
be any men in the army of Antiochus coming from
the cities which the Romans take over, he shall
deliver them up at Apamea : if there be any from
the kingdom of Antiochus dwelling with the Romans
and their allies, they may remain or depart at their
good pleasure : Antiochus and his subjects shall
give up the slaves of the Romans and of their allies,
both those taken in war and those who deserted,
and any prisoners of war they have taken, if there
be such : Antiochus shall give up, if it be in his
power, Hannibal son of Hamilcar, the Carthaginian,
Mnasilochus the Acarnanian, Thoas the Aetolian,
Eubulidas and Philo the Chalcidians, and all Aeto-
lians who have held public office : he shall surrender
all the elephants now in Apamea and not keep any
in future : he shall surrender his long ships with
their gear and tackle and in future he shall not
possess more than ten decked ships of war, nor shall
he have any galley rowed by more than thirty oars,
nor a moneres [b] to serve in any war in which he is

[a] I supply from Livy what is missing in the text of
Polybius.
[b] A ship with one bank of oars.

14 ἕνεκεν, ⟨οὗ⟩ αὐτὸς κατάρχει. μηδὲ πλείτωσαν
ἐπὶ τάδε τοῦ Καλυκάδνου ⟨καὶ Σαρπηδονίου⟩
ἀκρωτηρίου, εἰ μὴ φόρους ἢ πρέσβεις ἢ ὁμήρους
15 ἄγοιεν. μὴ ἐξέστω δὲ Ἀντιόχῳ μηδὲ ξενολογεῖν
ἐκ τῆς ὑπὸ Ῥωμαίους ταττομένης μηδ' ὑπο-
16 δέχεσθαι τοὺς φεύγοντας. ὅσαι δὲ οἰκίαι Ῥοδίων
ἢ τῶν συμμάχων ἦσαν ἐν τῇ ὑπὸ βασιλέα Ἀντίοχον
ταττομένῃ ταύτας εἶναι Ῥοδίων, ὡς καὶ πρὸ τοῦ
17 ⟨τὸν πόλεμον⟩ ἐξενεγκεῖν. καὶ εἴ τι χρῆμα
ὀφείλετ' αὐτοῖς, ὁμοίως ἔστω πράξιμον· καὶ εἴ
τι ἀπελήφθη ἀπ' αὐτῶν, ἀναζητηθὲν ἀποδοθήτω.
ἀτελῆ δὲ ὁμοίως ⟨ὡς⟩ καὶ πρὸ τοῦ πολέμου τὰ
18 πρὸς τοὺς Ῥοδίους ὑπαρχέτω. εἰ δέ τινας τῶν
πόλεων, ἃς ἀποδοῦναι δεῖ Ἀντίοχον, ἑτέροις
δέδωκεν Ἀντίοχος, ἐξαγέτω καὶ ἐκ τούτων τὰς
φρουρὰς καὶ τοὺς ἄνδρας. ἐὰν δέ τινες ὕστερον
19 ἀποτρέχειν βούλωνται, μὴ προσδεχέσθω. ἀρ-
γυρίου δὲ δότω Ἀντίοχος Ἀττικοῦ Ῥωμαίοις
ἀρίστου τάλαντα μύρια δισχίλια ἐν ἔτεσι δώ-
δεκα, διδοὺς καθ' ἕκαστον ἔτος χίλια· μὴ ἔλαττον
δ' ἑλκέτω τὸ τάλαντον λιτρῶν Ῥωμαϊκῶν ὀγ-
δοήκοντα· καὶ μοδίους σίτου πεντηκοντακισμυ-
20 ρίους καὶ τετρακισμυρίους. ⟨δότω δὲ Εὐμένει
τῷ βασιλεῖ τάλαντα⟩ τριακόσια πεντήκοντα ἐν
ἔτεσι τοῖς πρώτοις πέντε, ⟨ἑβδομήκοντα⟩ κατὰ
τὸ ἔτος, τῷ ἐπιβαλλομένῳ . . καιρῷ, ⟨ᾧ⟩ καὶ τοῖς
21 Ῥωμαίοις ἀποδίδωσι, καὶ τοῦ σίτου, καθὼς
ἐτίμησεν ὁ βασιλεὺς Ἀντίοχος, τάλαντα ἑκατὸν
εἴκοσιν ἑπτὰ καὶ δραχμὰς χιλίας διακοσίας ὀκτώ·
ἃ συνεχώρησεν Εὐμένης λαβεῖν, γάζαν εὐαρεστου-
22 μένην ἑαυτῷ. ὁμήρους δὲ ⟨εἴκοσι⟩ διδότω Ἀν-
τίοχος, δι' ἐτῶν τριῶν ἄλλους ἀνταποστέλλων,
336

the aggressor : his ships shall not sail beyond the
Calycadnus and the Sarpedonian promontory unless
conveying tribute, envoys or hostages : Antiochus
shall not have permission to hire mercenaries from
the lands under the rule of the Romans, or to receive
fugitives : all houses that belonged to the Rhodians
and their allies in the dominions of Antiochus shall
remain their property as they were before he made
war on them ; likewise if any money is owing to
them they may exact payment, and if anything
has been abstracted from them it shall be sought
for and returned : merchandise meant for Rhodes
shall be free from duties as before the war : if
any of the cities which Antiochus has to give up
have been given by him to others, he shall
withdraw from these also the garrisons and the
men in possession of them : and if any cities after-
wards wish to desert to him, he shall not receive
them : Antiochus shall pay to the Romans twelve
thousand talents of the best Attic money in twelve
years, paying a thousand talents a year, the talent
not to weigh less than eighty Roman pounds, and
five hundred and forty thousand modii of corn :
he shall pay to King Eumenes three hundred and
fifty talents in the next five years, paying seventy
talents a year at the same time that is fixed for his
payments to the Romans and in lieu of the corn,
as Antiochus estimated it—one hundred and twenty-
seven talents and twelve hundred and eight drachmas,
the sum Eumenes agreed to accept as a satisfactory
payment to his treasury : Antiochus shall give
twenty hostages, replacing them every three years,

μὴ νεωτέρους ἐτῶν ὀκτωκαίδεκα μηδὲ πρε-
23 σβυτέρους τετταράκοντα πέντε. ἐὰν δέ τι δια-
φωνήσῃ τῶν ἀποδιδομένων χρημάτων, τῷ ἐχο-
24 μένῳ ἔτει ἀποδότωσαν· ἂν δέ τινες τῶν πόλεων
ἢ τῶν ἐθνῶν, πρὸς ἃ γέγραπται μὴ πολεμεῖν
Ἀντίοχον, πρότεροι ἐκφέρωσι πόλεμον, ἐξέστω
25 πολεμεῖν Ἀντιόχῳ. τῶν δὲ ἐθνῶν καὶ πόλεων
τούτων μὴ ἐχέτω τὴν κυρίαν αὐτὸς μηδ' εἰς
26 φιλίαν προσαγέσθω. περὶ δὲ τῶν ἀδικημάτων
τῶν πρὸς ἀλλήλους γινομένων εἰς κρίσιν προκα-
27 λείσθωσαν. ἐὰν δέ τι θέλωσι πρὸς τὰς συνθήκας
ἀμφότεροι κοινῷ δόγματι προστεθῆναι ἢ ἀφαιρε-
θῆναι ἀπ' αὐτῶν, ἐξέστω.

43 (46)   Τμηθέντων δὲ τῶν ὁρκίων ἐπὶ τούτοις, εὐθέως
(xxii. 26, ὁ στρατηγὸς Κόιντον Μινύκιον Θέρμον καὶ Λεύ-
28) κιον τὸν ἀδελφόν, ἄρτι κεκομικότα τὰ χρήματα
2 παρὰ τῶν Ὀροανδέων, εἰς Συρίαν ἐξαπέστειλε,
συντάξας κομίζεσθαι τοὺς ὅρκους παρὰ τοῦ βασι-
λέως καὶ διαβεβαιώσασθαι τὰ κατὰ μέρος ὑπὲρ
τῶν συνθηκῶν. πρὸς δὲ Κόιντον Φάβιον τὸν ἐπὶ
3 τοῦ ναυτικοῦ στρατηγὸν ἐξέπεμψε γραμματο-
φόρους, κελεύων πάλιν πλεῖν αὐτὸν εἰς Πάταρα
καὶ παραλαβόντα τὰς ὑπαρχούσας αὐτόθι ναῦς
διαπρῆσαι.

44 (47)   Μάλιος ὁ ἀνθύπατος τριακόσια τάλαντα πρα-
ξάμενος παρ' Ἀριαράθου φίλον αὐτὸν ἐποιήσατο
Ῥωμαίων.

45 (48)   Ὅτι κατὰ τὴν Ἀπάμειαν οἵ τε δέκα καὶ Γνάιος
(xxii. 27) ὁ στρατηγὸς τῶν Ῥωμαίων, διακούσαντες πάντων

not below eighteen years of age and not above
forty : if any of the money he pays does not corre-
spond to the above stipulations, he shall make it
good in the following year : if any of the cities or
peoples against which Antiochus is forbidden by
this treaty to make war begin first to make war on
him, he may make war on such, provided he does
not exercise sovereignty over any of them or receive
them into his alliance : all grievances of both parties
are to be submitted to a lawful tribunal : if both
parties desire to add any clauses to this treaty or
to remove any by common decree, they are at
liberty to do so.

43. The proconsul having sworn to this treaty
he at once dispatched Quintus Minucius Thermus
and his own brother Lucius Manlius, who had just
returned bringing the money from Oroanda, to
Syria with orders to exact the oath from Antiochus
and make sure that the treaty would be carried out
in detail. He then sent dispatches to Quintus
Fabius Labeo, the commander of the fleet, ordering
him to sail back to Patara, and, taking possession
of the ships there, to burn them.

(Suid. ; cp. Livy xxxviii. 39. 6.)

44. Manlius the proconsul exacting three hundred
talents from Ariarathes received him into the Roman
alliance.

Final Settlement of Asia Minor

(Cp. Livy xxxviii. 39. 7–17.)

45. In Apamea the ten legates and Manlius the
proconsul, after listening to all the applicants,

τῶν ἀπηντηκότων, τοῖς μὲν περὶ χώρας ἢ χρη-
μάτων ἤ τινος ἑτέρου διαφερομένοις πόλεις ἀπ-
έδωκαν ὁμολογουμένας ἀμφοτέροις, ἐν αἷς δια-
κριθήσονται περὶ τῶν ἀμφισβητουμένων· τὴν δὲ
περὶ τῶν ὅλων ἐποιήσαντο διάληψιν τοιαύτην.
2 ὅσαι μὲν τῶν αὐτονόμων πόλεων πρότερον ὑπ-
ετέλουν Ἀντιόχῳ φόρον, τότε δὲ διεφύλαξαν τὴν
πρὸς Ῥωμαίους πίστιν, ταύτας μὲν ἀπέλυσαν
τῶν φόρων· ὅσαι δ᾽ Ἀττάλῳ σύνταξιν ἐτέλουν,
ταύταις ἐπέταξαν τὸν αὐτὸν Εὐμένει διδόναι
3 φόρον. εἰ δέ τινες ἀποστᾶσαι τῆς Ῥωμαίων
φιλίας Ἀντιόχῳ συνεπολέμουν, ταύτας ἐκέλευ-
σαν Εὐμένει διδόναι τοὺς Ἀντιόχῳ διατεταγμέ-
4 νους φόρους. ⟨Κολοφωνίους⟩ δὲ τοὺς τὸ Νότιον
οἰκοῦντας καὶ Κυμαίους καὶ Μυλασεῖς ἀφορο-
5 λογήτους ἀφῆκαν, Κλαζομενίοις δὲ καὶ δωρεὰν
προσέθηκαν τὴν Δρυμοῦσσαν καλουμένην νῆσον,
Μιλησίοις δὲ τὴν ἱερὰν χώραν ἀποκατέστησαν,
ἧς διὰ τοὺς πολέμους πρότερον ἐξεχώρησαν.
6 Χίους δὲ καὶ Σμυρναίους, ἔτι δ᾽ Ἐρυθραίους, ἔν
τε τοῖς ἄλλοις προῆγον καὶ χώραν προσένειμαν,
ἧς ἕκαστοι κατὰ τὸ παρὸν ἐπεθύμουν καὶ σφίσι
καθήκειν ὑπελάμβανον, ἐντρεπόμενοι τὴν εὔνοιαν
καὶ σπουδήν, ἣν παρέσχηντο κατὰ τὸν πόλεμον
7 αὐτοῖς. ἀπέδωκαν δὲ καὶ Φωκαιεῦσι τὸ πάτριον
πολίτευμα καὶ τὴν χώραν, ἣν καὶ πρότερον εἶχον.
8 μετὰ δὲ ταῦτα Ῥοδίοις ἐχρημάτισαν, διδόντες
Λυκίαν καὶ Καρίας τὰ μέχρι Μαιάνδρου ποταμοῦ
9 πλὴν Τελμεσσοῦ. περὶ δὲ τοῦ βασιλέως Εὐμένους
καὶ τῶν ἀδελφῶν ἔν τε ταῖς πρὸς Ἀντίοχον συν-
θήκαις τὴν ἐνδεχομένην πρόνοιαν ἐποιήσαντο καὶ
τότε τῆς μὲν Εὐρώπης αὐτῷ προσέθηκαν Χερ-

assigned, in cases where the dispute was about
land, money, or other property, cities agreed upon
by both parties in which to settle their differences.
The general dispositions they made were as follows.
All autonomous towns which formerly paid tribute
to Antiochus but had now remained faithful to Rome
were freed from tribute : all which had paid con-
tributions to Attalus were to pay the same sum as
tribute to Eumenes : any which had abandoned
the Roman alliance and joined Antiochus in the war
were to pay to Eumenes whatever tribute Antiochus
had imposed on them. They freed from tribute
the Colophonians inhabiting Notium, the people of
Cymae and Mylasa, and in addition to this immunity
they gave to Clazomenae the island called Dry-
mussa and restored to the Milesians the holy district,
from which they had formerly retired owing to the
wars. They advanced in many ways Chios, Smyrna,
and Erythrae, and assigned to them the districts
which they desired to acquire at the time and con-
sidered to belong to them by rights, out of regard
for the goodwill and activity they had displayed
during the war, and they also restored to Phocaea
her ancient constitution and her former territory.
In the next place they dealt with the claims of
Rhodes, giving her Lycia and Caria south of the
Maeander, except Telmessus. As for King Eumenes
and his brothers they had made all possible pro-
vision for them in their treaty with Antiochus, and
they now added to their dominion the following :
in Europe the Chersonese, Lysimachia and the

ρόνησον καὶ Λυσιμάχειαν καὶ τὰ προσοροῦντα
τούτοις ἐρύματα καὶ χώραν, ἧς Ἀντίοχος ἐπῆρχεν·
10 τῆς δ᾽ Ἀσίας Φρυγίαν τὴν ἐφ᾽ Ἑλλησπόντου,
Φρυγίαν τὴν μεγάλην, Μυσούς, οὓς ‹ Προυσίας ›
πρότερον αὐτοῦ παρεσπάσατο, Λυκαονίαν, Μι-
λυάδα, Λυδίαν, Τράλλεις, Ἔφεσον, Τελμεσσόν.
11 ταύτας μὲν οὖν ἔδωκαν Εὐμένει τὰς δωρεάς· περὶ
δὲ τῆς Παμφυλίας, Εὐμένους μὲν εἶναι φάσκοντος
αὐτὴν ἐπὶ τάδε τοῦ Ταύρου, τῶν ‹ δὲ › παρ᾽ Ἀν-
τιόχου πρεσβευτῶν ἐπέκεινα, διαπορήσαντες ἀν-
12 έθεντο περὶ τούτων εἰς τὴν σύγκλητον. σχεδὸν
δὲ τῶν ἀναγκαιοτάτων καὶ πλείστων αὐτοῖς
διωκημένων, ἀναζεύξαντες προῆγον ἐφ᾽ Ἑλλήσ-
ποντον, βουλόμενοι κατὰ τὴν πάροδον ἔτι τὰ
πρὸς τοὺς Γαλάτας ἀσφαλίσασθαι.

adjacent forts and territory, and in Asia Hellespontic
Phrygia, Greater Phrygia, that part of Mysia of
which Prusias had formerly deprived Eumenes,
Lycaonia, the Milyas, Lydia, Tralles, Ephesus, and
Telmessus. Such were the gifts they gave to
Eumenes. As for Pamphylia, since Eumenes main-
tained it was on this side of the Taurus, and the
envoys of Antiochus said it was on the other, they
were in doubt and referred the matter to the senate.
Having thus settled nearly all the most important
questions, they left Apamea and proceeded towards
the Hellespont, intending on their way to put
matters in Galatia on a safe footing.

FRAGMENTA LIBRI XXII

I. Res Graeciae

3 Ὅτι μετὰ τὴν ἐν τῷ Κομπασίῳ τῶν ἀνθρώπων
(xxiii. 1) ἐπαναίρεσιν δυσαρεστήσαντές τινες τῶν ἐν τῇ
Λακεδαίμονι τοῖς γεγονόσι καὶ νομίσαντες ὑπὸ
τοῦ Φιλοποίμενος ἅμα τὴν δύναμιν καὶ τὴν προ-
στασίαν καταλελύσθαι τὴν Λακεδαιμονίων, ἐλ-
θόντες εἰς Ῥώμην κατηγορίαν ἐποιήσαντο τῶν
2 διῳκημένων καὶ τοῦ Φιλοποίμενος. καὶ τέλος
ἐξεπορίσαντο γράμματα πρὸς τοὺς Ἀχαιοὺς παρὰ
Μάρκου Λεπέδου τοῦ μετὰ ταῦτα γενηθέντος
ἀρχιερέως, τότε δὲ τὴν ὕπατον ἀρχὴν εἰληφότος·
3 ὃς ἔγραφε τοῖς Ἀχαιοῖς, φάσκων οὐχ ὀρθῶς
αὐτοὺς κεχειρικέναι τὰ κατὰ τοὺς Λακεδαιμονίους.
4 ὧν πρεσβευόντων, εὐθέως ὁ Φιλοποίμην πρε-
σβευτὰς καταστήσας τοὺς περὶ Νικόδημον τὸν
Ἠλεῖον ἐξέπεμψεν εἰς τὴν Ῥώμην.
5 Κατὰ δὲ τὸν καιρὸν τοῦτον ἧκε καὶ παρὰ Πτο-
λεμαίου πρεσβευτὴς Δημήτριος Ἀθηναῖος, ἀνα-
νεωσόμενος τὴν προϋπάρχουσαν συμμαχίαν τῷ
6 βασιλεῖ πρὸς τὸ ἔθνος τῶν Ἀχαιῶν. ⟨ὧν⟩ προ-

344

FRAGMENTS OF BOOK XXII

I. Affairs of Greece

Philopoemen and Sparta

3. After the slaughter of the men at Compasium,[a] some of the Lacedaemonians, dissatisfied with what had taken place and thinking that the power and dignity of Sparta had been destroyed by Philopoemen, came to Rome and accused Philopoemen for the measures he had taken. They finally procured a letter from Marcus Lepidus, the future pontifex maximus, who was then consul, in which he wrote to the Achaeans saying that they had not acted rightly in Sparta. While this embassy was still in Rome, Philopoemen, losing no time, sent Nicodemus of Elis to represent him there.

Ptolemy Epiphanes and the Achaeans

At about the same time Demetrius of Athens, the representative of Ptolemy, also came to renew that king's existing alliance with the Achaean League.

[a] Eighty Spartans were executed by Philopoemen at Compasium in punishment for the murder of some Achaeans.

THE HISTORIES OF POLYBIUS

θύμως ἀναδεξαμένων τὴν ἀνανέωσιν, κατεστά-
θησαν πρεσβευταὶ πρὸς Πτολεμαῖον Λυκόρτας ὁ
παρ' ἡμῶν πατὴρ καὶ Θεοδωρίδας καὶ Ῥωσιτέλης
Σικυώνιοι χάριν τοῦ δοῦναι τοὺς ὅρκους ὑπὲρ
τῶν Ἀχαιῶν καὶ λαβεῖν παρὰ τοῦ βασιλέως.
7 ἐγενήθη δέ τι κατὰ τὸν καιρὸν τοῦτον πάρεργον
μὲν ἴσως, ἄξιον δὲ μνήμης. μετὰ γὰρ τὸ συν-
τελεσθῆναι τὴν ἀνανέωσιν τῆς συμμαχίας, ὑπὲρ
τῶν Ἀχαιῶν ὑπεδέξατο τὸν πρεσβευτὴν ὁ Φιλο-
8 ποίμην· γενομένης δὲ παρὰ τὴν συνουσίαν μνήμης
τοῦ βασιλέως, ἐπιβαλὼν ὁ πρεσβευτὴς πολλούς
τινας διετίθετο λόγους ἐγκωμιάζων τὸν Πτο-
λεμαῖον καί τινας ἀποδείξεις προεφέρετο τῆς τε
περὶ τὰς κυνηγίας εὐχερείας καὶ τόλμης, ἑξῆς τε
<τῆς> περὶ τοὺς ἵππους καὶ τὰ ὅπλα δυνάμεως καὶ
9 τῆς ἐν τούτοις ἀσκήσεως. τελευταίῳ δ' ἐχρήσατο
μαρτυρίῳ πρὸς πίστιν τῶν εἰρημένων· ἔφη γὰρ
αὐτὸν κυνηγετοῦντα ταῦρον βαλεῖν ἀφ' ἵππου
μεσαγκύλῳ.

4   Ὅτι κατὰ τὴν Βοιωτίαν μετὰ τὸ συντελεσθῆναι
(xxiii. 2) τὰς πρὸς Ἀντίοχον Ῥωμαίοις συνθήκας ἀπο-
κοπεισῶν τῶν ἐλπίδων πᾶσι τοῖς καινοτομεῖν ἐπι-
βαλλομένοις, ἄλλην ἀρχὴν καὶ διάθεσιν ἐλάμβανον
2 αἱ πολιτεῖαι. διὸ καὶ τῆς δικαιοδοσίας ἑλκομένης
παρ' αὐτοῖς σχεδὸν ἐξ εἴκοσι καὶ πέντ' ἐτῶν,
τότε λόγοι διεδίδοντο κατὰ τὰς πόλεις, φασκόντων
τινῶν διότι δεῖ γίνεσθαι διέξοδον καὶ συντέλειαν
3 τῶν πρὸς ἀλλήλους. πολλῆς δὲ περὶ τούτων
ἀμφισβητήσεως ὑπαρχούσης διὰ τὸ πλείους εἶναι
τοὺς κακέκτας τῶν εὐπόρων, ἐγίνετό τι συνέργημα
τοῖς τὰ βέλτισθ' αἱρουμένοις ἐκ ταὐτομάτου

They readily consented to this, and Lycortas, the writer's father, and Theodoridas and Rositeles of Sicyon were appointed envoys to Ptolemy to take the oath on behalf of the Achaeans and receive that of the king. At this time there occurred something of minor importance perhaps, but worth mentioning. For after the renewal of the alliance had been duly accomplished, Philopoemen entertained the king's envoy on behalf of the Achaeans. When mention was made of the king at the banquet the envoy was profuse in his praises of him, and cited some instances of his skill and daring in the chase, and afterwards spoke of his expertness and training in horsemanship and the use of arms, the last proof he adduced of this being that he once in hunting hit a bull from horseback with a javelin.

Troubles in Boeotia. Action of Rome and of the Achaeans

4. In Boeotia, after the peace between the Romans and Antiochus had been signed, the hopes of all those who had revolutionary aims were cut short, and there was a radical change of character in the various states. The course of justice had been at a standstill there for nearly twenty-five years, and now it was common matter of talk in the different cities that a final end must be put to all the disputes between the citizens. The matter, however, continued to be keenly disputed, as the indigent were much more numerous than those in affluent circumstances, when chance intervened as follows to

4 τοιοῦτον. ὁ γὰρ Τίτος ἐν τῇ Ῥώμῃ πάλαι μὲν
ἐσπούδαζε περὶ τοῦ καταπορευθῆναι τὸν Ζεύξιππον
εἰς τὴν Βοιωτίαν, ἅτε κεχρημένος αὐτῷ συνεργῷ
πρὸς πολλὰ κατὰ τοὺς Ἀντιοχικοὺς καὶ Φιλιπ-
5 πικοὺς καιρούς. κατὰ δὲ τοὺς τότε χρόνους
ἐξείργαστο γράψαι τὴν σύγκλητον τοῖς Βοιωτοῖς
διότι δεῖ κατάγειν Ζεύξιππον καὶ τοὺς ἅμ' αὐτῷ
6 φυγόντας εἰς τὴν οἰκείαν. ὧν προσπεσόντων, δεί-
σαντες οἱ Βοιωτοὶ μὴ κατελθόντων τῶν προ-
ειρημένων ἀποσπασθῶσιν ἀπὸ τῆς Μακεδόνων
εὐνοίας, βουλόμενοι κατακηρυχθῆναι τὰς κρίσεις
τὰς κατὰ τῶν περὶ τὸν Ζεύξιππον, ἃς ἦσαν πρό-
7 τερον αὐτοῖς ἐπιγεγραμμένοι, . . καὶ τούτῳ
τῷ τρόπῳ τῶν δικῶν μίαν μὲν αὐτῶν κατεδίκασαν
ἱεροσυλίας, διότι λεπίσαιεν τὴν τοῦ Διὸς τράπεζαν
ἀργυρᾶν οὖσαν, μίαν δὲ θανάτου διὰ τὸν Βραχύλλου
8 φόνον. ταῦτα δὲ διοικήσαντες οὐκέτι προσεῖχον
τοῖς γραφομένοις, ἀλλ' ἔπεμπον πρεσβευτὰς εἰς
τὴν Ῥώμην τοὺς περὶ Καλλίκριτον, φάσκοντες
οὐ δύνασθαι τὰ κατὰ τοὺς νόμους ᾠκονομημένα
9 παρ' αὐτοῖς ἄκυρα ποιεῖν. ἐν δὲ τοῖς καιροῖς
τούτοις πρεσβεύσαντος αὐτοῦ τοῦ Ζευξίππου πρὸς
τὴν σύγκλητον, οἱ Ῥωμαῖοι τὴν τῶν Βοιωτῶν
προαίρεσιν ἔγραψαν πρός τε τοὺς Αἰτωλοὺς καὶ
πρὸς Ἀχαιούς, κελεύοντες κατάγειν Ζεύξιππον
10 εἰς τὴν οἰκείαν. οἱ δ' Ἀχαιοὶ τοῦ μὲν ⟨διὰ⟩
στρατοπέδων ποιεῖσθαι τὴν ἔφοδον ἀπέσχον, πρε-
σβευτὰς δὲ προεχειρίσαντο πέμπειν τοὺς παρα-
καλέσοντας τοὺς Βοιωτοὺς τοῖς λεγομένοις ὑπὸ
τῶν Ῥωμαίων πειθαρχεῖν καὶ τὴν δικαιοδοσίαν,
καθάπερ καὶ τὴν ἐν αὐτοῖς, οὕτω καὶ τὴν πρὸς
11 αὐτοὺς ἐπὶ τέλος ἀγαγεῖν. συνέβαινε γὰρ καὶ τὰ

support the better disposed party. Flamininus had long been working in Rome to secure the return of Zeuxippus to Boeotia, as he had been of much assistance to him at the time of the wars with Philip and Antiochus, and at this juncture he managed to get the senate to write to the Boeotians that they must allow the return of Zeuxippus and the others exiled together with him. When this message reached them, the Boeotians, fearing lest the return of these exiles might lead to the rupture of their alliance with Macedonia, established a tribunal with the object of having judgement pronounced on the indictments against Zeuxippus that they had previously lodged, and in this way he was condemned on one charge of sacrilege for having stripped the holy table of Zeus of its silver plating and on another capital charge for the murder of Brachylles. Having managed matters so, they paid no further attention to the senate's letter, but sent Callicritus on an embassy to Rome to say that they could not set aside the legal decisions of their courts. At the same time Zeuxippus himself came to lay his case before the senate, and the Romans, informing the Aetolians and Achaeans by letter what was the policy of the Boeotians, bade them restore Zeuxippus to his home. The Achaeans refrained from proceeding to do so by armed force, but decided to send envoys to exhort the Boeotians to comply with the request of the Romans, and also to beg them, as they had done in the case of their own legal proceedings, to bring to a conclusion also those to which Achaeans were parties ; for a decision

THE HISTORIES OF POLYBIUS

πρὸς τούτους συναλλάγματα παρέλκεσθαι πολὺν
12 ἤδη χρόνον. ὧν διακούσαντες οἱ Βοιωτοί, στρα-
τηγοῦντος Ἱππίου παρ' αὐτοῖς, παραχρῆμα μὲν
ὑπέσχοντο ποιήσειν τὰ παρακαλούμενα, μετ'
13 ὀλίγον δὲ πάντων ὠλιγώρησαν. διόπερ ὁ Φιλο-
ποίμην, Ἱππίου μὲν ἀποτεθειμένου τὴν ἀρχήν,
Ἀλκέτου δὲ παρειληφότος, ἀπέδωκε τοῖς αἰτου-
14 μένοις τὰ ῥύσια κατὰ τῶν Βοιωτῶν. ἐξ ὧν
ἐγίνετο καταρχὴ διαφορᾶς τοῖς ἔθνεσιν οὐκ εὐ-
15 καταφρόνητος. παραυτίκα γὰρ ἔλαχε . . . τῶν
Μυρρίχου θρεμμάτων καὶ τοῦ Σίμωνος· καὶ περὶ
ταῦτα γενομένης συμπλοκῆς, οὐκέτι πολιτικῆς
διαφορᾶς, ἀλλὰ πολεμικῆς ἔχθρας ἐγένετο καταρχὴ
16 καὶ προοίμιον. εἰ μὲν οὖν ⟨ἡ⟩ σύγκλητος προσ-
έθηκε τἀκόλουθον περὶ τῆς καθόδου τῶν περὶ
τὸν Ζεύξιππον, ταχέως ἂν ἐξεκαύθη πόλεμος·
17 νῦν δ' ἐκείνη τε παρεσιώπησεν, οἵ τε Μεγαρεῖς
ἐπέσχον τὰ ῥύσια, διαπρεσβευσαμένων . . . τοῖς
συναλλάγμασιν.

5   Ὅτι ἐγένετο Λυκίοις διαφορὰ πρὸς Ῥοδίους διὰ
(xxiii. 3) 2 τοιαύτας αἰτίας. καθ' οὓς καιροὺς οἱ δέκα διῴκουν
τὰ περὶ τὴν Ἀσίαν, τότε παρεγενήθησαν πρέσβεις,
παρὰ μὲν Ῥοδίων Θεαίδητος καὶ Φιλόφρων,
ἀξιοῦντες αὐτοῖς δοθῆναι τὰ κατὰ Λυκίαν καὶ
Καρίαν χάριν τῆς εὐνοίας καὶ προθυμίας, ἣν
παρέσχηνται σφίσι κατὰ τὸν Ἀντιοχικὸν πόλεμον·
3 παρὰ δὲ τῶν Ἰλιέων ἧκον Ἵππαρχος καὶ Σάτυρος,
ἀξιοῦντες διὰ τὴν πρὸς αὐτοὺς οἰκειότητα συγ-

in suits between Boeotians and Achaeans had like-
wise been delayed for very long past. The Boeotians,
on hearing these requests—Hippias was now their
strategus—at once promised to accede to them, but in
a very short time entirely neglected them; and owing
to this Philopoemen, when Alcetas had succeeded
Hippias in office, granted to all applicants right of
seizure of Boeotian property, which produced a by no
means insignificant quarrel between the two nations.
For . . . seized on the cattle of Myrrichus and
Simon, and this leading to an armed conflict, proved
to be the beginning and prelude not of a difference
between private citizens, but of hostility and hatred
between nations. Had the senate at this juncture
followed up its order to restore Zeuxippus, war would
soon have been set alight; but now the senate kept
silence, and the Megarians put a stop to the seizures,
the Boeotians (?) having applied to them through
envoys, and having met the Achaean demand about
the law suits.[a]

Dispute between Rhodes and Lycia

5. A difference arose between the Lycians and
Rhodians owing to the following reasons. At the
time when the ten commissioners were administering
the affairs of Asia, two envoys, Theaedetus and
Philophron, arrived from Rhodes asking that Lycia
and Caria should be given to the Rhodians in return
for their goodwill and active assistance in the war
with Antiochus; and at the same time two envoys
from the people of Ilium, Hipparchus, and Satyrus,
came begging that, for the sake of the kinship

---

[a] This is of course an uncertain restoration.

351

4 γνώμην δοθῆναι Λυκίοις τῶν ἡμαρτημένων. ὧν
οἱ δέκα διακούσαντες ἐπειράθησαν ἑκατέρων στο-
χάσασθαι κατὰ τὸ δυνατόν. διὰ μὲν γὰρ τοὺς
Ἰλιεῖς οὐθὲν ἐβουλεύσαντο περὶ αὐτῶν ἀνήκεστον,
τοῖς δὲ Ῥοδίοις χαριζόμενοι προσένειμαν ἐν
5 δωρεᾷ τοὺς Λυκίους. ἐκ ταύτης τῆς διαλήψεως
ἐγενήθη στάσις καὶ διαφορὰ τοῖς Λυκίοις πρὸς αὐ-
6 τοὺς τοὺς Ῥοδίους οὐκ εὐκαταφρόνητος. οἱ μὲν
γὰρ Ἰλιεῖς ἐπιπορευόμενοι τὰς πόλεις αὐτῶν ἀπήγ-
γελλον ὅτι παρήτηνται τὴν ὀργὴν τῶν Ῥωμαίων
καὶ παραίτιοι γεγόνασιν αὐτοῖς τῆς ἐλευθερίας· οἱ
7 δὲ περὶ τον Θεαίδητον ἐποιήσαντο τὴν ἀγγελίαν
ἐν τῇ πατρίδι, φάσκοντες Λυκίαν καὶ Καρίας
<τὰ> μέχρι τοῦ Μαιάνδρου δεδόσθαι Ῥοδίοις
8 ὑπὸ Ῥωμαίων ἐν δωρεᾷ. λοιπὸν οἱ μὲν Λύκιοι
πρεσβεύοντες ἧκον εἰς τὴν Ῥόδον ὑπὲρ συμμαχίας,
οἱ δὲ Ῥόδιοι προχειρισάμενοί τινας τῶν πολιτῶν
ἐξαπέστελλον τοὺς διατάξοντας ταῖς κατὰ Λυκίαν
καὶ Καρίαν πόλεσιν ὡς ἕκαστα δεῖ γενέσθαι.
9 μεγάλης δ' οὔσης τῆς παραλλαγῆς περὶ τὰς
ἑκατέρων ὑπολήψεις, ἕως μέν τινος οὐ πᾶσιν
10 ἔκδηλος ἦν ἡ διαφορὰ τῶν προειρημένων· ὡς
δ' εἰσελθόντες εἰς τὴν ἐκκλησίαν οἱ Λύκιοι διελέ-
γοντο περὶ συμμαχίας, καὶ μετὰ τούτους Ποθίων
ὁ πρύτανις τῶν Ῥοδίων ἀναστὰς ἐφώτισε τὴν
ἑκατέρων αἵρεσιν καὶ προσεπετίμησε τοῖς Λυκίοις
. . . πᾶν γὰρ ὑπομένειν ἔφασαν μᾶλλον ἢ ποιήσειν
Ῥοδίοις τὸ προσταττόμενον.

between Ilium and Rome, the offences of the Lycians might be pardoned. The ten commissioners, after giving both embassies a hearing, attempted as far as possible to meet the requests of both. For to please the people of Ilium they took no very severe measures against the Lycians; but, as a favour to the Rhodians, they assigned Lycia to them as a gift. Owing to this decision a quarrel of no trivial character arose between the Lycians and the Rhodians themselves. For the representatives of Ilium, visiting the Lycian cities, announced that they had deprecated the anger of the Romans and had been instrumental in obtaining their freedom. Theaedetus, however, and his colleague published in Rhodes the message that Lycia and Caria, south of the Meander, had been given to Rhodes as a present by the Romans. After this envoys from Lycia came to Rhodes to propose an alliance, but the Rhodians appointed some of their citizens to proceed to the cities of Lycia and Caria and give general orders as to what was to be done. Though the conceptions formed on both sides were so widely divergent, yet up to a certain point the difference between them was not manifest to every one; but when the Lycians came into the Rhodian Assembly and began to talk about alliance, and when afterwards Pothion the Rhodian prytanis got up and after a clear statement of the two views rebuked the Lycians, they . . . for they said they would submit to anything rather than obey the orders of the Rhodians.

II. Res Italiae

6 (9) Ὅτι κατὰ τοὺς αὐτοὺς καιροὺς ἧκον εἰς τὴν
(xxiii. 6) Ῥώμην παρά τε τοῦ βασιλέως Εὐμένους πρεσβευ-
ταὶ διασαφοῦντες τὸν ἐξιδιασμὸν τοῦ Φιλίππου
2 τῶν ἐπὶ Θρᾴκης πόλεων, καὶ παρὰ Μαρωνειτῶν
οἱ φυγάδες κατηγοροῦντες καὶ τὴν αἰτίαν ἀνα-
φέροντες τῆς αὐτῶν ἐκπτώσεως ἐπὶ τὸν Φίλιππον,
3 ἅμα δὲ τούτοις Ἀθαμᾶνες, Περραιβοί, Θετταλοί,
φάσκοντες κομίζεσθαι δεῖν αὐτοὺς τὰς πόλεις,
ἃς παρείλετο Φίλιππος αὐτῶν κατὰ τὸν Ἀντιο-
4 χικὸν πόλεμον. ἧκον δὲ καὶ παρὰ τοῦ Φιλίππου
πρέσβεις πρὸς ἅπαντας τοὺς κατηγορήσαντας
5 ἀπολογησόμενοι. γενομένων δὲ πλειόνων λόγων
πᾶσι τοῖς προειρημένοις πρὸς τοὺς παρὰ τοῦ
Φιλίππου πρεσβευτάς, ἔδοξε τῇ συγκλήτῳ παρ-
αυτίκα καταστῆσαι πρεσβείαν τὴν ἐπισκεψομένην
τὰ κατὰ τὸν Φίλιππον καὶ παρέξουσαν ἀσφάλειαν
τοῖς βουλομένοις κατὰ πρόσωπον λέγειν τὸ φαι-
6 νόμενον καὶ κατηγορεῖν τοῦ βασιλέως. καὶ κατ-
εστάθησαν οἱ περὶ τὸν Κόιντον Καικίλιον καὶ
Μάρκον Βαίβιον καὶ Τεβέριον Κλαύδιον.

7 Συνέβαινε τοὺς Αἰνίους πάλαι μὲν στασιάζειν,
προσφάτως δ' ἀπονεύειν τοὺς μὲν πρὸς Εὐμένη,
τοὺς δὲ πρὸς Μακεδονίαν.

III. Res Graeciae

7 (10) Ὅτι κατὰ τὴν Πελοπόννησον ὡς μέν, ἔτι Φιλο-
(xxiii. 7) ποίμενος στρατηγοῦντος, εἴς τε τὴν Ῥώμην
354

II. Affairs of Italy

Thracian affairs before the Senate

(Cp. Livy xxxix. 24. 6.)

6. At the same time envoys came from King
Eumenes to Rome conveying the news that Philip
had appropriated the Thracian cities. The exiles
from Maronea also arrived accusing Philip of having
been the cause of their banishment, and together
with them representatives of the Athamanians,
Perrhaebians, and Thessalians claiming that they
should get back the towns of which Philip had
despoiled them in the war with Antiochus. Philip
also sent envoys to defend himself against all these
accusations. After several discussions between all
the above envoys and those of Philip, the senate
decided to appoint at once a commission to visit
Philip's dominions and grant a safe-conduct to all
who desired to state their case against Philip face
to face. The commissioners appointed were Quintus
Caecilius Metellus, Marcus Baebius Tamphilus, and
Tiberius Claudius Nero.

(Suid.)

The people of Aenus had long been at discord
with each other, the one party inclining to Eumenes
and the other to Macedonia.

III. Affairs of Greece

The Achaean League and the Kings

7. I have already stated that while Philopoemen
was still strategus, the Achaean League sent an

ἐξαπέστειλε πρεσβευτὰς τὸ τῶν Ἀχαιῶν ἔθνος
ὑπὲρ τῆς Λακεδαιμονίων πόλεως πρός τε τὸν
βασιλέα Πτολεμαῖον τοὺς ἀνανεωσομένους τὴν
προϋπάρχουσαν αὐτῷ συμμαχίαν, ἐδηλώσαμεν,
2 φησὶν ὁ Πολύβιος. κατὰ δὲ τὸν ἐνεστῶτα χρόνον,
Ἀρισταίνου στρατηγοῦντος, οἵ τε παρὰ Πτολε-
μαίου τοῦ βασιλέως ⟨πρέσβεις ἧκον⟩, ἐν Μεγάλῃ
3 πόλει τῆς συνόδου τῶν Ἀχαιῶν ὑπαρχούσης· ἐξ-
απεστάλκει δὲ ⟨καὶ⟩ ὁ βασιλεὺς Εὐμένης πρε-
σβευτάς, ἐπαγγελλόμενος ἑκατὸν καὶ εἴκοσι τά-
λαντα δώσειν τοῖς Ἀχαιοῖς, ἐφ' ᾧ, δανειζομένων
τούτων, ἐκ τῶν τόκων μισθοδοτεῖσθαι τὴν βουλὴν
4 τῶν Ἀχαιῶν ἐπὶ ταῖς κοιναῖς συνόδοις. ἧκον
δὲ καὶ παρὰ Σελεύκου τοῦ βασιλέως πρεσβευταί,
τήν τε φιλίαν ἀνανεωσόμενοι καὶ δεκαναΐαν μακρῶν
πλοίων ἐπαγγελλόμενοι δώσειν τοῖς Ἀχαιοῖς.
5 ἐχούσης δὲ τῆς συνόδου πραγματικῶς, πρῶτοι
παρῆλθον οἱ περὶ Νικόδημον τὸν Ἠλεῖον καὶ
τούς τε ῥηθέντας ἐν τῇ συγκλήτῳ λόγους ὑφ'
αὐτῶν ὑπὲρ τῆς τῶν Λακεδαιμονίων πόλεως
διῆλθον τοῖς Ἀχαιοῖς καὶ τὰς ἀποκρίσεις ἀν-
6 έγνωσαν, ἐξ ὧν ἦν λαμβάνειν ἐκδοχὴν ὅτι δυσ-
αρεστοῦνται μὲν καὶ τῇ τῶν τειχῶν συντελέσει . .
καὶ τῇ καταλύσει . . . τῶν ἐν τῷ Κομπασίῳ
7 διαφθαρέντων, οὐ μὴν ἄκυρόν τι ποιεῖν. οὐ-
θενὸς δ' οὔτ' ἀντειπόντος οὔτε συνηγορήσαντος,
οὕτω πως παρεπέμφθη.
8 Μετὰ δὲ τούτους εἰσῆλθον οἱ παρ' Εὐμένους
πρέσβεις καὶ τήν τε συμμαχίαν τὴν πατρικὴν
ἀνενεώσαντο καὶ τὴν ὑπὲρ τῶν χρημάτων ἐπ-
9 αγγελίαν διεσάφησαν τοῖς πολλοῖς. καὶ πλείω
δὲ πρὸς ταύτας ⟨τὰς⟩ ὑποθέσεις διαλεχθέντες

embassy to Rome on behalf of Sparta, and other
envoys to King Ptolemy to renew their existing
alliance ; and in the present year when Aristaenus
was strategus the envoys came back from Ptolemy
during the session of the Achaean Assembly at
Megalopolis. King Eumenes had also sent envoys
promising to give the Achaeans a hundred and
twenty talents, that they might lend it out and spend
the interest in paying the members of the Achaean
Parliament during its session. Envoys also came
from King Seleucus to renew the alliance with him,
promising to give the Achaeans a flotilla of ten
long ships. The Assembly having set to work,
Nicodemus of Elis first came forward, and after
reporting the terms in which they had spoken before
the senate on behalf of Sparta, read the answer
of the senate, from which it was easy to infer that
they were displeased at the completion of the walls
and at the . . . of those executed at Compasium,
but that they did not revoke their previous decisions.
As there was neither any opposition or support the
matter was shelved.

The envoys of Eumenes were the next to appear.
They renewed the ancient alliance, informed the
Assembly of the promise of money and withdrew
after speaking at some length on both these subjects

καὶ μεγάλην εὔνοιαν καὶ φιλανθρωπίαν τοῦ βασι-
λέως ἐμφήναντες πρὸς τὸ ἔθνος, κατέπαυσαν τὸν
8 (11) λόγον. μεθ᾽ οὓς Ἀπολλωνίδας ὁ Σικυώνιος ἀνα-
(xxiii. 8) στὰς κατὰ μὲν τὸ πλῆθος τῶν διδομένων χρη-
2 μάτων ἀξίαν ἔφη τὴν δωρεὰν τῶν Ἀχαιῶν, κατὰ
δὲ τὴν προαίρεσιν τοῦ διδόντος καὶ τὴν χρείαν,
εἰς ἣν δίδοται, πασῶν αἰσχίστην καὶ παρανομωτά-
3 την. τῶν γὰρ νόμων κωλυόντων μηθένα μήτε
⟨τῶν⟩ ἰδιωτῶν μήτε τῶν ἀρχόντων παρὰ βασι-
λέως δῶρα λαμβάνειν κατὰ μηδ᾽ ὁποίαν πρόφασιν,
πάντας ἅμα δωροδοκεῖσθαι προφανῶς, προσδεξα-
μένους τὰ χρήματα, πάντων εἶναι παρανομώ-
τατον, πρὸς δὲ τούτοις αἴσχιστον ὁμολογουμένως.
4 τὸ γὰρ ὀψωνιάζεσθαι τὴν βουλὴν ὑπ᾽ Εὐμένους
καθ᾽ ἕκαστον ἔτος καὶ βουλεύεσθαι περὶ τῶν
κοινῶν καταπεπωκότας οἱονεὶ δέλεαρ, πρόδηλον
5 ἔχειν τὴν αἰσχύνην καὶ τὴν βλάβην. νῦν μὲν
γὰρ Εὐμένη διδόναι χρήματα, μετὰ δὲ ταῦτα
6 Προυσίαν δώσειν, καὶ πάλιν Σέλευκον. τῶν δὲ
πραγμάτων ἐναντίαν φύσιν ἐχόντων τοῖς βασιλεῦσι
καὶ ταῖς δημοκρατίαις, καὶ τῶν πλείστων καὶ
μεγίστων διαβουλίων αἰεὶ γινομένων ⟨περὶ τῶν⟩
7 πρὸς τοὺς βασιλεῖς ἡμῖν διαφερόντων, φανερῶς
ἀνάγκη δυεῖν θάτερον ἢ τὸ τῶν βασιλέων λυσι-
τελὲς ἐπίπροσθεν γίνεσθαι τοῦ ⟨κατ᾽⟩ ἰδίαν συμ-
φέροντος ἢ τούτου μὴ συμβαίνοντος ἀχαρίστους
φαίνεσθαι πᾶσιν, ἀντιπράττοντας τοῖς αὑτῶν μισθο-
8 δόταις. διὸ μὴ μόνον ἀπείπασθαι παρεκάλει τοὺς
Ἀχαιούς, ἀλλὰ καὶ μισεῖν τὸν Εὐμένη διὰ τὴν
ἐπίνοιαν τῆς δόσεως.
9 Μετὰ δὲ τοῦτον ἀναστὰς Κάσσανδρος Αἰγινήτης
ἀνέμνησε τοὺς Ἀχαιοὺς τῆς Αἰγινητῶν ἀκληρίας,

and expressing the great goodwill and friendly feelings of the king towards the League. 8. After their withdrawal Apollonidas of Sicyon rose. He said that the sum offered by Eumenes was a gift not unworthy of the Achaeans' acceptance, but that the intention of the giver and the purpose to which it was to be applied were as disgraceful and illegal as could be. For, as it was forbidden by law for any private person or magistrate to receive gifts, on no matter what pretext, from a king, that all should be openly bribed by accepting this money was the most illegal thing conceivable, besides being confessedly the most disgraceful. For that the parliament should be in Eumenes' pay every year, and discuss public affairs after swallowing a bait, so to speak, would evidently involve disgrace and hurt. Now it was Eumenes who was giving them money ; next time it would be Prusias, and after that Seleucus. " And," he said, " as the interests of democracies and kings are naturally opposed, and most debates and the most important deal with our differences with the kings, it is evident that perforce one or the other thing will happen : either the interests of the kings will take precedence of our own ; or, if this is not so, we shall appear to every one to be ungrateful in acting against our paymasters." So he exhorted the Achaeans not only to refuse the gift, but to detest Eumenes for his purpose in offering it.

The next speaker was Cassander of Aegina, who reminded the Achaeans of the destitution which

ᾗ περιέπεσον διὰ τὸ μετὰ τῶν Ἀχαιῶν συμ-
πολιτεύεσθαι, ὅτε Πόπλιος Σολπίκιος ἐπιπλεύσας
τῷ στόλῳ πάντας ἐξηνδραποδίσατο τοὺς ταλαι-
10 πώρους Αἰγινήτας· ὑπὲρ ὧν διεσαφήσαμεν, τίνα
τρόπον Αἰτωλοί, κύριοι γενόμενοι τῆς πόλεως
κατὰ τὰς πρὸς Ῥωμαίους συνθήκας, Ἀττάλῳ
παραδοῖεν, τριάκοντα τάλαντα παρ' αὐτοῦ λαβόντες.
11 ταῦτ' οὖν τιθεὶς τοῖς Ἀχαιοῖς πρὸ ὀφθαλμῶν
ἠξίου τὸν Εὐμένη μὴ διάφορα προτείνοντα θη-
ρεύειν τὴν τῶν Ἀχαιῶν εὔνοιαν, ἀλλὰ τὴν πόλιν
ἀποδιδόντα τυγχάνειν πάντων τῶν φιλανθρώπων
12 ἀναντιρρήτως. τοὺς δ' Ἀχαιοὺς παρεκάλει μὴ
δέχεσθαι τοιαύτας δωρεάς, δι' ὧν φανήσονται
καὶ τὰς εἰς τὸ μέλλον ἐλπίδας ἀφαιρούμενοι τῆς
Αἰγινητῶν σωτηρίας.
13 Τοιούτων δὲ γενομένων λόγων, ἐπὶ τοσοῦτον
παρέστη τὸ πλῆθος ὥστε μὴ τολμῆσαι μηθένα
συνειπεῖν τῷ βασιλεῖ, πάντας δὲ μετὰ κραυγῆς
ἐκβαλεῖν τὴν προτεινομένην δωρεάν, καίτοι δο-
κούσης αὐτῆς ἔχειν τι δυσαντοφθάλμητον διὰ τὸ
πλῆθος τῶν προτεινομένων χρημάτων.
9 (12) Ἐπὶ δὲ τοῖς προειρημένοις εἰσήχθη τὸ περὶ
(xxiii. 9) 2 Πτολεμαίου διαβούλιον· ἐν ᾧ προκληθέντων
τῶν ἀποσταλέντων πρεσβευτῶν ὑπὸ τῶν Ἀχαιῶν
πρὸς Πτολεμαῖον, προελθὼν Λυκόρτας μετὰ τῶν
πρεσβευτῶν ἀπελογίσατο πρῶτον μὲν τίνα τρόπον
καὶ δοῖεν καὶ λάβοιεν τοὺς ὅρκους ὑπὲρ τῆς συμ-
3 μαχίας, εἶτα <διὸτι> κομίζοιεν δωρεὰν κοινῇ τοῖς
Ἀχαιοῖς ἑξακισχίλια μὲν ὅπλα χαλκᾶ πελταστικά,
διακόσια δὲ τάλαντα νομίσματος ἐπισήμου χαλκοῦ·
4 πρὸς δὲ τούτοις ἐπῄνεσε τὸν βασιλέα καὶ βραχέα
περὶ τῆς εὐνοίας αὐτοῦ καὶ προθυμίας τῆς εἰς
360

had overtaken the Aeginetans owing to their being members of the League at the time when Publius Sulpicius Galba had attacked Aegina with his fleet and sold into slavery all its unhappy inhabitants ; and how, as I have narrated in a previous book, the Aetolians gained possession of the town by their treaty with Rome, and handed it over to Attalus on receipt of thirty talents. Laying this before the eyes of the Achaeans, he begged Eumenes not to fish for the good offices of the Achaeans by making advantageous offers, but by giving up the city of Aegina, to secure without a dissentient voice their complete devotion. He exhorted the Achaeans at the same time not to accept a gift which would clearly involve their depriving the Aeginetans of all hope of deliverance in the future.

In consequence of these speeches the people were so deeply moved that not a soul ventured to take the part of the king, but all with loud shouts rejected the proffered gift, although owing to the greatness of the sum the temptation seemed almost irresistible.

9. After the above debate the question of Ptolemy came on for discussion. The ambassadors sent by the Achaeans to Ptolemy having been summoned, Lycortas with his colleagues came forward, and reported in the first place how they had exchanged the oaths of alliance with Ptolemy, and next stated that they were the bearers of gifts to the Achaean nation consisting of six thousand bronze shields for peltasts and two hundred talents weight of coined bronze. After expressing his thanks to the king and briefly touching on his friendly sentiments towards the

5 τὸ ἔθνος εἰπὼν κατέστρεψε τὸν λόγον. ἐφ' οἷς
ἀναστὰς ὁ τῶν Ἀχαιῶν στρατηγὸς Ἀρίσταινος
ἤρετο τόν τε παρὰ τοῦ Πτολεμαίου πρεσβευτὴν
καὶ τοὺς ἐξαπεσταλμένους ὑπὸ τῶν Ἀχαιῶν ἐπὶ
τὴν ἀνανέωσιν, ποίαν ἧκε συμμαχίαν ἀνανεωσά-
6 μενος. οὐδενὸς δ' ἀποκρινομένου, πάντων δὲ δια-
λαλούντων πρὸς ἀλλήλους, πλῆρες ἦν τὸ βουλευ-
7 τήριον ἀπορίας. ἦν δὲ τὸ ποιοῦν τὴν ἀλογίαν
τοιοῦτον. οὐσῶν καὶ πλειόνων συμμαχιῶν τοῖς
Ἀχαιοῖς πρὸς τὴν Πτολεμαίου βασιλείαν, καὶ
τούτων ἐχουσῶν μεγάλας διαφορὰς κατὰ τὰς τῶν
8 καιρῶν περιστάσεις, οὔθ' ὁ παρὰ τοῦ Πτολεμαίου
πρεσβευτὴς οὐδεμίαν ἐποιήσατο διαστολήν, ὅτ'
ἀνενεοῦτο, καθολικῶς δὲ περὶ τοῦ πράγματος
9 ἐλάλησεν, οὔθ' οἱ πεμφθέντες πρέσβεις, ἀλλ' ὡς
μιᾶς ὑπαρχούσης αὐτοί τε τοὺς ὅρκους ἔδοσαν καὶ
10 παρὰ τοῦ βασιλέως ἔλαβον. ὅθεν προφερομένου
τοῦ στρατηγοῦ πάσας τὰς συμμαχίας καὶ κατὰ
μέρος ἐν ἑκάστῃ διαστελλομένου, μεγάλης οὔσης
διαφορᾶς, ἐζήτει τὸ πλῆθος εἰδέναι ποίαν ἀνανεοῖτο
11 συμμαχίαν. οὐ δυναμένου δὲ λόγον ὑποσχεῖν
οὔτε τοῦ Φιλοποίμενος, ὃς ἐποιήσατο στρατηγῶν
τὴν ἀνανέωσιν, οὔτε τῶν περὶ τὸν Λυκόρταν τῶν
12 πρεσβευσάντων εἰς τὴν Ἀλεξάνδρειαν, οὗτοι μὲν
ἐσχεδιακότες ἐφαίνοντο τοῖς κοινοῖς πράγμασιν,
ὁ δ' Ἀρίσταινος μεγάλην ἐφείλκετο φαντασίαν
ὡς μόνος εἰδὼς τί λέγει, καὶ τέλος οὐκ εἴασε
κυρωθῆναι τὸ διαβούλιον, ἀλλ' εἰς ὑπέρθεσιν
13 ἤγαγε ⟨διὰ⟩ τὴν προειρημένην ἀλογίαν. τῶν δὲ
παρὰ τοῦ Σελεύκου πρέσβεων εἰσελθόντων, ἔδοξε
τοῖς Ἀχαιοῖς τὴν μὲν φιλίαν ἀνανεώσασθαι ⟨πρὸς⟩
τὸν Σέλευκον, τὴν δὲ τῶν πλοίων δωρεὰν κατὰ

League, he concluded his speech. The Achaean strategus Aristaenus now got up, and asked Ptolemy's ambassadors and those sent by the Achaeans to renew the alliance, which alliance had been renewed. When no one answered, but all the envoys began to talk between themselves, the house was at a loss to understand why. The cause of the confusion was as follows. There were several alliances between the Achaeans and Ptolemy, the terms of which varied widely with the variety of the circumstances under which they had been concluded ; yet neither did Ptolemy's envoy make any distinction when the alliance was renewed but spoke in general terms on the subject, nor did the Achaean envoys do so, but exchanged oaths with the king as if there had only been one alliance. So that when the strategus produced all the alliances and explained in detail the points in which they differed, the divergences being very marked, the assembly demanded to know which alliance they were renewing. When neither Philopoemen, who had made the renewal during his year of office, nor Lycortas and his colleagues, who had been to Alexandria, could give any explanation, they were judged to have treated affairs of state in a perfunctory fashion, but Aristaenus acquired a great reputation as being the only man who knew what he was speaking about Finally he did not allow the resolution to be ratified but adjourned the debate on it owing to the confusion I have explained. Upon the envoys from Seleucus entering the house the Achaeans voted to renew the alliance with that king, but to refuse the

14 τὸ παρὸν ἀπείπασθαι. καὶ τότε μὲν περὶ τούτων
βουλευσάμενοι διέλυσαν εἰς τὰς ἰδίας ἕκαστοι
πόλεις.

10 (13)   Μετὰ δὲ ταῦτα, τῆς πανηγύρεως ἀκμαζούσης,
(xxiii. 10) ἦλθε Κόιντος Καικίλιος ἐκ Μακεδονίας, ἀνα-
κάμπτων ἀπὸ τῆς πρεσβείας ἧς ἐπρέσβευσε πρὸς
2 Φίλιππον. καὶ συναγαγόντος 'Αρισταίνου τοῦ
στρατηγοῦ τὰς ἀρχὰς εἰς τὴν τῶν 'Αργείων
πόλιν, εἰσελθὼν ὁ Κόιντος ἐμέμφετο, φάσκων
αὐτοὺς βαρύτερον καὶ πικρότερον τοῦ δέοντος
κεχρῆσθαι τοῖς Λακεδαιμονίοις, καὶ παρεκάλει
διὰ πλειόνων διορθώσασθαι τὴν προγεγενημένην
3 ἄγνοιαν. ὁ μὲν οὖν 'Αρίσταινος εἶχε τὴν ἡσυχίαν,
δῆλος ὢν ἐξ αὐτοῦ τοῦ σιωπᾶν ὅτι δυσαρεστεῖται
τοῖς ᾠκονομημένοις καὶ συνευδοκεῖ τοῖς ὑπὸ
4 Καικιλίου λεγομένοις· ὁ δὲ Διοφάνης ὁ Μεγαλο-
πολίτης, ἄνθρωπος στρατιωτικώτερος ἢ πολι-
τικώτερος, ἀναστὰς οὐχ οἷον ἀπελογήθη τι περὶ
τῶν 'Αχαιῶν, ἀλλὰ καὶ προσυπέδειξε τῷ Καικιλίῳ
διὰ τὴν πρὸς τὸν Φιλοποίμενα παρατριβὴν ἕτερον
5 ἔγκλημα κατὰ τῶν 'Αχαιῶν. ἔφη γὰρ οὐ μόνον
τὰ κατὰ Λακεδαίμονα κεχειρίσθαι κακῶς, ἀλλὰ
6 καὶ τὰ κατὰ Μεσσήνην· ἦσαν δὲ περὶ τῶν φυ-
γαδικῶν τοῖς Μεσσηνίοις ἀντιρρήσεις τινὲς πρὸς
ἀλλήλους περὶ τὸ τοῦ Τίτου διάγραμμα καὶ τὴν
7 τοῦ Φιλοποίμενος διόρθωσιν. ὅθεν ὁ Καικίλιος,
δοκῶν ἔχειν καὶ τῶν 'Αχαιῶν αὐτῶν τινας ὁμο-
γνώμονας, μᾶλλον ἠγανάκτει τῷ μὴ κατακολου-
θεῖν ἑτοίμως τοῖς ὑπ' αὐτοῦ παρακαλουμένοις
8 τοὺς συνεληλυθότας. τοῦ δὲ Φιλοποίμενος καὶ
Λυκόρτα, σὺν ⟨δὲ⟩ τούτοις "Αρχωνος, πολλοὺς
καὶ ποικίλους διαθεμένων λόγους ὑπὲρ τοῦ καλῶς

fleet of ships for the present. After these subjects
had been discussed the assembly dissolved, the
members returning to their cities.

10. After this, when the Nemean festival was at
its height, Quintus Caecilius Metellus came from
Macedonia on his way back from his mission to
Philip. Aristaenus, the strategus, having assembled
the Achaean magistrates in Argos, Caecilius came
in and found fault with them for having treated the
Lacedaemonians with undue cruelty and severity ;
and, addressing them at some length, exhorted them
to correct their past errors. Aristaenus, for his
part, remained silent, thus indicating his tacit dis-
approval of the management of matters there and
his agreement with the remarks of Caecilius. Dio-
phanes of Megalopolis, who was more of a soldier
than a politician, now got up, and not only did not
offer any defence of the Achaeans, but, owing to
his strained relations with Philopoemen, suggested
to Caecilius another charge he might bring against
the League. For he said that not only had matters
been mismanaged at Sparta, but also at Messene,
alluding to certain disputes among the Messenians
themselves on the subject of the edict of Flamininus
and Philopoemen's interference with it So that
Caecilius, thinking that he had some of the Achaeans
themselves in agreement with him, became still
more vexed because the meeting of magistrates
did not readily accede to his requests. After
Philopoemen, Lycortas, and Archon had spoken at
length and employed various arguments to show

μὲν διῳκῆσθαι τὰ κατὰ τὴν Σπάρτην καὶ συμ-
φερόντως αὐτοῖς μάλιστα τοῖς Λακεδαιμονίοις,
ἀδύνατον δ' εἶναι τὸ κινῆσαί τι τῶν ὑποκειμένων
ἄνευ τοῦ παραβῆναι καὶ τὰ πρὸς τοὺς ἀνθρώπους
9 δίκαια καὶ τὰ πρὸς τοὺς θεοὺς ὅσια, μένειν ἔδοξε
τοῖς παροῦσιν ἐπὶ τῶν ὑποκειμένων καὶ ταύτην
10 δοῦναι τῷ πρεσβευτῇ τὴν ἀπόκρισιν. ὁ δὲ Και-
κίλιος ὁρῶν τὴν τούτων προαίρεσιν, ἠξίου τοὺς
11 πολλοὺς αὐτῷ συναγαγεῖν εἰς ἐκκλησίαν. οἱ δὲ
τῶν Ἀχαιῶν ἄρχοντες ἐκέλευον αὐτὸν δεῖξαι τὰς
ἐντολάς, ἃς εἶχε παρὰ τῆς συγκλήτου περὶ τούτων.
τοῦ δὲ παρασιωπῶντος, οὐκ ἔφασαν αὐτῷ συνάξειν
12 τὴν ἐκκλησίαν· τοὺς γὰρ νόμους οὐκ ἐᾶν, ἐὰν
μὴ φέρῃ τις ἔγγραπτα παρὰ τῆς συγκλήτου,
13 περὶ ὧν οἴεται δεῖν συνάγειν. ὁ δὲ Καικίλιος ἐπὶ
τοσοῦτον ὠργίσθη διὰ τὸ μηθὲν αὐτῷ συγχωρεῖ-
σθαι τῶν ἀξιουμένων, ὥστ' οὐδὲ τὴν ἀπόκρισιν
ἠβουλήθη δέξασθαι παρὰ τῶν ἀρχόντων, ἀλλ'
14 ἀναπόκριτος ἀπῆλθεν. οἱ δ' Ἀχαιοὶ τὴν αἰτίαν
ἀνέφερον καὶ τῆς πρότερον παρουσίας ἅμα τῆς
Μάρκου τοῦ Φολουΐου καὶ τῆς τότε τῶν περὶ
τὸν Καικίλιον ἐπὶ τὸν Ἀρίσταινον καὶ τὸν Διο-
φάνην, ὡς τούτους ἀντισπασαμένους διὰ τὴν
15 ἀντιπολιτείαν τὴν πρὸς τὸν Φιλοποίμενα· καί
τις ἦν ὑποψία τῶν πολλῶν πρὸς τοὺς προειρημέ-
νους ἄνδρας. καὶ τὰ μὲν κατὰ Πελοπόννησον
ἐν τούτοις ἦν.

IV. RES ITALIAE

11 (15) Ὅτι τῶν περὶ τὸν Καικίλιον ἀνακεχωρηκότων
(xxiii. 11) ἐκ τῆς Ἑλλάδος καὶ διασεσαφηκότων τῇ συγ-

that the management of affairs at Sparta had been
good and particularly advantageous to the Spartans
themselves, and that it was impossible to change
anything in the established order of things there
without violating the obligations of justice to men
and piety to the gods, the meeting decided to make
no change, and to convey this resolution to the
legate. Caecilius, seeing how this meeting was
disposed, demanded that the popular assembly
should be summoned to meet him ; but the magis-
trates asked him to show them the instructions he
had from the senate on the subject ; and, when he
made no reply, refused to summon the assembly ;
for their laws did not allow it unless a written request
was presented from the senate stating what matters
it desired to submit to the assembly. Caecilius
was so indignant at none of his requests having been
granted that he did not even consent to receive
the answer of the magistrates, but went away without
any. The Achaeans attributed both the former
visit of Marcus Fulvius and the present one of
Caecilius to Aristaenus and Diophanes, alleging that
these two politicians had induced both to side with
them owing to their political differences with Philo-
poemen, and they were viewed by the people with
a certain suspicion. Such was the state of affairs
in the Peloponnesus.

IV. Affairs of Italy

Treatment of Grecian Affairs by the Senate

(Cp. Livy xxxix. 33.)

11. After Caecilius and the other commissioners 187-186
had left Greece and had reported to the senate B.C.

κλήτῳ περί τε τῶν κατὰ Μακεδονίαν καὶ τῶν
κατὰ Πελοπόννησον, εἰσῆγον εἰς τὴν σύγκλητον
τοὺς περὶ τούτων ⟨παρα⟩γεγονότας πρεσβευτάς.
2 εἰσελθόντων δὲ πρῶτον τῶν παρὰ τοῦ Φιλίππου
καὶ παρ᾽ Εὐμένους, ἔτι δὲ τῶν ἐξ Αἴνου καὶ
Μαρωνείας φυγάδων, καὶ ποιησαμένους τοὺς λό-
γους ἀκολούθως τοῖς ἐν Θετταλονίκῃ ῥηθεῖσιν
3 ἐπὶ τῶν περὶ τὸν Καικίλιον, ἔδοξε τῇ συγκλήτῳ
πέμπειν πάλιν ἄλλους πρεσβευτὰς πρὸς τὸν Φίλ-
ιππον τοὺς ἐπισκεψομένους πρῶτον μὲν εἰ παρα-
κεχώρηκε τῶν ἐν ⟨Θετταλίᾳ καὶ⟩ Περραιβίᾳ
πόλεων κατὰ τὴν τῶν περὶ τὸν Καικίλιον ἀπό-
4 κρισιν, εἶτα τοὺς ἐπιτάξοντας αὐτῷ τὰς φρουρὰς
ἐξάγειν ἐξ Αἴνου καὶ Μαρωνείας, καὶ συλλήβδην
ἀποβαίνειν ἀπὸ τῶν παραθαλαττίων τῆς Θράκης
5 ἐρυμάτων καὶ τόπων καὶ πόλεων. μετὰ δὲ
τούτους εἰσῆγον τοὺς ἀπὸ Πελοποννήσου παρα-
6 γεγονότας. οἵ τε γὰρ Ἀχαιοὶ πρεσβευτὰς ἀπ-
εστάλκεισαν τοὺς περὶ Ἀπολλωνίδαν τὸν Σικυώνιον
δικαιολογησομένους πρὸς τὸν Καικίλιον ὑπὲρ τοῦ
μὴ λαβεῖν αὐτὸν ἀπόκρισιν καὶ καθόλου διδάξοντας
7 ὑπὲρ τῶν κατὰ Λακεδαίμονα πραγμάτων, ἔκ τε
τῆς Σπάρτης Ἀρεὺς καὶ Ἀλκιβιάδης ἐπρέσβευσαν·
οὗτοι δ᾽ ἦσαν τῶν ἀρχαίων φυγάδων τῶν ὑπὸ
τοῦ Φιλοποίμενος καὶ τῶν Ἀχαιῶν νεωστὶ κατ-
8 ηγμένων εἰς τὴν οἰκείαν. ὃ καὶ μάλιστα τοὺς
Ἀχαιοὺς εἰς ὀργὴν ἦγε τῷ δοκεῖν, μεγάλης οὔσης
καὶ προσφάτου τῆς εἰς τοὺς φυγάδας εὐεργεσίας,
ἐξ αὐτῆς ἐπὶ τοσοῦτον ἀχαριστεῖσθαι παρ᾽ αὐτοῖς
ὥστε καὶ καταπρεσβεύειν καὶ κατηγορίαν ποι-
εῖσθαι πρὸς τοὺς κρατοῦντας τῶν ἀνελπίστως
αὐτοὺς σωσάντων καὶ καταγαγόντων εἰς τὴν

about the affairs of Macedonia and the Peloponnesus, the envoys who had come to Rome on these subjects were introduced. The first to come in were the representatives of Philip and Eumenes and the exiles from Aenus and Maronea; and, upon their speaking in the same terms as they had done at Thessalonica before Caecilius, the senate decided to send fresh legates to Philip, to see in the first place if he had evacuated the cities in Thessaly and Perrhaebia, as Caecilius had stipulated in his reply to him, and next to order him to withdraw his garrisons from Aenus and Maronea and in general to quit all forts, places, and cities on the sea coast of Thrace. The envoys from the Peloponnesus were the next to be introduced, the Achaeans having sent Apollonidas of Sicyon to justify themselves against Caecilius, because he had received no answer from them, and to speak in general on the affairs of Sparta, and Areus and Alcibiades being the representatives of Sparta. These men both belonged to those old exiles who had recently been restored to their country by Philopoemen and the Achaeans; and it particularly excited the anger of the Achaeans that, after so great and recent a kindness as they had shown the exiles, they at once met with such flagrant ingratitude from them that they came on a mission against them to the ruling power and accused those who had so unexpectedly saved them and restored them to their homes. 12. The two

12 (16) πατρίδα. ποιησαμένων δὲ καὶ τούτων πρὸς ἀλλή-
(xxiii. 12) λους ἐκ συγκαταθέσεως τὴν δικαιολογίαν, καὶ
διδασκόντων τὴν σύγκλητον τῶν μὲν περὶ τὸν
Ἀπολλωνίδαν τὸν Σικυώνιον ὡς ἀδύνατον εἴη
τὸ παράπαν ἄμεινον χειρισθῆναι τὰ κατὰ τὴν
Σπάρτην ἢ νῦν κεχείρισται διὰ τῶν Ἀχαιῶν καὶ
2 διὰ Φιλοποίμενος, τῶν δὲ περὶ τὸν Ἀρέα τἀναν-
τία πειρωμένων λέγειν καὶ φασκόντων πρῶτον
μὲν καταλελύσθαι τὴν τῆς πόλεως δύναμιν ἐξηγη-
μένου τοῦ πλήθους μετὰ βίας, εἶτ' ἐν αὐτοῖς ἐπι-
σφαλῆ καὶ ἀπαρρησίαστον καταλείπεσθαι τὴν
3 πολιτείαν, ἐπισφαλῆ μὲν ὀλίγοις οὖσιν καὶ τούτοις
τῶν τειχῶν περιῃρημένων, ἀπαρρησίαστον δὲ
διὰ τὸ μὴ μόνον τοῖς κοινοῖς δόγμασιν τῶν
Ἀχαιῶν πειθαρχεῖν, ἀλλὰ καὶ κατ' ἰδίαν ὑπηρετεῖν
4 τοῖς ἀεὶ καθισταμένοις ἄρχουσιν, διακούσασα
καὶ τούτων ἡ σύγκλητος ἔκρινε τοῖς αὐτοῖς πρε-
σβευταῖς δοῦναι καὶ περὶ τούτων ἐντολάς, καὶ
κατέστησεν πρεσβευτὰς ἐπὶ τὴν ⟨Μακεδονίαν
καὶ τὴν⟩ Ἑλλάδα τοὺς περὶ Ἄππιον Κλαύδιον.
5 Ἀπελογήθησαν δὲ καὶ πρὸς τὸν Καικίλιον
ὑπὲρ τῶν ἀρχόντων οἱ παρὰ τῶν Ἀχαιῶν πρέ-
σβεις ἐν τῇ συγκλήτῳ, φάσκοντες οὐθὲν ἀδικεῖν
αὐτοὺς οὐδ' ἀξίους ἐγκλήματος ὑπάρχειν ἐπὶ τῷ
6 μὴ συνάγειν τὴν ἐκκλησίαν· νόμον γὰρ εἶναι παρὰ
τοῖς Ἀχαιοῖς μὴ συγκαλεῖν τοὺς πολλούς, ἐὰν μὴ
περὶ συμμαχίας ἢ πολέμου δέῃ γίνεσθαι διαβού-
λιον ἢ παρὰ ⟨τῆς⟩ συγκλήτου τις ἐνέγκῃ γράμματα.
7 διὸ καὶ δικαίως τότε βουλεύσασθαι μὲν τοὺς
ἄρχοντας συγκαλεῖν τοὺς Ἀχαιοὺς εἰς ἐκκλησίαν,
κωλύεσθαι δ' ὑπὸ τῶν νόμων διὰ τὸ μήτε γράμ-

parties, with the sanction of the senate, pleaded against each other in the Curia. Apollonidas of Sicyon asserted that it was quite impossible for the affairs of Sparta to have been managed better than they had been managed by the Achaeans and Philopoemen, while Areus and his colleague attempted to prove the reverse, stating that in the first place the power of the city had been reduced by the forcible expulsion of the populace, and that then, in the state as left to those who remained, there was neither security nor liberty of speech, no security because they were few and their walls had been destroyed, and no liberty of speech because they not only had to obey the public decrees of the Achaeans but were as individuals obliged to be at the beck and call of any governors who might be appointed. The senate, after hearing both sides, decided to give the same legates instructions on this subject, and appointed for Macedonia and Greece a commission at the head of which was Appius Claudius Pulcher.

The envoys from Achaea also spoke in the Senate defending their magistrates against Caecilius. They maintained that the magistrates had done nothing wrong and were deserving of no censure in not having summoned the assembly to meet, the Achaean law being that the popular assembly is not to be summoned unless a resolution has to be passed regarding war or peace, or unless anyone brings a letter from the senate. Their magistrates had therefore been right on that occasion; for while they had desired to summon the Achaeans to a general assembly they were prevented from doing so by the laws, as Caecilius was neither the

ματα φέρειν αὐτὸν παρὰ ⟨τῆς⟩ συγκλήτου μήτε
τὰς ἐντολὰς ἐγγράπτους ἐθέλειν δοῦναι τοῖς ἄρ-
8 χουσιν. ὧν ῥηθέντων ἀναστὰς Καικίλιος τῶν τε
περὶ τὸν Φιλοποίμενα καὶ Λυκόρταν κατηγόρησεν
καὶ καθόλου τῶν Ἀχαιῶν καὶ τῆς οἰκονομίας,
ᾗ περὶ τῆς τῶν Λακεδαιμονίων ἐκέχρηντο πόλεως.
9 ἡ δὲ σύγκλητος διακούσασα τῶν λεγομένων
ἔδωκε τοῖς Ἀχαιοῖς ἀπόκρισιν ὅτι περὶ μὲν τῶν
κατὰ Λακεδαίμονα πέμψει τοὺς ἐπισκεψομένους·
10 τοῖς δὲ πρεσβευταῖς τοῖς αἰεὶ παρ' ἑαυτῶν ἐκπεμ-
πομένοις παρῄνει προσέχειν τὸν νοῦν καὶ κατα-
δοχὴν ποιεῖσθαι τὴν ἁρμόζουσαν, καθάπερ καὶ
Ῥωμαῖοι ποιοῦνται τῶν παραγινομένων πρὸς
αὐτοὺς πρεσβευτῶν.

V. Res Macedoniae

13 (17)   Ὅτι Φίλιππος ὁ βασιλεύς, διαπεμψαμένων πρὸς
(xxiii. 13) αὐτὸν ἐκ τῆς Ῥώμης τῶν ἰδίων πρεσβευτῶν καὶ
2 δηλούντων ὅτι δεήσει κατ' ἀνάγκην ἀποβαίνειν
ἀπὸ τῶν ἐπὶ Θρᾴκης πόλεων, πυθόμενος ταῦτα
καὶ βαρέως φέρων ἐπὶ τῷ δοκεῖν πανταχόθεν
αὑτοῦ περιτέμνεσθαι τὴν ἀρχήν, ἐναπηρείσατο
τὴν ὀργὴν εἰς τοὺς ταλαιπώρους Μαρωνείτας.
3 μεταπεμψάμενος γὰρ Ὀνόμαστον τὸν ἐπὶ Θρᾴκης
τεταγμένον ἐκοινολογήθη τούτῳ περὶ τῆς πράξεως.
4 ὁ δ' Ὀνόμαστος ἀναχωρήσας ἐξαπέστειλε Κάσ-
σανδρον εἰς Μαρώνειαν, συνήθη τοῖς πολλοῖς
5 ὑπάρχοντα διὰ τὸ ποιεῖσθαι τὸν πλείονα χρόνον
ἐκεῖ τὴν διατριβήν, ἅτε τοῦ Φιλίππου πάλαι τοὺς

bearer of letters from the senate nor would he show to their magistrates his written instructions. After their speech Caecilius got up, and accusing Philopoemen and Lycortas and the Achaeans in general, condemned their management of the affairs of Sparta. The senate, after listening to the speeches, gave the following answer to the Achaeans. They would send a commission to inquire into Lacedaemonian affairs, and they advised the Achaeans to pay due attention and give a proper reception to all legates dispatched by them, just as the Romans do in the case of embassies arriving in Rome.

V. Affairs of Macedonia

Massacre at Maronea

(Cp. Livy xxxix. 34–35.)

13. King Philip, when his envoys sent a message to him from Rome that it would be necessary for him to evacuate the Thracian cities, upon learning this was much embittered by the thought that he was being docked of his dominions on every side, and vented his fury on the unhappy people of Maronea. Sending for Onomastus, the governor of Thrace, he communicated his intentions to him. Onomastus upon leaving sent to Maronea Cassander, who was familiar with the people, as he usually resided there, Philip having for long been in the

373

αὐλικοὺς ἐγκαθεικότος εἰς τὰς πόλεις ταύτας
6 καὶ συνήθεις πεποιηκότος τοὺς ἐγχωρίους ταῖς
τούτων παρεπιδημίαις. μετὰ δέ τινας ἡμέρας
ἑτοιμασθέντων τῶν Θρᾳκῶν, καὶ τούτων ἐπεισ-
ελθόντων διὰ τοῦ Κασσάνδρου νυκτός, ἐγένετο
7 μεγάλη σφαγὴ καὶ πολλοὶ τῶν Μαρωνειτῶν
ἀπέθανον. κολασάμενος δὲ τῷ τοιούτῳ τρόπῳ
τοὺς ἀντιπράττοντας ὁ Φίλιππος καὶ πληρώσας
τὸν ἴδιον θυμόν, ἐκαραδόκει τὴν τῶν πρεσβευτῶν
8 παρουσίαν πεπεισμένος μηδένα τολμήσειν κατ-
ηγορήσειν αὐτοῦ διὰ τὸν φόβον. μετὰ δέ τινα
χρόνον παραγενομένων τῶν περὶ τὸν Ἄππιον καὶ
ταχέως πυθομένων τὰ γεγονότα κατὰ τὴν Μαρώ-
9 νειαν καὶ πικρῶς τῷ Φιλίππῳ μεμψιμοιρούντων
ἐπὶ τούτοις, ἐβούλετο μὲν ἀπολογεῖσθαι, φάσκων
μὴ κεκοινωνηκέναι τῆς παρανομίας, ἀλλ' αὐτοὺς
ἐν αὑτοῖς στασιάζοντας Μαρωνείτας, [καὶ] τοὺς
μὲν ἀποκλίνοντας ⟨πρὸς⟩ Εὐμένη κατὰ τὴν εὔ-
νοιαν, τοὺς δὲ πρὸς ἑαυτόν, εἰς ταύτην ἐμπεπτω-
10 κέναι τὴν ἀτυχίαν. καλεῖν δ' ἐκέλευε κατὰ
11 πρόσωπον, εἴ τις αὐτοῦ κατηγορεῖ. τοῦτο δ'
ἐποίει πεπεισμένος μηδένα τολμήσειν διὰ τὸν
φόβον, τῷ δοκεῖν τὴν μὲν ἐκ Φιλίππου τιμωρίαν
ἐκ χειρὸς ἔσεσθαι τοῖς ἀντιπράξασιν, τὴν δὲ
12 Ῥωμαίων ἐπικουρίαν μακρὰν ἀφεστάναι. τῶν
δὲ περὶ τὸν Ἄππιον οὐ φασκόντων προσδεῖσθαι
δικαιολογίας, σαφῶς γὰρ εἰδέναι τὰ γεγονότα
καὶ τὸν αἴτιον τούτων, εἰς ἀπορίαν ἐνέπιπτεν
13 ὁ Φίλιππος. καὶ τὴν μὲν πρώτην ἔντευξιν ἄχρι
14 (18) τούτου προβάντες ἔλυσαν· κατὰ δὲ τὴν ἐπιοῦσαν
(xxiii. 14) ἡμέραν οἱ περὶ τὸν Ἄππιον πέμπειν ἐπέταττον
τῷ Φιλίππῳ τὸν Ὀνόμαστον καὶ τὸν Κάσσανδρον

habit of settling members of his court in these cities
and accustoming the inhabitants to their stay.
After a few days, when the Thracians had been
got ready and introduced into the town at night
by Cassander, a great massacre took place, and many
of the citizens perished. Philip, having thus chas-
tised his opponents and satisfied his vengeance,
waited for the arrival of the legates, convinced that
no one would dare to accuse him owing to fear;
but shortly afterwards when Appius and his colleagues
arrived, and, having soon heard what had happened
at Maronea, rebuked Philip severely for his conduct,
he tried to excuse himself by stating that he had
taken no part in the outrage, but that the people of
Maronea themselves who were at discord, some of
them being inclined to favour Eumenes and some
himself, had brought this calamity on themselves;
and he invited them to summon anyone who wished
to accuse him to meet him. This he did owing to
his conviction that no one would venture to do so,
as all would think that Philip's vengeance on his
opponents would be summary, while the help of
Rome was remote. But when the commissioners
said that any further defence on his part was super-
fluous, as they quite well knew what had happened
and who was the cause of it, Philip was at a loss
what to reply. 14. They broke up their first inter-
view at this point, and on the next day the commis-
sioners ordered Philip to send Onomastus and Cas-

ἐξ αὐτῆς εἰς τὴν Ῥώμην [ἵνα πύθηται περὶ τῶν
2 γεγονότων]. ὁ δὲ βασιλεύς, διατραπεὶς ὡς ἔνι
μάλιστα καὶ ἀπορήσας ἐπὶ πολὺν χρόνον, τὸν μὲν
Κάσσανδρον ἔφη πέμψειν, τὸν αὐθέντην γεγονότα
τῆς πράξεως, ὡς ἐκεῖνοί φασιν, ἵνα πύθηται παρὰ
3 τούτου τὰς ἀληθείας ἡ σύγκλητος. τὸν δ' Ὀνό-
μαστον ἐξῃρεῖτο καὶ παρ' αὐτὰ καὶ μετὰ ταῦτα τοῖς
πρεσβευταῖς ἐντυγχάνων, ἀφορμῇ μὲν χρώμενος
τῷ μὴ οἷον ἐν τῇ Μαρωνείᾳ παραγεγονέναι τὸν
4 Ὀνόμαστον κατὰ τὸν τῆς σφαγῆς καιρόν, ἀλλὰ
μηδ' ἐπὶ τῶν σύνεγγυς τόπων γεγονέναι, τῇ δ'
ἀληθείᾳ δεδιὼς μὴ παραγενηθεὶς εἰς τὴν Ῥώμην,
καὶ πολλῶν ἔργων αὐτῷ κεκοινωνηκὼς τοιούτων,
οὐ μόνον τὰ κατὰ τοὺς Μαρωνείτας, ἀλλὰ καὶ
5 τἄλλα πάντα διασαφήσῃ τοῖς Ῥωμαίοις. καὶ
τέλος τὸν μὲν Ὀνόμαστον ἐξείλετο, τὸν δὲ Κάσ-
σανδρον μετὰ τὸ τοὺς πρεσβευτὰς ἀπελθεῖν ἀπο-
στείλας καὶ παραπέμψας ἕως Ἠπείρου φαρμάκῳ
6 διέφθειρεν. οἱ δὲ περὶ τὸν Ἄππιον, κατεγνω-
κότες τοῦ Φιλίππου καὶ περὶ τῆς εἰς τοὺς Μαρω-
νείτας παρανομίας καὶ περὶ τῆς πρὸς Ῥωμαίους
ἀλλοτριότητος, τοιαύτας ἔχοντες διαλήψεις ἐχω-
ρίσθησαν.
7 Ὁ δὲ βασιλεὺς γενόμενος καθ' ἑαυτὸν καὶ
συμμεταδοὺς τῶν φίλων Ἀπελλῇ καὶ Φιλοκλεῖ
περὶ τῶν ἐνεστώτων, ἔγνω σαφῶς ἐπὶ πολὺ
προβεβηκυῖαν αὐτοῦ τὴν πρὸς Ῥωμαίους διαφο-
ράν, καὶ ταύτην οὐκέτι λανθάνουσαν, ἀλλὰ κατα-
8 φανῆ τοῖς πλείστοις οὖσαν. καθόλου μὲν οὖν
πρόθυμος ἦν εἰς τὸ κατὰ πάντα τρόπον ἀμύνασθαι
καὶ μετελθεῖν αὐτούς· πρὸς ἔνια δὲ τῶν ἐπι-
νοουμένων ἀπόχειρος ὢν ἐπεβάλετο πῶς ἂν ἔτι

sander instantly to Rome. Philip was exceedingly
taken aback by this, and after hesitating for long,
said he would send Cassander, the author of the
deed, as they said, in order that the senate might
learn the truth from him. Both now and at sub-
sequent interviews with the legates he exculpated
Onomastus on the pretext that not only had he not
been present at Maronea on the occasion of the
massacre, but had not even been in the neigh-
bourhood ; fearing in fact that on arriving at
Rome this officer, who had taken part in many
similar deeds, might inform the Romans not only
about what had happened at Maronea, but about
all the rest. Finally he got Onomastus excused ;
but sent off Cassander after the departure of the
legates and giving him an escort as far as Epirus
killed him there by poison. But Appius and the
other legates, after condemning Philip for his outrage
at Maronea and for his spirit of enmity to Rome,
quitted him with this opinion of him.

The king, left by himself, confessed in his con-
fidential intercourse with his friends Apelles and
Philocles that he saw clearly that his difference
with the Romans had become very acute and that
this did not escape the eyes of others but was patent
to most people. He was therefore in general quite
eager to resist and attack them by any and every
means. But as he had not sufficient forces to execute
some of his projects, he set himself to consider how

γένοιτό τις ἀναστροφὴ καὶ λάβοι χρόνον πρὸς
9 τὰς εἰς τὸν πόλεμον παρασκευάς. ἔδοξεν οὖν
αὐτῷ τὸν νεώτατον υἱὸν Δημήτριον πέμπειν εἰς
τὴν Ῥώμην, τὰ μὲν ἀπολογησόμενον ὑπὲρ τῶν
ἐγκαλουμένων, τὰ δὲ καὶ παραιτησόμενον, εἰ
10 καί τις ἄγνοιά ⟨ποτ'⟩ ἐγεγόνει περὶ αὐτόν. πάνυ
γὰρ ἐπέπειστο διὰ τούτου πᾶν τὸ προτεθὲν ἀ-
νύεσθαι παρὰ τῆς συγκλήτου διὰ τὴν ὑπεροχὴν
τὴν γεγενημένην τοῦ νεανίσκου κατὰ τὴν ὁμηρείαν.
11 ταῦτα δὲ διανοηθεὶς ἅμα μὲν ἐγίνετο περὶ τὴν
ἐκπομπὴν τούτου καὶ τῶν ἅμα τούτῳ συνεξ-
12 αποσταλησομένων φίλων, ἅμα δὲ τοῖς Βυζαντίοις
ὑπέσχετο βοηθήσειν, οὐχ οὕτως ἐκείνων στο-
χαζόμενος ὡς ἐπὶ τῇ 'κείνων προφάσει βουλό-
μενος καταπλήξασθαι τοὺς τῶν Θρᾳκῶν δυνάστας
τῶν ὑπὲρ τὴν Προποντίδα κατοικούντων χάριν
τῆς προκειμένης ἐπιβολῆς.

VI. Res Graeciae

15 (19) Ὅτι κατὰ τὴν Κρήτην, κοσμοῦντος ἐν Γορτύνῃ
(xxiii. 15) Κύδα τοῦ Ἀντάλκους, κατὰ πάντα τρόπον ἐλατ-
τούμενοι Γορτύνιοι τοὺς Κνωσίους, ἀποτεμόμενοι
τῆς χώρας αὐτῶν τὸ μὲν καλούμενον Λυκάστιον
προσένειμαν Ῥαυκίοις, τὸ ⟨δὲ⟩ Διατόνιον Λυτ-
2 τίοις. κατὰ δὲ τὸν καιρὸν τοῦτον παραγενομένων
πρεσβευτῶν ἐκ τῆς Ῥώμης εἰς τὴν Κρήτην τῶν
περὶ τὸν Ἄππιον χάριν τοῦ διαλῦσαι τὰς ἐνεστώ-
σας αὐτοῖς πρὸς ἀλλήλους διαφοράς, καὶ ποιη-
σαμένων λόγους ὑπὲρ τούτων ⟨ἐν⟩ τῇ Κνωσίων
καὶ Γορτυνίων, πεισθέντες οἱ Κρηταιεῖς ἐπέ-

he might put off matters for a little and gain time for warlike preparations. He decided, then, to send his youngest son Demetrius to Rome, in the first place to offer a defence against the charges brought against him, and next to ask for pardon if indeed he had inadvertently erred in any respect. For he felt quite convinced that he would through him get the senate to accede to anything he proposed owing to the influence the young man had won while serving as a hostage. Having thought of this he occupied himself with the dispatch of Demetrius and the other friends he was about to send in company with him, and also promised to help the Byzantines, not so much with the view of gratifying them, as wishing upon this pretext to strike terror into the Thracian chiefs north of the Propontis and thus further the project he meant to execute.

VI. Affairs of Greece

Quarrel of Gortyna and Cnosus

15. In Crete, when Cydas the son of Antalces held the office of Cosmos at Gortyna, the people of that city, exerting themselves to diminish in every way the power of the Cnosians, parcelled off from their territory the so-called Lycastium and assigned it to Rhaucus and the Diatonium to Lyttus. At this time Appius Claudius and the other commissioners arrived in Crete from Rome, for the purpose of settling the disputes existing in the island. When they had spoken on the subject in Cnosus and Gortyna, the Cretans gave ear to them and put

3 τρέψαν τὰ καθ' αὑτοὺς τοῖς περὶ τὸν Ἄππιον. οἱ
δὲ [πεισθέντες] Κνωσίοις μὲν ἀποκατέστησαν τὴν
χώραν, Κυδωνιάταις δὲ προσέταξαν τοὺς μὲν
ὁμήρους ἀπολαβεῖν, οὓς ἐγκατέλειπον δόντες τοῖς
περὶ Χαρμίωνα πρότερον, τὴν δὲ Φαλάσαρναν ἀφ-
4 εῖναι μηδὲν ἐξ αὐτῆς νοσφισαμένους. περὶ δὲ
τῶν κατὰ κοινοδίκιον συνεχώρησαν αὐτοῖς βουλο-
5 μένοις μὲν [αὐτοῖς] ἐξεῖναι μετέχειν, μὴ βου-
6 λομένοις δὲ καὶ τοῦτ' ἐξεῖναι, πάσης ἀπεχομένοις
τῆς ἄλλης Κρήτης αὐτοῖς τε καὶ τοῖς ἐκ Φαλα-
σάρνης φυγάσιν. . . . ἀπέκτειναν τοὺς περὶ
Μενοίτιον, ἐπιφανεστάτους ὄντας τῶν πολιτῶν.

VII. Res Aegypti

16 (6) 2   . . . ϛ´ θαυμάζουσι μὲν πάντες Φίλιππον διὰ τὴν
(xxi. 16) ορ . . . ϛ´ μεγαλοψυχίαν ὅτι κακῶς οὐ μόνον
ἀκούων, ἀλλὰ καὶ πάσχων ὑπ' Ἀθηναίων, νικήσας
αὐτοὺς τὴν περὶ Χαιρώνειαν μάχην τοσοῦτον
ἀπέσχε τοῦ χρήσασθαι τῷ καιρῷ πρὸς τὴν κατὰ
τῶν ἐχθρῶν βλάβην ὥστε τοὺς μὲν τεθνεῶτας
τῶν Ἀθηναίων κηδεύσας ἔθαψε, τοὺς δ' αἰχμα-
λώτους χωρὶς λύτρων προσαμφιέσας ἐξαπέστειλε
3 τοῖς ἀναγκαίοις· μιμοῦνται δ' ἥκιστα τὴν τοιαύ-
την προαίρεσιν, ἁμιλλῶνται δὲ τοῖς θυμοῖς καὶ ταῖς
τιμωρίαις πρὸς τούτους, οἷς πολεμοῦσι τούτων
αὐτῶν ἕνεκα. . . .

17 (7)   Ὅτι Πτολεμαῖος ὁ βασιλεὺς Αἰγύπτου ὅτε τὴν
(xxiii. 16) Λύκων πόλιν ἐπολιόρκησε, καταπλαγέντες τὸ
γεγονὸς οἱ δυνάσται τῶν Αἰγυπτίων ἔδωκαν
2 σφᾶς αὐτοὺς εἰς τὴν τοῦ βασιλέως πίστιν. οἷς
κακῶς ἐχρήσατο καὶ εἰς κινδύνους πολλοὺς ἐν-

their affairs into their hands. They restored the
territory to Cnosus : they ordered the Cydoniats
to take back the hostages they had formerly left in
Charmion's hands, and to leave Phalasarna without
taking anything away from it. As for the joint
court, they allowed them, if they wished, to take
part in it, and if they did not wish, to refuse on
condition that they and the exiles from Phalasarna
left the rest of Crete untouched. The . . . killed
Menoetius and others, the most notable of their
citizens.

VII. Affairs of Egypt

16. All admire King Philip the Second for his 186-185 B.C.
magnanimity, in that although the Athenians had
injured him both by word and deed, when he over-
came them at the battle of Chaeronea, he was so
far from availing himself of his success to injure
his enemies, that he buried with due rites the
Athenian dead, and sent the prisoners back to their
relations without ransom and clad in new raiment.
But now far from imitating such conduct men vie
in anger and thirst for vengeance with those on
whom they are making war to suppress these very
sentiments. . . .

17. When Ptolemy the king of Egypt laid siege
to the city of Lycopolis, the Egyptian chiefs in
terror surrendered at discretion. He used them
ill and incurred great danger (sic). Much the same

3 ἔπεσεν. παραπλήσιον δέ τι συνέβη καὶ κατὰ τοὺς καιρούς, ἡνίκα Πολυκράτης τοὺς ἀποστάτας ἐχει-
4 ρώσατο. οἱ γὰρ περὶ τὸν Ἀθίνιν καὶ Παυσίραν καὶ Χέσουφον καὶ τὸν Ἰρόβαστον, οἵπερ ἦσαν ἔτι διασῳζόμενοι τῶν δυναστῶν, εἴξαντες τοῖς πράγμασι παρῆσαν εἰς τὴν Σάιν, σφᾶς αὐτοὺς
5 εἰς τὴν τοῦ βασιλέως ἐγχειρίζοντες ⟨πίστιν⟩· ὁ δὲ Πτολεμαῖος ἀθετήσας τὰς πίστεις καὶ δήσας τοὺς ἀνθρώπους γυμνοὺς ταῖς ἁμάξαις εἷλκε καὶ
6 μετὰ ταῦτα τιμωρησάμενος ἀπέκτεινεν. καὶ παραγενόμενος εἰς τὴν Ναύκρατιν μετὰ τῆς στρα-τιᾶς, καὶ παραστήσαντος αὐτῷ τοὺς ἐξενολογη-μένους ἄνδρας ἐκ τῆς Ἑλλάδος Ἀριστονίκου, προσδεξάμενος τούτους ἀπέπλευσεν εἰς Ἀλεξ-
7 άνδρειαν, τῶν μὲν τοῦ πολέμου πράξεων οὐδεμιᾶς κεκοινωνηκὼς διὰ τὴν Πολυκράτους ἀδικοδοξίαν, καίπερ ἔχων ἔτη πέντε καὶ εἴκοσιν.

VIII. Res Macedoniae et Graeciae

18 (8)   Ὅτι φησὶν ὁ Πολύβιος ἐν τῷ εἰκοστῷ δευτέρῳ·
(xxii. 22ᵃ) περὶ δὲ τὴν τῶν ἐν Μακεδονίᾳ βασιλέων οἰκίαν
2 ἤδη τις ἀπὸ τούτων τῶν καιρῶν ἐφύετο κακῶν ἀνηκέστων ἀρχή. καίτοι γ' οὐκ ἀγνοῶ διότι τινὲς τῶν συγγραφόντων περὶ τοῦ ⟨συστάντος⟩ Ῥωμαίοις πολέμου πρὸς Περσέα, βουλόμενοι τὰς αἰτίας ἡμῖν ἐπιδεικνύναι τῆς διαφορᾶς, πρῶτον μὲν ἀποφαίνουσι τὴν Ἀβρουπόλιος ἔκπτωσιν ἐκ τῆς ἰδίας δυναστείας, ὡς καταδραμόντος αὐτοῦ τὰ
3 περὶ τὸ Πάγγαιον μέταλλα μετὰ τὸν τοῦ Φιλίππου θάνατον· Περσεὺς δὲ παραβοηθήσας καὶ τρεψά-

thing happened when Polycrates got the rebels into his power. For Athinis, Pausiras, Chesufus and Irobastus, the surviving chieftains, forced by circumstances, came to Sais to entrust themselves to the king's good faith. But Ptolemy, violating his faith, tied the men naked to carts, and, after dragging them through the streets and torturing them, put them to death. On reaching Naucratis with his army, when Aristonicus had presented to him the mercenaries he had raised in Greece, he took them and sailed off to Alexandria, having taken no part in any action in the war owing to the unfairness of Polycrates, although he was now twenty-five years old.

VIII. AFFAIRS OF MACEDONIA AND GREECE

(Cp. Livy xxxix. 23. 5.)

18. From this time forward dates the commencement of the catastrophes that were fatal to the royal house of Macedon. I am not indeed unaware that some of the authors who have written about the war of the Romans with Perseus, wishing to indicate the causes of the quarrel, attribute it first to the expulsion of Abrupolis [a] from his principality on the pretext that he had overrun the mines on Mount Pangaeus after the death of Philip, upon which Perseus, coming to protect them and

185–184 B.C.

179 B.C.

[a] See Livy xlii. 13. 5.

μενος ὁλοσχερῶς ἐξέβαλε τὸν προειρημένον ἐκ
4 τῆς ἰδίας ἀρχῆς· ἑξῆς δὲ ταύτῃ τὴν εἰς Δολοπίαν
εἰσβολὴν καὶ τὴν εἰς Δελφοὺς παρουσίαν Περσέως,
5 ἔτι δὲ τὴν κατ' Εὐμένους τοῦ βασιλέως ἐπιβουλὴν
γενομένην ἐν Δελφοῖς καὶ τὴν τῶν ἐκ Βοιωτίας
πρεσβευτῶν ἐπαναίρεσιν, ἐξ ὧν ἔνιοί φασι φῦναι
6 Περσεῖ τὸν πρὸς Ῥωμαίους πόλεμον. ἐγὼ δέ
φημι κυριώτατον μὲν εἶναι καὶ τοῖς συγγράφουσι
καὶ τοῖς φιλομαθοῦσι τὸ γινώσκειν τὰς αἰτίας,
ἐξ ὧν ἕκαστα γεννᾶται καὶ φύεται τῶν πραγμάτων·
συγκέχυται δὲ ταῦτα παρὰ τοῖς πλείστοις τῶν
συγγραφέων διὰ τὸ μὴ κρατεῖσθαι τίνι διαφέρει
πρόφασις αἰτίας καὶ πάλιν προφάσεως ἀρχὴ
7 πολέμου. καὶ νῦν δὲ τῶν πραγμάτων αὐτῶν
προσυπομιμνησκόντων ἠνάγκασμαι πάλιν ἀνανεώ-
8 σασθαι τὸν αὐτὸν λόγον. τῶν γὰρ ἄρτι ῥηθέντων
πραγμάτων τὰ μὲν πρῶτα προφάσεις εἰσί, τὰ δὲ
τελευταῖα ⟨τὰ⟩ περὶ τὴν ⟨κατὰ⟩ τοῦ βασιλέως
Εὐμένους ἐπιβουλὴν καὶ τὰ περὶ ⟨τὴν⟩ τῶν πρε-
σβευτῶν ἀναίρεσιν καὶ τούτοις ἕτερα παραπλήσια
τῶν κατὰ τοὺς αὐτοὺς καιροὺς γεγονότων ἀρχαὶ
πρόδηλοι τοῦ συστάντος Ῥωμαίοις καὶ Περσεῖ
πολέμου καὶ τοῦ καταλυθῆναι τὴν Μακεδόνων
9 ἀρχήν· αἰτία δὲ τούτων ἁπλῶς ἐστιν οὐδεμία.
δῆλον δὲ τοῦτ' ἔσται διὰ τῶν ἑξῆς ῥηθησομένων.
10 καθάπερ γὰρ εἴπομεν Φίλιππον τὸν Ἀμύντου
διανοηθῆναι καὶ προθέσθαι συντελεῖν τὸν πρὸς
τοὺς Πέρσας πόλεμον, Ἀλέξανδρον δὲ τοῖς ὑπ'
ἐκείνου κεκριμένοις ⟨ἐπιγενέσθαι⟩ χειριστὴν τῶν
πράξεων, οὕτω καὶ νῦν Φίλιππον μὲν τὸν Δημη-
τρίου φαμὲν διανοηθῆναι πρότερον πολεμεῖν Ῥω-
μαίοις τὸν τελευταῖον πόλεμον καὶ τὰς παρασκευὰς

384

having utterly routed him, expelled him, as I said, from his principality. The next cause they give is the invasion of Dolopia by Perseus and his coming to Delphi, and further the plot formed at Delphi against King Eumenes, and the killing of the envoys from Boeotia, these latter events being asserted by some to have been the causes of the war. Now I maintain that it is most essential both for writers and for students to know the causes from which all events spring and grow. But most writers are guilty of confusion in this matter, owing to their not observing the difference between a pretext and a cause, and between the beginning of a war and the pretext for it. I am therefore, as the circumstances themselves recall to my mind what I said on a previous occasion, compelled to repeat myself. For of the events I just mentioned the first are pretexts, but the last—the plot against Eumenes and the murder of the envoys and other similar things that took place at the same time—constitute indeed evidently the actual beginning of the war between the Romans and Perseus and the consequent fall of the Macedonian power, but not a single one of them was its cause. This will be evident from what I am about to say. For just as I said that Philip, son of Amyntas, conceived and meant to carry out the war against Persia, but that it was Alexander who put his decision into execution[a]; so now I maintain that Philip, son of Demetrius, first conceived the notion of entering on the last war against Rome, and had prepared everything

[a] See Bk. iii. ch. 6.

ἑτοίμας πάσας πρὸς ταύτην ἔχειν τὴν ἐπιβολήν,
ἐκείνου δ᾽ ἐκχωρήσαντος Περσέα γενέσθαι χειρι-
11 στὴν τῶν πράξεων· εἰ δὲ τοῦτ᾽ ἀληθές, κἀκεῖνο
σαφές· οὐ γὰρ οἷόν τε τὰς αἰτίας ὕστερον γενέσθαι
τῆς τελευτῆς τοῦ κρίναντος καὶ προθεμένου πο-
λεμεῖν· ὃ συμβαίνει τοῖς ὑπὸ τῶν ἄλλων συγ-
γραφέων εἰρημένοις· πάντα γάρ ἐστι τὰ λεγόμενα
παρ᾽ αὐτοῖς ὕστερα τῆς Φιλίππου τελευτῆς.

19 (14)   Ὅτι Φιλοποίμην πρὸς Ἄρχωνα τὸν στρατηγὸν
(xxiii. 10ᵃ) λόγοις τισὶ διεφέρετο. ὁ μὲν οὖν Φιλοποίμην
εὐδοκήσας ἐκ τοῦ καιροῦ τοῖς λεγομένοις καὶ
μεταγνοὺς ἐπῄνει τὸν Ἄρχωνα φιλοφρόνως, ὡς
ἐντρεχῶς καὶ πανούργως τῷ καιρῷ κεχρημένον.
2 ἔμοιγε μήν, φησὶν ὁ Πολύβιος, οὔτε τότε παρόντι
τὸ ῥηθὲν εὐηρέστησεν, ὥστ᾽ ἐπαινοῦντά τινα
κακῶς ἅμα ποιεῖν, οὔτε μετὰ ταῦτα τῆς ἡλικίας
3 προβαινούσης· πολὺ γὰρ δή τι μοι δοκεῖ κε-
χωρίσθαι κατὰ τὴν αἵρεσιν ὁ πραγματικὸς ἀνὴρ
τοῦ κακοπράγμονος καὶ παραπλησίαν ἔχειν δια-
φορὰν τῷ κακεντρεχεῖ πρὸς τὸν ἐντρεχῆ· ἃ μὲν
γάρ ἐστι κάλλιστα τῶν ὄντων ὡς ἔπος εἰπεῖν,
4 ἃ δὲ τοὐναντίον· ἀλλὰ διὰ τὴν νῦν ἐπιπολάζουσαν
ἀκρισίαν βραχείας ἔχοντα κοινότητας τὰ προει-
ρημένα τῆς αὐτῆς ἐπισημασίας καὶ ζήλου τυγχάνει
παρὰ τοῖς ἀνθρώποις.

IX. Res Asiae

20   Ὅτι Ἀπολλωνίς, ἡ Ἀττάλου τοῦ πατρὸς
(xxiii. 18) Εὐμένους τοῦ βασιλέως γαμετή, Κυζικηνὴ ἦν,
γυνὴ διὰ πλείους αἰτίας ἀξία μνήμης καὶ παρα-
386

for the purpose, but on his decease Perseus was the executor of the design. Now if one of these things is true, the other error also is evident. It is not surely possible that the causes of a war can be subsequent to the death of the man who decided on it and purposed to make it; and this is what other writers maintain; for all the things they mention are subsequent to the death of Philip.

19. Philopoemen had a verbal dispute with Archon the strategus. At the time his rejoinders were applauded, but afterwards he regretted them and praised Archon warmly for having acted under the circumstances in an adroit and smart manner. But I myself, who happened to be present, neither approved at the time of what he said, belauding a man and at the same time doing him injury, nor do I think so now when I am of riper age. For in my opinion there is a wide difference in the character of a forceful man and an unscrupulous one, almost as great as that between an adroit and a mischievous one. The one quality may be said to be the best in the world and the other just the opposite. But owing to our prevalent lack of judgement, the two, having some points in common, meet with equal approbation and admiration.

IX. Affairs of Asia

20. Apollonis, the wife of Attalus, father of King Eumenes, was a native of Cyzicus, and for several reasons a very remarkable and praiseworthy woman.

2 σημασίας. καὶ γὰρ ὅτι δημότις ὑπάρχουσα βασί-
λισσα ἐγεγόνει καὶ ταύτην διεφύλαξε τὴν ὑπεροχὴν
μέχρι τῆς τελευταίας, οὐχ ἑταιρικὴν προσφερομένη
πιθανότητα, σωφρονικὴν δὲ καὶ πολιτικὴν σεμνό-
τητα καὶ καλοκαγαθίαν, δικαία τυγχάνειν τῆς
3 ἐπ' ἀγαθῷ μνήμης ἐστίν, καὶ καθότι τέτταρας
υἱοὺς γεννήσασα πρὸς πάντας τούτους ἀνυπέρ-
βλητον διεφύλαξε τὴν εὔνοιαν καὶ φιλοστοργίαν
μέχρι τῆς τοῦ βίου καταστροφῆς, καίτοι χρόνον
4 οὐκ ὀλίγον ὑπερβιώσασα τἀνδρός. πλὴν οἵγε
περὶ τὸν Ἄτταλον ἐν τῇ παρεπιδημίᾳ καλὴν
περιεποιήσαντο φήμην, ἀποδιδόντες τῇ μητρὶ τὴν
5 καθήκουσαν χάριτα καὶ τιμήν. ἄγοντες γὰρ ἐξ
ἀμφοῖν τοῖν χεροῖν μέσην αὐτῶν τὴν μητέρα
περιῆεσαν τὰ θ' ἱερὰ καὶ τὴν πόλιν μετὰ τῆς
6 θεραπείας. ἐφ' οἷς οἱ θεώμενοι μεγάλως τοὺς
7 νεανίσκους ἀπεδέχοντο καὶ κατηξίουν καὶ μνη-
μονεύοντες τῶν περὶ τὸν Κλέοβιν καὶ Βίτωνα
συνέκρινον τὰς αἱρέσεις αὐτῶν, καὶ τὸ τῆς προ-
θυμίας τῆς ἐκείνων λαμπρὸν τῷ τῆς ὑπεροχῆς
8 τῶν βασιλέων ἀξιώματι συναναπληροῦντες. ταῦτα
δ' ἐτελέσθη ἐν Κυζίκῳ μετὰ τὴν διάλυσιν τὴν
πρὸς Προυσίαν τὸν βασιλέα.

21 Ὅτι Ὀρτιάγων ὁ Γαλάτης, τῶν ἐν τῇ Ἀσίᾳ
(xxii. 21) βασιλεύων, ἐπεβάλετο τὴν ἁπάντων τῶν Γαλατῶν
2 δυναστείαν εἰς αὑτὸν μεταστῆσαι, καὶ πολλὰ πρὸς
τοῦτο τὸ μέρος ἐφόδια προσεφέρετο καὶ φύσει
3 καὶ τριβῇ. καὶ γὰρ εὐεργετικὸς ἦν καὶ μεγαλό-
4 ψυχος καὶ κατὰ τὰς ἐντεύξεις εὔχαρις καὶ
συνετός, τὸ δὲ συνέχον παρὰ Γαλάταις, ἀνδρώδης
ἦν καὶ δυναμικὸς πρὸς τὰς πολεμικὰς χρείας.

For the fact that being a simple citizen she became
a queen and preserved this dignity until the end
without employing any seductive and meretricious
art, but always exhibiting the gravity and excellence
of a woman strict in her life and courteous in her
demeanour, makes her worthy of honourable men-
tion. Add to this that having given birth to four
sons, she cherished for all of them up to her dying
day an unsurpassed regard and affection, although
she survived her husband for a considerable time.
And the sons of Attalus on their visit to the town
showed due gratitude and respect to their mother.
For, placing her between them and taking both
her hands, they went round the temples and the
city accompanied by their suites. All who wit-
nessed it applauded and honoured the young men
for this, and, mindful of the story of Cleobis and
Biton, compared their conduct to this, additional
splendour falling on this act of devotion owing to
the exalted and regal station of the two princes.
This all happened in Cyzicus after the peace with
King Prusias.

(Suid.)

21. Ortiagon, one of the Galatian princes, formed
the project of subjecting the whole of Galatia to his
dominion; and for this purpose he possessed many
advantages both natural and acquired. For he was
munificent and magnanimous, his conversation was
both charming and intelligent, and, what is most
important among Gauls, he was brave and skilled
in the art of war.

X. Res Aegypti

22 Ὅτι Ἀριστόνικος ὁ τοῦ Πτολεμαίου τοῦ βα-
(xxiii. 17) σιλέως Αἰγύπτου εὐνοῦχος μὲν ἦν, ἐκ παιδίου
2 δ' ἐγεγόνει σύντροφος τῷ βασιλεῖ. τῆς δ' ἡλικίας
προβαινούσης ἀνδρωδεστέραν εἶχεν ἢ κατ' εὐνοῦχον
3 τόλμαν καὶ προαίρεσιν. καὶ γὰρ φύσει στρατιω-
τικὸς ἦν καὶ τὴν πλείστην ἐποιεῖτο διατριβὴν ἐν
4 τούτοις καὶ περὶ ταῦτα. παραπλησίως δὲ καὶ
κατὰ τὰς ἐντεύξεις ἱκανὸς ὑπῆρχε καὶ τὸν κοινὸν
5 νοῦν εἶχεν, ὃ σπάνιόν ἐστι. πρὸς δὲ τούτοις πρὸς
εὐεργεσίαν ἀνθρώπων πεφύκει καλῶς.

X. Affairs of Egypt

(Suid.)

22. Aristonicus the servant of Ptolemy, king of Egypt, was a eunuch, but had been from childhood upward the king's intimate companion. As he grew older he showed himself more of a man in courage and general character than eunuchs generally are. For he was a born soldier, and spent most of his time with military men and in the study of military matters. He was also capable in conversation and he was liberal-minded, which is rare, and in addition to this he was naturally disposed to be beneficent.

FRAGMENTA LIBRI XXIII

I. Res Italiae

1 Ὅτι κατὰ τὴν ἐνάτην καὶ τετταρακοστὴν ὀλυμ-
(xxiv. 1) πιάδα πρὸς ταῖς ἑκατὸν εἰς τὴν Ῥώμην ἠθροί-
σθησαν πρεσβειῶν πλῆθος ἀπὸ τῆς Ἑλλάδος, ὅσον
2 οὐ ταχέως πρότερον. τοῦ γὰρ Φιλίππου συγκλει-
σθέντος εἰς τὴν κατὰ τὸ σύμβολον δικαιοδοσίαν
πρὸς τοὺς ἀστυγείτονας, καὶ τῶν Ῥωμαίων
γνωσθέντων ὅτι προσδέχονται τὰς κατὰ Φιλίππου
κατηγορίας καὶ πρόνοιαν ποιοῦνται τῆς ἀσφαλείας
3 ⟨τῶν⟩ πρὸς αὐτὸν ἀμφισβητούντων, ἅπαντες οἱ
παρακείμενοι τῇ Μακεδονίᾳ παρῆσαν, οἱ μὲν κατ'
ἰδίαν, οἱ δὲ κατὰ πόλιν, οἱ δὲ κατὰ τὰς ἐθνικὰς
4 συστάσεις, ἐγκαλοῦντες τῷ Φιλίππῳ. σὺν δὲ
τούτοις οἱ παρ' Εὐμένους ἧκον ἅμ' Ἀθηναίῳ τῷ
τοῦ βασιλέως ἀδελφῷ, κατηγορήσοντες αὐτοῦ
περί τε τῶν ἐπὶ Θρᾴκης πόλεων καὶ περὶ τῆς
5 ἀποσταλείσης Προυσίᾳ βοηθείας. ἧκε δὲ καὶ
Δημήτριος ὁ τοῦ Φιλίππου πρὸς πάντας τούτους
ἀπολογησόμενος, ἔχων Ἀπελλῆν καὶ Φιλοκλῆ μεθ'
αὑτοῦ, τοὺς τότε δοκοῦντας εἶναι πρώτους φίλους
6 τοῦ βασιλέως. παρῆσαν δὲ καὶ παρὰ Λακεδαι-
μονίων πρέσβεις, ἀφ' ἑκάστου γένους τῶν ἐν τῇ
7 πόλει. πρῶτον μὲν οὖν ἡ σύγκλητος εἰσεκα-

FRAGMENTS OF BOOK XXIII

I. Affairs of Italy

Embassies from Greece to Rome

(Cp. Livy xxxix. 46. 6.)

1. In the 149th Olympiad so large a number of missions from Greece were assembled in Rome as had, perhaps, never been previously seen. For as Philip was now strictly confined to the jurisdiction of the courts established by treaty in disputes with his neighbours, and as it was known that the Romans were ready to listen to complaints against him, and looked after the safety of those who were at issue with him, all those on the frontiers of Macedonia had come, some individually and some representing cities or tribal groups, to accuse the king. Envoys also came from Eumenes, with Athenaeus, that king's brother, at their head, to bring charges against Philip on the subject of the Thracian cities and of the help he had sent to Prusias. Demetrius, Philip's son, also appeared to defend his father against all the above, accompanied by Apelles and Philocles, who were then considered to be the chief friends of the king. There were also envoys from Lacedaemon representing all the different factions in that town. The

184–183 B.C.

λέσατο τὸν Ἀθήναιον καὶ δεξαμένη τὸν στέφανον,
ὃν ἐκόμιζεν ἀπὸ μυρίων καὶ πεντακισχιλίων
χρυσῶν, ἐπῄνεσέ τε μεγαλομερῶς τὸν Εὐμένη καὶ
τοὺς ἀδελφοὺς διὰ τῆς ἀποκρίσεως καὶ παρεκάλεσε
8 μένειν ἐπὶ τῆς αὐτῆς αἱρέσεως. ἐπὶ δὲ τούτῳ
τὸν Δημήτριον εἰσαγαγόντες οἱ στρατηγοὶ παρ-
εκαλέσαντο τοὺς κατηγοροῦντας τοῦ Φιλίππου
9 πάντας καὶ παρῆγον κατὰ μίαν πρεσβείαν. οὐσῶν
δὲ τῶν πρεσβειῶν πολλῶν, καὶ τῆς εἰσόδου τούτων
γενομένης ἐπὶ τρεῖς ἡμέρας, εἰς ἀπορίαν ἐνέπιπτεν
ἡ σύγκλητος περὶ τοῦ πῶς δεῖ χειρισθῆναι τὰ
10 κατὰ μέρος. παρά τε γὰρ Θετταλῶν καὶ κατὰ
κοινὸν ἧκον καὶ κατ' ἰδίαν ἀφ' ἑκάστης πόλεως
πρεσβευταί, παρά τε Περραιβῶν, ὁμοίως δὲ καὶ
παρ' Ἀθαμάνων καὶ παρ' Ἠπειρωτῶν καὶ παρ'
11 Ἰλλυριῶν· ⟨ὧν⟩ οἱ μὲν περὶ χώρας, οἱ δὲ περὶ
σωμάτων, οἱ δὲ περὶ θρεμμάτων ἧκον ἀμφισβη-
τοῦντες, ἔνιοι δὲ περὶ συμβολαίων καὶ τῶν εἰς
12 αὐτοὺς ἀδικημάτων, τινὲς μὲν οὐ φάσκοντες
δύνασθαι τυχεῖν τοῦ δικαίου κατὰ τὸ σύμβολον
διὰ τὸ τὸν Φίλιππον ἐκκόπτειν τὴν δικαιοδοσίαν,
τινὲς δ' ἐγκαλοῦντες τοῖς κρίμασιν ὡς παρα-
βεβραβευμένοι, διαφθείραντος τοῦ Φιλίππου τοὺς
13 δικαστάς. καθόλου δὲ ποικίλη τις ἦν ἀκρισία
καὶ δυσχώρητος ἐκ τῶν κατηγορουμένων.

2   Ὅθεν ἡ σύγκλητος, οὔτ' αὐτὴ δυναμένη διευ-
(xxiv. 2) κρινεῖν οὔτε τὸν Δημήτριον κρίνουσα δεῖν ἑκάστοις
2 τούτων λόγον ὑπέχειν, ἅτε καὶ φιλανθρώπως
πρὸς αὐτὸν διακειμένη καὶ θεωροῦσα νέον ὄντα
κομιδῇ καὶ πολὺ τῆς τοιαύτης συστροφῆς καὶ
3 ποικιλίας ἀπολειπόμενον, μάλιστα δὲ βουλομένη
μὴ τῶν Δημητρίου λόγων ἀκούειν, ἀλλὰ τῆς

394

senate summoned Athenaeus in the first place,
and, having received the crown he brought of the
value of fifteen thousand gold staters, thanked
Eumenes and his brother profusely for their
reply, and exhorted them to continue to maintain
the same attitude. In the next place the consuls
introduced Demetrius, and inviting all Philip's
accusers to come forward, brought them in one by
one. As these embassies were so numerous that
it took three days to introduce them all, the
senate was at a loss how to deal with all the
details. For from Thessaly there was one general
embassy and particular ones from each town, and
there were also embassies from Perrhaebia, Atha-
mania, Epirus, and Illyria, some of them claiming
territory, some slaves and some cattle, and others
with complaints about the injustice they had suffered
in their actions for the recovery of money, main-
taining in some cases that they could not get
justice in the authorized tribunals, as Philip quashed
the proceedings, and in others finding fault with
the decisions on the ground that the rulings were
unfair, Philip having bribed the judges. So that
on the whole the various accusations resulted in a
confused and inextricable imbroglio.

2. Therefore the senate, unable itself to decide
about all these matters, and thinking that Deme-
trius should not be forced to meet all these charges,
as they were well disposed towards him and saw
that he was still quite young and very far from
being competent to face such a whirl of complica-
tions, and wishing particularly not to hear speeches
from Demetrius but to obtain some true test of

4 Φιλίππου γνώμης ἀληθινὴν λαβεῖν πεῖραν, αὐτὸν
Δημήτριον παρέλυσε τῆς δικαιολογίας, ἤρετο ⟨δὲ⟩
τὸν νεανίσκον καὶ τοὺς σὺν αὐτῷ φίλους εἴ τινα
περὶ τούτων ὑπομνηματισμὸν ἔχουσι παρὰ τοῦ
5 βασιλέως. τοῦ δὲ Δημητρίου φήσαντος ἔχειν
καὶ προτείναντός τι βυβλίδιον οὐ μέγα, λέγειν
αὐτὸν ἐκέλευσεν ἥνπερ τὰ ὑπομνήματα περιεῖχε
πρὸς ἕκαστον τῶν κατηγορουμένων ἀπόφασιν
6 κεφαλαιώδη. ὁ δὲ τὸ μὲν πεποιηκέναι τὸ προσ-
ταχθὲν ὑπὸ Ῥωμαίων ἔφασκεν, ἢ τὴν αἰτίαν τοῦ
7 μὴ πεπρᾶχθαι τοῖς ἐγκαλοῦσιν ἀνετίθει. προσ-
έκειτο δὲ πρὸς ταῖς πλείσταις ἀποφάσεσι '' καίτοι
οὐκ ἴσως χρησαμένων ἡμῖν τῶν πρεσβευτῶν τῶν
περὶ Καικίλιον ἐν τούτοις '' καὶ πάλιν '' καίτοι γε
8 οὐ δικαίως ἡμῶν ταῦτα πασχόντων.'' τοιαύτης δ'
οὔσης τῆς Φιλίππου γνώμης ἐν πάσαις ταῖς ἀπο-
φάσεσι, διακούσασα τῶν παραγεγονότων ἡ σύγ-
κλητος μίαν ἐποιήσατο περὶ πάντων διάληψιν.
9 ἀποδεξαμένη γὰρ τὸν Δημήτριον μεγαλομερῶς
καὶ φιλανθρώπως διὰ τοῦ στρατηγοῦ, πολλοὺς
καὶ παρακλητικοὺς πρὸς αὐτὸν διαθεμένη λόγους,
ἀπόκρισιν ἔδωκε διότι περὶ πάντων καὶ τῶν
εἰρημένων ὑπ' αὐτοῦ καὶ τῶν ἀνεγνωσμένων
Δημητρίῳ πιστεύει διότι τὰ μὲν γέγονε, τὰ δ'
10 ἔσται, καθάπερ δίκαιόν ἐστι γίνεσθαι. ἵνα δὲ
καὶ Φίλιππος εἰδῇ διότι τὴν χάριν ταύτην ἡ σύγ-
κλητος Δημητρίῳ δίδωσιν, ἐξαποστελεῖν ἔφη πρε-
σβευτὰς ἐποψομένους εἰ γίνεται πάντα κατὰ τὴν
τῆς συγκλήτου βούλησιν, ἅμα δὲ διασαφήσοντας
τῷ βασιλεῖ διότι τῆς συμπεριφορᾶς τυγχάνει
11 ταύτης διὰ Δημήτριον. καὶ ταῦτα μὲν τοιαύτης
ἔτυχε διεξαγωγῆς.

Philip's views, relieved the young man from pleading in justification himself, but asked him and his friends who were with him if they had any notes on all these matters from the king. On Demetrius replying in the affirmative and presenting a little note-book, they bade him give them the general sense of the suggestions noted therein as a reply to each of the charges. Philip in each case either maintained that he had executed the orders of the Romans, or, if he had not done so, cast the blame on his accusers. He had added to most of his statements, " Although Caecilius and the other legates did not deal fairly with us in this case " ; or again, " Although we were unjustly treated in this case." Such being the tone of all Philip's statements, the senate, after listening to the envoys who had arrived, came to one decision about all the questions. Having through the praetor accorded a splendid and cordial reception to Demetrius, and addressed him at length in terms of encouragement, they gave as an answer that regarding all the matters on which he had spoken or read his father's notes they accepted his word that strict justice either had been done or would be done. And, that Philip might see that this was a favour granted by the senate to Deme-trius, they said that they would dispatch a com-mission to see if everything was being done as the senate desired and to inform the king at the same time that he met with this indulgence owing to Demetrius. Such was the issue of this matter.

3 Μετὰ δὲ τούτους εἰσῆλθον οἱ παρ' Εὐμένους
(xxiv. 3) πρέσβεις ⟨καὶ⟩ περί τε τῆς βοηθείας τῆς ἀποστα-
λείσης ὑπὸ τοῦ Φιλίππου τῷ Προυσίᾳ κατηγόρησαν
καὶ περὶ τῶν ἐπὶ Θράκης τόπων, φάσκοντες οὐδ'
ἔτι καὶ νῦν αὐτὸν ἐξαγηοχέναι τὰς φρουρὰς ἐκ
2 τῶν πόλεων. τοῦ δὲ Φιλοκλέους ὑπὲρ τούτων
βουληθέντος ἀπολογεῖσθαι διὰ τὸ καὶ πρὸς τὸν
Προυσίαν ⟨πε⟩πρεσβευκέναι καὶ τότε περὶ τούτων
ἐξαπεστάλθαι πρὸς τὴν σύγκλητον ὑπὸ τοῦ Φιλίπ-
3 που, βραχύν τινα χρόνον ἡ σύγκλητος ἐπιδεξαμένη
τοὺς λόγους ἔδωκεν ἀπόκρισιν διότι, τῶν ἐπὶ
Θράκης τόπων ἐὰν μὴ καταλάβωσιν οἱ πρεσβευταὶ
πάντα διῳκημένα κατὰ τὴν τῆς συγκλήτου γνώμην
καὶ πάσας τὰς πόλεις εἰς τὴν Εὐμένους πίστιν
ἐγκεχειρισμένας, οὐκέτι δυνήσεται φέρειν οὐδὲ
καρτερεῖν παρακουομένη περὶ τούτων.
4 Καὶ τῆς μὲν Φιλίππου καὶ Ῥωμαίων παρατριβῆς
ἐπὶ πολὺ προβαινούσης ἐπίστασις ἐγενήθη κατὰ
τὸ παρὸν διὰ τὴν τοῦ Δημητρίου παρουσίαν·
5 πρὸς μέντοι γε τὴν καθόλου τῆς οἰκίας ἀτυχίαν
οὐ μικρὰ συνέβη τὴν εἰς τὴν Ῥώμην τοῦ νεανίσκου
6 πρεσβείαν συμβαλέσθαι. ἥ τε γὰρ σύγκλητος
ἀπερεισαμένη τὴν χάριν ἐπὶ τὸν Δημήτριον ἐμε-
τεώρισε μὲν τὸ μειράκιον, ἐλύπησε δὲ καὶ τὸν
Περσέα καὶ τὸν Φίλιππον ἰσχυρῶς τῷ δοκεῖν
μὴ δι' αὐτούς, ἀλλὰ διὰ Δημήτριον τυγχάνειν
7 τῆς παρὰ Ῥωμαίων φιλανθρωπίας. ὅ τε Τίτος
ἐκκαλεσάμενος τὸ μειράκιον καὶ προβιβάσας εἰς
λόγους ἀπορρήτους, οὐκ ὀλίγα συνεβάλετο πρὸς
8 τὴν αὐτὴν ὑπόθεσιν. τόν τε γὰρ νεανίσκον ἐψυχα-
γώγησεν, ὡς αὐτίκα μάλα συγκατασκευασόντων
αὐτῷ Ῥωμαίων τὴν βασιλείαν, τούς τε περὶ τὸν

3. The envoys of Eumenes were the next to enter. Their accusations related to the armed support sent by Philip to Prusias and to his treatment of the places in Thrace, where they said he had not even yet withdrawn his garrisons from the towns. Upon Philocles expressing his desire to offer a defence on these subjects, as he had both been on a mission to Prusias and had now been sent to the senate by Philip expressly for this purpose, the senate, after listening for a short time to what he said, gave him the following reply. If their commissioners did not find that all their wishes had been carried out, and all the cities put into the hands of Eumenes, they would no longer be able to submit to delay or tolerate disobedience in this matter.

The friction between Philip and the senate was becoming very acute when for the present it was thus arrested by the presence in Rome of Demetrius. The young man's embassy, however, contributed in no small measure to the ultimate misfortunes of the House of Macedon. For the senate, by transferring to Demetrius their whole claim to gratitude for the favour they had conferred, turned that young man's head and gravely offended both Perseus and Philip by the thought that the Romans had shown them kindness not for their own sakes but for that of Demetrius. Flamininus also, by inviting the young man's confidences and eliciting his secrets, contributed much to the same result, as he deluded him into cherishing the idea that the Romans were about to secure the throne for him at once, at the

Φίλιππον ἠρέθισε, γράψας ἐξ αὐτῆς τὸν Δημήτριον
ἀποστέλλειν πάλιν εἰς τὴν Ῥώμην μετὰ τῶν φίλων
9 ὡς πλείστων καὶ χρησιμωτάτων. ταύταις γὰρ ταῖς
ἀφορμαῖς χρησάμενος ὁ Περσεὺς μετ᾽ ὀλίγον ἔπεισε
τὸν πατέρα συγκαταθέσθαι τῷ Δημητρίου θανάτῳ.
10 Περὶ μὲν οὖν τούτων ὡς ἐχειρίσθη τὰ κατὰ
4 μέρος ἐν τοῖς ἑξῆς δηλώσομεν. ἐπὶ δὲ τούτοις
(xxiv. 4) εἰσεκλήθησαν οἱ παρὰ τῶν Λακεδαιμονίων πρέ-
2 σβεις. τούτων δ᾽ ἦσαν διαφοραὶ τέτταρες. οἱ
μὲν γὰρ περὶ Λῦσιν ἥκοντες ⟨ὑπὲρ⟩ τῶν ἀρχαίων
φυγάδων ἐπρέσβευον, φάσκοντες δεῖν ἔχειν αὐτοὺς
πάσας τὰς κτήσεις, ἀφ᾽ ὧν ἐξ ἀρχῆς ἔφυγον·
3 οἱ δὲ περὶ τὸν Ἀρέα καὶ τὸν Ἀλκιβιάδην, ἐφ᾽ ᾧ
ταλαντιαίαν λαβόντες κτῆσιν ἐκ τῶν ἰδίων τὰ
4 λοιπὰ διαδοῦναι τοῖς ἀξίοις τῆς πολιτείας. Σήρ-
ιππος δ᾽ ἐπρέσβευε περὶ τοῦ μένειν τὴν ὑποκειμένην
κατάστασιν, ἣν ἔχοντές ποτε συνεπολιτεύοντο μετὰ
5 τῶν Ἀχαιῶν. ἀπὸ δὲ τῶν τεθανατωμένων καὶ
τῶν ἐκπεπτωκότων κατὰ τὰ τῶν Ἀχαιῶν δόγματα
παρῆσαν οἱ περὶ Χαίρωνα, κάθοδον αὐτοῖς ἀξιοῦντες
συγχωρηθῆναι καὶ τὴν πολιτείαν ἀποκαταστα-
6 θῆναι τοιαύτην, . . . ἐποιοῦντο πρὸς τοὺς Ἀχαι-
7 οὺς οἰκείους ταῖς ἰδίαις ὑποθέσεσι λόγους. οὐ
δυναμένη ⟨δὲ⟩ διευκρινεῖν ἡ σύγκλητος τὰς κατὰ
μέρος διαφοράς, προεχειρίσατο τρεῖς ἄνδρας τοὺς
καὶ πρότερον ἤδη πεπρεσβευκότας περὶ τούτων
εἰς τὴν Πελοπόννησον· οὗτοι δ᾽ ἦσαν Τίτος,
8 Κόιντος Καικίλιος, ⟨Ἄππιος Κλαύδιος⟩. ἐφ᾽ οἷς
γενομένων λόγων πλειόνων, ὑπὲρ μὲν τοῦ κατα-
πορεύεσθαι τοὺς πεφευγότας καὶ τεθανατωμένους
καὶ περὶ τοῦ μένειν τὴν πόλιν μετὰ τῶν Ἀχαιῶν
9 ἐγένετο πᾶσι σύμφωνον, περὶ δὲ τῶν κτήσεων,

400

same time irritating Philip by writing to him to send back Demetrius at once to Rome with as many of his most serviceable friends as possible. For this was the pretext that Perseus soon after used to persuade his father to consent to the death of Demetrius.

4. How all this was brought about I will show in detail further on. The next envoys to be introduced were those from Lacedaemon. Of these there were four sets. Lysis and others came on behalf of the old exiles, maintaining that they ought to recover all the property they had when first exiled: Areus and Alcibiades proposed that they should, upon receiving back their own property to the value of a talent, distribute the rest among those worthy of citizenship. Serippus contended that the condition of affairs should be left as it was when they were members of the Achaean League, while Chaeron and others appeared on behalf of those put to death or exiled by the decree of the Achaeans, demanding their recall and the restoration of the constitution . . . they addressed the Achaeans in terms which suited their own views. The senate, unable to examine these different proposals in detail, delegated that duty to three men who had formerly acted as commissioners in the Peloponnese, Flamininus, Quintus Caecilius, and Appius Claudius. After listening to various arguments, they were all in agreement as to the restoration of the exiles and the remains of those put to death, and as to Sparta's remaining a member of the Achaean League : but on the question of the property—whether the talent's

πότερον δεῖ τὸ τάλαντον εἰς ἑκάστους τοὺς φυγάδας
ἐκ τῶν ἰδίων ἐκλέξασθαι . . ., περὶ τούτων
10 διημφισβήτουν πρὸς ἀλλήλους. ἵνα δὲ μὴ πάλιν
ἐξ ἀκεραίου περὶ πάντων ἀντιλέγοιεν, ἔγγραπτον
ὑπὲρ τῶν ὁμολογουμένων . . ., ἐφ' ὃ πάντες
11 ἐπέβαλοντο τὰς ἰδίας σφραγῖδας. οἱ δὲ περὶ
τὸν Τίτον βουλόμενοι καὶ τοὺς Ἀχαιοὺς εἰς τὴν
ὁμολογίαν ἐμπλέξαι, προσεκαλέσαντο τοὺς περὶ
12 Ξέναρχον. οὗτοι γὰρ ἐπρέσβευον τότε παρὰ τῶν
Ἀχαιῶν, ἅμα μὲν ἀνανεούμενοι τὴν συμμαχίαν,
ἅμα δὲ τῇ τῶν Λακεδαιμονίων διαφορᾷ προσ-
13 εδρεύοντες. καὶ παρὰ τὴν προσδοκίαν ἐρωτώμενοι
περὶ τῶν γραφομένων, εἰ συνευδοκοῦσιν, οὐκ
14 οἶδ' ὅπως εἰς ἀπορίαν ἐνέπεσον. δυσηρεστοῦντο
μὲν γὰρ τῇ καθόδῳ τῶν φυγάδων καὶ τῶν τεθανα-
τωμένων διὰ τὸ γίνεσθαι παρὰ τὰ τῶν Ἀχαιῶν
δόγματα καὶ παρὰ τὴν στήλην, εὐδοκοῦντο δὲ τοῖς
ὅλοις τῷ γράφεσθαι διότι <δεῖ> τὴν πόλιν τῶν
Λακεδαιμονίων πολιτεύειν μετὰ τῶν Ἀχαιῶν.
15 καὶ πέρας τὰ μὲν ἀπορούμενοι, τὰ δὲ καταπλητ-
τόμενοι τοὺς ἄνδρας, ἐπεβάλοντο τὴν σφραγῖδα.
16 ἡ δὲ σύγκλητος προχειρισαμένη Κόϊντον Μάρκιον
πρεσβευτὴν ἐξαπέστελλεν ἐπί τε τὰ κατὰ Μακε-
δονίαν καὶ τὰ κατὰ Πελοπόννησον.

5 Ὅτι Δεινοκράτης ὁ Μεσσήνιος παραγενόμενος
(xxiv. 5) εἰς τὴν Ῥώμην πρεσβευτὴς καὶ καταλαβὼν τὸν
Τίτον πρεσβευτὴν καθεσταμένον ὑπὸ τῆς συγκλή-
του πρός τε Προυσίαν καὶ τὸν Σέλευκον, περι-

worth of his own property should be assigned to each exile or whether . . . they differed. But in order that the whole matter should not be rediscussed from the beginning, they drew up a written agreement about the points not in dispute to which all the parties affixed their seals. Flamininus and his colleagues, wishing to involve the Achaeans in this agreement, invited to meet them Xenarchus and the others who had been sent as envoys at the time by the Achaeans, partly to renew the alliance and partly to watch the result of the various demands made by the Spartans. Contrary to his expectation, when asked if they approved of the written agreement they for some reason or other hesitated. On the one hand they were not pleased with the recall of the exiles and of those put to death, because it was contrary to the Achaean decree as inscribed on the column ; but they were on the whole pleased, because it was written in the agreement that Sparta was to remain a member of the Achaean League. At length, however, partly out of inability to decide, and partly from fear of Flamininus and his colleagues, they affixed their seal. The senate now appointed Quintus Marcius Philippus their legate, and dispatched him to Macedonia and the Peloponnesus.

Deinocrates of Messene

(Cp. Livy xxxix. 51.)

5. Deinocrates of Messene, on arriving at Rome on a mission from his country and learning that Flamininus had been appointed by the senate its legate to Prusias and Seleucus, was overjoyed,

2 χαρὴς ἐγενήθη, νομίζων τὸν Τίτον διά τε τὴν
πρὸς αὑτὸν φιλίαν—ἐγεγόνει γὰρ αὐτῷ συνήθης
κατὰ τὸν Λακωνικὸν πόλεμον—καὶ διὰ τὴν πρὸς
τὸν Φιλοποίμενα διαφοράν, παραγενόμενον εἰς
τὴν Ἑλλάδα, χειριεῖν τὰ κατὰ τὴν Μεσσήνην
3 πάντα κατὰ τὴν αὑτοῦ προαίρεσιν. διὸ καὶ παρεὶς
τἆλλα προσεκαρτέρει τῷ Τίτῳ καὶ πάσας εἰς
τοῦτον ἀπηρείσατο τὰς ἐλπίδας.
4   Ὅτι Δεινοκράτης ὁ Μεσσήνιος ἦν οὐ μόνον κατὰ
τὴν τριβήν, ἀλλὰ καὶ κατὰ τὴν φύσιν αὐλικὸς καὶ
5 στρατιωτικὸς ἄνθρωπος. τὸν δὲ πραγματικὸν τρό-
πον ἐπέφαινε μὲν τέλειον, ἦν δὲ ψευδεπίγραφος
6 καὶ ῥωπικός. ἔν τε γὰρ τοῖς πολεμικοῖς κατὰ
μὲν τὴν εὐχέρειαν καὶ τὴν τόλμαν πολὺ διέφερε
τῶν ἄλλων καὶ λαμπρὸς ἦν ἐν τοῖς κατ᾽ ἰδίαν
7 κινδύνοις. ὁμοίως δὲ καὶ κατὰ τὴν ἄλλην διά-
θεσιν ἐν μὲν ταῖς ὁμιλίαις εὔχαρις καὶ πρόχειρος
ἦν, παρά τε τὰς συνουσίας εὐτράπελος καὶ πολι-
8 τικός, ἅμα δὲ τούτοις φιλέραστος, περὶ δὲ κοινῶν
ἢ πολιτικῶν πραγμάτων ἀτενίσαι καὶ προϊδέσθαι
τὸ μέλλον ἀσφαλῶς, ἔτι δὲ παρασκευάσασθαι
καὶ διαλεχθῆναι πρὸς πλῆθος, εἰς τέλος ἀδύνατος.
9 καὶ τότε κεκινηκὼς ἀρχὴν μεγάλων κακῶν τῇ
πατρίδι, τελείως οὐδὲν ᾤετο ποιεῖν, ἀλλὰ τὴν
αὐτὴν ἀγωγὴν ἦγε τοῦ βίου, προορώμενος οὐδὲν
τῶν μελλόντων, ἐρῶν δὲ καὶ κωθωνιζόμενος ἀφ᾽
ἡμέρας καὶ τοῖς ἀκροάμασι τὰς ἀκοὰς ἀνατεθεικώς.
10 βραχεῖαν δέ τινα τῆς περιστάσεως ἔμφασιν ὁ
11 Τίτος αὐτὸν ἠνάγκασε λαβεῖν. ἰδὼν γὰρ αὐτὸν
παρὰ πότον ἐν μακροῖς ἱματίοις ὀρχούμενον, παρ᾽
αὐτὰ μὲν ἐσιώπησε, τῇ δ᾽ αὔριον ἐντυγχάνοντος

thinking that Flamininus, both owing to his personal
friendship with himself—for they had become well
acquainted during the war in Laconia—and owing
to his difference with Philopoemen, would upon
arriving in Greece manage the affairs of Messene
entirely as he himself desired. So neglecting to
take any other steps he remained in close attendance
on Flamininus and rested all his hopes on him.

Deinocrates of Messene was not only by practice
but by nature a soldier and a courtier. He gave
one perfectly the impression of being a capable
man, but his capacity was but counterfeit and pinch-
beck. For in war, to begin with, he was highly
distinguished by his reckless daring, and was magni-
ficent in single combat ; and similarly, as regards
his other qualities, his conversation was charming
and unembarrassed, and in convivial society he was
versatile and urbane and also fond of love-making.
But as regards public or political affairs he was
perfectly incapable of concentrated attention and
clear insight into the future, as well as of preparing
and delivering a speech. At present, when he had
just begun a series of terrible calamities for his
country, he simply fancied that his action was of
no importance, and went on living in his usual
manner, foreseeing nothing of what would happen,
but occupied with love affairs, drinking deep from
an early hour, and devoted to scenic performances.
Flamininus, however, compelled him to realize in
a measure the danger he was in ; for once when he
saw him at a party dancing in a long robe, he held
his peace at the time, but next day, when Deino-

αὑτοῦ καί τι περὶ τῆς πατρίδος ἀξιοῦντος " ἐγὼ
μέν, ὦ Δεινοκράτη, πᾶν " ἔφη " ποιήσω τὸ
12 δυνατόν· ἐπὶ δὲ σοῦ θαυμάζω πῶς δύνῃ παρὰ
πότον ὀρχεῖσθαι, τηλικούτων πραγμάτων ἀρχὴν
κεκινηκὼς ἐν τοῖς Ἕλλησιν." ἐδόκει δὲ τότε
13 βραχύ τι συσταλῆναι καὶ μαθεῖν ὡς ἀνοίκειον
ὑπόθεσιν τῆς ἰδίας αἱρέσεως καὶ φύσεως ἀποδέδωκε.
  Πλὴν τότε παρῆν εἰς τὴν Ἑλλάδα μετὰ τοῦ
14 Τίτου πεπεισμένος ἐξ ἐφόδου τὰ κατὰ τὴν Μεσ-
σήνην χειρισθήσεσθαι κατὰ τὴν αὐτοῦ βούλησιν.
οἱ δὲ περὶ τὸν Φιλοποίμενα, σαφῶς ἐπεγνωκότες
15 ὅτι περὶ τῶν Ἑλληνικῶν ὁ Τίτος οὐδεμίαν ἐντο-
λὴν ἔχει παρὰ τῆς συγκλήτου, τὴν ἡσυχίαν εἶχον,
καραδοκοῦντες αὐτοῦ τὴν παρουσίαν. ἐπεὶ δὲ
16 καταπλεύσας εἰς Ναύπακτον ἔγραψε τῷ στρατηγῷ
καὶ τοῖς δαμιουργοῖς τῶν Ἀχαιῶν, κελεύων
συνάγειν τοὺς Ἀχαιοὺς εἰς ἐκκλησίαν, ἀντέγραψαν
17 αὐτῷ διότι ποιήσουσιν, ἂν γράψῃ περὶ τίνων
βούλεται διαλεχθῆναι τοῖς Ἀχαιοῖς· τοὺς γὰρ
νόμους ταῦτα τοῖς ἄρχουσιν ἐπιτάττειν. τοῦ δὲ
18 μὴ τολμῶντος γράφειν, αἱ μὲν τοῦ Δεινοκράτους
ἐλπίδες καὶ τῶν ἀρχαίων λεγομένων φυγάδων,
τότε δὲ προσφάτως ἐκ τῆς Λακεδαίμονος ἐκπε-
πτωκότων, καὶ συλλήβδην ἡ τοῦ Τίτου παρουσία
καὶ προσδοκία τοῦτον τὸν τρόπον διέπεσεν.

II. Res Graeciae

6   Ὅτι κατὰ τοὺς αὐτοὺς καιροὺς ἐξαπεστάλησαν
(xxiv. 11) ὑπὸ τῶν ἐκ Λακεδαίμονος φυγάδων πρέσβεις

crates came to see him and made some request
about Messene, he said, " I, Deinocrates, will do
what I can ; but as for you I am surprised how
you can dance at parties, after having begun such
troubles for Greece." He then for a time appeared
to put a check on himself and realize that he had
betrayed in an improper manner his true character
and nature.

However, he appeared now in Greece with Flami-
ninus, convinced that he had only to show his face
when the affairs of Messene would be arranged as
he wished. But Philopoemen, well knowing that
Flamininus had no instructions from the senate
regarding the affairs of Greece, kept quiet awaiting
his arrival, and when, on disembarking at Naupactus,
he wrote to the strategus and damiurges [a] of the
Achaeans, ordering them to call the general assembly
of the Achaeans, they replied that they would do so
upon his informing them on what subjects he wished
to address the Achaeans ; for that was the course
imposed on the magistrates by their laws. As
Flamininus did not venture to reply, the hopes of
Deinocrates and of the " old exiles," as they were
called, who had then quite recently been exiled
from Sparta, and in general the expectations created
by Flamininus's arrival came to nothing.

II. Affairs of Greece

The Spartan Envoys

6. At the same time envoys were sent by the
Lacedaemonian exiles to Rome, among them being

[a] The ten magistrates of the league who formed the
council of the strategus.

εἰς τὴν Ῥώμην, ἐν οἷς ἦν Ἀρκεσίλαος καὶ Ἀγησί-
πολις, ὃς ἔτι παῖς ὢν ἐγενήθη βασιλεὺς ἐν τῇ
2 Σπάρτῃ. τούτους μὲν οὖν λῃσταί τινες περι-
3 πεσόντες ἐν τῷ πελάγει διέφθειραν, οἱ δὲ μετὰ
τούτων κατασταθέντες διεκομίσθησαν εἰς τὴν
Ῥώμην.

III. Res Macedoniae

7   Ὅτι τοῦ Δημητρίου παραγενηθέντος ἐκ τῆς
(xxiii. 7) Ῥώμης εἰς τὴν Μακεδονίαν καὶ κομίζοντος τὰς
ἀποκρίσεις, ἐν αἷς οἱ Ῥωμαῖοι πᾶσαν τὴν ἐξ
αὐτῶν χάριν καὶ πίστιν εἰς τὸν Δημήτριον ἀπ-
ηρείδοντο καὶ διὰ τοῦτον ἔφασαν πάντα πεποιη-
2 κέναι καὶ ποιήσειν, οἱ μὲν Μακεδόνες ἀπεδέχοντο
τὸν Δημήτριον, μεγάλων ὑπολαμβάνοντες ἀπο-
3 λελύσθαι φόβων καὶ κινδύνων—προσεδόκων γὰρ
ὅσον οὔπω τὸν ἀπὸ Ῥωμαίων πόλεμον ἐπ' αὐτοὺς
4 ἥξειν διὰ τὰς τοῦ Φιλίππου παρατριβάς—ὁ δὲ
Φίλιππος καὶ Περσεὺς οὐχ ἡδέως ἑώρων τὸ
γινόμενον, οὐδ' ἤρεσεν αὐτοῖς τὸ δοκεῖν τοὺς
Ῥωμαίους αὐτῶν μὲν μηθένα λόγον ποιεῖσθαι,
τῷ δὲ Δημητρίῳ πᾶσαν ἀνατιθέναι τὴν ἐξ αὐτῶν
5 χάριν. οὐ μὴν ⟨ἀλλ'⟩ ὁ μὲν Φίλιππος ἐπεκρύπτετο
τὴν ἐπὶ τούτοις δυσαρέστησιν, ὁ δὲ Περσεύς, οὐ
μόνον ἐν τῇ πρὸς Ῥωμαίους εὐνοίᾳ παρὰ πολὺ
τἀδελφοῦ λειπόμενος, ἀλλὰ καὶ περὶ τἆλλα πάντα
καθυστερῶν καὶ τῇ φύσει καὶ τῇ κατασκευῇ,
6 δυσχερῶς ἔφερε· τὸ δὲ συνέχον, ἐδεδίει περὶ τῆς
ἀρχῆς, μὴ πρεσβύτερος ὢν ἐξωσθῇ διὰ τὰς προ-
7 ειρημένας αἰτίας. διὸ τούς τε φίλους ἔφθειρε
τοὺς τοῦ Δημητρίου . . .

Arcesilaus and Agesipolis, who as a boy had been king of Sparta. They were both caught and murdered at sea by some pirates, but their colleagues were conveyed to Rome.

III. Affairs of Macedonia

(Cp. Livy xxxix. 53.)

7. When Demetrius reached Macedonia from Rome, bringing the reply in which the Romans attributed to this prince all the favour and confidence they had shown, saying that all that they had done or would do was for his sake, the Macedonians gave him a good reception, thinking that they had been thus freed from great apprehension and peril—for they had quite expected that owing to the friction between Philip and the Romans a war with Rome was immediately imminent ; but Philip and Perseus viewed it all with no favourable eyes, as it did not please them to think that the Romans treated them as if no account, but credited Demetrius with all the favour they had shown. Philip, however, continued to conceal his displeasure ; but Perseus, who was much less well disposed to the Romans than his brother, and much inferior to him in all other respects both by nature and by training, was deeply aggrieved. His principal fear was for the throne, lest, although the elder son, he might be excluded from it for the above reasons. He therefore not only corrupted the friends of Demetrius . . .

8 Ὅτι τῶν περὶ τὸν Κόιντον τὸν Μάρκιον πρε-
(xxiv. 6) σβευσάντων εἰς Μακεδονίαν, ἀπέβη μὲν ἀπὸ τῶν
ἐπὶ Θράκης Ἑλληνίδων πόλεων ὁλοσχερῶς ὁ
Φίλιππος καὶ τὰς φρουρὰς ἐξήγαγεν, ἀπέβη δὲ
2 βαρυνόμενος καὶ στένων. διωρθώσατο δὲ καὶ
τἆλλα πάντα, περὶ ὧν οἱ Ῥωμαῖοι ἐπέτατ-
τον, βουλόμενος ἐκείνοις μὲν μηδεμίαν ἔμφασιν
ποιεῖν ἀλλοτριότητος, λαμβάνειν δ' ἀναστροφὴν
3 πρὸς τὰς εἰς τὸν πόλεμον παρασκευάς. τηρῶν
δὲ τὴν προκειμένην ὑπόθεσιν, ἐξῆγε στρατιὰν
4 ἐπὶ τοὺς βαρβάρους. διελθὼν δὲ διὰ μέσης τῆς
Θράκης ἐνέβαλεν εἰς Ὀδρύσας ‹καὶ› Βέσσους
5 καὶ Δενθηλήτους. παραγενόμενος δ' ἐπὶ τὴν προσ-
αγορευομένην Φιλίππου πόλιν, φυγόντων τῶν
ἐνοικούντων εἰς τὰς ἀκρωρείας, ἐξ ἐφόδου κατέσχε
6 τὴν πόλιν. μετὰ δὲ ταῦτα πᾶν τὸ πεδίον ἐπι-
δραμὼν καὶ τοὺς μὲν ἐκπορθήσας, παρ' ὧν δὲ
πίστεις λαβών, ἐπανῆλθε, φρουρὰν καταλιπὼν
7 ἐν τῇ Φιλίππου πόλει. ταύτην δὲ συνέβη μετά
τινα χρόνον ἐκπεσεῖν ὑπὸ τῶν Ὀδρυσῶν, ἀθετη-
σάντων τὰς πρὸς τὸν βασιλέα πίστεις.

IV. Res Italiae

9 Ὅτι κατὰ τὸ δεύτερον ἔτος ἡ σύγκλητος,
(xxiv. 10) παραγενομένων πρέσβεων παρ' Εὐμένους καὶ Φαρ-
νάκου ‹καὶ Φιλίππου› καὶ παρὰ τοῦ τῶν Ἀχαιῶν
ἔθνους, ἔτι δὲ παρὰ τῶν ἐκ τῆς Λακεδαίμονος
ἐκπεπτωκότων καὶ παρὰ τῶν κατεχόντων τὴν
2 πόλιν, ἐχρημάτισε τούτοις. ἧκον δὲ καὶ Ῥόδιοι
3 πρεσβεύοντες ὑπὲρ τῆς Σινωπέων ἀτυχίας. τούτοις

(Cp. Livy, *ibid.*)

8. Upon the arrival in Macedonia of Quintus
Marcius and the other Roman legates, Philip entirely
evacuated the Greek towns in Thrace, withdrawing
his garrisons, but he relinquished them in a sullen
and grumbling spirit and with many sighs. He also
set right all the other matters about which the
Romans directed him, as he wished to give no sign
of hostility to them and thus gain time to make his
preparations for war. Adhering to his resolve he
now made an expedition against the barbarians.
Passing through central Thrace he invaded the
country of the Odrysians, the Bessi, and the
Dentheleti. On his arrival at Philippopolis, the
inhabitants fled to the hills, and he took the city at
once. After this he raided the whole plain, and,
after devastating the lands of some and receiving
the submission of others, he returned, leaving in
Philippopolis a garrison which was shortly after-
wards expelled by the Odrysians, who broke their
pledges to the king.

IV. AFFAIRS OF ITALY

Greek Embassies in Rome. Report of Marcius

(Cp. Livy xl. 2. 6.)

9. In the second year of this Olympiad (149) upon
the arrival in Rome of embassies from Eumenes,
Pharnaces and Philip, from the Achaean League,
and from both the exiled Lacedaemonians and those
in possession of the city, the senate gave them all
audience. Envoys also came from Rhodes on the
subject of the calamity that had overtaken Sinope.

183–182 B.C.

μὲν οὖν καὶ τοῖς παρ' Εὐμένους καὶ Φαρνάκου
πρεσβεύουσιν ἡ σύγκλητος ἀπεκρίθη διότι πέμψει
πρεσβευτὰς τοὺς ἐπισκεψομένους περί τε Σινωπέων
καὶ περὶ τῶν τοῖς βασιλεῦσιν ἀμφισβητουμένων.
4 τοῦ δὲ Κοΐντου Μαρκίου προσφάτως ἐκ τῆς
Ἑλλάδος παραγεγονότος καὶ περί τε τῶν ἐν
Μακεδονίᾳ καὶ περὶ τῶν ἐν Πελοποννήσῳ δια-
σεσαφηκότος, οὐκέτι πολλῶν προσεδεήθη λόγων
5 ἡ σύγκλητος, ἀλλ' εἰσκαλεσαμένη καὶ τοὺς ἀπὸ
Πελοποννήσου καὶ Μακεδονίας πρεσβεύοντας δι-
ήκουσε μὲν τῶν λόγων, τάς γε μὴν ἀποκρίσεις
ἔδωκε καὶ τὴν διάληψιν ἐποιήσατο τῶν πραγμάτων
οὐ πρὸς τοὺς τῶν πρεσβευτῶν λόγους, ἀλλὰ πρὸς
6 τὴν ἀποπρεσβείαν ἁρμοσαμένη τοῦ Μαρκίου. ὃς
ὑπὲρ μὲν τοῦ Φιλίππου τοῦ βασιλέως ἀπηγγέλκει
διότι πεποίηκε μὲν τὰ προσταττόμενα, πεποίηκε
δὲ τὰ πάντα βαρυνόμενος, καὶ <καθ>ότι λαβὼν
7 καιρὸν πᾶν τι ποιήσει κατὰ Ῥωμαίων. διὸ καὶ
τοῖς μὲν παρὰ τοῦ Φιλίππου πρεσβευταῖς τοιαύτην
ἔδωκε τὴν ἀπόκρισιν, δι' ἧς ἐπὶ μὲν τοῖς γεγονόσιν
ἐπήνει τὸν Φίλιππον, εἰς δὲ τὸ λοιπὸν ᾤετο δεῖν
προσέχειν αὐτὸν ἵνα μηδὲν ὑπεναντίον φαίνηται
8 πράττων Ῥωμαίοις. περὶ δὲ τῶν κατὰ Πελοπόν-
νησον ὁ Μάρκιος τοιαύτην ἐπεποίητο τὴν ἀπαγγε-
λίαν διότι, τῶν Ἀχαιῶν οὐ βουλομένων ἀναφέρειν
οὐδὲν ἐπὶ τὴν σύγκλητον, ἀλλὰ φρονηματιζομένων
καὶ πάντα δι' ἑαυτῶν πράττειν ἐπιβαλλομένων,
9 ἐὰν παρακούσωσι μόνον αὐτῶν κατὰ τὸ παρὸν
καὶ βραχεῖαν ἔμφασιν ποιήσωσιν δυσαρεστήσεως,
ταχέως ἡ Λακεδαίμων τῇ Μεσσήνῃ συμφρονήσει.
10 τούτου δὲ γενομένου μετὰ μεγάλης χάριτος ἥξειν
τοὺς Ἀχαιοὺς ἔφη καταπεφευγότας ἐπὶ Ῥωμαίους.

To these last and the envoys of Eumenes and
Pharnaces the Senate replied that they would send
legates to inquire about Sinope and about the dis-
putes between the two kings. Quintus Marcius
had recently returned from Greece, and upon his
presenting his report on the subject of Macedonia
and the Peloponnesus, the Senate no longer required
further debate, but summoning the envoys from the
Peloponnesus and Macedonia, listened, it is true,
to their speeches, but drew up their reply not with
reference to the arguments of the envoys, but in
accordance with the report of Marcius. He had
reported regarding Philip that he had executed
the Roman order, but he had done so grudgingly;
and that as soon as he had the opportunity he would
do all he could against Rome. The answer given
by the senate to Philip's envoys was therefore as
follows. They thanked him for what had been done,
and in future they warned him to take care not to
appear to be acting in any way in opposition to
Rome. As regards the Peloponnesus Marcius had
reported that as the Achaeans did not wish to refer
anything to the senate, but had a great opinion of
themselves and were attempting to act in all matters
on their own initiative, if the senate paid no atten-
tion to their request for the present, and expressed
their displeasure in moderate terms, Sparta would
soon be reconciled with Messene, upon which the
Achaeans would be only too glad to appeal to the

11 διότι τοῖς μὲν ἐκ τῆς Λακεδαίμονος ἀπεκρίθησαν
τοῖς περὶ Σήριππον, βουλόμενοι μετέωρον ἐᾶσαι
τὴν πόλιν, διότι πάντα πεποιήκασιν αὐτοῖς τὰ
δυνατά, κατὰ δὲ τὸ παρὸν οὐ νομίζουσιν εἶναι
12 τοῦτο τὸ πρᾶγμα πρὸς αὐτούς. τῶν δ' Ἀχαιῶν
παρακαλούντων, εἰ μὲν δυνατόν ἐστιν, βοήθειαν
αὐτοῖς πέμψαι κατὰ τὴν συμμαχίαν ἐπὶ τοὺς
Μεσσηνίους, εἰ δὲ μή, προνοηθῆναι ⟨γ'⟩ ἵνα
μηθεὶς τῶν ἐξ Ἰταλίας μήθ' ὅπλα μήτε σῖτον εἰς
τὴν Μεσσήνην εἰσαγάγῃ, τούτων μὲν οὐδενὶ
13 προσεῖχον, ἀπεκρίθησαν δὲ διότι οὐδ' ἂν ὁ Λακε-
δαιμονίων ἢ Κορινθίων ἢ ⟨τῶν⟩ Ἀργείων ἀφίστη-
ται δῆμος, οὐ δεήσει τοὺς Ἀχαιοὺς θαυμάζειν
14 ἐὰν μὴ πρὸς αὐτοὺς ἡγῶνται. ταύτην δὲ τὴν
ἀπόκρισιν ἐκθέμενοι, κηρύγματος ἔχουσαν διά-
θεσιν τοῖς βουλομένοις ἕνεκεν Ῥωμαίων ἀφί-
στασθαι τῆς τῶν Ἀχαιῶν πολιτείας, λοιπὸν τοὺς
πρεσβευτὰς παρακατεῖχον, καραδοκοῦντες τὰ κατὰ
τὴν Μεσσήνην, πῶς προχωρήσει τοῖς Ἀχαιοῖς.
15 καὶ τὰ μὲν κατὰ τὴν Ἰταλίαν ἐν τούτοις ἦν.

V. RES MACEDONIAE

10 Ὅτι τῷ βασιλεῖ Φιλίππῳ καὶ τῇ συμπάσῃ
(xxiv. 8) Μακεδονίᾳ κατὰ τοῦτον τὸν καιρὸν δεινή τις
ἀρχὴ κακῶν ἐνέπεσε καὶ πολλῆς ἐπιστάσεως καὶ
2 μνήμης ἀξία. καθάπερ γὰρ ἂν εἰ δίκην ἡ τύχη
βουλομένη λαβεῖν καιρῷ παρ' αὐτοῦ πάντων τῶν
ἀσεβημάτων καὶ παρανομημάτων ὧν εἰργάσατο
κατὰ τὸν βίον, τότε παρέστησέ τινας ἐρινῦς καὶ
ποινὰς καὶ προστροπαίους τῶν δι' ἐκεῖνον ἠτυχη-
3 κότων· οἳ συνόντες αὐτῷ καὶ νύκτωρ καὶ μεθ'

414

Romans. So they replied to Serippus, the representative of Sparta, as they wished the city to remain in suspense, that they had done all in their power for the Spartans, but at present they did not think that the matter concerned them. When the Achaeans begged them, if it were possible, to send a force in virtue of their alliance to help them against the Messenians, or if not to see to it that no one coming from Italy should import arms or food to Messene, they paid no attention to either request, and answered them that not even if the people of Sparta, Corinth or Argos deserted the League should the Achaeans be surprised if the senate did not think it concerned them. Giving full publicity to this reply, which was a sort of proclamation that the Romans would not interfere with those who wished to desert the Achaean League, they continued to detain the envoys, waiting to see how the Achaeans would get on at Messene. Such was the situation in Italy.

V. Affairs of Macedonia

(Cp. Livy xl. 3. 3.)

10. This year witnessed the first outbreak of terrible misfortunes for King Philip and the whole of Macedonia, an event fully worthy of attention and careful record. For it was now that Fortune, as if she meant to punish him at one and the same time for all the wicked and criminal acts he had committed in his life, sent to haunt him a host of the furies, tormentors and avenging spirits of his victims, phantoms that never leaving him by

ἡμέραν τοιαύτας ἔλαβον παρ' αὐτοῦ τιμωρίας,
ἕως οὗ τὸ ζῆν ἐξέλιπεν, ὡς καὶ πάντας ἀνθρώπους
ὁμολογῆσαι διότι κατὰ τὴν παροιμίαν ἔστι τις
Δίκης ὀφθαλμός, ἧς μηδέποτε δεῖ καταφρονεῖν
4 ἀνθρώπους ὑπάρχοντας. πρῶτον μὲν γὰρ αὐτῷ
ταύτην παρεστήσαντο τὴν ἔννοιαν ὅτι δεῖ μέλλοντα
πολεμεῖν πρὸς Ῥωμαίους ἐκ τῶν ἐπιφανεστάτων
καὶ παραθαλαττίων πόλεων τοὺς μὲν πολιτικοὺς
ἄνδρας μετὰ τέκνων καὶ γυναικῶν ἀναστάτους
ποιήσαντα μεταγαγεῖν εἰς τὴν νῦν μὲν Ἠμαθίαν,
τὸ δὲ παλαιὸν Παιονίαν προσαγορευομένην, πλη-
ρῶσαι ⟨δὲ⟩ καὶ Θρᾳκῶν καὶ βαρβάρων τὰς πόλεις,
5 ὡς βεβαιοτέρας αὐτῷ τῆς ἐκ τούτων πίστεως
ὑπαρξούσης κατὰ τὰς περιστάσεις. οὗ συν-
6 τελουμένου, καὶ τῶν ἀνθρώπων ἀνασπάστων γι-
νομένων, τηλικοῦτο συνέβη γενέσθαι πένθος καὶ
τηλικοῦτον θόρυβον ὥστε δοριάλωτον δοκεῖν
7 ἅπασαν γίνεσθαι. ἐξ ὧν κατάραι καὶ θεοκλυ-
τήσεις ἐγίνοντο κατὰ τοῦ βασιλέως, οὐκέτι λάθρᾳ
8 μόνον, ἀλλὰ καὶ φανερῶς. μετὰ δὲ ταῦτα βου-
ληθεὶς μηδὲν ἀλλότριον ὑποκαθέσθαι μηδὲ δυσ-
μενὲς μηδὲν ἀπολιπεῖν τὴν βασιλείαν, ἔγραψε τοῖς
ἐπὶ τῶν πόλεων διατεταγμένοις ἀναζητήσασι τοὺς
υἱοὺς καὶ τὰς θυγατέρας τῶν ὑπ' αὐτοῦ Μακε-
9 δόνων ἀνῃρημένων, εἰς φυλακὴν ἀποθέσθαι, μάλιστα
μὲν φέρων ἐπὶ τοὺς περὶ Ἄδμητον καὶ Πύρριχον καὶ
10 Σάμον καὶ τοὺς μετὰ τούτων ἀπολομένους· ἅμα δὲ
τούτοις συμπεριέλαβε καὶ τοὺς ἄλλους ἅπαντας,
ὅσοι κατὰ βασιλικὸν πρόσταγμα τοῦ ζῆν ἐστερήθη-
σαν, ἐπιφθεγξάμενος, ὥς φασι, τὸν στίχον τοῦτον·

νήπιος ὃς πατέρα κτείνας υἱοὺς καταλείπει.

416

day and by night, tortured him so terribly up to
the day of his death that all men acknowledged
that, as the proverb says, "Justice has an eye"
and we who are but men should never scorn her.
For first of all Fortune inspired him with the notion
that now he was about to make war on Rome he
ought to deport with their whole families from the
principal cities and from those on the coast all
men who took part in politics, and transfer them to
the country now called Emathia and formerly
Paeonia, filling the cities with Thracians and bar-
barians whose fidelity to him would be surer in the
season of danger. While this project was being
executed, and the men were being deported, there
arose such mourning and such commotion that one
would have said the whole country was being led
into captivity. And in consequence were heard
curses and imprecations against the king uttered
no longer in secret but openly. In the next place,
wishing to tolerate no disaffection and to leave no
hostile element in his kingdom, he wrote to the
officers in whose charge the cities were, to search
for the sons and daughters of the Macedonians he
had killed and imprison them, referring chiefly to
Admetus, Pyrrhichus, Samus and the others put to
death at the same time, but including all others
who had suffered death by royal command, quoting,
as they say, the line—

A fool is he who slays the sire and leaves the sons alive.

11 ὄντων δὲ τῶν πλείστων ἐπιφανῶν διὰ τὰς τῶν
πατέρων προαγωγάς, ἐπιφανῆ καὶ τὴν τούτων
ἀτυχίαν συνέβαινε γίνεσθαι καὶ παρὰ πᾶσιν ἐλεει-
12 νήν. τρίτον δ᾽ ἡ τύχη δρᾶμα κατὰ τὸν αὐτὸν και-
13 ρὸν ἐπεισήγαγεν τὸ κατὰ τοὺς υἱούς, ἐν ᾧ τῶν
μὲν νεανίσκων ἀλλήλοις ἐπιβουλευόντων, τῆς δ᾽
ἀναφορᾶς περὶ τούτων ἐπ᾽ αὐτὸν γινομένης, καὶ
δέον διαλαμβάνειν ποτέρου δεῖ γίνεσθαι τῶν υἱῶν
φονέα καὶ πότερον αὐτῶν δεδιέναι μᾶλλον κατὰ
τὸν ἑξῆς βίον, μὴ γηράσκων αὐτὸς πάθῃ τὸ παρα-
πλήσιον, ἐστροβεῖτο νύκτωρ καὶ μεθ᾽ ἡμέραν
14 περὶ τούτων διανοούμενος. ἐν τοιαύταις δ᾽ οὔσης
ἀτυχίαις καὶ ταραχαῖς τῆς αὑτοῦ ψυχῆς, τίς οὐκ
ἂν εἰκότως ὑπολάβοι θεῶν τινων αὐτῷ μῆνιν εἰς
τὸ γῆρας κατασκῆψαι διὰ τὰς ἐν τῷ προγεγονότι
15 βίῳ παρανομίας; τοῦτο δ᾽ ἔτι μᾶλλον ἔσται
δῆλον ἐκ τῶν ἑξῆς ῥηθησομένων.

Ὅτι Φίλιππος ὁ Μακεδόνων βασιλεὺς πολλοὺς
τῶν Μακεδόνων ἀνελὼν καὶ τοὺς υἱοὺς αὐτῶν
ἐπανεῖλεν, ὥς φασι, τὸν στίχον τοῦτον εἰπών·

νήπιος ὃς πατέρα κτείνας υἱοὺς καταλείπει.

16 . . . καὶ διὰ ταῦτα τῆς ψυχῆς οἰονεὶ λυττώσης
αὐτοῦ, καὶ τὸ κατὰ τοὺς υἱοὺς νεῖκος ἅμα τοῖς
προειρημένοις ἐξεκαύθη, τῆς τύχης ὥσπερ ἐπίτηδες
ἀναβιβαζούσης ἐπὶ σκηνὴν ἐν ἑνὶ καιρῷ τὰς
τούτων συμφοράς.

17 Ἐναγίζουσιν οὖν τῷ Ξανθῷ Μακεδόνες καὶ
καθαρμὸν ποιοῦσι σὺν ἵπποις ὡπλισμένοις.

418

As most of these young people were notable owing to the high stations their fathers had held, their misfortune too became notable, and excited the pity of all. And the third tragedy which Fortune produced at the same time was that concerning his sons. The young men were plotting against each other, and as the matter was referred to him, and it fell to him to decide of which of them he had to be the murderer and which of them he had to fear most for the rest of his life, lest he in his old age should suffer the same fate, he was disturbed night and day by this thought. Who can help thinking, that, his mind being thus afflicted and troubled, it was the wrath of heaven which had descended on his old age, owing to the crimes of his past life ? And this will be still more evident from what follows.

Philip of Macedon after putting many Macedonians to death, killed their sons also,[a] quoting as they say, the verse :

A fool is he who slays the sire and leaves the sons alive.

. . . And while his mind was almost maddened by this thought, the quarrel of his sons burst into flame at the same time, Fortune as if of set purpose bringing their misfortunes on the stage at one and the same time.

(Suid.)

The Macedonians offer sacrifices to Xanthus and make a piacular offering to him with armed horses.

---

[a] For the sequel see Livy xl. 5-24.

11 Ὅτι " δεῖ μὴ μόνον ἀναγινώσκειν τὰς τραγω-
(xxiv. 8ᵃ) δίας καὶ τοὺς μύθους καὶ τὰς ἱστορίας, ἀλλὰ
καὶ γινώσκειν καὶ συνεφιστάνειν ἐπὶ τοῦτο τὸ
2 μέρος. ἐν οἷς ἅπασιν ἔστιν ὁρᾶν, ὅσοι μὲν τῶν
ἀδελφῶν εἰς τὴν πρὸς ἀλλήλους ὀργὴν καὶ φιλο-
νικίαν ἐμπεσόντες ἐπὶ πολὺ προύβησαν, ἅπαντας
τοὺς τοιούτους οὐ μόνον σφᾶς ἀπολωλεκότας,
ἀλλὰ καὶ βίον καὶ τέκνα καὶ πόλεις ἄρδην κατ-
3 εστραφότας, ὅσοι δὲ μετρίως ἐζήλωσαν τὸ στέργειν
αὑτοὺς καὶ φέρειν τὰς ἀλλήλων ἀγνοίας, τούτους
ἅπαντας σωτῆρας γεγονότας ὧν ἀρτίως εἶπον
καὶ μετὰ τῆς καλλίστης φήμης καὶ δόξης βεβιω-
4 κότας. καὶ μὴν ἐπὶ τοὺς ἐν τῇ Λακεδαίμονι
βασιλεῖς πολλάκις ὑμᾶς ἐπέστησα, λέγων ὅτι
τοσοῦτον χρόνον διετήρησαν σφῶν τῇ πατρίδι
τὴν τῶν Ἑλλήνων ἡγεμονίαν ὅσον πειθαρχοῦντες
ὥσπερ γονεῦσι τοῖς ἐφόροις ἠνείχοντο συμβασι-
5 λεύοντες ἀλλήλοις· ὅτε δὲ ⟨δια⟩φωνήσαντες εἰς
μοναρχίαν τὰ πράγματα μετέστησαν, τότε πάντων
6 ἅμα τῶν κακῶν πεῖραν ἐποίησαν λαβεῖν τὴν
Σπάρτην· τὸ δὲ τελευταῖον ὡσανεὶ κατ' ἔνδειξιν
ὑμῖν λέγων καὶ τιθεὶς ἐναργῶς ὑπὸ τὴν ὄψιν
διετέλουν τούτους τοὺς περὶ τὸν Εὐμένη καὶ τὸν
7 Ἄτταλον, ὅτι παραλαβόντες οὗτοι μικρὰν ἀρχὴν
καὶ τὴν τυχοῦσαν ηὐξήκασι ταύτην, ὥστε μηδε-
μιᾶς εἶναι καταδεεστέραν, δι' οὐθὲν ἕτερον ἢ διὰ
τὴν πρὸς αὑτοὺς ὁμόνοιαν καὶ συμφωνίαν καὶ τὸ
8 δύνασθαι καταξίωσιν ἀλλήλοις διαφυλάττειν· ὧν
ὑμεῖς ἀκούοντες οὐχ οἷον εἰς νοῦν ἐλαμβάνετε, τὸ
δ' ἐναντίον ἠκονᾶτ', ἐμοὶ δοκεῖ, τοὺς κατ' ἀλλήλων
θυμούς."

Fragment of a Speech of Philip to his Sons.

(Cp. Livy xl. 8.)

11. You should not only read tragedies, myths, and stories but know well and ponder over such things. In all of them we see that those brothers who, giving way to wrath and discord, carried their quarrel to excess, not only in every case brought destruction on themselves but utterly subverted their substance, their families and their cities; while those who studied even in moderation to love each other and tolerate each other's errors, were the preservers of all these things, and lived in the greatest glory and honour. Have I not often called your attention to the case of the kings of Sparta, pointing out how they preserved for their country her supremacy in Greece, as long as they obeyed the ephors as if they were their fathers, and were content to share the throne, but when once they fell out and changed the constitution to a monarchy, then they caused Sparta to experience every evil? And finally, I constantly as a cogent proof of this kept before your eyes these our contemporaries Eumenes and Attalus, telling you how, inheriting a small and insignificant kingdom, they increased it so much that it is now inferior to none, simply by their concord and agreement and their faculty of mutual respect. You listened to all this; but, far from its sinking into your minds, you, on the contrary, as it seems to me, whetted your passion against each other.

V. Res Graeciae

12 Πολύβιος. ὁ δ' ἐξαναστὰς προῆγε, τὰ μὲν ὑπὸ
(xxiv. 8b) τῆς ἀρρωστίας, τὰ δ' ὑπὸ τῆς ἡλικίας βαρυνό-
2 μενος· εἶχε γὰρ ἑβδομηκοστὸν ἔτος. Πολύβιος·
διαβιασάμενος δὲ τὴν ἀσθένειαν τῇ συνηθείᾳ τῇ
πρὸ τοῦ παρῆν ἐξ Ἄργους εἰς Μεγάλην πόλιν
αὐθημερόν.

3 Ὅτι Φιλοποίμην ὁ τῶν Ἀχαιῶν στρατηγὸς
συλληφθεὶς ὑπὸ Μεσσηνίων ἀνῃρέθη φαρμάκῳ,
ἀνὴρ γενόμενος οὐδενὸς τῶν πρὸ τοῦ κατ' ἀρετὴν
δεύτερος, τῆς τύχης μέντοι γ' ἥττων, καίτοι δόξας
ἐν παντὶ τῷ πρὸ τοῦ βίῳ συνεργὸν ἐσχηκέναι
4 ταύτην· ἀλλά μοι δοκεῖ κατὰ τὴν κοινὴν παροιμίαν
εὐτυχῆσαι μὲν ἄνθρωπον ὄντα δυνατόν, διευτυχῆσαί
5 γε μὴν ἀδύνατον· διὸ καὶ μακαριστέον τῶν
προγεγονότων οὐχ ὡς διευτυχηκότας τινάς· τίς
γὰρ ἀνάγκη ψευδεῖ λόγῳ χρωμένοις ματαίως
6 προσκυνεῖν τὴν τύχην; ἀλλὰ τοὺς ὡς πλεῖστον
7 χρόνον ἐν τῷ ζῆν ἵλεων ἔχοντας ταύτην, κἄν ποτε
μετανοῇ, μετρίαις περιπεσόντας συμφοραῖς.

8 Ὅτι Φιλοποίμην τετταράκοντ' ἔτη συνεχῶς
(xxiv. 9) φιλοδοξήσας ἐν δημοκρατικῷ καὶ πολυειδεῖ πολι-
9 τεύματι, πάντῃ πάντως διέφυγε τὸν τῶν πολλῶν
φθόνον, τὸ πλεῖον οὐ πρὸς χάριν, ἀλλὰ μετὰ
παρρησίας πολιτευόμενος· ὃ σπανίως ἂν εὕροι
τις γεγονός.

V. Affairs of Greece

Philopoemen [a]

(Suid.)

12. Philopoemen arose and advanced although bowed down by sickness and the weight of years, being now in his seventieth year . . . but on getting over his ailment he recovered his former activity and reached Megalopolis from Argos in one day.

Philopoemen, the strategus of the Achaeans, was captured by the Messenians and put to death by poison. He was a man second to none of his predecessors in virtue, but succumbed to Fortune, although he was thought in all his previous life to have always been favoured by her. But my opinion is that, as the vulgar proverb says, it is possible for a human being to be fortunate, but impossible for him to be constantly so. Therefore we should regard some of our predecessors as blessed, not because they enjoyed constant good fortune—for what need is there by stating what is false to pay foolish worship to Fortune? But they are blessed to whom Fortune was kind for the greater part of their lives, and who, when she deserted them, only met with moderate misfortunes.

Philopoemen spent forty successive years in the pursuit of glory in a democratic state composed of various elements, and he avoided incurring the ill-will of the people in any way or on any occasion, although in his conduct of affairs he usually did not court favour but spoke his mind : a thing we seldom find.

[a] This year witnessed the deaths of Philopoemen, of Hannibal, and according at least to Polybius, of Scipio. Polybius pauses to compare them. Cp. Livy xxxix. 50. 10.

13 Ὅτι θαυμαστόν ἐστι καὶ μέγιστον σημεῖον
(xxiv. 9) γεγονέναι τῇ φύσει τὸν ἄνδρα τοῦτον ἡγεμονικὸν
καὶ πολύ τι διαφέροντα τῶν ἄλλων πρὸς τὸν
2 πραγματικὸν τρόπον· ἑπτακαίδεκα γὰρ ἔτη μείνας
ἐν τοῖς ὑπαίθροις πλεῖστά τ' ἔθνη καὶ βάρβαρα
διεξελθὼν καὶ πλείστοις ἀνδράσιν ἀλλοφύλοις καὶ
ἑτερογλώττοις χρησάμενος συνεργοῖς πρὸς ἀπηλ-
πισμένας καὶ παραδόξους ἐπιβολάς, ὑπ' οὐθενὸς
οὔτ' ἐπεβουλεύθη τὸ παράπαν οὔτ' ἐγκατελείφθη
τῶν ἅπαξ αὐτῷ κοινωνησάντων καὶ δόντων ἑαυτοὺς
εἰς χεῖρας.

14 Ὅτι Πόπλιος φιλοδοξήσας ἐν ἀριστοκρατικῷ
(xxiv. 9) πολιτεύματι τηλικαύτην περιεποιήσατο παρὰ μὲν
2 τοῖς ὄχλοις εὔνοιαν παρὰ δὲ τῷ συνεδρίῳ πίστιν
ὥστ', ἐν μὲν τῷ δήμῳ κρίνειν τινὸς ἐπιβαλομένου
κατὰ τὰ Ῥωμαίων ἔθη καὶ πολλὰ κατηγορήσαντος
3 καὶ πικρῶς, ἄλλο μὲν οὐθὲν εἶπε προελθών, οὐκ
ἔφη δὲ πρέπον εἶναι τῷ δήμῳ τῶν Ῥωμαίων
οὐθενὸς ἀκούειν κατηγοροῦντος Ποπλίου Κορνη-
λίου Σκιπίωνος, δι' ὃν αὐτὴν τὴν τοῦ λέγειν
4 ἐξουσίαν ἔχουσιν οἱ κατηγοροῦντες. ὧν ἀκού-
σαντες οἱ πολλοὶ παραχρῆμα διελύθησαν πάντες
ἐκ τῆς ἐκκλησίας, ἀπολιπόντες τὸν κατηγοροῦντα
μόνον.

5 Ὅτι Πόπλιος ἐν τῷ συνεδρίῳ χρείας ποτὲ
(xxiv. 9ᵃ) χρημάτων οὔσης εἴς τινα κατεπείγουσαν οἰκο-
νομίαν, τοῦ δὲ ταμίου διά τινα νόμον οὐ φάσκον-

Hannibal

(Suid.)

13. It is a remarkable and very cogent proof of Hannibal's having been by nature a real leader and far superior to anyone else in statesmanship, that though he spent seventeen years in the field, passed through so many barbarous countries, and employed to aid him in desperate and extraordinary enterprises numbers of men of different nations and languages, no one ever dreamt of conspiring against him, nor was he ever deserted by those who had once joined him or submitted to him.

Scipio

(Cp. Suid.)

14. Publius Scipio, who pursued fame in an aristocratic state, gained so completely the affection of the people and the confidence of the senate that when some one attempted to bring him to trial before the people according to the Roman practice, making many bitter accusations, he said nothing more when he came forward to defend himself, but that it was not proper for the Roman people to listen to anyone who accused Publius Cornelius Scipio, to whom his accusers owed it that they had the power of speech at all. All the people on hearing this at once dispersed, leaving the accuser alone.

Publius Scipio once in the senate when funds were required for an urgent outlay, and the quaestor owing to some law refused to open the treasury on

τος ἀνοίξειν τὸ ταμιεῖον κατ᾽ ἐκείνην τὴν ἡμέραν,
6 αὐτὸς ἔφη λαβὼν τὰς κλεῖς ἀνοίξειν· αὐτὸς γὰρ
αἴτιος γεγονέναι καὶ τοῦ κλείεσθαι τὸ ταμιεῖον.
7 πάλιν δέ ποτε λόγον ἀπαιτοῦντός τινος ἐν τῷ
συνεδρίῳ τῶν χρημάτων ὧν ἔλαβε παρ᾽ Ἀντιόχου
πρὸ τῶν συνθηκῶν ⟨εἰς⟩ τὴν τοῦ στρατοπέδου
μισθοδοσίαν, ἔχειν μὲν ἔφη τὸν λογισμόν, οὐ δεῖν
8 δ᾽ αὐτὸν ὑποσχεῖν οὐδενὶ λόγον· τοῦ δ᾽ ἐπικει-
μένου καὶ κελεύοντος φέρειν ἠξίωσε τὸν ἀδελφὸν
ἐνεγκεῖν· κομισθέντος δὲ τοῦ βυβλίου, προτείνας
αὐτὸ καὶ κατασπαράξας πάντων ὁρώντων τὸν μὲν
ἀπαιτοῦντα τὸν λόγον ἐκ τούτων ζητεῖν ἐκέλευσε,
9 τοὺς δ᾽ ἄλλους ἤρετο πῶς τῶν μὲν τρισχιλίων
ταλάντων τὸν λόγον ἐπιζητοῦσι πῶς ἐδαπανήθη
καὶ διὰ τίνων, τῶν δὲ μυρίων καθόλου καὶ πεντακισ-
χιλίων ὧν παρ᾽ Ἀντιόχου λαμβάνουσιν, οὐκέτι
10 ζητοῦσι πῶς εἰσπορεύεται καὶ διὰ τίνων, οὐδὲ
πῶς τῆς Ἀσίας καὶ τῆς Λιβύης, ἔτι δὲ τῆς Ἰβηρίας
11 κεκυριεύκασιν. ὥστε μὴ μόνον καταπλαγῆναι
πάντας, ἀλλὰ καὶ τὸν ζητήσαντα τὸν λόγον
ἀποσιωπῆσαι.
12 Ταῦτα μὲν οὖν ἡμῖν εἰρήσθω τῆς τε τῶν μετ-
ηλλαχότων ἀνδρῶν εὐκλείας ἕνεκεν καὶ τῆς τῶν
ἐπιγινομένων παρορμήσεως πρὸς τὰ καλὰ τῶν
ἔργων.

15 Ὅτι οὐ καλὸν τὸ φθείρειν τοὺς καρποὺς τῶν
(xxv. 3ᵃ) ὑπεναντίων· φησὶ γὰρ ὁ Πολύβιος οὐδέποτε δ᾽
ἐγὼ συντίθεμαι τὴν γνώμην τοῖς ἐπὶ τοσοῦτον
διατιθεμένοις τὴν ὀργὴν εἰς τοὺς ὁμοφύλους ὥστε
μὴ μόνον τοὺς ἐπετείους καρποὺς παραιρεῖσθαι
τῶν πολεμίων, ἀλλὰ καὶ τὰ δένδρα καὶ τὰ κατα-
σκευάσματα διαφθείρειν, μηδὲ μεταμελείας κατα-
426

that day, took the keys and said he would open it himself; saying it was owing to him that it was shut. On another occasion when some one in the senate asked him to render an account of the moneys he had received from Antiochus before the peace for the pay of his army, he said he had the account, but he was not obliged to render an account to anyone. When the senator in question pressed his demand and ordered him to bring it, he asked his brother to get it ; and, when the book was brought to him, he held it out and tore it to bits in the sight of every one, telling the man who had asked for it to search among the pieces for the account. At the same time he asked the rest of the house why they demanded an account of how and by whom the three thousand talents had been spent, while they had not inquired how and by whose hands the fifteen thousand talents they were receiving from Antiochus were coming into the treasury, nor how they had become masters of Asia, Africa, and Spain. So not only were all abashed, but he who had demanded the account kept silence.

I have related these anecdotes for the sake of the good fame of the departed and to incite their successors to achieve noble deeds

15. I never can share the sentiment of those who exercise their vengeance on those of their own race to such an extent that they not only deprive the enemy of the year's harvest, but destroy trees and agricultural apparatus, leaving no room for redress.

2 λείποντας τόπον. ἀλλά μοι δοκοῦσι μεγαλείως
3 ἀγνοεῖν οἱ ταῦτα πράττοντες· καθ᾽ ὅσον γὰρ
ὑπολαμβάνουσι καταπλήττεσθαι τοὺς πολεμίους
λυμαινόμενοι τὴν χώραν καὶ παραιρούμενοι πάσας,
οὐ μόνον τὰς κατὰ τὸ παρόν, ἀλλὰ καὶ τὰς εἰς τὸ
μέλλον ἐλπίδας τῶν πρὸς τὸν βίον ἀναγκαίων,
κατὰ τοσοῦτον ἀποθηριοῦντες τοὺς ἀνθρώπους
ἀμετάθετον ποιοῦσι τὴν πρὸς αὑτοὺς ὀργὴν τῶν
ἅπαξ ἐξαμαρτόντων.

16 Ὅτι ὁ Λυκόρτας ὁ τῶν Ἀχαιῶν στρατηγὸς
(xxiv. 12) τοὺς Μεσσηνίους καταπληξάμενος τῷ πολέμῳ
2 . . . πάλαι μὲν οἱ Μεσσήνιοι καταπεπληγμένοι
τὸν πρὸ τοῦ χρόνου τοὺς προεστῶτας, τότε μόλις
ἐθάρρησάν τινες αὐτῶν φωνὴν ἀφιέναι, πιστεύ-
σαντες τῇ τῶν πολεμίων ἐφεδρείᾳ, καὶ λέγειν
3 ὅτι δεῖ πρεσβεύειν ὑπὲρ διαλύσεως. οἱ μὲν οὖν
περὶ τὸν Δεινοκράτην οὐκέτι δυνάμενοι πρὸς τὸ
πλῆθος ἀντοφθαλμεῖν διὰ τὸ περιέχεσθαι . . . τοῖς
πράγμασιν εἴξαντες ἀνεχώρησαν εἰς τὰς ἰδίας
4 οἰκήσεις. οἱ δὲ πολλοὶ παρακληθέντες ὑπό τε
τῶν πρεσβυτέρων καὶ μάλιστα τῶν ἐκ Βοιωτίας
5 πρεσβευτῶν, οἳ πρότερον ἤδη παραγεγονότες ἐπὶ
τὰς διαλύσεις, Ἐπαίνετος καὶ Ἀπολλόδωρος, εὐ-
καίρως τότε παρέτυχον ἐν τῇ Μεσσήνῃ, ταχέως
ἐπακολουθήσαντες ἐπὶ τὰς διαλύσεις [οἱ Μεσσήνιοι]
κατέστησαν πρεσβευτὰς καὶ τούτους ἐξέπεμψαν,
δεόμενοι τυχεῖν συγγνώμης ἐπὶ τοῖς ἡμαρτημένοις.
6 ὁ δὲ στρατηγὸς τῶν Ἀχαιῶν παραλαβὼν τοὺς
συνάρχοντας καὶ διακούσας τῶν παραγεγονότων
μίαν ἔφη Μεσσηνίοις πρὸς τὸ ἔθνος εἶναι διάλυσιν,
7 ἐὰν μὲν τοὺς αἰτίους τῆς ἀποστάσεως καὶ τῆς
Φιλοποίμενος ἀναιρέσεως ἤδη παραδῶσιν αὐτῷ,

On the contrary in my opinion those who act thus
make a very serious mistake. For the more they
think to terrorize the enemy by spoiling their country
and depriving them not only of all present but of all
future hope of procuring the means of existence, the
more they make the men savage, and to avenge a
single offence inspire an ineradicable hatred of
themselves.

Messene surrenders to the Achaeans

(Cp. Livy xxxix. 50. 9.)

16. Lycortas, the strategus of the Achaeans,
having cowed the Messenians by the war . . . The
Messenians had long been overawed by their leaders,
but now certain of them just ventured to open their
mouths, relying on the protection of the enemy, and
to advise sending an embassy to ask for peace.
Deinocrates and the others in power, no longer daring
to face the people, as they were encompassed by
perils, yielded to circumstances and retired to their
own dwellings. The people now, entreated by the
elders and chiefly by the Boeotian envoys Epaenetus
and Apollodorus, who had previously arrived to make
peace, and by a happy chance were still in Messene,
readily gave ear, and appointed and dispatched
envoys craving pardon for the errors they had com-
mitted. The strategus of the Achaeans summoned
his colleagues, and after listening to the envoys
replied that the Messenians could make peace with
the League on no other terms than by giving up to
him now the authors of their defection and of the
murder of Philopoemen, and by submitting all other

περὶ δὲ τῶν ἄλλων ἁπάντων ἐπιτροπὴν δῶσιν
τοῖς Ἀχαιοῖς, εἰς δὲ τὴν ἄκραν εἰσδέξωνται
8 παραχρῆμα φυλακήν. ἀναγγελθέντων δὲ τούτων
εἰς τοὺς ὄχλους, οἱ μὲν πάλαι πικρῶς διακείμενοι
πρὸς τοὺς αἰτίους τοῦ πολέμου πρόθυμοι τούτους
ἦσαν ἐκδιδόναι καὶ συλλαμβάνειν, οἱ δὲ πεπει-
σμένοι μηδὲν πείσεσθαι δεινὸν ὑπὸ τῶν Ἀχαιῶν
ἑτοίμως συγκατέβαινον εἰς τὴν ὑπὲρ τῶν ὅλων
9 ἐπιτροπήν. τὸ δὲ συνέχον, οὐκ ἔχοντες αἵρεσιν
περὶ τῶν παρόντων ὁμοθυμαδὸν ἐδέξαντο τὰ
10 προτεινόμενα. τὴν μὲν οὖν ἄκραν εὐθέως παρα-
λαβὼν ὁ στρατηγὸς τοὺς πελταστὰς εἰς αὐτὴν
11 παρήγαγεν, μετὰ δὲ ταῦτα προσλαβὼν τοὺς ἐπι-
τηδείους ἐκ τοῦ στρατοπέδου παρῆλθεν εἰς τὴν
πόλιν καὶ συναγαγὼν τοὺς ὄχλους παρεκάλεσε τὰ
πρέποντα τοῖς ἐνεστῶσι καιροῖς, ἐπαγγελλόμενος
12 ἀμεταμέλητον αὐτοῖς ἔσεσθαι τὴν πίστιν. τῆς μὲν
οὖν ὑπὲρ τῶν ὅλων διαλήψεως τὴν ἀναφορὰν ἐπὶ τὸ
ἔθνος ἐποιήσατο—καὶ γὰρ ὥσπερ ἐπίτηδες συνέβαινε
τότε πάλιν συνάγεσθαι τοὺς Ἀχαιοὺς εἰς Μεγάλην
13 πόλιν ἐπὶ τὴν δευτέραν σύνοδον—τῶν δ' ἐν ταῖς
αἰτίαις ὅσοι μὲν μετέσχον τοῦ παρ' αὐτὸν τὸν καιρὸν
ἐπανελέσθαι τὸν Φιλοποίμενα, τούτοις ἐπέταξε
παραχρῆμα πάντας αὐτοὺς ἐξάγειν ἐκ τοῦ ζῆν.

17 Ὅτι οἱ Μεσσήνιοι διὰ τὴν αὑτῶν ἄγνοιαν εἰς
(xxv. 1) τὴν ἐσχάτην παραγενόμενοι διάθεσιν ἀποκατ-
έστησαν εἰς τὴν ἐξ ἀρχῆς κατάστασιν τῆς συμ-
πολιτείας διὰ τὴν Λυκόρτα καὶ τῶν Ἀχαιῶν μεγα-
2 λοψυχίαν. ἡ δ' Ἀβία καὶ Θουρία καὶ Φαραὶ
κατὰ τὸν καιρὸν τοῦτον ἀπὸ μὲν τῆς Μεσσήνης
ἐχωρίσθησαν, ἰδίᾳ ⟨δὲ⟩ θέμεναι στήλην ἑκάστη
μετεῖχεν τῆς κοινῆς συμπολιτείας.

matters to the discretion of the Achaeans and at once admitting a garrison into their citadel. When these terms were announced to the people, those who had been throughout hostile to the authors of the war were ready to arrest and surrender the latter, while all who were convinced that they would not be harshly treated by the Achaeans gladly agreed to the unconditional submission ; and as, above all, they had no choice in the matter, they unanimously accepted the proposal. The strategus upon this at once took over the citadel and introduced the peltasts into it, and after this, accompanied by competent members of his force, he entered the city, and summoning the populace addressed them in terms suitable to the occasion, promising that they would never repent of having entrusted their future to him. He referred the whole question to the League—it happened that at that very time the Achaeans, as if for this very purpose, were holding their second assembly at Megalopolis—ordering those among the guilty Messenians who had actually at the time participated in the death of Philopoemen, to put an end to their own lives without delay.

17. The Messenians, having by their own error been reduced to the worst condition, were restored to their original position in the League by the generosity of Lycortas and the Achaeans. Abia, Thurea, and Pharae at this time separated from Messene and each by a separate agreement secured their membership in the League.

3 Ῥωμαῖοι δὲ πυθόμενοι κατὰ λόγον κεχωρηκέναι
τοῖς Ἀχαιοῖς τὰ κατὰ τὴν Μεσσήνην, οὐδένα
λόγον ποιησάμενοι τῆς πρότερον ἀποφάσεως ἄλλην
ἔδωκαν τοῖς αὐτοῖς πρεσβευταῖς ἀπόκρισιν, διασα-
φοῦντες ὅτι πρόνοιαν πεποίηνται τοῦ μηθένα τῶν
ἐξ Ἰταλίας μήθ’ ὅπλα μήτε σῖτον εἰσάγειν εἰς τὴν
4 Μεσσήνην. ἐξ οὗ καταφανεῖς ἅπασιν ἐγενήθησαν
ὅτι τοσοῦτον ἀπέχουσιν τοῦ τὰ μὴ λίαν ἀναγκαῖα
τῶν ἐκτὸς πραγμάτων ἀποτρίβεσθαι καὶ παρορᾶν,
ὡς τοὐναντίον καὶ δυσχεραίνουσιν ἐπὶ τῷ μὴ
πάντων τὴν ἀναφορὰν ἐφ’ ἑαυτοὺς γίνεσθαι καὶ
πάντα πράττεσθαι μετὰ τῆς αὐτῶν γνώμης.
5 Εἰς δὲ τὴν Λακεδαίμονα παραγενομένων τῶν
πρεσβευτῶν ἐκ τῆς Ῥώμης καὶ κομιζόντων τὴν
ἀπόκρισιν, εὐθέως ὁ στρατηγὸς τῶν Ἀχαιῶν
μετὰ τὸ συντελέσαι τὰ κατὰ τὴν Μεσσήνην συνῆγε
τοὺς πολλοὺς εἰς τὴν τῶν Σικυωνίων πόλιν.
6 ἀθροισθέντων δὲ τῶν Ἀχαιῶν ⟨ἀν⟩εδίδου δια-
βούλιον ὑπὲρ τοῦ προσλαβέσθαι ⟨τὴν Σπάρτην⟩
7 εἰς τὴν συμπολιτείαν, φάσκων Ῥωμαίους μὲν ἀπο-
τρίβεσθαι τὴν πρότερον αὐτοῖς δοθεῖσαν ἐπιτροπὴν
ὑπὲρ τῆς πόλεως ταύτης· ἀποκεκρίσθαι γὰρ
αὐτοὺς νῦν μηθὲν εἶναι τῶν κατὰ Λακεδαίμονα
8 πραγμάτων πρὸς αὐτούς· τοὺς δὲ κυριεύοντας
τῆς Σπάρτης κατὰ τὸ παρὸν βούλεσθαι σφίσιν
9 μετέχειν τῆς συμπολιτείας. διὸ παρεκάλει προσ-
δέχεσθαι τὴν πόλιν· εἶναι γὰρ τοῦτο κατὰ δύο
τρόπους συμφέρον, καθ’ ἕνα μέν, ὅτι τούτους
⟨μέλλουσι⟩ προσλήψεσθαι τοὺς διατετηρηκότας
10 τὴν πρὸς τὸ ἔθνος πίστιν, καθ’ ἕτερον δέ, διότι τῶν
ἀρχαίων φυγάδων τοὺς ἀχαρίστως καὶ ἀσεβῶς
ἀνεστραμμένους εἰς αὐτοὺς οὐχ ἕξουσι κοινωνοὺς

The Romans, on hearing that the Messenian revolt had ended in a manner favourable to the Achaeans, entirely ignoring their former answer, gave another reply to the same envoys, informing them that they had provided that no one should import from Italy arms and corn to Messene. This made it patent to every one that so far from shirking and neglecting less important items of foreign affairs, they were on the contrary displeased if all matters were not submitted to them and if all was not done in accordance with their decision.

Admission of Sparta to the Achaean League

When the envoys returned from Rome to Sparta with the reply, the strategus of the Achaeans at once, after finally arranging the affairs of Messene, summoned the general assembly to meet at Sicyon. Upon its meeting, he proposed a resolution to receive Sparta into the League, saying that on the one hand the Romans had relieved themselves of the engagement formerly imposed on them to decide about this city, since they had answered that Spartan affairs did not concern them, and on the other that the present rulers of Sparta wished to join the League. He therefore begged them to accept the adherence of that city. It was, he said, advantageous in two ways ; because they would be including in the League those who had kept their faith to it, next because those of the old exiles who had behaved with such ingratitude and impiety to them would not be

τῆς πολιτείας, ἀλλ᾽ ἑτέρων αὐτοὺς ἐκκεκλεικότων
τῆς πόλεως, βεβαιώσαντες τὰς ἐκείνων προ-
αιρέσεις ἅμα τὴν ἁρμόζουσαν αὐτοῖς χάριν ἀπο-
11 δώσουσι μετὰ τῆς τῶν θεῶν προνοίας. ὁ μὲν
οὖν Λυκόρτας ταῦτα καὶ τὰ τοιαῦτα λέγων παρ-
εκάλει τοὺς Ἀχαιοὺς προσδέξασθαι τὴν πόλιν· ὁ
12 δὲ Διοφάνης καί τινες ἕτεροι βοηθεῖν ἐπειρῶντο
τοῖς φυγάσι καὶ παρεκάλουν τοὺς Ἀχαιοὺς μὴ
συνεπιθέσθαι τοῖς ἐκπεπτωκόσιν μηδὲ δι᾽ ὀλίγους
ἀνθρώπους συνεπισχῦσαι τοῖς ἀσεβῶς καὶ παρα-
νόμως αὐτοὺς ἐκ τῆς πατρίδος ἐκβεβληκόσιν.
18 τοιαῦτα μὲν ἦν τὰ ῥηθέντα παρ᾽ ἑκατέρων. οἱ δ᾽
(xxv. 2) Ἀχαιοὶ διακούσαντες ἀμφοτέρων ἔκριναν προσ-
λαβέσθαι τὴν πόλιν, καὶ μετὰ ταῦτα στήλης
προγραφείσης συνεπολιτεύετο μετὰ τῶν Ἀχαιῶν
2 ἡ Σπάρτη, προσδεξαμένων τῶν ἐν τῇ πόλει τού-
τους τῶν ἀρχαίων φυγάδων, ὅσοι μηδὲν ἐδόκουν
ἄγνωμον πεποιηκέναι κατὰ τοῦ τῶν Ἀχαιῶν ἔθνους.
3 Οἱ δ᾽ Ἀχαιοὶ ταῦτα κυρώσαντες πρεσβευτὰς
ἀπέστειλαν εἰς τὴν Ῥώμην τοὺς περὶ Βίππον τὸν
Ἀργεῖον, διασαφήσοντας τῇ συγκλήτῳ περὶ πάν-
4 των. ὁμοίως δὲ καὶ Λακεδαιμόνιοι τοὺς περὶ
5 Χαίρωνα κατέστησαν. ἐξαπέστειλαν δ᾽ οἱ φυγάδες
⟨τοὺς περὶ⟩ Κλῆτιν καὶ Διακτόριον τοὺς ⟨συγ⟩-
καταστησομένους ἐν τῇ συγκλήτῳ πρὸς τοὺς παρὰ
τῶν Ἀχαιῶν πρεσβευτάς.

members of the League, but as they had been ex-
pelled from the city by others, they would both
confirm the decision of these latter and pay them by
God's providence the debt of thanks they deserved.
Such were the words in which Lycortas recommended
the Achaeans to admit Sparta.   Diophanes, however,
and some others tried to take the part of the exiles,
and begged the Achaeans not to join in their per-
secution, and for the sake of a few men to lend
additional support to those who had wickedly and
illegally driven them from their country.   18. Such
were the arguments on each side.   The Achaeans,
after listening to both, decided to admit the town,
and afterwards, the inscription for a stone having
been drawn up, Sparta became a member of the
Achaean League, those in the town having agreed
to receive such of the old exiles as had not been
guilty of any ingratitude to the League.

The Achaeans having ratified this measure sent
Bippus of Argos at the head of an embassy to Rome
to inform the Senate about everything.   The
Lacedaemonians also appointed Chaeron as their
envoy and the exiles Cletis and Diactorius to represent
their interests in the senate against the Achaean
envoys.

FRAGMENTA LIBRI XXIV

I. Res Italiae

1 Εἰς δὲ τὴν 'Ρώμην παραγεγονότων τῶν πρε-
(xxv. 2. 6) σβευτῶν παρά τε τῶν ⟨Λακεδαιμονίων καὶ τῶν⟩ ἐκ
Λακεδαίμονος φυγάδων, ⟨ἔτι δὲ⟩ παρὰ τῶν 'Αχαιῶν,
ἅμα δὲ καὶ τῶν παρ' Εὐμένους καὶ παρ' 'Αρια-
ράθου τοῦ βασιλέως ἡκόντων καὶ τῶν παρὰ
Φαρνάκου, τούτοις πρῶτον ἐχρημάτισεν ἡ σύγ-
2 κλητος. βραχεῖ δὲ χρόνῳ πρότερον ἀνηγγελκότων
τῶν περὶ τὸν Μάρκον πρεσβευτῶν, οὓς ἀπεστάλ-
κεισαν ἐπὶ τὸν Εὐμένει καὶ Φαρνάκῃ συνεστηκότα
3 πόλεμον, καὶ διασεσαφηκότων περί τε τῆς Εὐμέ-
νους μετριότητος ἐν πᾶσιν καὶ περὶ τῆς Φαρνάκου
πλεονεξίας καὶ καθόλου τῆς ὑπερηφανίας, οὐκέτι
πολλῶν προσεδεήθη λόγων ἡ σύγκλητος δι-
ακούσασα τῶν παραγεγονότων, ἀπεκρίθη δὲ δι-
ότι πάλιν πέμψει πρεσβευτὰς τοὺς φιλοτιμότερον
ἐπισκεψομένους ὑπὲρ τῶν διαφερόντων ⟨τοῖς⟩
4 προειρημένοις. μετὰ δὲ ταῦτα τῶν ἐκ τῆς Λακε-
δαίμονος φυγάδων εἰσπορευθέντων καὶ τῶν ἐκ
τῆς πόλεως ἅμα τούτοις, ἐπὶ πολὺ διακούσασα
τοῖς μὲν ἐκ τῆς πόλεως οὐδὲν ἐπετίμησε περὶ
5 τῶν γεγονότων, τοῖς δὲ φυγάσιν ἐπηγγείλατο

FRAGMENTS OF BOOK XXIV

I. AFFAIRS OF ITALY

Various Embassies at Rome

(Cp. Livy xl. 20.)

1. Upon the arrival in Rome of the envoys from 182–181 B.C.
the Lacedaemonians and from their exiles, from the
Achaeans, from Eumenes, from King Ariarathes,
and from Pharnaces, the senate first gave audience
to the last named. A short time previously Marcus
and the other commissioners whom they had sent
to inquire into the circumstances of the war between
Eumenes and Pharnaces had presented their report,
in which they pointed out the moderation of Eumenes
in all matters, and the rapacious and generally over-
bearing conduct of Pharnaces. The senate, after
listening to the envoys, had no need to debate the
matter at length, but replied that they would send
legates again to inquire with more diligence into the
dispute of the two kings. The next to enter were
the Spartan exiles together with those from the city ;
and after giving them a long hearing, the senate,
without censuring the citizens at all for what had
occurred, promised the exiles to write to the Achaeans

437

γράψειν πρὸς τοὺς Ἀχαιοὺς περὶ τοῦ κατελθεῖν
6 αὐτοὺς εἰς τὴν οἰκείαν. μετὰ δέ τινας ἡμέρας
εἰσπορευθέντων ⟨τῶν⟩ περὶ Βίππον τὸν Ἀργεῖον,
οὓς ἀπεστάλκει τὸ τῶν Ἀχαιῶν ἔθνος, καὶ δια-
σαφούντων περὶ τῆς Μεσσηνίων ἀποκαταστάσεως,
7 οὐθενὶ δυσαρεστήσασα περὶ τῶν οἰκονουμένων
ἡ σύγκλητος ἀπεδέξατο φιλανθρώπως τοὺς πρε-
σβευτάς.

II. RES GRAECIAE

2 Ὅτι κατὰ τὴν Πελοπόννησον παραγενομένων
(xxv. 3) ἐκ Ῥώμης τῶν ἐκ τῆς Λακεδαίμονος φυγάδων
καὶ κομιζόντων παρὰ τῆς συγκλήτου γράμματα
τοῖς Ἀχαιοῖς ὑπὲρ τοῦ προνοηθῆναι περὶ τῆς
αὐτῶν καθόδου καὶ σωτηρίας εἰς τὴν οἰκείαν,
2 ἔδοξε τοῖς Ἀχαιοῖς ὑπερθέσθαι τὸ διαβούλιον,
3 ἕως ἂν οἱ παρ' αὐτῶν ἔλθωσι πρεσβευταί. ταῦτα
δὲ τοῖς φυγάσιν ἀποκριθέντες συνέθεντο τὴν πρὸς
Μεσσηνίους στήλην, συγχωρήσαντες αὐτοῖς πρὸς
τοῖς ἄλλοις φιλανθρώποις καὶ τριῶν ἐτῶν ἀτέ-
λειαν, ὥστε τὴν τῆς χώρας καταφθορὰν μηδὲν
4 ἧττον βλάψαι τοὺς Ἀχαιοὺς ἢ Μεσσηνίους. τῶν
δὲ περὶ τὸν Βίππον παραγενομένων ἐκ τῆς Ῥώμης
καὶ διασαφούντων γραφῆναι τὰ γράμματα περὶ
τῶν φυγάδων οὐ διὰ τὴν τῆς συγκλήτου σπουδήν,
5 ἀλλὰ διὰ τὴν τῶν φυγάδων φιλοτιμίαν, ἔδοξε τοῖς
Ἀχαιοῖς μένειν ἐπὶ τῶν ὑποκειμένων.

3 (4)   Κατὰ δὲ τὴν Κρήτην ἀρχὴ πραγμάτων ἐκινεῖτο
(xxv. 3) μεγάλων, εἰ χρὴ λέγειν ἀρχὴν πραγμά⟨των⟩
ἐν Κρήτῃ· διὰ γὰρ τὴν συνέχειαν τῶν ἐμφυλίων
πολέμων καὶ τὴν ὑπερβολὴν τῆς εἰς ἀλλήλους

begging for their return to their country. A few days afterwards when Bippus of Argos and the others sent by the Achaean League appeared before them and explained about the restoration of order at Messene, the senate gave them a courteous reception, expressing no displeasure with anyone for the conduct of the matter.

II. Affairs of Greece

2. In the Peloponnesus when the Lacedaemonian exiles arrived bearing a letter from the senate to the Achaeans asking them to take measures for their safe return to their country, the Achaeans decided to adjourn the debate until the arrival of their own envoys. After giving the exiles this answer, they drew up an inscription to be engraved on the stone recording their agreement with the Messenians, and granting them among other favours a three years' exemption from taxes, so that the devastation of the Messenian territory injured the Achaeans no less than Messenians. Upon Bippus and the envoys returning from Rome and reporting that the letter on the subject of the exiles had been written not owing to the senate's interest in them, but owing to their importunity, the Achaeans decided to take no step.

3. This year witnessed the beginning of great troubles in Crete, if indeed one can talk of a beginning of trouble in Crete. For owing to the constant succession of their civil wars and their excessive

ὠμότητος ταὐτὸν ἀρχὴ καὶ τέλος ἐστὶν ἐν Κρήτῃ,
καὶ τὸ δοκοῦν παραδόξως τισὶν εἰρῆσθαι τοῦτ᾽
ἐκεῖ θεωρεῖται συνεχῶς [τὸ] γινόμενον.

III. Res Italiae

5 Ὅτι γενομένων συνθηκῶν πρὸς ἀλλήλους Φαρ-
(xxv. 6) νάκου καὶ Ἀττάλου καὶ τῶν λοιπῶν, ἅπαντες
μετὰ τῶν οἰκείων δυνάμεων ἀνεχώρησαν εἰς τὴν
2 οἰκείαν. Εὐμένης δὲ κατὰ τὸν καιρὸν τοῦτον
ἀπολελυμένος τῆς ἀρρωστίας καὶ διατρίβων ἐν
Περγάμῳ, παραγενομένου τἀδελφοῦ καὶ δια-
σαφοῦντος περὶ τῶν ᾠκονομημένων, εὐδοκήσας
τοῖς γεγονόσιν προέθετο πέμπειν. τοὺς ἀδελφοὺς
3 ἅπαντας εἰς τὴν Ῥώμην, ἅμα μὲν ἐλπίζων πέρας
ἐπιθήσειν τῷ πρὸς τὸν Φαρνάκην πολέμῳ διὰ
τῆς τούτων πρεσβείας, ἅμα δὲ συστῆσαι σπουδάζων
τοὺς ἀδελφοὺς τοῖς τ᾽ ἰδίᾳ φίλοις καὶ ξένοις
ὑπάρχουσιν αὐτῶν ἐν τῇ Ῥώμῃ καὶ τῇ συγκλήτῳ
4 κατὰ κοινόν. προθύμων δὲ καὶ τῶν περὶ τὸν
Ἄτταλον ὑπαρχόντων, ἐγένοντο περὶ τὴν ἐκδημίαν.
5 καὶ τούτων παραγενομένων εἰς τὴν Ῥώμην,
καὶ κατ᾽ ἰδίαν μὲν πάντες ἀπεδέχοντο τοὺς νεανί-
σκους φιλανθρώπως, ἅτε συνήθειαν ἐσχηκότες
ἐν ταῖς περὶ τὴν Ἀσίαν στρατείαις, ἔτι δὲ με-
γαλομερέστερον ἡ σύγκλητος ἀπεδέξατο τὴν παρ-
6 ουσίαν αὐτῶν· καὶ γὰρ ξένια καὶ παροχὰς τὰς
μεγίστας ἐξέθηκεν αὐτοῖς καὶ πρὸς τὴν ἔντευξιν
7 καλῶς ἀπήντησεν. οἱ δὲ περὶ τὸν Ἄτταλον
εἰσελθόντες εἰς τὴν σύγκλητον τά τε προϋπάρχοντα
φιλάνθρωπα διὰ πλειόνων λόγων ἀνενεώσαντο καὶ
τοῦ Φαρνάκου κατηγορήσαντες παρεκάλουν ἐπι-

cruelty to each other, beginning and end mean the
same thing in Crete, and what is regarded as a
paradoxical utterance of some philosophers is there
constantly a matter of fact.

III. Affairs of Italy

The Brothers of Eumenes in Rome

5. After the peace concluded between Pharnaces 180–181 B.C.
and Attalus and the others, they all returned home
with their forces. Eumenes at this time had re-
covered from his sickness, and was living in Pergamus;
and when his brother arrived and informed him how
he had managed matters, he was pleased at what had
happened, and resolved to send all his brothers to
Rome, hoping by this mission to put an end to the
war between himself and Pharnaces, and at the same
time wishing to recommend his brothers to the
personal friends and former guests of himself and
his house in Rome and to the senate in general.
Attalus and the others gladly consented and prepared
for the journey. Upon their arrival in Rome, all
their friends gave the young men the kindest recep-
tion in their houses, as they had become intimate
with them in their campaigns in Asia, and the senate
greeted them upon their arrival on a magnificent
scale, lavishing gifts and largesses on them, and
replying most satisfactorily to them at their official
audience. Attalus and his brothers on entering the
Curia spoke at some length in renewal of their former
amicable relations and, accusing Pharnaces, begged

στροφήν τινα ποιήσασθαι, δι᾽ ἧς τεύξεται τῆς
8 ἁρμοζούσης δίκης. ἡ δὲ σύγκλητος διακούσασα
φιλανθρώπως ἀπεκρίθη διότι πέμψει πρεσβευτὰς
τοὺς κατὰ πάντα τρόπον λύσοντας τὸν πόλεμον.
καὶ τὰ μὲν κατὰ τὴν Ἰταλίαν οὕτως εἶχεν.

IV. Res Graeciae

6 Ὅτι περὶ τοὺς αὐτοὺς καιροὺς Πτολεμαῖος ὁ
(xxv. 7) βασιλεύς, βουλόμενος ἐμπλέκεσθαι τῷ τῶν Ἀχαιῶν
ἔθνει, διεπέμψατο πρεσβευτήν, ἐπαγγελλόμενος
δεκαναΐαν δώσειν ἐντελῆ πεντηκοντηρικῶν πλοίων.
2 οἱ δ᾽ Ἀχαιοὶ καὶ διὰ τὸ δοκεῖν τὴν δωρεὰν ἀξίαν
εἶναι χάριτος ἀσμένως ἀπεδέξαντο τὴν ἐπαγγελίαν.
δοκεῖ γὰρ ἡ δαπάνη οὐ πολὺ λείπειν τῶν δέκα
3 ταλάντων. ταῦτα δὲ βουλευσάμενοι προεχειρί-
σαντο πρεσβευτὰς Λυκόρταν καὶ Πολύβιον καὶ
σὺν τούτοις Ἄρατον, υἱὸν Ἀράτου τοῦ Σικυωνίου,
τοὺς ἅμα μὲν εὐχαριστήσοντας τῷ βασιλεῖ περὶ
τε τῶν ὅπλων ὧν πρότερον ἀπέστειλε καὶ τοῦ
νομίσματος, ἅμα δὲ παραληψομένους τὰ πλοῖα καὶ
πρόνοιαν ποιησομένους περὶ τῆς ἀποκομιδῆς αὐτῶν.
4 κατέστησαν δὲ τὸν μὲν Λυκόρταν διὰ τὸ κατὰ τὸν
καιρόν, καθ᾽ ὃν ἐποιεῖτο τὴν ἀνανέωσιν τῆς συμ-
μαχίας ὁ Πτολεμαῖος, στρατηγοῦντα τότε συνεργῆ-
5 σαι φιλοτίμως αὐτῷ, τὸν δὲ Πολύβιον, νεώτερον
ὄντα τῆς κατὰ τοὺς νόμους ἡλικίας, διὰ τὸ τήν
τε συμμαχίαν αὐτοῦ τὸν πατέρα πρεσβεύσαντα
πρὸς Πτολεμαῖον ἀνανεώσασθαι καὶ τὴν δωρεὰν
τῶν ὅπλων καὶ τοῦ νομίσματος ἀγαγεῖν τοῖς
6 Ἀχαιοῖς, παραπλησίως δὲ καὶ τὸν Ἄρατον διὰ
τὰς προγονικὰς συστάσεις πρὸς τὴν βασιλείαν.

the senate to take measures to inflict on him the punishment he merited. The senate, after giving them a courteous hearing, replied that they would send legates who would by some means or other put an end to the war. Such was the condition of affairs in Italy.

IV. AFFAIRS OF GREECE

Ptolemy and the Achaeans

6. At the same period King Ptolemy, wishing to ingratiate himself with the Achaean League, sent an envoy promising to give them a full squadron of quinqueremes. The Achaeans, chiefly because they thought the gift one for which real thanks were due, gladly accepted it, for the cost was not much less than ten talents. Having decided on this, they appointed as envoys Lycortas, Polybius, and Aratus, son of the great Aratus of Sicyon, to thank the king for the arms and coined money he had previously sent, and to receive the ships and look after their dispatch. They appointed Lycortas because, at the time when Ptolemy renewed the alliance, he had been strategus, and had done his best to consult the king's interests, and Polybius, who had not attained the legal age for such a post, because his father had gone on an embassy to Ptolemy to renew the alliance, and to bring back the gift of arms and money. Aratus was chosen owing to his father's relations with the king.

7 οὐ μὴν συνέβη γε τὴν πρεσβείαν ταύτην ἐξελθεῖν
διὰ τὸ μεταλλάξαι τὸν Πτολεμαῖον περὶ τοὺς
καιροὺς τούτους.

7 Ὅτι κατὰ τοὺς αὐτοὺς καιροὺς ἦν τις ἐν τῇ
(xxv. 8) Λακεδαίμονι Χαίρων, ὃς ἐτύγχανε τῷ πρότερον
ἔτει πεπρεσβευκὼς εἰς τὴν Ῥώμην, ἄνθρωπος
ἀγχίνους μὲν καὶ πρακτικός, νέος δὲ καὶ ταπεινὸς
2 καὶ δημοτικῆς ἀγωγῆς τετευχώς. οὗτος ὀχλ-
αγωγῶν καὶ κινήσας ὃ μηθεὶς ἕτερος ἐθάρρει,
ταχέως περιεποιήσατο φαντασίαν παρὰ τοῖς πολ-
3 λοῖς. καὶ τὸ μὲν πρῶτον ἀφελόμενος τὴν χώραν,
ἣν οἱ τύραννοι συνεχώρησαν ταῖς ὑπολειφθείσαις
τῶν φυγάδων ἀδελφαῖς καὶ γυναιξὶ καὶ μητράσι
καὶ τέκνοις, ταύτην διέδωκε τοῖς λεπτοῖς εἰκῇ καὶ
4 ἀνίσως κατὰ τὴν ἰδίαν ἐξουσίαν· μετὰ δὲ ταῦτα
τοῖς κοινοῖς ὡς ἰδίοις χρώμενος ἐξεδαπάνα τὰς
προσόδους, οὐ νόμου στοχαζόμενος, οὐ κοινοῦ
5 δόγματος, οὐκ ἄρχοντος. ἐφ᾽ οἷς τινες ἀγα-
νακτήσαντες ἐσπούδαζον κατασταθῆναι δοκιμα-
6 στῆρες τῶν κοινῶν κατὰ τοὺς νόμους. ὁ δὲ
Χαίρων θεωρῶν τὸ γινόμενον καὶ συνειδὼς αὑτῷ
κακῶς κεχειρικότι τὰ τῆς πόλεως, τὸν ἐπιφανέ-
στατον τῶν δοκιμαστήρων Ἀπολλωνίδαν καὶ μάλι-
στα δυνάμενον ἐρευνῆσαι τὴν πλεονεξίαν αὐτοῦ,
τοῦτον ἀποπορευόμενον ἡμέρας ἐκ βαλανείου προσ-
7 πέμψας τινὰς ἐξεκέντησεν. ὧν προσπεσόντων τοῖς
Ἀχαιοῖς, καὶ τοῦ πλήθους ἀγανακτήσαντος ἐπὶ
τοῖς γεγονόσιν, ἐξ αὐτῆς ὁ στρατηγὸς ὁρμήσας
καὶ παραγενόμενος εἰς τὴν Λακεδαίμονα τόν τε
Χαίρωνα παρήγαγεν εἰς κρίσιν ὑπὲρ τοῦ φόνου
τοῦ κατὰ τὸν Ἀπολλωνίδαν καὶ κατακρίνας
8 ἐποίησε δέσμιον, τούς τε λοιποὺς δοκιματσῆρας

This embassy, however, never came off, owing to the death of Ptolemy which occurred about this time.

Chaeron of Sparta

(Cp. Suid.)

7. Just about the same time there was in Sparta a certain Chaeron, who had been a member of the embassy to Rome in the previous year. He was a sharp and able man, but he was young and of humble station, and had received a vulgar education. This man, courting the mob and making innovations upon which no one else ventured, soon acquired some reputation with the populace. The first thing he did was to take away from the sisters, wives, mothers, and children that the exiles had left behind them the property granted them by the tyrants, and distribute it among men of slender means at random, unfairly, and just as he chose. After this he began to use public moneys as if they were his own, and spent all the revenue without reference to laws, public decrees, or magistrates. Some citizens were indignant at this and took steps to get themselves appointed auditors of the public accounts as the law enjoined. Chaeron, seeing this and conscious that he had misused the public funds, when Apollonidas, the most notable of the auditors and most capable of exposing his rapacity, was one day in broad daylight on his way from a bath, sent some men and killed him. Upon this becoming known to the Achaeans, the people were exceedingly indignant, and the strategus started off at once for Sparta, where he put Chaeron on his trial for the murder of Apollonidas, and upon his being found guilty, put him in prison, encouraging at the same

445

παρώξυνε πρὸς τὸ ποιεῖσθαι τὴν ζήτησιν τῶν
δημοσίων ἀληθινήν, φροντίσαι δὲ καὶ περὶ τοῦ
κομίσασθαι τὰς οὐσίας τοὺς τῶν φυγάδων ἀναγ-
καίους πάλιν, ἃς ὁ Χαίρων αὐτῶν ἀφείλετο βραχεῖ
χρόνῳ πρότερον.

8 (10)   Ὅτι κατὰ τὸν καιρὸν τοῦτον ἀναδόντος Ὑπερ-
(xxvi. 1) βάτου τοῦ στρατηγοῦ διαβούλιον ὑπὲρ τῶν γρα-
φομένων παρὰ Ῥωμαίων ὑπὲρ τῆς τῶν ἐκ Λα-
2 κεδαίμονος φυγάδων ⟨καθόδου⟩ τί δεῖ ποιεῖν, οἱ
μὲν περὶ τὸν Λυκόρταν παρεκάλουν μένειν ἐπὶ
τῶν ὑποκειμένων, διότι Ῥωμαῖοι ποιοῦσι μὲν
τὸ καθῆκον αὐτοῖς, συνυπακούοντες τοῖς ἀκληρεῖν
3 δοκοῦσιν εἰς τὰ μέτρια τῶν ἀξιουμένων· ὅταν
μέντοι γε διδάξῃ τις αὐτοὺς ὅτι τῶν παρα-
καλουμένων τὰ μέν ἐστιν ἀδύνατα, τὰ δὲ μεγάλην
αἰσχύνην ἐπιφέροντα καὶ βλάβην τοῖς φίλοις,
οὔτε φιλονικεῖν εἰώθασιν οὔτε παραβιάζεσθαι
4 περὶ τῶν τοιούτων. διὸ καὶ νῦν, ἐάν τις αὐτοὺς
διδάξῃ ⟨δι⟩ότι συμβήσεται τοῖς Ἀχαιοῖς, ἂν
πειθαρχήσωσι τοῖς γραφομένοις, παραβῆναι τοὺς
ὅρκους, τοὺς νόμους, τὰς στήλας, ἃ συνέχει τὴν
5 κοινὴν συμπολιτείαν ἡμῶν, ἀναχωρήσουσιν καὶ
συγκαταθήσονται διότι καλῶς ἐπέχομεν καὶ παρ-
αιτούμεθα περὶ τῶν γραφομένων. ταῦτα μὲν οὖν
6 οἱ περὶ τὸν Λυκόρταν ἔλεγον· οἱ δὲ περὶ τὸν Ὑπέρ-
βατον καὶ Καλλικράτην πειθαρχεῖν τοῖς γραφομέ-
νοις παρῄνουν καὶ μήτε νόμον μήτε στήλην μήτ᾽
7 ἄλλο μηθὲν τούτου νομίζειν ἀναγκαιότερον. τοιαύ-
της δ᾽ οὔσης τῆς ἀντιλογίας ἔδοξε τοῖς Ἀχαιοῖς
πρεσβευτὰς ἐξαποστεῖλαι πρὸς τὴν σύγκλητον τοὺς
8 διδάξοντας ἃ Λυκόρτας λέγει. καὶ παραυτίκα

446

time the other auditors to inquire seriously into
the management of the public funds and to see that
the relatives of the exiles recovered the property
of which Chaeron had recently robbed them.

The Achaeans and Rome

8. In the same year when Hyperbatus the strat-
egus submitted to the Achaeans' Assembly the
question how to act upon the Roman communica-
tion regarding the return of the Spartan exiles,
Lycortas advised them to take no steps, because
while it was true that the Romans were doing their
duty in lending an ear to reasonable requests
made by persons whom they regarded as bereft
of their rights, yet if it were pointed out to them
that some of these requests were impossible to grant,
and others would entail great injury and disgrace
on their friends, it was not their habit in such
matters to contend that they were right or enforce
compliance. " So," he said, " at present, if it is
pointed out to them that we Achaeans by acceding
to their written request will violate our oaths, our
laws, and the inscribed conventions that hold our
League together, they will withdraw their demand
and agree that we are right in hesitating and begging
to be excused for non-compliance." Lycortas spoke
in this sense ; but Hyperbatus and Callicrates were
in favour of compliance with the request, saying
that neither laws nor inscribed agreements nor any-
thing else should be considered more binding than
the will of Rome. Such being the different views
advanced, the Achaeans decided to send envoys to
the senate to point out what Lycortas urged, and

κατέστησαν πρεσβευτὰς Καλλικράτην Λεοντήσιον,
Λυδιάδαν Μεγαλοπολίτην, Ἄρατον Σικυώνιον· καὶ
δόντες ἐντολὰς ἀκολούθους τοῖς προειρημένοις ἐξ-
9 απέστειλαν. ὧν παραγενομένων εἰς τὴν Ῥώμην,
εἰσελθὼν ὁ Καλλικράτης εἰς τὴν σύγκλητον τοσοῦ-
τον ἀπέσχε τοῦ ταῖς ἐντολαῖς ἀκολούθως διδάσκειν
τὸ συνέδριον ὥστε τοὐναντίον ἐκ καταβολῆς ἐπεχεί-
ρησεν οὐ μόνον τῶν ἀντιπολιτευομένων κατηγορεῖν
9 (11) θρασέως, ἀλλὰ καὶ τὴν σύγκλητον νουθετεῖν. ἔφη
(xxvi. 2) γὰρ αὐτοὺς τοὺς Ῥωμαίους αἰτίους εἶναι τοῦ μὴ
πειθαρχεῖν αὐτοῖς τοὺς Ἕλληνας, ἀλλὰ παρακούειν
καὶ τῶν γραφομένων καὶ τῶν παραγγελλομένων.
2 δυεῖν γὰρ οὐσῶν αἱρέσεων κατὰ τὸ παρὸν ἐν πάσαις
ταῖς δημοκρατικαῖς πολιτείαις, καὶ τῶν μὲν φα-
σκόντων δεῖν ἀκολουθεῖν τοῖς γραφομένοις ὑπὸ
Ῥωμαίων καὶ μήτε νόμον μήτε στήλην μήτ' ἄλλο
μηθὲν προυργιαίτερον νομίζειν τῆς Ῥωμαίων προ-
3 αιρέσεως, τῶν δὲ τοὺς νόμους προφερομένων καὶ
τοὺς ὅρκους καὶ στήλας καὶ παρακαλούντων τὰ
4 πλήθη μὴ ῥᾳδίως ταῦτα παραβαίνειν, ἀχαϊκωτέραν
εἶναι παρὰ πολὺ ταύτην τὴν ὑπόθεσιν καὶ νικητικω-
5 τέραν ἐν τοῖς πολλοῖς. ἐξ οὗ τοῖς μὲν αἱρουμένοις
τὰ Ῥωμαίων ἀδοξίαν συνεξακολουθεῖν παρὰ τοῖς
ὄχλοις καὶ διαβολήν, τοῖς δ' ἀντιπράττουσιν τἀναν-
6 τία. ἐὰν μὲν οὖν ὑπὸ τῆς συγκλήτου γίνηταί τις
ἐπισημασία, ταχέως καὶ τοὺς πολιτευομένους
μεταθέσθαι πρὸς τὴν Ῥωμαίων αἵρεσιν, καὶ τοὺς
πολλοὺς τούτοις ἐπακολουθήσειν διὰ τὸν φόβον.
7 ἐὰν δὲ παρορᾶται τοῦτο τὸ μέρος, ἅπαντας ἀπο-
νεύσειν ἐπ' ἐκείνην τὴν ὑπόθεσιν· ἐνδοξοτέραν γὰρ
8 εἶναι καὶ καλλίω παρὰ τοῖς ὄχλοις. διὸ καὶ νῦν
ἤδη τινὰς οὐθὲν ἕτερον προσφερομένους δίκαιον

they at once appointed Callicrates of Leontium, Lydiadas of Megalopolis, and Aratus of Sicyon, and sent them off with instructions conformable to what I have stated. Upon their arrival in Rome, Callicrates on entering the senate-house was so far from addressing that body in the terms of his instructions, that on the contrary, from the very outset of his speech, he not only attempted to bring audacious accusations against his political opponents, but to lecture the senate. 9. For he said that it was the fault of the Romans themselves that the Greeks, instead of complying with their wishes, disobeyed their communications and orders. There were, he said, two parties at present in all democratic states, one of which maintained that the written requests of the Romans should be executed, and that neither laws, inscribed agreements, nor anything else should take precedence of the wishes of Rome, while the other appealed to laws, sworn treaties, and inscriptions, and implored the people not to violate these lightly ; and this latter view, he said, was much more popular in Achaea and carried the day with the multitude, the consequence being that the partisans of Rome were constantly exposed to the contempt and slander of the mob, while it was the reverse with their opponents. If the senate now gave some token of their disapproval the political leaders would soon go over to the side of Rome, and the populace would follow them out of fear. But in the event of the senate neglecting to do so, every one would change and adopt the other attitude, which in the eyes of the mob was more dignified and honourable. " Even now," he said, " certain persons, who have no other claim to distinction, have received the

πρὸς φιλοδοξίαν, δι' αὐτὸ τοῦτο τῶν μεγίστων
τυγχάνειν τιμῶν παρὰ τοῖς ἰδίοις πολιτεύμασιν
διὰ τὸ δοκεῖν ἀντιλέγειν τοῖς ὑφ' ὑμῶν γραφομένοις,
χάριν τοῦ διαμένειν τοὺς νόμους ἰσχυροὺς καὶ τὰ
9 δόγματα τὰ γινόμενα παρ' αὐτοῖς. εἰ μὲν οὖν
⟨ἀ⟩διαφόρως ἔχουσιν ὑπὲρ τοῦ πειθαρχεῖν αὐτοῖς
τοὺς Ἕλληνας καὶ συνυπακούειν τοῖς γραφομένοις,
ἄγειν αὐτοὺς ἐκέλευε τὴν ἀγωγήν, ἣν καὶ νῦν
10 ἄγουσιν· εἰ δὲ βούλονται γίνεσθαι σφίσι τὰ παρ-
αγγελλόμενα καὶ μηθένα καταφρονεῖν τῶν γρα-
φομένων, ἐπιστροφὴν ποιήσασθαι παρεκάλει τοῦ
11 μέρους τούτου τὴν ἐνδεχομένην. εἰ δὲ μή, σαφῶς
εἰδέναι δεῖν ὅτι τἀναντία συμβήσεται ταῖς ἐπι-
12 νοίαις αὐτῶν· ὃ καὶ νῦν ἤδη γεγονέναι. πρώην
μὲν γὰρ ἐν τοῖς Μεσσηνιακοῖς πολλὰ ποιήσαντος
Κοΐντου Μαρκίου πρὸς τὸ μηδὲν τοὺς Ἀχαιοὺς
βουλεύσασθαι περὶ Μεσσηνίων ἄνευ τῆς Ῥωμαίων
13 προαιρέσεως, παρακούσαντας καὶ ψηφισαμένους
αὐτοὺς τὸν πόλεμον οὐ μόνον τὴν χώραν αὐτῶν
καταφθεῖραι πᾶσαν ἀδίκως, ἀλλὰ καὶ τοὺς ἐπι-
φανεστάτους τῶν πολιτῶν οὓς μὲν φυγαδεῦσαι,
τινὰς δ' αὐτῶν ἐκδότους λαβόντας αἰκισαμένους
πᾶσαν αἰκίαν ἀποκτεῖναι, διότι προεκαλοῦντο περὶ
14 τῶν ἀμφισβητουμένων ἐπὶ Ῥωμαίους. νῦν δὲ
πάλιν ἐκ πλείονος χρόνου γραφόντων αὐτῶν ὑπὲρ
τῆς καθόδου τῶν ἐκ Λακεδαίμονος φυγάδων,
τοσοῦτον ἀπέχειν τοῦ πειθαρχεῖν ὡς καὶ στήλην
τεθεῖσθαι καὶ πεποιῆσθαι πρὸς τοὺς κατέχοντας
τὴν πόλιν ὅρκους ὑπὲρ τοῦ μηδέποτε κατελεύσεσθαι
15 τοὺς φυγάδας. εἰς ἃ βλέποντας αὐτοὺς ἠξίου
πρόνοιαν ποιεῖσθαι τοῦ μέλλοντος.

10 (12) Ὁ μὲν οὖν Καλλικράτης ταῦτα καὶ τοιαῦτ'
(xxvi. 3) 450

highest honours in their several states simply for
the reason that they are thought to oppose your
injunctions for the sake of maintaining the force
of their laws and decrees. If, then, it is a matter of
indifference to you whether or not the Greeks obey
you and comply with your instructions, continue to
act as you now do ; but if you wish your orders to
be executed and none to treat your communications
with contempt, you should give all possible attention
to this matter. For you may be quite sure that,
if you do not, just the opposite will happen to what
you contemplate, as has already been the case.
For when quite lately in the Messenian difficulty
Quintus Marcius did his best to ensure that the
Achaeans should take no steps regarding Messene
without the initiative of Rome, they paid no atten-
tion to him ; but, after voting for war on their own
accord, not only most unjustly devastated the whole
of Messenia, but sent into exile some of its most
distinguished citizens ; and, when others were
delivered up to them, put them to death after
inflicting every variety of torture on them, just
because they had appealed to Rome to judge the
dispute. And now for some time while you have
been writing to them about the return of the
Spartan exiles, they are so far from complying that
a solemn inscribed agreement has been made with
the party that holds Sparta and oaths taken that the
exiles shall never be allowed to return." So he
begged them in view of all this to take precautions
for the future.

10. Callicrates retired after speaking in these or

2 εἰπὼν ἀπῆλθεν. οἱ φυγάδες δ' ἐπεισελθόντες καὶ
βραχέα περὶ αὐτῶν διδάξαντες καί τινα τῶν πρὸς
3 τὸν κοινὸν ἔλεον εἰπόντες ἀνεχώρησαν. ἡ δὲ
σύγκλητος δόξασα τὸν Καλλικράτην λέγειν τι
τῶν αὐτῇ συμφερόντων καὶ διδαχθεῖσα διότι δεῖ
τοὺς μὲν τοῖς αὐτῆς δόγμασιν συνηγοροῦντας
4 αὔξειν, τοὺς δ' ἀντιλέγοντας ταπεινοῦν, οὕτως καὶ
τότε πρῶτον ἐπεβάλετο τοὺς μὲν κατὰ τὸ βέλτι-
στον ἱσταμένους ἐν τοῖς ἰδίοις πολιτεύμασιν ἐλατ-
τοῦν, τοὺς δὲ καὶ δικαίως ⟨καὶ ἀδίκως⟩ προσ-
5 τρέχοντας αὐτῇ σωματοποιεῖν. ἐξ ὧν αὐτῇ συνέβη
κατὰ βραχύ, τοῦ χρόνου προβαίνοντος, κολάκων
6 μὲν εὐπορεῖν, φίλων δὲ σπανίζειν ἀληθινῶν. οὐ
μὴν ἀλλὰ τότε περὶ μὲν τῆς καθόδου τῶν φυγάδων
οὐ μόνον τοῖς Ἀχαιοῖς ἔγραψε, παρακαλοῦσα
συνεπισχύειν, ἀλλὰ καὶ τοῖς Αἰτωλοῖς καὶ τοῖς
Ἠπειρώταις, σὺν δὲ τούτοις Ἀθηναίοις, Βοιω-
τοῖς, Ἀκαρνᾶσιν, πάντας ὡσανεὶ προσδιαμαρ-
τυρομένη χάριν τοῦ συντρῖψαι τοὺς Ἀχαιούς.
7 περὶ δὲ τοῦ Καλλικράτους αὐτοῦ κατ' ἰδίαν παρα-
σιωπήσασα τοὺς συμπρεσβευτὰς κατέταξεν εἰς
τὴν ἀπόκρισιν διότι δεῖ τοιούτους ὑπάρχειν ἐν τοῖς
8 πολιτεύμασιν ἄνδρας οἷός ἐστι Καλλικράτης. ὁ
δὲ προειρημένος ἔχων τὰς ἀποκρίσεις ταύτας
παρῆν εἰς τὴν Ἑλλάδα περιχαρής, οὐκ εἰδὼς ὅτι
μεγάλων κακῶν ἀρχηγὸς γέγονε πᾶσι μὲν τοῖς
9 Ἕλλησι, μάλιστα δὲ τοῖς Ἀχαιοῖς. ἔτι γὰρ
τούτοις ἐξῆν καὶ κατ' ἐκείνους τοὺς χρόνους κατὰ
ποσὸν ἰσολογίαν ἔχειν πρὸς Ῥωμαίους διὰ τὸ
τετηρηκέναι τὴν πίστιν ἐν τοῖς ἐπιφανεστάτοις
καιροῖς, ἐξ οὗ τὰ Ῥωμαίων εἴλοντο, λέγω δὲ τοῖς
10 κατὰ Φίλιππον καὶ Ἀντίοχον, οὕτω δὲ τοῦ τῶν

similar terms. The exiles entered next, and, after stating their case in a few words and making a general appeal for compassion, withdrew. The senate, thinking that what Callicrates had said was in their interest, and learning from him that they should exalt those who supported their decrees and humble those who opposed them, now first began the policy of weakening those members of the several states who worked for the best, and of strengthening those, who, no matter whether rightly or wrongly, appealed to its authority. The consequence of this was that gradually, as time went on, they had plenty of flatterers but very few true friends. They actually went so far on the present occasion as to write not only to the Achaeans on the subject of the return of the exiles, begging them to contribute to strengthening the position of these men, but to the Aetolians, Epirots, Athenians, Bocotians, and Acarnanians, calling them all as it were to witness as if for the express purpose of crushing the Achaeans. Speaking of Callicrates alone with no mention of the other envoys, they wrote in their official answer that there ought to be more men in the several states like Callicrates. He now returned to Greece with this answer in high spirits, quite unaware that he had been the initiator of great calamities for all Greece, and especially for the Achaeans. For it was still possible for the Achaeans even at this period to deal with Rome on more or less equal terms, as they had remained faithful to her ever since they had taken her part in the most important times—I mean the wars with Philip and Antiochus—

THE HISTORIES OF POLYBIUS

Ἀχαιῶν ἔθνους ηὐξημένου καὶ προκοπὴν εἰληφότος
κατὰ τὸ βέλτιστον ἀφ᾽ ὧν ἡμεῖς ἱστοροῦμεν
χρόνων, αὕτη πάλιν ἀρχὴ τῆς ἐπὶ τὸ χεῖρον ἐγένετο
11 μεταβολῆς, τὸ Καλλικράτους θράσος . . . Ῥω-
μαῖοι ὄντες ἄνθρωποι καὶ ψυχῇ χρώμενοι λαμπρᾷ
καὶ προαιρέσει καλῇ πάντας μὲν ἐλεοῦσι τοὺς
ἐπταικότας καὶ πᾶσι πειρῶνται χαρίζεσθαι τοῖς
12 καταφεύγουσιν ὡς αὐτούς· ὅταν μέντοι γέ τις
ὑπέμνησε τῶν δικαίων, τετηρηκὼς τὴν πίστιν,
ἀνατρέχουσι καὶ διορθοῦνται σφᾶς αὐτοὺς κατὰ
13 δύναμιν ἐν τοῖς πλείστοις. ὁ δὲ Καλλικράτης
πρεσβεύσας κατὰ τοὺς ἐνεστῶτας καιροὺς εἰς
τὴν Ῥώμην χάριν τοῦ λέγειν τὰ δίκαια περὶ τῶν
Ἀχαιῶν, χρησάμενος κατὰ τοὐναντίον τοῖς πράγ-
μασιν καὶ συνεπισπασάμενος ⟨τὰ⟩ κατὰ Μεσ-
σηνίους, ὑπὲρ ὧν οὐδ᾽ ἐνεκάλουν Ῥωμαῖοι, παρῆν
εἰς Ἀχαΐαν προσανατεινόμενος τὸν ἀπὸ Ῥω-
14 μαίων φόβον· καὶ διὰ τὴν ἀποπρεσβείαν κατα-
πληξάμενος καὶ συντρίψας τοὺς ὄχλους διὰ τὸ
μηδὲν εἰδέναι τῶν ὑπ᾽ αὐτοῦ κατ᾽ ἀλήθειαν εἰρη-
μένων ἐν τῇ συγκλήτῳ τοὺς πολλούς, πρῶτον μὲν
ᾑρέθη στρατηγός, πρὸς τοῖς ἄλλοις κακοῖς καὶ
1. δωροδοκηθείς, ἑξῆς δὲ τούτοις παραλαβὼν τὴν
ἀρχὴν κατῆγε τοὺς ἐκ τῆς Λακεδαίμονος καὶ τοὺς
ἐκ τῆς Μεσσήνης φυγάδας.

11 (13) Ὅτι Φιλοποίμενα καὶ Ἀρίσταινον τοὺς Ἀχαιοὺς
(xxv. 9) συνέβη οὔτε τὴν φύσιν ὁμοίαν σχεῖν οὔτε τὴν
2 αἵρεσιν τῆς πολιτείας. ἦν γὰρ ὁ μὲν Φιλοποίμην
εὖ πεφυκὼς πρὸς τὰς πολεμικὰς χρείας καὶ κατὰ
τὸ σῶμα καὶ κατὰ τὴν ψυχήν, ὁ δ᾽ ἕτερος πρὸς
3 τὰ πολιτικὰ τῶν διαβουλίων. τῇ δ᾽ αἱρέσει κατὰ
τὴν πολιτείαν τοῦτο διέφερον ἀλλήλων. τῆς γὰρ
454

but now after the Achaean League had become
stronger and more prosperous than at any time
recorded in history, this effrontery of Callicrates
was the beginning of a change for the worse. . . .
The Romans are men, and with their noble dis-
position and high principles pity all who are in
misfortune and appeal to them ; but, when anyone
who has remained true to them reminds them of
the claims of justice, they usually draw back and
correct themselves as far as they can. On the present
occasion Callicrates, who had been sent to Rome to
state the just claims of Achaea, did exactly the
opposite, and having dragged in the Messenian
question, about which the Romans did not even
raise any complaint, returned to Achaea armed with
threats of Roman displeasure. By his report he
overrawed and crushed the spirits of the people,
who were perfectly ignorant of the words he had
actually used in the Senate ; first of all he was
elected strategus, taking bribes in addition to all
his other misconduct, and next, on entering upon
office, brought back the Spartan and Messenian
exiles.

Comparison between Philopoemen and Aristaenus

(Cp. Suid.)

11. Philopoemen and Aristaenus the Achaeans
were alike neither in nature nor in their political
convictions. Philopoemen indeed was exception-
ally capable both physically and mentally in the
field of war, Aristaenus in that of politics ; and the
difference in their political convictions was as follows.

Ῥωμαίων ὑπεροχῆς ἤδη τοῖς Ἑλληνικοῖς πράγ-
μασιν ἐμπλεκομένης ὁλοσχερῶς κατά τε τοὺς
4 Φιλιππικοὺς καὶ τοὺς Ἀντιοχικοὺς καιρούς, <ὁ
μὲν> Ἀρίσταινος ἦγε τὴν ἀγωγὴν τῆς πολιτείας
οὕτως ὥστε πᾶν τὸ πρόσφορον Ῥωμαίοις ἐξ
ἑτοίμου ποιεῖν, ἔνια δὲ καὶ πρὶν ἢ προστάξαι
5 ἐκείνους. ἐπειρᾶτο μέντοι γε τῶν νόμων ἔχεσθαι
δοκεῖν καὶ τὴν τοιαύτην ἐφείλκετο φαντασίαν,
εἴκων, ὁπότε τούτων ἀντιπίπτοι τις προδήλως
6 τοῖς ὑπὸ Ῥωμαίων γραφομένοις. ὁ δὲ Φιλο-
ποίμην, ὅσα μὲν εἴη τῶν παρακαλουμένων ἀκό-
λουθα τοῖς νόμοις καὶ τῇ συμμαχίᾳ, πάντα συγ-
7 κατήνει καὶ συνέπραττεν ἀπροφασίστως, ὅσα δὲ
τούτων ἐκτὸς ἐπιτάττοιεν, οὐχ οἷός τ᾽ ἦν ἐθελον-
τὴν συνυπακούειν, ἀλλὰ τὰς μὲν ἀρχὰς ἔφη δεῖν
8 δικαιολογεῖσθαι, μετὰ δὲ ταῦτα πάλιν ἀξιοῦν· εἰ
δὲ μηδ᾽ οὕτως πείθοιεν, τέλος οἷον ἐπιμαρτυρο-
μένους εἴκειν καὶ τότε ποιεῖν τὸ παραγγελλόμενον.

12 (14) Ὅτι τοιούτοις ἀπολογισμοῖς Ἀρίσταινος ἐχρῆτο
(xxv. 9ᵃ) πρὸς τοὺς Ἀχαιοὺς περὶ τῆς ἰδίας αἱρέσεως· ἔφη
γὰρ οὐκ εἶναι δυνατὸν καὶ <τὸ> δόρυ καὶ τὸ
κηρύκειον ἅμα προτεινομένους συνέχειν τὴν πρὸς
Ῥωμαίους φιλίαν· " ἀλλ᾽ εἰ μὲν οἷοί τ᾽ ἐσμὲν
ἀντοφθαλμεῖν καὶ δυνάμεθα τοῦτο ποιεῖν
. . . . <εἰ δὲ μηδ᾽> ὁ Φιλοποίμην
εἰπεῖν τοῦτο τολμᾷ . . . . | καιροῖς ἕνα
2 Ῥωμαίοις, διὰ τί ἀδυνάτων ὀρεγόμενοι τὰ δυνατὰ
παρίεμεν; " δύο γὰρ ἔφη σκοποὺς εἶναι πάσης
πολιτείας, τό τε καλὸν καὶ τὸ συμφέρον. οἷς μὲν
οὖν ἐφικτός ἐστιν ἡ τοῦ καλοῦ κτῆσις, ταύτης
ἀντέχεσθαι δεῖν τοὺς ὀρθῶς πολιτευομένους· οἷς

Now that, during the wars with Philip and Antiochus, Roman supremacy had definitely asserted itself in the affairs of Greece, Aristaenus in conducting affairs of state was ever ready to do what was agreeable to the Romans, sometimes even anticipating their orders, but yet he aimed at a seeming adherence to the law, and strove to acquire a reputation for doing so, giving way whenever any law was in evident opposition to the Roman instructions. Philopoemen, on the other hand, cordially accepted and helped to execute, without raising any objection, all requests which were in accordance with the laws and the terms of the alliance ; but when the requests were not so, could never induce himself to comply with them willingly, but said that the plea of illegality should be considered before the request was renewed. If, however, they failed even by this means to convince the Romans, they should finally give way more or less under protest and execute the order.

12. Aristaenus offered to the Achaeans the following defence, more or less, of his policy. He said it was impossible to maintain their friendship with Rome, by holding out the sword and the olive branch [a] at one and the same time. " If," he said, " we are strong enough to face them and can really do so, very well ; but if even Philopoemen does not venture to maintain this . . . why striving for the impossible do we neglect the possible ? There were, he said, two aims in all policy, honour and interest. For those in whose power it lies to gain honour the right policy is to aim at this ; but those who are

[a] "The spear and the herald's staff."

δ' ἀδύνατος, ἐπὶ τὴν τοῦ συμφέροντος μερίδα
3 καταφεύγειν· τὸ δ' ἑκατέρων ἀποτυγχάνειν μέγι-
στον εἶναι τεκμήριον ἀβουλίας. πάσχειν δὲ τοῦτο
προφανῶς τοὺς ἀπροφασίστως ὁμολογοῦντας μὲν
πᾶν τὸ παραγγελλόμενον, ἀκουσίως δὲ τοῦτο
4 πράττοντας καὶ μετὰ προσκοπῆς· διόπερ ἢ τοῦτ'
εἶναι δεικτέον ὡς ἐσμὲν ἱκανοὶ πρὸς τὸ μὴ πειθ-
αρχεῖν ἢ μηδὲ λέγειν τοῦτο τολμῶντας ὑπακου-
στέον ἑτοίμως εἶναι πᾶσι τοῖς παραγγελλομένοις.

13 (15)　ʽΟ δὲ Φιλοποίμην οὐκ ἐπὶ τοσοῦτον ἔφη δεῖν
(xxv. 9ᵇ)　ἀμαθίαν αὐτοῦ ⟨κατα⟩γινώσκειν ὥστε τὸ μὴ
δύνασθαι μετρεῖν μήτε τὴν διαφορὰν τοῦ πολιτεύ-
ματος τῶν ʽΡωμαίων καὶ τῶν Ἀχαιῶν μήτε τὴν
2 ὑπερβολὴν τῆς δυνάμεως ‘‘ ἀλλὰ πάσης ὑπεροχῆς
φύσιν ἐχούσης ἀεὶ βαρύτερον χρῆσθαι τοῖς ὑπο-
ταττομένοις, πότερον ’’ ἔφη ‘‘ συμφέρει συνεργεῖν
ταῖς ὁρμαῖς ταῖς τῶν κρατούντων καὶ μηθὲν
ἐμποδὼν ποιεῖν, ἵν' ὡς τάχιστα πεῖραν λάβωμεν
τῶν βαρυτάτων ἐπιταγμάτων, ἢ τοὐναντίον, καθ'
ὅσον οἷοί τ' ἐσμέν, συμπαλαίοντας προσαντέχειν
ἐπὶ τοσοῦτον, ἐφ' ὅσον μέλλομεν τελέως . . . . .
3 . . . κἂν ἐπιτάττωσιν . . . . καὶ
τούτων ὑπομιμνήσκοντες αὐτοὺς ἐπιλαμβανώμεθα
τῆς ὁρμῆς, παρακαθέξομεν ἐπὶ ποσὸν τὸ πικρὸν
αὐτῶν τῆς ἐξουσίας, ἄλλως τε δὴ καὶ περὶ πλείονος
ποιουμένων ʽΡωμαίων ἕως γε τοῦ νῦν, ὡς αὐτὸς
φής, Ἀρίσταινε, τὸ τηρεῖν τοὺς ὅρκους καὶ τὰς
συνθήκας καὶ τὴν πρὸς τοὺς συμμάχους πίστιν.
4 ἐὰν δ' αὐτοὶ καταγνόντες τῶν ἰδίων δικαίων
αὐτόθεν εὐθέως καθάπερ οἱ δοριάλωτοι πρὸς πᾶν
τὸ κελευόμενον ἑτοίμους ἡμᾶς αὐτοὺς παρα-
σκευάζωμεν, τί διοίσει τὸ τῶν Ἀχαιῶν ἔθνος Σικε-

powerless to do so must take refuge in the attainment of their interest. But to fail in both aims was the highest proof of incompetence; and this was evidently the case with those who made no objection to any demand, but complied with it against their wills and in a manner calculated to give offence. "Therefore," he said, "either it must be proved that we are capable of refusing compliance, or, if no one dares to say this, we must readily obey all orders."

13. The reply of Philopoemen was that they must not think he was so stupid as to be incapable of measuring the difference between the two states, Rome and Achaea, and the superiority of the Roman power. "But," he continued, "as a stronger power is always naturally disposed to press harder on those who submit to it, is it in our interest by encouraging the whims of our masters, and not opposing them in any way, to have to yield as soon as possible to the most tyrannical behests? Should we not rather, as far as it is in our power, wrestle with them, and hold out until we are completely exhausted? And should they issue illegal orders,[a] if, by pointing this out to them, we put some check on their arbitrary conduct, we shall at least in a measure curb the extreme severity of their dominion, especially since, as you yourself, Aristaenus, acknowledge, the Romans, up to now at least, set a very high value on fidelity to oaths, treaties, and contracts with allies. But if we ourselves, ignoring our own rights, instantly without protest make ourselves subservient, like prisoners of war, to any and every order, what difference will there be between the Achaean League

[a] Heyse supplies ἐκτὸς νόμων τι.

λιωτῶν καὶ Καπυανῶν τῶν ὁμολογουμένως καὶ
5 πάλαι δουλευόντων;'' διόπερ ἔφη δεῖν ἢ τοῦτο
συγχωρεῖν ὡς οὐδὲν ἰσχύει δίκαιον παρὰ Ῥω-
μαίοις ἢ μηδὲ τολμῶντας τοῦτο λέγειν χρῆσθαι
τοῖς δικαίοις καὶ μὴ προΐεσθαι σφᾶς, ἔχοντάς γε
δὴ μεγίστας καὶ καλλίστας ἀφορμὰς πρὸς Ῥω-
6 μαίους. ὅτι μὲν γὰρ ἥξει ποτὲ τοῖς Ἕλλησιν
ὁ καιρὸς οὗτος, ἐν ᾧ δεήσει ποιεῖν κατ' ἀνάγκην
πᾶν τὸ παραγγελλόμενον, σαφῶς ἔφη γινώσκειν·
'' ἀλλὰ πότερα τοῦτον ὡς τάχιστά τις ἂν ἰδεῖν
βουληθείη ⟨γενόμενον⟩ ἢ τοὐναντίον ὡς βραδύτατα;
7 δοκῶ μὲν γὰρ ὡς βραδύτατα.'' διὸ καὶ τούτῳ
διαφέρειν ἔφη τὴν Ἀρισταίνου πολιτείαν τῆς
ἑαυτοῦ· ἐκεῖνον μὲν γὰρ σπουδάζειν ὡς τάχιστα
τὸ χρεὼν ἰδεῖν γενόμενον καὶ συνεργεῖν τούτῳ
κατὰ δύναμιν· αὐτὸς δὲ πρὸς τοῦτ' ἀντερείδειν
καὶ διωθεῖσθαι, καθ' ὅσον ἐστὶ δυνατός.
8 Οὐ μὴν ἀλλ' ἐκ τῶν προειρημένων δῆλον ὡς
συνέβαινε γίνεσθαι τοῦ μὲν καλήν, τοῦ δ' εὐσχήμονα
9 τὴν πολιτείαν, ἀμφοτέρας γε μὴν ἀσφαλεῖς· τοι-
γαροῦν μεγίστων καιρῶν τότε περιστάντων καὶ
Ῥωμαίους καὶ τοὺς Ἕλληνας τῶν τε κατὰ Φίλ-
ιππον καὶ κατ' Ἀντίοχον, ὅμως ἀμφότεροι δι-
ετήρησαν ἀκέραια τὰ δίκαια τοῖς Ἀχαιοῖς πρὸς
10 Ῥωμαίους· φήμη δέ τις ἐνέτρεχεν ὡς Ἀρισταίνου
Ῥωμαίοις εὐνουστέρου μᾶλλον ἢ Φιλοποίμενος
ὑπάρχοντος.

V. Res Asiae

14 (8) Ὅτι κατὰ τὴν Ἀσίαν Φαρνάκης ὁ βασιλεύς,
(xxv. 4) πάλιν ὀλιγωρήσας τῆς γεγενημένης ἐπὶ Ῥω-
μαίους ἀναφορᾶς, Λεώκριτον μὲν ἔτι κατὰ χειμῶνα

and the people of Sicily and Capua, who have long
been the acknowledged slaves of Rome ? " There-
fore, he said, either they must confess that with
the Romans justice is impotent, or if they did not
go so far as to say this, they must stand by their
rights, and not give themselves away, especially as
they had very great and honourable claims on Rome.
" I know too well," he said, " that the time will come
when the Greeks will be forced to yield complete
obedience to Rome ; but do we wish this time to
be as near as possible or as distant as possible ?
Surely as distant as possible." So in this respect,
he said, the policy of Aristaenus differed from his own.
Aristaenus was anxious to see their fate overtake
them as soon as possible, and worked for this end with
all his might ; but he himself did all he could to
strive against it and avert it.

I think it must be confessed from these speeches
that the policy of Philopoemen was honourable, and
that of Aristaenus plausible, but that both were safe.
So that when, in the wars with Philip and Anti-
ochus, great dangers threatened both Rome and
Greece, yet the one statesman and the other equally
protected the rights of Achaea against Rome.
But the report gained currency that Aristaenus was
more favourably disposed to the Romans than
Philopoemen.

V. Affairs of Asia

War between Eumenes and Pharnaces

14. In Asia King Pharnaces, again defying the
terms of the Roman verdict, sent Leocritus in the

μετὰ μυρίων στρατιωτῶν ἐξαπέστειλε πορθή-
2 σοντα τὴν Γαλατίαν, αὐτὸς δὲ τῆς ἐαρινῆς ὥρας
ὑποφαινούσης ἤθροιζε τὰς δυνάμεις, ὡς ἐμβαλῶν
3 εἰς τὴν Καππαδοκίαν. ἃ πυνθανόμενος Εὐμένης
δυσχερῶς μὲν ἔφερε τὸ συμβαῖνον διὰ τὸ πάντας
τοὺς τῆς πίστεως ὅρους ὑπερβαίνειν τὸν Φαρνάκην,
4 ἠναγκάζετο δὲ τὸ παραπλήσιον ποιεῖν. ἤδη δ᾽
αὐτοῦ συνηθροικότος τὰς δυνάμεις, κατέπλευσαν
5 ἐκ τῆς Ῥώμης οἱ περὶ τὸν Ἄτταλον. ὁμοῦ δὲ
γενόμενοι καὶ κοινολογηθέντες ἀλλήλοις ἀνέζευξαν
6 παραχρῆμα μετὰ τῆς στρατιᾶς. ἀφικόμενοι δ᾽
εἰς τὴν Γαλατίαν τὸν μὲν Λεώκριτον οὐκέτι κατ-
έλαβον· τοῦ δὲ Κασσιγνάτου καὶ τοῦ Γαιζατόριγος
διαπεμπομένων πρὸς αὐτοὺς ὑπὲρ ἀσφαλείας,
οἵτινες ἐτύγχανον ἔτει πρότερον ᾑρημένοι τὰ
Φαρνάκου, καὶ πᾶν ὑπισχνουμένων ποιήσειν τὸ
7 προσταττόμενον, ἀπειπάμενοι τούτους διὰ τὴν
προγεγενημένην ἀθεσίαν, ἐξάραντες παντὶ τῷ
8 στρατεύματι προῆγον ἐπὶ τὸν Φαρνάκην. παρα-
γενόμενοι δ᾽ ἐκ Καλπίτου πεμπταῖοι πρὸς τὸν
Ἅλυν ποταμὸν ἑκταῖοι πάλιν ἀνέζευξαν εἰς Παρ-
9 νασσόν. ἔνθα καὶ Ἀριαράθης ὁ τῶν Καππαδοκῶν
βασιλεὺς συνέμιξεν αὐτοῖς μετὰ τῆς οἰκείας δυ-
νάμεως, καὶ ἦλθον εἰς τὴν Μωκισσέων χώραν.
10 ἄρτι δὲ κατεστρατοπεδευκότων αὐτῶν προσέπεσε
παραγενέσθαι τοὺς ἐκ τῆς Ῥώμης πρεσβευτὰς ἐπὶ
11 τὰς διαλύσεις. ὧν ἀκούσας ὁ βασιλεὺς Εὐμένης
Ἄτταλον μὲν ἐξαπέστειλε τούτους ἐκδεξόμενον,
αὐτὸς δὲ τὰς δυνάμεις ἐδιπλασίαζε καὶ διεκόσμει
φιλοτίμως, ἅμα μὲν ἁρμοζόμενος πρὸς τὰς ἀληθινὰς
χρείας, ἅμα δὲ βουλόμενος ἐνδείκνυσθαι τοῖς
Ῥωμαίοις ὅτι δι᾽ αὑτοῦ δυνατός ἐστι τὸν Φαρνάκην

winter with ten thousand troops to lay Galatia
waste, and himself, when spring began to set in,
collected his forces with the object of invading
Cappadocia. Eumenes, on learning of this, was
highly incensed, as Pharnaces was violating all the
terms of their treaty, but he was forced to do the
same thing himself. When he had already collected
his troops, Attalus and his brother returned from
Rome. After meeting and conversing the brothers
at once left with their army. On arriving in Galatia
they found that Leocritus was no longer there, but
Cassignatus and Gaezatorix, who a year previously
had taken the part of Pharnaces, sent to them asking
for protection, and promising to submit to all their
orders. Rejecting these overtures owing to the
previous infidelity of these chiefs, they left with
their whole army and advanced to meet Pharnaces.
From Calpitus (?) they reached the Halys in four
days, and next day left for Parnassus, where Aria-
rathes, the king of Cappadocia, joined them with his
own forces, upon which they advanced to the terri-
tory of Mocissus. Just after they had encamped
there the news reached them that the legates from
Rome had arrived to arrange a peace. On hearing
this King Eumenes sent off Attalus to receive them,
but himself doubled his forces and energetically
drilled them ; both for the purpose of meeting
actual exigencies and to show the Romans that
he was capable without any assistance of defending

15 (9) ἀμύνασθαι καὶ καταπολεμεῖν. παραγενομένων δὲ
(xxv. 5) τῶν πρέσβεων καὶ παρακαλούντων λύειν τὸν
πόλεμον, ἔφασαν μὲν οἱ περὶ τὸν Εὐμένη καὶ τὸν
Ἀριαράθην ἕτοιμοι πρὸς πᾶν εἶναι τὸ παρακα-
2 λούμενον, ἠξίουν δὲ τοὺς Ῥωμαίους, εἰ μέν ἐστι
δυνατόν, ⟨εἰς⟩ σύλλογον αὐτοὺς συναγαγεῖν πρὸς
τὸν Φαρνάκην, ἵνα κατὰ πρόσωπον λεγομένων τῶν
λόγων ἴδωσι τὴν ἀθεσίαν αὐτοῦ καὶ τὴν ὠμότητα
3 διὰ πλειόνων· εἰ δὲ μὴ τοῦτ᾽ εἴη δυνατόν, αὐτοὺς
γενέσθαι κριτὰς τῶν πραγμάτων ἴσους καὶ δι-
4 καίους. τῶν δὲ πρεσβευτῶν ἀναδεχομένων πάντα
τὰ δυνατὰ καὶ καλῶς ἔχοντα ποιήσειν, ἀξιούντων
5 δὲ τὴν στρατιὰν ἀπάγειν ἐκ τῆς χώρας· ἄτοπον
γὰρ εἶναι παρόντων ⟨πρέσβεων⟩ καὶ λόγους
ποιουμένων ὑπὲρ διαλύσεων, ἅμα παρεῖναι τὰ τοῦ
6 πολέμου καὶ κακοποιεῖν ἀλλήλους· συνεχώρησαν
οἱ περὶ τὸν Εὐμένη, καὶ τῇ κατὰ πόδας εὐθέως
ἀναζεύξαντες οὗτοι προῆγον ὡς ἐπὶ Γαλατίας.
7 οἱ δὲ Ῥωμαῖοι πρὸς τὸν Φαρνάκην συμμίξαντες
πρῶτον μὲν ἠξίουν αὐτὸν εἰς λόγους ἐλθεῖν τοῖς
περὶ τὸν Εὐμένη· μάλιστα γὰρ ἂν οὕτω τυχεῖν τὰ
8 πράγματα διεξαγωγῆς. τοῦ δὲ πρὸς τοῦτο τὸ
μέρος ἀντιβαίνοντος καὶ τέλος ἀπειπαμένου, δῆλον
μὲν εὐθέως ἦν τοῦτο καὶ Ῥωμαίοις ὅτι κατα-
γινώσκει προφανῶς ἑαυτοῦ καὶ διαπιστεῖ τοῖς
9 σφετέροις πράγμασι· πάντη δὲ πάντως βουλόμενοι
λῦσαι τὸν πόλεμον προσεκαρτέρουν, ἕως οὗ συν-
εχώρησε πέμψειν αὐτοκράτορας ἐπὶ ⟨τὸν Πέργαμον
κατὰ⟩ θάλατταν τοὺς συνθησομένους τὴν εἰρήνην,
10 ἐφ᾽ οἷς ἂν οἱ πρεσβευταὶ κελεύσωσιν. ἀφικο-
μένων ⟨δὲ⟩ τῶν πρέσβεων, καὶ συνελθόντων ὁμοῦ
τῶν τε Ῥωμαίων καὶ τῶν περὶ Εὐμένη, καὶ τούτων

himself against Pharnaces and overcoming him.
15. When the legates arrived and begged the kings
to put an end to the war, Eumenes and Ariarathes
said they were quite ready to accede to this and
any other request; but they asked the Romans if
possible to contrive a meeting between them and
Pharnaces, so that when he was brought face to
face with them and they all spoke, his infidelity and
cruelty might be fully revealed to them. If, however,
this was beyond their power, they begged the legates
themselves to act as fair and just judges in the
matter. The legates consented to do all in their
power that was proper, but demanded that the army
should be withdrawn from the country : for they
said it was irregular that when a mission was
present acting for peace there should at the same
time be all the apparatus of war present, the kings
inflicting damage on each other. Eumenes con-
sented, and the very next day he and Ariarathes
broke up their camp and advanced towards Galatia.
The Romans in the first place met Pharnaces, and
begged him to have an interview with Eumenes,
for this was the surest way of arranging matters.
When he objected to this and finally refused, the
Romans also at once saw that he clearly condemned
himself and had no confidence in his case ; but
as they wished by any and every means to put an
end to the war, they went on insisting until he con-
sented to send by sea to Pergamus plenipotentiaries
empowered to make peace on the terms dictated
by the legates. On the arrival of the envoys, the
Romans and Eumenes met them. They were ready

μὲν εἰς ἅπαν ἑτοίμως συγκαταβαινόντων χάριν
11 τοῦ συντελεσθῆναι τὴν εἰρήνην, τῶν δὲ παρὰ τοῦ
Φαρνάκου πρὸς πᾶν διαφερομένων καὶ τοῖς ὁμο-
λογηθεῖσιν οὐκ ἐμμενόντων, ἀλλ' αἰεί τι προσ-
επιζητούντων καὶ μεταμελομένων, ταχέως τοῖς
Ῥωμαίοις ἐγένετο δῆλον ὅτι ματαιοπονοῦσιν. οὐ
γὰρ οἷός τ' ἦν συγκαταβαίνειν ὁ Φαρνάκης εἰς
12 τὰς διαλύσεις. ὅθεν ἀπράκτου γενομένης τῆς
κοινολογίας, καὶ τῶν Ῥωμαίων ἀπαλλαγέντων
ἐκ τοῦ Περγάμου, καὶ τῶν παρὰ τοῦ Φαρνάκου
πρέσβεων ἀπολυθέντων εἰς τὴν οἰκείαν, ὁ μὲν
πόλεμος ἐγεγένητο κατάμονος, οἱ δὲ περὶ τὸν
Εὐμένη πάλιν ἐγίνοντο περὶ τὰς εἰς τοῦτον παρα-
13 σκευάς. ἐν ᾧ καιρῷ τῶν Ῥοδίων ἐπισπασμένων
τὸν Εὐμένη [καὶ] φιλοτίμως, οὗτος μὲν ἐξώρμησε
μετὰ πολλῆς σπουδῆς, πράξων τὰ κατὰ τοὺς
Λυκίους. . . .

to make any concessions for peace ; but, as the
envoys of Pharnaces differed with them on every
point, did not adhere to their agreements, continued
raising fresh demands and withdrawing from their
concessions, the Romans soon saw that all their
efforts were in vain, as Pharnaces was not in the
least inclined to make peace. So that, as the con-
ference had no result, as the Romans quitted Per-
gamus, and as the envoys of Pharnaces returned to
their own country, the war became permanent, and
Eumenes began to continue his preparations for it.
At the same time the Rhodians did their best to
gain the assistance of Eumenes, and he hurriedly
left to lend them a hand in Lycia. . . .

FRAGMENTA LIBRI XXV

I. RES ASIAE

2 Ὅτι ὁ Φαρνάκης, ἐξαπιναίου καὶ βαρείας αὐτῷ
(xxvi. 6) τῆς ἐφόδου γενομένης, ἕτοιμος ἦν πρὸς πᾶν τὸ
προτεινόμενον· πρέσβεις γὰρ ἐξαπέστειλε πρὸς
2 Εὐμένη καὶ Ἀριαράθην. τῶν δὲ περὶ Εὐμένη
καὶ Ἀριαράθην προσδεξαμένων τοὺς λόγους καὶ
παραχρῆμα συνεξαποστειλάντων πρεσβευτὰς παρ᾽
αὐτῶν πρὸς τὸν Φαρνάκην, καὶ τούτου γενομένου
πλεονάκις παρ᾽ ἑκατέρων, ἐκυρώθησαν αἱ δια-
3 λύσεις ἐπὶ τούτοις· εἰρήνην ὑπάρχειν Εὐμένει καὶ
Προυσίᾳ καὶ Ἀριαράθῃ πρὸς Φαρνάκην καὶ
4 Μιθριδάτην εἰς τὸν πάντα χρόνον. Γαλατίας μὴ
ἐπιβαίνειν Φαρνάκην κατὰ μηδένα τρόπον. ὅσαι
γεγόνασιν πρότερον συνθῆκαι Φαρνάκῃ πρὸς Γα-
5 λάτας, ἀκύρους ὑπάρχειν. ὁμοίως Παφλαγονίας
ἐκχωρεῖν, ἀποκαταστήσαντα τοὺς οἰκήτορας, οὓς
πρότερον ἐξαγηόχει, σὺν δὲ τούτοις ὅπλα καὶ
6 βέλη καὶ τὰς ἄλλας παρασκευάς. ἀποδοῦναι δὲ
καὶ Ἀριαράθῃ τῶν τε χωρίων ὅσα παρῄρητο μετὰ
τῆς προϋπαρχούσης κατασκευῆς καὶ τοὺς ὁμήρους.
7 ἀποδοῦναι δὲ καὶ Τίον παρὰ τὸν Πόντον, ὃν μετά
τινα χρόνον Εὐμένης ἔδωκε Προυσίᾳ πεισθεὶς

FRAGMENTS OF BOOK XXV

I. Affairs of Asia

Conclusion of the above War

2. Pharnaces, when thus suddenly attacked in force, 180–179 B.C.
was ready to entertain any proposals, as he showed
by sending envoys to Eumenes and Ariarathes.
These kings, after listening to his overtures, them-
selves sent envoys to Pharnaces, and after this had
been done several times on both sides, peace was
agreed to on the following terms. " There shall be
peace between Eumenes, Prusias, and Ariarathes
on the one hand and Pharnaces and Mithridates on
the other for all time : Pharnaces shall not invade
Galatia on any pretext : all treaties previously made
between Pharnaces and the Galatians are revoked :
he shall likewise retire from Paphlagonia, restoring
to their homes those of the inhabitants whom he had
formerly deported, and restoring at the same time
all weapons, missiles, and material of war : he shall
give up to Ariarathes all the places of which he
robbed him in the same condition as he found them,
and he shall return the hostages : he shall also
give up Tium on the Pontus "—this city was shortly
afterwards very gladly presented by Eumenes to

8 μετὰ μεγάλης χάριτος. ἐγράφη δὲ καὶ τοὺς
αἰχμαλώτους ἀποκαταστῆσαι Φαρνάκην χωρὶς λύ-
9 τρων καὶ τοὺς αὐτομόλους ἅπαντας· πρὸς δὲ
τούτοις τῶν χρημάτων καὶ τῆς γάζης, ἧς ἀπήνεγκε
παρὰ Μορζίου καὶ Ἀριαράθου, ἀποδοῦναι τοῖς
10 προειρημένοις βασιλεῦσιν ἐνακόσια τάλαντα, καὶ
τοῖς περὶ τὸν Εὐμένη τριακόσια προσθεῖναι τῆς
11 εἰς τὸν πόλεμον δαπάνης. ἐπεγράφη δὲ καὶ
Μιθριδάτῃ τῷ τῆς Ἀρμενίας σατράπῃ τρια-
κόσια τάλαντα, διότι παραβὰς τὰς πρὸς Εὐμένη
12 συνθήκας ἐπολέμησεν Ἀριαράθῃ. περιελήφθησαν
δὲ ταῖς συνθήκαις τῶν μὲν κατὰ τὴν Ἀσίαν
δυναστῶν Ἀρταξίας ὁ τῆς πλείστης Ἀρμενίας
13 ἄρχων καὶ Ἀκουσίλοχος, τῶν δὲ κατὰ τὴν Εὐρώπην
Γάταλος ὁ Σαρμάτης, τῶν δ᾽ αὐτονομουμένων
Ἡρακλεῶται, Μεσημβριανοί, Χερρονησῖται, σὺν
δὲ τούτοις Κυζικηνοί. περὶ δὲ τῶν ὁμήρων
14 τελευταῖον ἐγράφη πόσους δεήσει καὶ τίνας δοῦναι
τὸν Φαρνάκην· ὧν καὶ παραγενηθέντων ἐξ αὐτῆς
15 ἀνέζευξαν αἱ δυνάμεις. καὶ τοῦ μὲν Εὐμένει καὶ
Ἀριαράθῃ πρὸς Φαρνάκην συστάντος πολέμου
τοιοῦτον ἀπέβη τὸ τέλος.

II. Res Macedoniae

3
(xxvi. 5)
Ὅτι Περσεὺς ἀνανεωσάμενος τὴν φιλίαν τὴν
πρὸς Ῥωμαίους εὐθέως ἑλληνοκοπεῖν ἐπεβάλετο,
κατακαλῶν εἰς τὴν Μακεδονίαν καὶ τοὺς τὰ χρέα
φεύγοντας καὶ τοὺς πρὸς καταδίκας ἐκπεπτωκότας
καὶ τοὺς ἐπὶ βασιλικοῖς ἐγκλήμασι παρακεχωρη-
2 κότας. καὶ τούτων ἐξετίθει προγραφὰς εἴς τε
Δῆλον καὶ Δελφοὺς καὶ τὸ τῆς Ἰτωνίας Ἀθηνᾶς

Prusias who begged for it : " Pharnaces shall return all prisoners of war without ransom and all deserters. Likewise out of the money and treasure he carried off from Morzius and Ariarathes, he shall repay to the above kings nine hundred talents, paying in addition to Eumenes three hundred talents towards the expenses of the war. A fine of three hundred talents was also imposed on Mithridates, satrap of Armenia, because violating his treaty with Eumenes he had made war on Ariarathes. Of the Asiatic princelets Artaxias, the ruler of the greater part of Armenia, and Acusilochus were included in the treaty ; of those in Europe Gatalus the Sarmatian ; also the following free cities, Heraclia, Mesembria, Chersonese, and Cyzicus. The last claim related to the number of hostages to be given by Pharnaces. Upon the arrival of the latter, the armies at once departed. Such was the end of the war between Eumenes and Ariarathes in alliance and Pharnaces.

II. Affairs of Macedonia

Opening of the Reign of Perseus

(Cp. Suid.)

3. Perseus, immediately after renewing his alliance with Rome, began to aim at popularity in Greece, calling back to Macedonia fugitive debtors and those who had been banished from the country either by sentence of the courts or for offences against the king. He posted up lists of these men at Delos, Delphi, and the temple of Itonian Athena,[a] 179–178 B.C.

---

[a] A celebrated sanctuary in Thessaly.

ἱερόν, διδοὺς οὐ μόνον τὴν ἀσφάλειαν τοῖς κατα
πορευομένοις, ἀλλὰ καὶ τῶν ὑπαρχόντων κομιδήν,
3 ἀφ' ὧν ἕκαστος ἔφυγε.   παρέλυσε δὲ καὶ τοὺς ἐν
αὐτῇ τῇ Μακεδονίᾳ τῶν βασιλικῶν ὀφειλημάτων,
ἀφῆκε δὲ καὶ τοὺς ἐν ταῖς φυλακαῖς ἐγκεκλεισμέ
4 νους ἐπὶ βασιλικαῖς αἰτίαις.   ταῦτα δὲ ποιήσας
πολλοὺς ἐμετεώρισε, δοκῶν καλὰς ἐλπίδας ὑπο
5 δεικνύναι πᾶσι τοῖς Ἕλλησιν ἐν αὑτῷ.   ἐπέφαινε
δὲ καὶ κατὰ τὴν ἐν τῷ λοιπῷ βίῳ προστασίαν τὸ
6 τῆς βασιλείας ἀξίωμα.   κατά τε γὰρ τὴν ἐπιφά
νειαν ἦν ἱκανὸς καὶ πρὸς πᾶσαν σωματικὴν χρείαν
τὴν διατείνουσαν εἰς τὸν πραγματικὸν τρόπον
εὔθετος, κατά τε τὴν ἐπίφασιν εἶχεν ἐπισκύνιον
7 καὶ τάξιν οὐκ ἀνοίκειον τῆς ἡλικίας.   ἐπεφεύγει
δὲ καὶ τὴν πατρικὴν ἀσέλγειαν τήν τε περὶ τὰς
γυναῖκας καὶ τὴν περὶ τοὺς πότους, καὶ οὐ μόνον
αὐτὸς μέτριον ἔπινε δειπνῶν, ἀλλὰ καὶ οἱ συνόντες
8 αὐτῷ φίλοι.   καὶ τὰ μὲν προοίμια τῆς Περσέως
ἀρχῆς τοιαύτην εἶχε διάθεσιν.

9   Ὅτι Φίλιππος ὁ βασιλεύς, ὅτε μὲν ηὐξήθη καὶ
τὴν κατὰ τῶν Ἑλλήνων ἐξουσίαν ἔλαβε, πάντων
ἦν ἀπιστότατος καὶ παρανομώτατος, ὅτε δὲ πάλιν
τὰ τῆς τύχης ἀντέπνευσε, πάντων μετριώτατος.
10 ἐπεὶ δὲ τοῖς ὅλοις πράγμασιν ἔπταισε, πρὸς πᾶν
τὸ μέλλον ἁρμοζόμενος ἐπειρᾶτο κατὰ πάντα
τρόπον σωματοποιεῖν τὴν αὑτοῦ βασιλείαν.

not only promising safety to such as returned, but the recovery of the property they had left behind them. In Macedonia itself he relieved all who were in debt to the crown, and released those who had been imprisoned for offences against the crown. By this action he aroused the expectation of many, as it seemed to show that for the whole of Greece much was to be hoped from him. He also showed in the rest of his behaviour true royal dignity. For in personal appearance he looked capable, and was expert in all kinds of bodily exercise which are of real service. In his demeanour too he had a gravity and composure not unsuited to his years. He also had kept clear of his father's incontinence in the matter of women and drink, and not only was he himself moderate in his potations at table, but so were the friends who dined with him. Such was the character of the reign of Perseus at its opening.

Philip V. in misfortune

At the time when King Philip grew great and was powerful in Greece, no one had less regard for good faith and law, but when the wind of his good fortune veered, he was the most moderate of men. When finally he entirely came to grief, he attempted to adapt himself to all contingencies and by every means to build up his kingdom again.

III. Res Italiae

4 "Ότι μετὰ τὴν ἀποστολὴν τῶν ὑπάτων Τεβερίου
(xxvi. 7) καὶ Κλαυδίου τὴν πρὸς "Ιστρους καὶ ᾿Αγρίους ἡ
σύγκλητος ἐχρημάτισε τοῖς παρὰ τῶν Λυκίων
2 ἥκουσι πρεσβευταῖς, ἤδη τῆς θερείας ληγούσης,
οἵτινες παρεγένοντο μὲν εἰς τὴν ῾Ρώμην ἤδη κατα-
πεπολεμημένων τῶν Λυκίων, ἐξαπεστάλησαν δὲ
3 χρόνοις ἱκανοῖς ἀνώτερον. οἱ γὰρ Ξάνθιοι, καθ᾽
ὃν καιρὸν ἔμελλον εἰς τὸν πόλεμον ἐμβαίνειν,
ἐξέπεμψαν πρεσβευτὰς εἴς τε τὴν ᾿Αχαῖαν καὶ τὴν
4 ῾Ρώμην τοὺς περὶ Νικόστρατον. οἳ τότε παρα-
γενηθέντες εἰς τὴν ῾Ρώμην πολλοὺς εἰς ἔλεον
ἐξεκαλέσαντο τῶν ἐν τῷ συνεδρίῳ, τιθέντες ὑπὸ
τὴν ὄψιν τήν τε ῾Ροδίων βαρύτητα καὶ τὴν αὐτῶν
5 περίστασιν. καὶ τέλος εἰς τοῦτ᾽ ἤγαγον τὴν
σύγκλητον, ὥστε πέμψαι πρεσβευτὰς εἰς τὴν
῾Ρόδον τοὺς διασαφήσοντας ὅτι, τῶν ὑπομνημα-
τισμῶν ἀναληφθέντων ⟨ὧν⟩ οἱ δέκα πρέσβεις
ἐποιήσαντο κατὰ τὴν ᾿Ασίαν, ὅτε τὰ πρὸς ᾿Αντίοχον
ἐχείριζον, εὕρηνται Λύκιοι δεδομένοι ῾Ροδίοις οὐκ
ἐν δωρεᾷ, τὸ δὲ πλεῖον ὡς φίλοι καὶ σύμμαχοι.
6 τοιαύτης δὲ γενομένης διαλύσεως, οὐδ᾽ ὅλως
7 ἤρεσκε πολλοῖς τὸ γεγονός. ἐδόκουν γὰρ οἱ
῾Ρωμαῖοι τὰ κατὰ τοὺς ῾Ροδίους καὶ Λυκίους
διαγωνοθετεῖν, θέλοντες ἐκδαπανᾶσθαι τὰς παρα-
8 θέσεις τῶν ῾Ροδίων καὶ τοὺς θησαυρούς, ἀκηκοότες
τήν τε νυμφαγωγίαν τὴν νεωστὶ τῷ Περσεῖ γεγε-
νημένην ὑπ᾽ αὐτῶν καὶ τὴν ἀνάπειραν τῶν πλοίων.
9 Συνέβαινε γὰρ βραχεῖ χρόνῳ πρότερον ἐπιφανῶς
καὶ μεγαλομερῶς ταῖς παρασκευαῖς ἀναπεπει-
ρᾶσθαι τοὺς ῾Ροδίους ἅπασι τοῖς σκάφεσι τοῖς

474

III. Affairs of Italy

Embassy from Lycia

(Cp. Livy xli. 6. 8.)

4. After the dispatch of the consuls Tiberius 178–177 B.C.
Sempronius Gracchus and Gaius Claudius Pulcher
against the Istri and Agrii, the Senate, when summer
was approaching its end, gave audience to the envoys
from Lycia who reached Rome after Lycia had been
entirely reduced, but had been dispatched a good deal
earlier. For the Xanthians, at the time they were
about to embark on the war, had sent Nicostratus
at the head of a mission to Achaea and Rome. He
arrived at Rome only now, and appealed to the
sentiments of many of the senators by bringing
before their eyes the oppressiveness of the Rhodians
and their own imminent danger. Finally they suc-
ceeded in persuading the senate to send legates to
Rhodes, to inform that state, that after referring to
the reports that the ten commissioners had drawn
up in Asia when they were arranging matters with
Antiochus, they found that the Lycians had not been
handed over to Rhodes as a gift, but rather to be
treated like friends and allies. The imposition of
these terms by no means pleased many people in
Rhodes. For it was thought that the Romans were
constituting themselves arbiters in the matter of
Rhodes and Lycia with the object of exhausting the
stores and treasure of the Rhodians, having heard of
their recent home-bringing of the bride of Perseus
and of the refitting of their ships.

Indeed, a short while previously the whole of the
Rhodian navy had been splendidly and munificently

10 ὑπάρχουσιν αὐτοῖς. καὶ γὰρ ξύλων πλῆθος εἰς
ναυπηγίαν ἐδίδοτο παρὰ τοῦ Περσέως τοῖς Ῥο-
δίοις, καὶ στελγίδα χρυσῆν ἑκάστῳ τῶν ἀφρακτι-
τῶν ἐδεδώρητο τῶν νεωστὶ νενυμφαγωγηκότων
αὐτῷ τὴν Λαοδίκην.

IV. Res Rhodiorum

5 ᾿Ότι εἰς τὴν Ῥόδον παραγενομένων τῶν ἐκ τῆς
(xxvi. 8) Ῥώμης πρεσβευτῶν καὶ διασαφούντων τὰ δεδογ-
μένα τῇ συγκλήτῳ, θόρυβος ἦν ἐν τῇ Ῥόδῳ καὶ
πολλὴ ταραχὴ περὶ τοὺς πολιτευομένους, ἀγα-
νακτούντων ἐπὶ τῷ μὴ φάσκειν ἐν δωρεᾷ δεδόσθαι
τοὺς Λυκίους αὐτοῖς, ἀλλὰ κατὰ συμμαχίαν.
2 ἄρτι γὰρ δοκοῦντες καλῶς τεθεῖσθαι τὰ κατὰ
Λυκίους, αὖθις ἄλλην ἀρχὴν ἑώρων φυομένην
3 πραγμάτων· εὐθέως γὰρ οἱ Λύκιοι, τῶν Ῥωμαίων
παραγενομένων καὶ διασαφούντων ταῦτα τοῖς
Ῥοδίοις, πάλιν ἐστασίαζον καὶ πᾶν ὑπομένειν
οἷοί τ᾽ ἦσαν ὑπὲρ τῆς αὐτονομίας καὶ τῆς ἐλευ-
4 θερίας. οὐ μὴν ἀλλ᾽ οἵ γε Ῥόδιοι <δι>α-
κούσαντες τῶν πρεσβευτῶν καὶ νομίσαντες ἐξ-
ηπατῆσθαι τοὺς Ῥωμαίους ὑπὸ τῶν Λυκίων,
παραχρῆμα κατέστησαν τοὺς περὶ Λυκόφρονα
πρεσβευτάς, διδάξοντας τὴν σύγκλητον περὶ τῶν
5 προειρημένων. καὶ ταῦτα μὲν ἐπὶ τούτοις ἦν,
ὅσον οὔπω δοκούντων πάλιν ἐπαναστήσεσθαι τῶν
Λυκίων.

V. Res Italiae

6 ᾿Ότι ἡ σύγκλητος, παραγενομένων τῶν ἐκ τῆς
(xxvi. 9) Ῥόδου πρεσβευτῶν, διακούσασα τῶν λόγων ὑπερ-
έθετο τὴν ἀπόκρισιν.

refitted. For Perseus had presented them with a
quantity of wood for shipbuilding, and had given a
golden tiara to each of the sailors in the galleys that
had escorted his bride Laodice on her way to him.

IV. Affairs of Rhodes

5. When the envoys from Rome arrived in Rhodes
to announce the decision of the senate, there was a
great commotion there, and much disturbance in
political circles on account of their statement that
the Lycians had not been given them as a gift, but
as allies. For they thought they had just put things
in Lycia on a satisfactory footing, and now they saw
the beginning of a further crop of troubles. For the
Lycians, as soon as the Romans arrived at Rhodes
and made this announcement, became again dis-
affected, and were ready to struggle hard for their
autonomy and freedom. The Rhodians, however,
when they had listened to their envoys, thinking that
the Romans had been taken in by the Lycians, at
once appointed Lycophron their envoy to enlighten
the senate on the matter. Such then was the
situation, the Lycians to all appearance being about
to revolt again.

V. Affairs of Italy

(Cp. Livy xli. 19.)

6. The senate on the arrival of the envoys from 177–176 B.C.
Rhodes heard their arguments and deferred their
own answer.

2 Ἡκόντων δὲ τῶν Δαρδανίων καὶ περὶ τοῦ
πλήθους τῶν Βασταρνῶν καὶ περὶ τοῦ μεγέθους
τῶν ἀνδρῶν ⟨καὶ⟩ τῆς ἐν τοῖς κινδύνοις τόλμης

3 ἐξηγουμένων, καὶ διασαφούντων περὶ τῆς Περ-
σέως κοινοπραγίας καὶ τῶν Γαλατῶν καὶ φασκόν-
των τοῦτον ἀγωνιᾶν μᾶλλον ἢ τοὺς Βαστάρνας

4 καὶ διὰ ταῦτα δεομένων σφίσι βοηθεῖν, παρόντων
δὲ καὶ Θετταλῶν καὶ συνεπιμαρτυρούντων τοῖς
Δαρδανίοις καὶ παρακαλούντων καὶ τούτων ἐπὶ

5 τὴν βοήθειαν, ἔδοξε τῇ συγκλήτῳ πέμψαι τινὰς
τοὺς αὐτόπτας ἐσομένους τῶν προσαγγελλομένων.

6 καὶ παραυτίκα καταστήσαντες Αὖλον Ποστόμιον
ἐξαπέστειλαν καὶ σὺν τούτῳ τινὰς τῶν νέων.

A mission from the Dardanians now arrived, telling of the Bastarnae, their numbers, the huge size and the valour of their warriors, and also pointing out that Perseus and the Galatians were in league with this tribe. They said they were much more afraid of him than of the Bastarnae, and they begged for aid. Envoys from Thessaly also arrived confirming the statement of the Dardanians, and begging too for help. Upon this the senate decided to send some commissioners to inquire on the spot as to the veracity of these assertions, and at once appointed Aulus Postumius and some younger men.

FRAGMENTA LIBRI XXVI

I. Res Antiochi

1ᵃ Πολύβιος δ' ἐν τῇ ἕκτῃ καὶ εἰκοστῇ τῶν Ἱστοριῶν
(10) καλεῖ αὐτὸν Ἐπιμανῆ καὶ οὐκ Ἐπιφανῆ διὰ τὰς
πράξεις. οὐ μόνον γὰρ μετὰ δημοτῶν ἀνθρώπων
κατέβαινεν εἰς ὁμιλίας, ἀλλὰ καὶ μετὰ τῶν παρ-
επιδημούντων ξένων καὶ τῶν εὐτελεστάτων συν-
2 έπινεν. εἰ δὲ καὶ τῶν νεωτέρων, φησίν, αἴσθοιτο
τινας συνευωχουμένους ὁπουδήποτε, παρῆν μετὰ
κερατίου καὶ συμφωνίας, ὥστε τοὺς πολλοὺς
διὰ τὸ παράδοξον ἀνισταμένους φεύγειν. πολ-
λάκις δὲ καὶ τὴν βασιλικὴν ἐσθῆτα ἀποβαλὼν
τήβενναν ἀναλαβὼν περιῄει τὴν ἀγοράν.

1 Ἀντίοχος ὁ Ἐπιφανὴς μὲν κληθείς, Ἐπιμανὴς
(10 3) δ' ἐκ τῶν πράξεων ὀνομασθείς . . . περὶ οὗ φησι
Πολύβιος τάδε, ὡς ἀποδιδράσκων ἐκ τῆς αὐλῆς
ἐνίοτε τοὺς θεραπεύοντας, οὗ τύχοι τῆς πόλεως,
2 ἀλύων ἐφαίνετο δεύτερος καὶ τρίτος. μάλιστα δὲ
πρὸς τοῖς ἀργυροκοπείοις εὑρίσκετο καὶ χρυσο-
χοείοις, εὑρησιλογῶν καὶ φιλοτεχνῶν πρὸς τοὺς
3 τορευτὰς καὶ τοὺς ἄλλους τεχνίτας. ἔπειτα καὶ
μετὰ δημοτῶν ἀνθρώπων συγκαταβαίνων ὡμίλει,

480

FRAGMENTS OF BOOK XXVI

I. Affairs of Antiochus Epiphanes

(From Athen. x. 439 a; cp. Livy xli. 20.)

1^a. Polybius in his 26th Book calls him Epimanes 174–172 B.C.
(the Madman) instead of Epiphanes owing to his
conduct. For not only did he condescend to converse
with common people, but even with the meanest of
the foreigners who visited Antioch. And whenever
he heard that any of the younger men were at an
entertainment, no matter where, he would come in
with a fife and other music so that most of the guests
got up and ran off in astonishment. He would often,
moreover, doff his royal robe and pick up a toga and
so make the circuit of the market-place.

(*Ibid.* v. 193 d.)

1. Antiochus surnamed Epiphanes gained the name
of Epimanes by his conduct. Polybius tells us of
him that, escaping from his attendants at court, he
would often be seen wandering about in all parts of
the city with one or two companions. He was chiefly
found at the silversmiths' and goldsmiths' workshops,
holding forth at length and discussing technical
matters with the moulders and other craftsmen. He
used also to condescend to converse with any common

ᾧ τύχοι, καὶ μετὰ τῶν παρεπιδημούντων συνέπινε
4 τῶν εὐτελεστάτων. ὅτε δὲ τῶν νεωτέρων αἴσθοιτό
τινας συνευωχουμένους, οὐδεμίαν ἔμφασιν ποιήσας
παρῆν ἐπικωμάζων μετὰ κερατίου καὶ συμφωνίας,
ὥστε τοὺς πολλοὺς διὰ τὸ παράδοξον ἀφιστα-
5 μένους φεύγειν. πολλάκις δὲ καὶ τὴν βασιλικὴν
ἀποθέμενος ἐσθῆτα τήβενναν ἀναλαβὼν περιῄει
κατὰ τὴν ἀγορὰν ἀρχαιρεσιάζων καὶ τοὺς μὲν
δεξιούμενος, τοὺς δὲ καὶ περιπτύσσων παρεκάλει
φέρειν αὐτῷ τὴν ψῆφον, ποτὲ μὲν ὡς ἀγορανόμος
6 γένηται, ποτὲ δὲ καὶ ὡς δήμαρχος. τυχὼν δὲ
τῆς ἀρχῆς καὶ καθίσας ἐπὶ τὸν ἐλεφάντινον δίφρον
κατὰ τὸ παρὰ Ῥωμαίοις ἔθος διήκουε τῶν κατὰ
τὴν ἀγορὰν γινομένων συναλλαγμάτων καὶ διέκρινε
7 μετὰ πολλῆς σπουδῆς καὶ προθυμίας. ἐξ ὧν εἰς
ἀπορίαν ἦγε τῶν ἀνθρώπων τοὺς ἐπιεικεῖς· οἱ
μὲν γὰρ ἀφελῆ τινα αὐτὸν εἶναι ὑπελάμβανον,
οἱ δὲ μαινόμενον. καὶ γὰρ περὶ τὰς δωρεὰς ἦν
8 παραπλήσιος· ἐδίδου γὰρ τοῖς μὲν ἀστραγάλους
δορκαδείους, τοῖς δὲ φοινικοβαλάνους, ἄλλοις δὲ
9 χρυσίον. καὶ ἐξ ἀπαντήσεως δέ τισιν ἐντυγ-
χάνων, οὓς μὴ ἑωράκει ποτέ, ἐδίδου δωρεὰς
10 ἀπροσδοκήτους. ἐν δὲ ταῖς πρὸς τὰς πόλεις
θυσίαις καὶ ταῖς πρὸς τοὺς θεοὺς τιμαῖς πάντας
11 ὑπερέβαλλε τοὺς βεβασιλευκότας. τοῦτο δ' ἂν
τις τεκμήραιτο ἔκ τε τοῦ παρ' Ἀθηναίοις Ὀλυμ-
πιείου καὶ τῶν περὶ τὸν ἐν Δήλῳ βωμὸν ἀνδριάν-
12 των. ἐλούετο δὲ κἂν τοῖς δημοσίοις βαλανείοις,
ὅτε δημοτῶν ἦν τὰ βαλανεῖα πεπληρωμένα,
κεραμίων εἰσφερομένων αὐτῷ μύρων τῶν πολυ-
13 τελεστάτων. ὅτε καί τινος εἰπόντος " μακάριοί
ἐστε ὑμεῖς οἱ βασιλεῖς οἱ καὶ τούτοις χρώμενοι

people he met, and used to drink in the company of the meanest foreign visitors to Antioch. Whenever he heard that any of the young men were at an entertainment, he would come in quite unceremoniously with a fife and a procession of musicians, so that most of the guests got up and left in astonishment. He would frequently put off his royal robes, and, assuming a white toga, go round the market-place like a candidate, and, taking some by the hand and embracing others, would beg them to give him their vote, sometimes for the office of aedile and sometimes for that of tribune. Upon being elected, he would sit upon the ivory curule chair, as the Roman custom is, listening to the lawsuits tried there, and pronouncing judgement with great pains and display of interest. In consequence all respectable men were entirely puzzled about him, some looking upon him as a plain simple man and others as a madman. His conduct too was very similar as regards the presents he made. To some people he used to give gazelles' knucklebones, to others dates, and to others money. Occasionally he used to address people he had never seen before when he met them, and make them the most unexpected kind of presents. But in the sacrifices he furnished to cities and in the honours he paid to the gods he far surpassed all his predecessors, as we can tell from the temple of Olympian Zeus at Athens and the statues round the altar at Delos. He also used to bathe in the public baths, when they were full of common people, having jars of the most precious ointments brought in for him ; and on one occasion when some one said to him, " How lucky you are, you kings, to use such

καὶ ὀδωδότες ἡδύ " [καὶ] μηδὲν τὸν ἄνθρωπον
προσειπών, ὅπου 'κεῖνος τῇ ἑξῆς ἐλοῦτο, ἐπεισ-
ελθὼν ἐποίησεν αὐτοῦ καταχυθῆναι τῆς κεφαλῆς
μέγιστον κεράμιον πολυτελεστάτου μύρου, τῆς
14 στακτῆς καλουμένης, ὡς πάντας ἀναστάντας
κυλίεσθαι ⟨τοὺς⟩ λουομένους τῷ μύρῳ καὶ διὰ
τὴν γλισχρότητα καταπίπτοντας γέλωτα παρέχειν,
καθάπερ καὶ αὐτὸν τὸν βασιλέα.

scents and smell so sweet ! " he answered nothing at
the time, but next day, when the man was having
his bath, he came in after him and had a huge jar
of most precious ointment called *stacte* poured over
his head, so that all the bathers jumped up and rolled
themselves in it, and by slipping in it created great
amusement, as did the king himself.

FRAGMENTA LIBRI XXVII

I. Bellum Persicum

1 Ὅτι ἐν τῷ καιρῷ τούτῳ παρεγένοντο πρέσβεις
παρὰ μὲν Θεσπιέων οἱ περὶ Λασῆν καὶ Καλλέαν,
2 παρὰ δὲ Νέωνος Ἰσμηνίας, οἱ μὲν περὶ Λασῆν
ἐγχειρίζοντες τὴν ἑαυτῶν πατρίδα Ῥωμαίοις,
ὁ δ᾽ Ἰσμηνίας κατὰ κοινὸν πάσας ⟨τὰς⟩ ἐν τῇ
Βοιωτίᾳ πόλεις διδοὺς εἰς τὴν τῶν πρεσβευτῶν
3 πίστιν. ἦν δὲ τοῦτο μὲν ἐναντιώτατον τοῖς περὶ
τὸν Μάρκιον, τὸ δὲ κατὰ πόλιν διελεῖν τοὺς
4 Βοιωτοὺς οἰκειότατον. διὸ τοὺς μὲν περὶ τὸν
Λασῆν καὶ τοὺς Χαιρωνεῖς καὶ τοὺς Λεβαδεῖς
καὶ τοὺς ἄλλους, ὅσοι παρῆσαν ἀπὸ τῶν πό-
5 λεων, ἀσμένως ἀπεδέχοντο καὶ κατέψων, τὸν δ᾽
Ἰσμηνίαν παρεδειγμάτιζον, ἀποτριβόμενοι καὶ
6 παρορῶντες. ὅτε καὶ συνεπιθέμενοί τινες τῶν
φυγάδων μικροῦ κατέλευσαν τὸν Ἰσμηνίαν, εἰ μὴ
7 κατέφυγεν ὑπὸ τὰ δίθυρα τῶν Ῥωμαίων. κατὰ
δὲ τὸν καιρὸν τοῦτον ἐν ταῖς Θήβαις συνέβαινε
8 ταραχὰς εἶναι καὶ στάσεις. οἱ μὲν γὰρ ἔφασαν
δεῖν διδόναι τὴν πόλιν εἰς τὴν Ῥωμαίων πίστιν,
οἱ δὲ Κορωνεῖς καὶ Ἁλιάρτιοι συνδεδραμηκότες

FRAGMENTS OF BOOK XXVII

I. THE WAR WITH PERSEUS

Events in Boeotia

(Cp. Livy xlii. 43. 4.)

1. At this time Lases and Calleas came as envoys 172-171 B.C.
from Thespiae and Ismenias on the part of Neon,[a] the
former to put their city in the hands of the Romans,
and Ismenias to place all the cities of Boeotia together
at the discretion of the legates. This was quite the
contrary of what Marcius and the other legates
wished, it suiting their purpose far better to keep the
Boeotian cities apart. So that while they very
gladly received Lases and made much of him, as well
as of the envoys from Chaeronea and Lebadea, and
all others present from separate cities, they exposed
Ismenias to contempt, fighting shy of him and treat-
ing him with neglect. On one occasion some of the
exiles attacked Ismenias, and came very near stoning
him, but he took refuge under the porch of the
Roman mission. At the same period there were
quarrels and disturbances in Thebes, where one party
maintained that they ought to surrender the city at
discretion to the Romans ; but the people of Coronea

[a] Possibly the son of Brachylles. He was a leader of the
Macedonian party in Boeotia.

487

εἰς τὰς Θήβας ἀκμὴν ἀντεποιοῦντο τῶν πραγ-
μάτων καὶ μένειν ἔφασαν δεῖν ἐν τῇ πρὸς τὸν
9 Περσέα συμμαχίᾳ. καὶ μέχρι μέν τινος ἐφ-
άμιλλος ἦν ἡ διάθεσις τῶν στασιαζόντων. Ὀλυμ-
πίχου δὲ τοῦ Κορωνέως πρώτου μεταθεμένου καὶ
φάσκοντος δεῖν ἀντέχεσθαι Ῥωμαίων, ἐγένετό
⟨τις⟩ ὁλοσχερὴς ῥοπὴ καὶ μετάπτωσις τοῦ πλήθους,
10 καὶ πρῶτον μὲν τὸν Δικέταν ἠνάγκασαν πρε-
σβεύειν πρὸς τοὺς περὶ τὸν Μάρκιον, ἀπολογη-
σόμενον ὑπὲρ τῆς πρὸς τὸν Περσέα συμμαχίας.
11 μετὰ δὲ ταῦτα τοὺς περὶ τὸν Νέωνα καὶ τὸν
Ἱππίαν ἐξέβαλον, συντρέχοντες ἐπὶ τὰς οἰκίας
αὐτῶν καὶ κελεύοντες αὐτοὺς ὑπὲρ αὐτῶν ἀπο-
λογεῖσθαι περὶ τῶν διῳκονομημένων· οὗτοι γὰρ
ἦσαν οἱ ⟨τὰ⟩ περὶ τὴν συμμαχίαν οἰκονομήσαντες.
12 τούτων δὲ παραχωρησάντων, ἐξ αὐτῆς ἁθροι-
σθέντες εἰς ἐκκλησίαν πρῶτον μὲν τιμὰς ἐψη-
φίσαντο καὶ ⟨δωρεὰς⟩ τοῖς Ῥωμαίοις, εἶτ' ἐνεργεῖν
13 ἐπέταξαν τοῖς ἄρχουσι τὴν συμμαχίαν, ἐπὶ δὲ
πᾶσιν πρεσβευτὰς κατέστησαν τοὺς ἐγχειριοῦντας
τὴν πόλιν Ῥωμαίοις καὶ κατάξοντας τοὺς παρ'
αὐτῶν φυγάδας.
2 Τούτων δὲ συντελουμένων ἐν ταῖς Θήβαις, οἱ
φυγάδες ἐν τῇ Χαλκίδι προστησάμενοι Πομπίδην
κατηγορίαν ἐποιοῦντο τῶν περὶ τὸν Ἰσμηνίαν
2 καὶ Νέωνα καὶ Δικέταν. προδήλου δὲ τῆς ἀγνοίας
οὔσης τῶν προειρημένων, καὶ τῶν Ῥωμαίων
3 συνεπισχυόντων τοῖς φυγάσιν, εἰς τὴν ἐσχάτην
διάθεσιν ἦκον οἱ περὶ τὸν Ἱππίαν, ὥστε καὶ τῷ
βίῳ κινδυνεῦσαι παρ' αὐτὸν τὸν καιρὸν ὑπὸ τῆς
ὁρμῆς τοῦ πλήθους, ἕως οὗ βραχύ τι τῆς ἀσφαλείας
αὐτῶν προυνοήθησαν οἱ Ῥωμαῖοι, παρακατασχόν-

and Haliartus flocking to Thebes, still claimed a part
in the direction of affairs, and said that they ought to
remain faithful to their alliance with Perseus. For
a time the rival views maintained an equilibrium ;
but upon Olympichus of Coronea being the first to
change his attitude and to advise joining the Romans,
the balance of popular opinion entirely shifted. They
first of all compelled Dicetas to go as their envoy to
Marcius and offer his excuses for their having allied
themselves with Perseus. In the next place they
expelled Neon and Hippias, going in a crowd to their
houses and ordering them to go and defend their
conduct of affairs, since it was they who had arranged
the alliance. Upon Neon and Hippias giving way,
they at once assembled in a formal meeting, and
after in the first place voting honours to the Romans,
ordered their magistrates to take steps to form the
alliance ; and, last of all, they appointed envoys to
put the city in the hands of the Romans and bring
back their own exiles.

2. While these proceedings were taking place in
Thebes, the exiles in Chalcis appointed Pompides
as their representative to accuse Ismenias, Neon, and
Dicetas. As the offence of all three was clearly
proved, and the Romans lent their support to the
exiles, Hippias and his friends were in the last stage
of distress, and their lives even were in danger from
the violence of the populace, until the Romans took
some slight thought for their safety, and put re-

4 τες τὴν ἐπιφορὰν τῶν ὄχλων. τῶν δὲ Θηβαίων
παραγενομένων καὶ κομιζόντων τὰ προειρημένα
δόγματα καὶ τὰς τιμάς, ταχεῖαν ἕκαστα τῶν
πραγμάτων ἐλάμβανε τὴν ἀνταπόδοσιν, ἅτε τῶν
πόλεων παρακειμένων ἀλλήλαις ἐν πάνυ βραχεῖ
5 διαστήματι. πλὴν ἀποδεξάμενοι τοὺς Θηβαίους
οἱ περὶ τὸν Μάρκιον τήν τε πόλιν ἐπήνεσαν καὶ
τοὺς φυγάδας συνεβούλευσαν καταγαγεῖν εἰς τὴν
6 οἰκείαν. εὐθύς τε παρήγγειλαν πρεσβεύειν πᾶσι
τοῖς ἀπὸ τῶν πόλεων εἰς τὴν Ῥώμην, διδόντας
7 αὐτοὺς εἰς τὴν πίστιν κατ᾽ ἰδίαν ἑκάστους. πάν-
των δὲ κατὰ τὴν πρόθεσιν αὐτοῖς χωρούντων—
ταῦτα δ᾽ ἦν τὸ διαλῦσαι τῶν Βοιωτῶν τὸ ἔθνος
καὶ λυμήνασθαι τὴν τῶν πολλῶν εὔνοιαν πρὸς
8 τὴν Μακεδόνων οἰκίαν—οὗτοι μὲν μεταπεμψά-
μενοι Σέρουιον ἐξ Ἄργους καὶ καταλιπόντες
ἐπὶ τῆς Χαλκίδος προῆγον ἐπὶ Πελοπόννησον,
Νέων δὲ μετά τινας ἡμέρας ἀνεχώρησεν εἰς
9 Μακεδονίαν. οἱ δὲ περὶ τὸν Ἰσμηνίαν καὶ
Δικέταν τότε μὲν ἀπήχθησαν εἰς φυλακήν, μετὰ
δέ τινα χρόνον ἀπήλλαξαν αὐτοὺς ἐκ τοῦ ζῆν.
10 τὸ δὲ τῶν Βοιωτῶν ἔθνος ἐπὶ πολὺν χρόνον συν-
τετηρηκὸς τὴν κοινὴν συμπολιτείαν καὶ πολλοὺς
καὶ ποικίλους καιροὺς διαπεφευγὸς παραδόξως
τότε προπετῶς καὶ ἀλογίστως ἑλόμενον τὰ παρὰ
Περσέως, εἰκῇ καὶ παιδαριωδῶς πτοηθὲν κατελύθη
καὶ διεσκορπίσθη κατὰ πόλεις.
11 Οἱ δὲ περὶ τὸν Αὖλον καὶ Μάρκιον παραγενη-
θέντες εἰς τὴν τῶν Ἀργείων πόλιν ἐχρημάτισαν
ταῖς συναρχίαις ταῖς τῶν Ἀχαιῶν καὶ παρεκάλεσαν
Ἄρχωνα τὸν στρατηγὸν χιλίους ἐκπέμψαι στρα-
τιώτας εἰς Χαλκίδα, παραφυλάξοντας τὴν πόλιν

straint on the hostility of the mob. When the
Thebans appeared, bearers of the decrees I mentioned
announcing the honours conferred, the reaction in
all matters was swift to spread, the cities lying all
quite close to each other. Marcius and his colleagues
on receiving the Thebans thanked the city, and
advised them to bring home the exiles, ordering all
the representatives of the towns to repair at once to
Rome and separately announce the submission of
each several city. When all fell out as they desired—
their object being to break up the Boeotian League
and damage the popularity of the House of Macedon
—the legates, sending for Servius Cornelius Lentulus
from Argos, left him at Chalcis and went on to the
Peloponnesus, but after a few days Neon left for
Macedonia. Ismenias and Dicetas were now led off
to prison and shortly afterwards took their own lives.
Thus the Boeotian people after remaining for many
years faithful to their League and after many marvel-
lous escapes from various perils, now by rashly and
inconsiderately espousing the cause of Perseus, and
giving way to insensate and childish excitement, were
broken up and dispersed among their several cities.

Aulus Atilius and Quintus Marcius on arriving at
Argos sat in council with the magistrates of the
Achaean League. They asked Archon, the strategus,
to dispatch a thousand soldiers to Chalcis to guard the

12 μέχρι τῆς Ῥωμαίων διαβάσεως. τοῦ δ᾽ Ἄρχωνος
ἑτοίμως συνυπακούσαντος, οὗτοι μὲν ταῦτα δια-
πράξαντες ἐν τοῖς Ἕλλησι κατὰ χειμῶνα καὶ τῷ
Ποπλίῳ συμμίξαντες ἀπέπλεον εἰς τὴν Ῥώμην.

3 Ὅτι οἱ περὶ τὸν Τεβέριον καὶ Ποστόμιον <καὶ
Ἰούνιον> κατὰ τοὺς αὐτοὺς καιροὺς ἐπιπορευόμενοι
τὰς νήσους καὶ τὰς κατὰ τὴν Ἀσίαν πόλεις . . .
2 πλεῖστον δ᾽ ἐν τῇ Ῥόδῳ, καίπερ οὐ προσδεομένων
3 τῶν Ῥοδίων κατὰ τοὺς τότε χρόνους. Ἀγησί-
λοχος γάρ, τότε πρυτανεύων, ἀνὴρ τῶν εὐδοκι-
μούντων, ὁ καὶ μετὰ ταῦτα πρεσβεύσας εἰς τὴν
Ῥώμην, ἔτι πρότερον ἅμα τῷ φανερὸν γενέσθαι
διότι μέλλουσι πολεμεῖν Ῥωμαῖοι τῷ Περσεῖ,
τἆλλα τε παρακεκλήκει τοὺς πολλοὺς ὑπὲρ τοῦ
κοινωνεῖν τῶν αὐτῶν ἐλπίδων καὶ τετταράκοντα
ναῦς συμβουλεύσας τοῖς Ῥοδίοις ὑποζωννύειν,
4 ἵν᾽, ἐάν τις ἐκ τῶν καιρῶν γένηται χρεία, μὴ τότε
παρασκευάζωνται πρὸς τὸ παρακαλούμενον, ἀλλ᾽
ἑτοίμως διακείμενοι πράττωσι τὸ κριθὲν ἐξ αὐτῆς·
5 ἃ τότε προφερόμενος τοῖς Ῥωμαίοις καὶ δεικνὺς
ὑπὸ τὴν ὄψιν τὰς παρασκευάς, εὐδοκουμένους τῇ
πόλει τοὺς πρεσβευτὰς ἐξαπέστειλεν. οἱ δὲ περὶ
τὸν Τεβέριον ἀποδεδεγμένοι τὴν τῶν Ῥοδίων
εὔνοιαν ἐκομίζοντο εἰς τὴν Ῥώμην.—

city until the crossing of the Romans, and on his
readily complying, these legates, after making the
above arrangements in Greece during the winter,
joined Publius Cornelius Lentulus and took ship
for Rome.

The Rhodians support Rome

(Cp. Livy xlii. 45.)

3. At the same time the legates, Tiberius Claudius,
Aulus Postumius, and Marcus Junius, visited the
islands and the Asiatic cities, exhorting the people to
take the part of Rome. They spent a good part of
their time at other places, but most of it at Rhodes,
although the Rhodians at that period had no need
of such exhortation. For Hagesilochus, their pry-
tanis, a man of much influence, who subsequently
came as their envoy to Rome, had previously, when it
became evident that the Romans were about to make
war on Perseus, exhorted the people in general to
make common cause with the Romans, and had
advised the equipment of forty ships ; so that, if
circumstances required their help, they might not
have to make preparations to meet the demand of
the Romans, but, being in a state of readiness, might
be able to act instantly in any way they decided.
He now, by informing the Romans of this and
actually exhibiting his preparations, sent them off
highly pleased with Rhodes. Having thus gratefully
accepted the kind offices of Rhodes the envoys sailed
back to Rome.

4 Ὅτι Περσεὺς μετὰ τὸν σύλλογον τὸν πρὸς τοὺς
Ῥωμαίους, . . . τῶν Ἑλλήνων, πάντα τὰ δίκαια
κατέτατεν εἰς τὴν ἐπιστολὴν καὶ τοὺς ὑφ᾽ ἑκατέρων
2 ῥηθέντας λόγους, ἅμα μὲν ὑπολαμβάνων ὑπερ-
δέξιος φανήσεσθαι τοῖς δικαίοις, ἅμα δὲ βουλό-
μενος ἀπόπειραν λαμβάνειν τῆς ἑκάστων προ-
3 αιρέσεως. πρὸς μὲν οὖν τοὺς ἄλλους δι᾽ αὐτῶν
τῶν γραμματοφόρων ἔπεμπε τὰς ἐπιστολάς, εἰς
δὲ τὴν Ῥόδον καὶ πρεσβευτὰς συναπέστειλεν
4 Ἀντήνορα καὶ Φίλιππον. οἳ καὶ παραγενηθέντες
τὰ γεγραμμένα τοῖς ἄρχουσιν ἀπέδωκαν· καὶ
μετά τινας ἡμέρας ἐπελθόντες ἐπὶ τὴν βουλὴν
παρεκάλουν τοὺς Ῥοδίους κατὰ μὲν τὸ παρὸν
5 ἡσυχίαν ἔχειν, ἀποθεωροῦντας τὸ γινόμενον· ἐὰν
δὲ Ῥωμαῖοι παρὰ τὰς συνθήκας ἐγχειρῶσι τὰς
χεῖρας ἐπιβάλλειν τῷ Περσεῖ καὶ Μακεδόσιν,
6 πειρᾶσθαι διαλύειν. τοῦτο γὰρ πᾶσι μὲν συμ-
7 φέρειν, πρέπειν δὲ μάλιστα Ῥοδίοις. ὅσῳ γὰρ
πλεῖον ὀρέγονται τῆς ἰσηγορίας καὶ παρρησίας
καὶ διατελοῦσι προστατοῦντες οὐ μόνον τῆς αὐτῶν
ἀλλὰ καὶ τῆς τῶν ἄλλων Ἑλλήνων ἐλευθερίας,
τοσούτῳ καὶ τὴν ἐναντίαν προαίρεσιν μάλιστα
δεῖν αὐτοὺς προορᾶσθαι καὶ φυλάττεσθαι κατὰ
8 δύναμιν. ταῦτα καὶ τούτοις παραπλήσια δια-
λεχθέντων τῶν πρέσβεων, ἤρεσκε μὲν ἅπασι τὰ
9 λεγόμενα· προκατεχόμενοι δὲ τῇ πρὸς Ῥωμαίους
εὐνοίᾳ, καὶ νικῶντος αὐτοῖς τοῦ βελτίονος, τἄλλα
μὲν ἀπεδέξαντο φιλανθρώπως τοὺς πρεσβευτάς,
ἠξίουν δὲ τὸν Περσέα διὰ τῆς ἀποκρίσεως εἰς
μηδὲν αὐτοὺς παρακαλεῖν τοιοῦτον ἐξ οὗ φανή-

494

Perseus and Rhodes

(Cp. Livy xlii. 46.)

4. Perseus, after his conference with the Romans, sent identical letters to various Greek states, in which he drew up a statement of all questions of right, and quoted the arguments used on both sides, with the double purpose of making it appear that in point of right his position was superior, and of sounding the intentions of the several states. To other peoples he sent the letters in charge of the couriers alone ; but to Rhodes he sent also Antenor and Philippus as envoys. On arriving there they delivered the letter to the magistrates, and after a few days appeared before the Rhodian senate and begged the Rhodians to remain for the present quiet spectators of what would happen ; but, should the Romans attack Perseus and the Macedonians in violation of the treaty, they asked them to attempt to effect a reconciliation. This they said was in the interest of all ; but the Rhodians were the most proper people to undertake the task. For the more they were the champions of equality and freedom of speech, and the constant protectors not only of their own liberty, but of that of the rest of Greece, the more they should do all in their power to provide and guard against the victory of principles contrary to these. When the envoys had spoken thus and further in the same sense what they said pleased everybody ; but, prepossessed as the people were by their friendly feeling for Rome, better counsels prevailed, and while they gave a kind reception to the envoys in other respects they begged Perseus in their answer to request them to do nothing which might seem to be

495

σονται πρὸς τὴν Ῥωμαίων ἀντιπράττοντες
10 βούλησιν. οἱ δὲ περὶ τὸν Ἀντήνορα τὴν μὲν
ἀπόκρισιν οὐκ ἔλαβον . . ., τὴν δὲ λοιπὴν φιλαν-
θρωπίαν ἀποδεξάμενοι τὴν Ῥοδίων ἀπέπλευσαν
εἰς τὴν Μακεδονίαν.

5 Ὅτι Περσεὺς πυνθανόμενος ἔτι τινὰς τῶν ἐν τῇ
Βοιωτίᾳ πόλεις ἀντέχεσθαι τῆς πρὸς αὐτὸν εὐνοίας,
Ἀντίγονον ἐξαπέστειλε τὸν Ἀλεξάνδρου πρε-
2 σβευτήν. ὃς καὶ παραγενόμενος εἰς Βοιωτοὺς
τὰς μὲν ἄλλας πόλεις παρῆκε διὰ τὸ μηδεμίαν
3 ἀφορμὴν λαμβάνειν ἐπιπλοκῆς, εἰς δὲ Κορώνειαν
καὶ Θίσβας, ἔτι δ’ Ἁλίαρτον εἰσελθὼν παρεκάλεσε
τοὺς ἀνθρώπους ἀντέχεσθαι τῆς πρὸς Μακεδόνας
4 εὐνοίας. τῶν δὲ προθύμως ἀποδεχομένων τὰ
λεγόμενα καὶ πρεσβευτὰς ψηφισαμένων πέμπειν
εἰς Μακεδονίαν, οὗτος μὲν ἀπέπλευσε καὶ συμ-
μίξας τῷ βασιλεῖ διεσάφει τὰ κατὰ τὴν Βοιωτίαν.
5 παραγενομένων δὲ καὶ τῶν πρεσβευτῶν μετ’
ὀλίγον καὶ παρακαλούντων βοήθειαν ἐκπέμψαι
ταῖς πόλεσι ταῖς αἱρουμέναις τὰ Μακεδόνων·
6 τοὺς γὰρ Θηβαίους βαρεῖς ὄντας ἐπικεῖσθαι καὶ
παρενοχλεῖν αὐτοὺς διὰ τὸ μὴ βούλεσθαι συμ-
7 φρονεῖν σφίσιν μηδ’ αἱρεῖσθαι τὰ Ῥωμαίων· ἅπερ
ὁ Περσεὺς διακούσας βοήθειαν μὲν οὐδαμῶς ἔφη
8 δύνασθαι πέμπειν οὐδενὶ διὰ τὰς ἀνοχάς, καθόλου
δ’ αὐτοὺς παρεκάλει Θηβαίους μὲν ἀμύνασθαι
κατὰ δύναμιν, Ῥωμαίοις δὲ μὴ πολεμεῖν, ἀλλὰ
τὴν ἡσυχίαν ἔχειν.

6 Ὅτι οἱ Ῥωμαῖοι τῶν ἀπὸ τῆς Ἀσίας παρα-
(7) γεγονότων πρεσβευτῶν διακούσαντες τά τε κατὰ
τὴν Ῥόδον καὶ τὰ κατὰ τὰς ἄλλας πόλεις προσ-

in opposition to the wishes of the Romans. Antenor
and Philippus did not therefore receive the answer
they wished, but after thanking the Rhodians for
their kindness in other respects sailed back to
Macedonia.

Perseus and Boeotia

(Cp. Livy xlii. 46. 7.)

5. Perseus, on learning that some of the Boeotian
cities were still favourably disposed to him, sent on
an embassy there Antigonus, the son of Alexander.
On arriving in Boeotia he left the other cities alone,
as he found no pretext for making approaches ; but
visiting Coronea, Thisbae, and Haliartus, he begged
the citizens to attach themselves to the Macedonian
cause. His advances were readily received, and
they voted to send envoys to Macedonia ; upon
which the Macedonian envoy took ship, and when
he met the king reported to him how things
stood in Boeotia. Shortly afterwards the envoys
arrived, and begged the king to send help to the
towns that had taken the side of Macedonia, as
the Thebans were putting powerful pressure and
inflicting annoyance on them, because they would
not agree with them in supporting the Romans.
Perseus, after listening to them, replied that it was
quite impossible for him to send armed help to any-
one owing to his truce with Rome, but he gave them
the general advice to defend themselves against the
Thebans as well as they could, but, rather than fight
with the Romans, to remain quiet.

6. The Romans, when their legates returned from
Asia, on hearing their report about Rhodes and the

ἐκαλέσαντο τοὺς παρὰ τοῦ Περσέως πρεσβευτάς.
2 οἱ δὲ περὶ τὸν Σόλωνα καὶ τὸν Ἱππίαν ἐπειρῶντο
μὲν καὶ περὶ τῶν ὅλων λέγειν τι καὶ παραιτεῖσθαι
τὴν σύγκλητον· τὸ δὲ πλέον ἀπελογοῦντο περὶ
3 τῆς ἐπιβουλῆς τῆς κατὰ τὸν Εὐμένη. ληξάντων
δὲ τῆς δικαιολογίας αὐτῶν, πάλαι προδιειληφότες
ὑπὲρ τοῦ πολεμεῖν προσέταξαν αὐτοῖς ἐκ μὲν τῆς
Ῥώμης εὐθέως ἀπαλλάττεσθαι καὶ τοῖς ἄλλοις
ἅπασιν Μακεδόσιν, ὅσοι παρεπιδημοῦντες ἔτυχον,
ἐκ δὲ τῆς Ἰταλίας ἐν τριάκονθ᾽ ἡμέραις ἐκχωρεῖν.
4 μετὰ δὲ ταῦτα τοὺς ὑπάτους ἀνακαλεσάμενοι
παρώρμων ἔχεσθαι τοῦ καιροῦ καὶ μὴ καθ-
υστερεῖν.

7 Ὅτι Γάιος ἔτι περὶ τὴν Κεφαλληνίαν ὁρμῶν
(6) ἐξέπεμψε τοῖς Ῥοδίοις γράμματα περὶ πλοίων
ἐξαποστολῆς, συνθεὶς τὴν ἐπιστολὴν ἀλείπτῃ τινὶ
2 Σωκράτει. παραγενομένων δὲ τῶν γραμμάτων
εἰς τὴν Ῥόδον, Στρατοκλέους πρυτανεύοντος τὴν
3 δευτέραν ἔκμηνον, καὶ τοῦ διαβουλίου προτεθέντος,
τοῖς μὲν περὶ τὸν Ἀγαθάγητον καὶ Ῥοδοφῶντα
καὶ Ἀστυμήδην καὶ ἑτέροις πλείοσιν ἐδόκει πέμπειν
τὰς ναῦς καὶ συνάπτεσθαι τῆς ἀρχῆς εὐθέως τοῦ
4 πολέμου, μηδεμίαν πρόφασιν ποιουμένους. οἱ δὲ
περὶ τὸν Δείνωνα καὶ Πολυάρατον δυσαρεστοῦν-
τες μὲν καὶ τοῖς ἤδη γεγονόσι φιλανθρώποις
πρὸς Ῥωμαίους, τότε δὲ προθέμενοι τὸ τοῦ
βασιλέως Εὐμένους πρόσωπον ἤρξαντο λυμαί-
5 νεσθαι τὴν τῶν πολλῶν προαίρεσιν. ὑπαρχούσης
γὰρ τοῖς Ῥοδίοις ὑποψίας καὶ διαφορᾶς πρὸς τὸν
Εὐμένη, πάλαι μὲν ἐκ τοῦ πολέμου τοῦ πρὸς
Φαρνάκην, ὅτε, τοῦ βασιλέως Εὐμένους ἐφορ-
μοῦντος ἐπὶ τοῦ κατὰ τὸν Ἑλλήσποντον στόματος

other towns, summoned the envoys of Perseus, Solon
and Hippias. They made some attempt to discuss
the general question and conciliate the Senate, but
most of their speech was a defence of their conduct
in the matter of the alleged plot against Eumenes.
When their attempted justification was over, the
Senate, which had already decided on war, ordered
them and all other Macedonian residents to quit
Rome at once and Italy within the space of thirty
days. After this they summoned the consuls, and
urged them to take the matter in hand at once and
not to lose time.

Attitude of Rhodes

(Cp. Livy xlii. 48. 8 ; lvi. 6.)

7. Gaius Lucretius, while still anchored off Cephal-
lenia, wrote to the Rhodians asking them to dispatch
ships, entrusting the letter to a certain Socrates, a
gymnastic trainer. Upon the arrival of the letter in
Rhodes at the time when Stratocles was prytanis for
the second half-year, and upon the resolution being
proposed, Agathagetus, Rhodophon, and Astymedes,
and a good many others were in favour of sending
the ships and at once taking part in the war from
the very beginning without any hesitation. Deinon,
however, and Polyaratus, who were dissatisfied with
the favour already shown to Rome, now, under
shelter of a grievance against Eumenes in person,
began to try to shake the resolve of the majority.
For in the first place there had been at Rhodes a
certain suspicion of Eumenes and hostility to him,
ever since the war with Pharnaces, when, Eumenes
having stationed his fleet at the mouth of the Helles-

χάριν τοῦ κωλύειν τοὺς πλέοντας εἰς τὸν Πόντον,
ἐπελάβοντο τῆς ὁρμῆς αὐτοῦ καὶ διεκώλυσαν
6 Ῥόδιοι, μικροῖς δ' ἀνώτερον χρόνοις ἐκ τῶν
Λυκιακῶν ἀναξαινομένης τῆς διαφορᾶς ἔκ τινων
ἐρυμάτων καὶ χώρας, ἣν συνέβαινε κεῖσθαι μὲν
ἐπὶ τῆς ἐσχατιᾶς τῆς τῶν Ῥοδίων Περαίας,
κακοποιεῖσθαι δὲ συνεχῶς διὰ τῶν ὑπ' Εὐμένει
7 ταττομένων· ἐκ πάντων δὴ τούτων εὐηκόως δι-
έκειντο πρὸς πᾶν τὸ λεγόμενον κατὰ τοῦ βασιλέως.
8 διὸ ταύτης ἐπιλαβόμενοι τῆς ἀφορμῆς οἱ περὶ
τὸν Δείνωνα διέσυρον τὴν ἐπιστολήν, φάσκοντες
οὐ παρὰ Ῥωμαίων αὐτὴν ἥκειν, ἀλλὰ παρ' Εὐ-
μένους, θέλοντος αὐτοὺς ἐκείνου κατὰ πάντα
τρόπον ἐμβιβάζειν εἰς τὸν πόλεμον καὶ προσάπτειν
τῷ δήμῳ δαπάνας καὶ κακοπαθείας οὐκ ἀναγ-
9 καίας. καὶ μαρτύριον ἐποίουν τῆς ἑαυτῶν ἀπο-
φάσεως τὸ παραγεγονέναι φέροντα τὴν ἐπιστολὴν
[ἀλείπτην τινὰ καὶ] τοιοῦτον ἄνθρωπον, οὐκ
εἰωθότων τοῦτο ποιεῖν Ῥωμαίων, ἀλλὰ καὶ λίαν
μετὰ πολλῆς σπουδῆς καὶ προστασίας διαπεμ-
10 πομένων ὑπὲρ τῶν τοιούτων. ἔλεγον δὲ ταῦτα,
καλῶς μὲν εἰδότες ὅτι συμβαίνει γεγράφθαι τὴν
ἐπιστολὴν ὑπὸ τοῦ Λοκρητίου, βουλόμενοι δὲ
τοὺς πολλοὺς διδάσκειν μηδὲν ἐξ ἑτοίμου ποιεῖν
Ῥωμαίοις, ἀλλ' ἐν πᾶσι δυσχρηστεῖν καὶ διδόναι
11 προσκοπῆς καὶ δυσαρεστήσεως ἀφορμάς. ἦν γὰρ
τὸ προκείμενον αὐτοῖς ἀπὸ μὲν τῆς πρὸς Ῥωμαίους
εὐνοίας ἀλλοτριοῦν τὸν δῆμον, εἰς δὲ τὴν τοῦ
Περσέως φιλίαν ἐμπλέκειν, καθ' ὅσον οἷοί τ'
12 ἦσαν. συνέβαινε δὲ τοὺς προειρημένους οἰκείους
ὑπάρχειν διὰ τὸ τὸν μὲν Πολυάρατον, ἀλαζονικώ-
τερον ὄντα καὶ κενόδοξον, ὑπόχρεων πεποιηκέναι

500

pont to prevent the entrance of vessels bound for the Euxine, the Rhodians checked the king's project, and prevented him ; and a short time ago this sore had been reopened on the question of Lycia, owing to a dispute concerning certain forts and a strip of territory situated on the borders of the Rhodian Peraea, and subject to constant damage on the part of the lieutenants of Eumenes. All this made the Rhodians ready to lend an ear to anything that was said against the king ; and now Deinon and the others, availing themselves of this prejudice, cast aspersions on the letter, saying that it did not come from the Romans but from Eumenes, who wished by any and every means to drag them into the war, and to impose unnecessary expense and suffering on the people. As a proof of their assertion they adduced the low station of the man who had arrived bearing the letter, the Romans not being in the habit of proceeding thus, but, as regards their communications on such matters, employing excessive care and ceremony. They said this, well knowing Lucretius to be the author of the letter, but for the purpose of persuading the people never to do things readily for the Romans, but always to make difficulties and give cause for offence and dissatisfaction. For their object was to alienate the people from their attachment to Rome, and, as far as was in their power, to induce them to contract friendship with Perseus. These men were adherents of Perseus owing to the fact that Polyaratus, who was a somewhat assuming and vain fellow, had burdened his property, while

τὴν οὐσίαν, τὸν δὲ Δείνωνα, φιλάργυρον ὄντα καὶ
θρασύν, ἐξ ἀρχῆς οἰκεῖον εἶναι τῆς ἐκ τῶν δυνα-
στῶν καὶ βασιλέων ἐπανορθώσεως. ἐφ' οἷς Στρα-
13 τοκλῆς ὁ πρύτανις ἐπαναστὰς καὶ πολλὰ μὲν κατὰ
τοῦ Περσέως εἰπών, πολλὰ δὲ περὶ Ῥωμαίων
ἐπ' ἀγαθῷ, παρώρμησε τοὺς πολλοὺς εἰς τὸ
κυρῶσαι τὸ ψήφισμα τὸ περὶ τῆς ἐξαποστολῆς
14 τῶν πλοίων. καὶ παραυτίκα καταρτίσαντες τε-
τρήρεις ἕξ, πέντε μὲν ἐξαπέστειλαν ἐπὶ Χαλκίδος,
ἡγεμόνα συστήσαντες ἐπ' αὐτῶν Τιμαγόραν, τὴν
δὲ μίαν εἰς Τένεδον, ἐφ' ἧς ἄρχων ἐπέπλει Νικ-
15 αγόρας. ὃς καὶ καταλαβὼν ἐν Τενέδῳ Διοφάνην,
ἀπεσταλμένον ὑπὸ τοῦ Περσέως πρὸς Ἀντίοχον,
αὐτοῦ μὲν οὐκ ἐγενήθη κύριος, τοῦ δὲ πληρώματος.
16 ὁ δὲ Λοκρήτιος πάντας ἀποδεξάμενος φιλανθρώπως
τοὺς κατὰ θάλατταν παραγεγονότας συμμάχους
ἀπέλυσε τῆς χρείας, φήσας οὐ προσδεῖσθαι τὰ
πράγματα τῆς κατὰ θάλατταν βοηθείας.

8 Ὅτι μετὰ τὴν νίκην τῶν Μακεδόνων, συνεδρίου
παρὰ τῷ Περσεῖ συναχθέντος, ὑπέδειξάν τινες
τῶν φίλων διότι δεῖ πρεσβείαν πέμψαι τὸν βασιλέα
2 πρὸς τὸν στρατηγὸν τῶν Ῥωμαίων, ἐπιδεχόμενον
ἔτι καὶ νῦν ὅτι φόρους δώσει Ῥωμαίοις, ὅσους
πρότερον ὑπέσχετο [ὁ] πατὴρ καταπολεμηθείς,
3 καὶ τόπων ἐκχωρήσει τῶν αὐτῶν. ἐάν <τε>
γὰρ δέξωνται τὰς διαλύσεις, καλὴν ἔφασαν ἔσεσθαι
τῷ βασιλεῖ τὴν ἐξαγωγὴν τοῦ πολέμου, πεπροτε-
ρηκότι διὰ τῶν ὑπαίθρων, καὶ καθόλου πρὸς τὸ
μέλλον εὐλαβεστέρους ὑπάρξειν τοὺς Ῥωμαίους,
πεῖραν εἰληφότας τῆς Μακεδόνων ἀνδρείας εἰς τὸ
μηδὲν ἄδικον μηδὲ βαρὺ προστάττειν Μακεδόσιν.
4 ἐάν τε μὴ δέξωνται θυμομαχοῦντες ἐπὶ τοῖς γε-

Deinon, who was avaricious and unscrupulous, had
always been disposed to look to kings and princes for
advancement. Upon this Stratocles the prytanis
got up, and after saying many things against Perseus
and in favour of the Romans, exhorted the people to
ratify the decree relating to the dispatch of the
vessels. Having at once fitted out six quadriremes,
they sent off five for Chalcis under the command of
Timagoras, and one to Tenedos commanded by
Nicagoras. The latter, finding in Tenedos Diophanes
the envoy of Perseus to Antiochus, failed to capture
him, but captured his crew. Lucretius, after giving a
kind reception to all the allies who had arrived by sea,
relieved them of their service, saying that as things
were no naval assistance was required.

Perseus applies for Peace

(Cp. Livy xlii. 58, 62.)

8. After the victory of the Macedonians Perseus
held a council in which some of his friends suggested
to him that he should send an embassy to the Roman
general, consenting still to pay the same tribute to
Rome that his father on his defeat engaged to pay,
and to evacuate the same places. For, they said, if
they accepted these terms, the result of the war
would be in favour of the king after his success in the
field ; and the Romans after their experience of the
bravery of the Macedonians, would be more cautious
about making unjust and severe demands upon
Macedonia. But if they did not accept, out of vexa-

γονόσιν, ἐκείνοις μὲν δικαίως νεμεσήσειν τὸ
δαιμόνιον, αὐτῷ δὲ διὰ τὴν μετριότητα συναγω-
νιστὰς ὑπάρξειν τοὺς θεοὺς καὶ τοὺς ἀνθρώπους.
5 ταῦτα μὲν οὖν ἐδόκει τοῖς πλείοσι τῶν φίλων.
συγκαταθεμένου δὲ τοῦ Περσέως ἐπέμποντο παρα-
χρῆμα πρεσβευταὶ Πάνταυχος Βαλάκρου καὶ
6 Μίδων Βεροιεύς. ὧν παραγενομένων πρὸς τὸν
Λικίννιον εὐθέως ὁ στρατηγὸς συνῆγε συνέδριον.
τῶν δὲ πρέσβεων διασαφησάντων τὰ κατὰ τὰς
ἐντολάς, μεταστησάμενοι τοὺς περὶ τὸν Πάνταυχον
7 ἐβουλεύοντο περὶ τῶν προσπεπτωκότων. ἔδοξεν
οὖν αὐτοῖς ὁμοθυμαδὸν ὡς βαρυτάτην δοῦναι τὴν
8 ἀπόκρισιν. ἴδιον γὰρ τοῦτο πάντῃ παρὰ Ῥω-
μαίοις ἔθος καὶ πάτριόν ἐστι τὸ κατὰ μὲν τὰς
ἐλαττώσεις αὐθαδεστάτους καὶ βαρυτάτους φαίνε-
σθαι, κατὰ δὲ τὰς ἐπιτυχίας ὡς μετριωτάτους.
9 τοῦτο δ' ὅτι καλὸν πᾶς ἄν τις ὁμολογήσειεν· εἰ
δὲ καὶ δυνατὸν ἐν ἐνίοις καιροῖς, εἰκότως ἄν τις
10 ἐπαπορήσειεν. πλὴν τότε γε τοιαύτην ἔδωκαν
τὴν ἀπόκρισιν· ἐκέλευον γὰρ ἐπιτρέπειν τὸν
Περσέα τὰ καθ' αὑτόν, καὶ καθόλου διδόναι τῇ
συγκλήτῳ τὴν ἐξουσίαν, ὡς ἂν αὐτῇ δοκῇ, βου-
11 λεύεσθαι περὶ τῶν κατὰ τὴν Μακεδονίαν. οἱ δὲ
περὶ τὸν Πάνταυχον ταῦτ' ἀκούσαντες ἐπανῆλθον
12 καὶ διεσάφουν τῷ Περσεῖ καὶ τοῖς φίλοις. ὧν
τινες ἐκπληττόμενοι τὴν ὑπερηφανίαν παρωξύνοντο
καὶ συνεβούλευον τῷ Περσεῖ μήτε διαπρεσβεύεσθαι
13 μηκέτι μήτε διαπέμπεσθαι περὶ μηδενός. οὐ
μὴν ὁ Περσεὺς τοιοῦτος ἦν, ἀλλὰ προστιθεὶς καὶ
τὸ πλῆθος αὔξων τῶν χρημάτων διεπέμπετο
πλεονάκις πρὸς τὸν Λικίννιον. προκόπτων δ'
14 οὐδέν, ἀλλὰ καὶ τῶν πλείστων φίλων ἐπιτιμώντων

tion for what had happened, they would incur the just wrath of Heaven ; while the king by his moderation would earn the support of gods and men alike. Such was the opinion of most of his friends ; and, on Perseus agreeing, Pantauchus the son of Balacrus and Midon of Beroea were at once dispatched as envoys. Upon their arrival at the camp of Licinius, he at once called a council. When the envoys had explained themselves according to their instructions, the Romans requested Pantauchus and his colleague to withdraw, and consulted about the message. It was unanimously decided to give as severe a reply as possible, it being in all cases the traditional Roman custom to show themselves most imperious and severe in the season of defeat, and most lenient after success. That this is noble conduct every one will confess, but perhaps it is open to doubt if it is possible under certain circumstances. In the present case, then, their answer was as follows. They ordered Perseus to submit absolutely, giving the senate authority to decide as they saw fit about the affairs of Macedonia. The envoys, on receiving this answer, returned and reported it to Perseus and his friends, some of whom, astonished at the pride of the Romans, chafed at it, and advised the king to send no further embassies or any other communications about anything whatever. Perseus, however, was by no means so disposed, but sent several times to Licinius, always offering a larger sum. But as he made no progress, and most of his

αὐτῷ καὶ φασκόντων ὅτι νικῶν ποιεῖ τὰ τοῦ
15 λειπομένου καὶ τοῖς ὅλοις ἐπταικότος, οὕτως
ἠναγκάσθη τὰς διαπρεσβείας ἀπογνοὺς μετα-
στρατοπεδεῦσαι πάλιν ἐπὶ τὸ Συκύριον. καὶ
ταῦτα μὲν ἐπὶ τούτων ἦν.

9 Ὅτι τῆς κατὰ τὴν ἱππομαχίαν φήμης μετὰ τὴν
(7ᵃ) νίκην τῶν Μακεδόνων εἰς τὴν Ἑλλάδα διαγγελ-
θείσης ἐξέλαμψε καθαπερεὶ πῦρ ἡ τῶν πολλῶν
πρὸς τὸν Περσέα διάθεσις, τὸν πρὸ τούτου χρόνον
2 ἐπικρυπτομένων τῶν πλείστων. ἦν δὲ περὶ αὐ-
τοὺς τοιαύτη τις, ἐμοὶ δοκεῖ, διάθεσις· παρα-
πλήσιον ἦν τὸ γινόμενον τῷ συμβαίνοντι περὶ
3 τοὺς γυμνικοὺς ἀγῶνας. καὶ γὰρ ⟨ἐν⟩ ἐκείνοις
ὅταν πρὸς ἐπιφανῆ καὶ ἀήττητον ἀθλητὴν εἶναι
δοκοῦντα συγκαταστῇ ταπεινὸς καὶ πολὺ κατα-
δεέστερος ἀνταγωνιστής, εὐθέως ἀπομερίζει τὰ
πλήθη τὴν εὔνοιαν τῷ καταδεεστέρῳ καὶ θαρρεῖν
παρακαλεῖ καὶ συνεξανίσταται τούτῳ ταῖς ὁρμαῖς·
4 ἐὰν δὲ καὶ ψαύσῃ τοῦ προσώπου καὶ ποιήσῃ τι
σημεῖον τῆς πληγῆς, παραυτίκα πάλιν ἁπάντων
5 ἀγὼν μικρὸς γίνεται· ποτὲ δὲ καὶ χλευάζειν
ἐγχειροῦσι τὸν ἕτερον, οὐ μισοῦντες οὐδὲ κατα-
γινώσκοντες, ἀλλὰ παραδόξως τε συμπαθεῖς γινό-
μενοι καὶ τῷ καταδεεστέρῳ φύσει προσμερίζοντες
6 τὴν ἑαυτῶν εὔνοιαν· οὓς ἐὰν ἐπιστήσῃ τις ἐν
καιρῷ, ταχέως μετατίθενται καὶ παρὰ πόδας
7 ἐπιλαμβάνονται τῆς ἑαυτῶν ἀγνοίας. ὃ φασι
(7ᵇ) ποιῆσαι Κλειτόμαχον· ἐκείνου γὰρ ἀνυποστάτου
δοκοῦντος εἶναι κατὰ τὴν ἄθλησιν, καὶ τῆς αὐτοῦ
δόξης ἐπιπολαζούσης κατὰ πᾶσαν τὴν οἰκουμένην,
Πτολεμαῖόν φασι τὸν βασιλέα φιλοδοξήσαντα

friends found fault with him and told him, that now
he was victorious, he was acting as if he were unsuc-
cessful and indeed utterly defeated, he was obliged
to give up these embassies, and to transfer his camp
again to Sycyrium. Such was the situation there.

Position of Perseus in Greece

(Cp. Livy xlii. 63. 1.)

9. When after the Macedonian victory the news
of the cavalry engagement was spread abroad in
Greece, the attachment of the people to Perseus,
which had been for the most part concealed, burst
forth like fire. The state of their feelings was, I
think, more or less as follows. The phenomenon was
very like what happens in boxing contests at the
games. For there, when a humble and much inferior
combatant is matched against a celebrated and
seemingly invincible athlete, the sympathy of the
crowd is at once given to the inferior man. They
cheer him on, and back him up enthusiastically ; and
if he manages to touch his opponent's face, and gets
in a blow that leaves any mark, there is at once again
the greatest excitement among them all. They some-
times even try to make fun of the other man, not out
of any dislike for him or disapproval but from a
curious sort of sympathy and a natural instinct to
favour the weaker. If, however, one calls their
attention at the right time to their error, they very
soon change their minds and correct it. This was
what Clitomachus did, as is told. He was considered
to be a quite invincible boxer, and his fame had
spread over the whole world, when Ptolemy, am-

πρὸς τὸ καταλῦσαι τὴν δόξαν αὐτοῦ, παρασκευά-
σαντα μετὰ πολλῆς φιλοτιμίας Ἀριστόνικον τὸν
πύκτην ἐξαποστεῖλαι, δοκοῦντα φύσιν ἔχειν ὑπερ-
8 έχουσαν ἐπὶ ταύτην τὴν χρείαν· παραγενομένου δ'
εἰς τὴν Ἑλλάδα τοῦ προειρημένου καὶ συγκατα-
στάντος Ὀλυμπίασι πρὸς τὸν Κλειτόμαχον, ἐξ
αὐτῆς, ὡς ἔοικεν, ἀπένευσαν ⟨οἱ⟩ πολλοὶ πρὸς
τὸν Ἀριστόνικον καὶ παρεκάλουν, χαίροντες ἐπὶ
τῷ βραχύ τι τετολμηκέναι τινὰ συγκαταστῆναι
9 πρὸς τὸν Κλειτόμαχον· ὡς δέ γε προβαίνων
ἐφάμιλλος ἐφαίνετο κατὰ τὸν ἀγῶνα καί που καὶ
τραῦμα καίριον ἐποίησε, κρότος ἐγίνετο καὶ συν-
εξέπιπτον οἱ πολλοὶ ταῖς ὁρμαῖς, θαρρεῖν παρα-
10 καλοῦντες τὸν Ἀριστόνικον. ἐν ᾧ καιρῷ φασι
τὸν Κλειτόμαχον ἀποστάντα καὶ διαπνεύσαντα
βραχὺν χρόνον, ἐπιστρέψαντα πρὸς τὰ πλήθη
πυνθάνεσθαι τί βουλόμενοι παρακαλοῦσι τὸν Ἀρι-
στόνικον καὶ συναγωνίζονται 'κείνῳ καθ' ὅσον
11 εἰσὶ δυνατοί, πότερον οὐ συνοίδασιν αὐτῷ ποιοῦντι
τὰ δίκαια κατὰ τὴν ἄθλησιν ἢ τοῦτ' ἀγνοοῦσι
διότι Κλειτόμαχος μὲν ἀγωνίζεται νῦν ὑπὲρ τῆς
τῶν Ἑλλήνων δόξης, Ἀριστόνικος δὲ περὶ τῆς
12 Πτολεμαίου τοῦ βασιλέως. πότερον ἂν οὖν βου-
ληθεῖεν τὸν Ὀλυμπίασι στέφανον Αἰγύπτιον
ἀποφέρειν ἄνθρωπον νικήσαντα τοὺς Ἕλληνας,
ἢ Θηβαῖον καὶ Βοιώτιον κηρύττεσθαι νικῶντα
13 τῇ πυγμῇ τοὺς ἄνδρας. ταῦτα δ' εἰπόντος τοῦ
Κλειτομάχου τηλικαύτην φασὶ γενέσθαι τὴν μετά-
πτωσιν τῶν πολλῶν ὥστε πάλιν ἐκ μεταβολῆς
μᾶλλον ὑπὸ τοῦ πλήθους ἢ τοῦ Κλειτομάχου
καταγωνισθῆναι τὸν Ἀριστόνικον.

10 Τούτῳ δὲ παραπλήσιον ἦν καὶ τὸ κατὰ τὸν

bitious to destroy his reputation, trained with the greatest care and sent off the boxer Aristonicus, a man who seemed to have a remarkable natural gift for this sport. Upon this Aristonicus arriving in Greece and challenging Clitomachus at Olympia, the crowd, it seems, at once took the part of the former and cheered him on, delighted to see that some one, once in a way at least, ventured to pit himself against Clitomachus. And when, as the fight continued, he appeared to be his adversary's match, and once or twice landed a telling blow, there was great clapping of hands, and the crowd became delirious with excitement, cheering on Aristonicus. At this time they say that Cleitomachus, after withdrawing for a few moments to recover his breath, turned to the crowd and asked them what they meant by cheering on Aristonicus and backing him up all they could. Did they think he himself was not fighting fairly, or were they not aware that Cleitomachus was now fighting for the glory of Greece and Aristonicus for that of King Ptolemy? Would they prefer to see an Egyptian conquer the Greeks and win the Olympian crown, or to hear a Theban and Boeotian proclaimed by the herald as victor in the men's boxing match? When Cleitomachus had spoken thus, they say there was such a change in the sentiment of the crowd that now all was reversed, and Aristonicus was beaten rather by the crowd than by Cleitomachus.

10. Very similar to this was the present feeling of

2 Περσέα συμβαῖνον περὶ τοὺς ὄχλους· εἰ γάρ τις
ἐπιστήσας αὐτοὺς ἤρετο μετὰ παρρησίας εἰ βού-
λοιντ' ἂν εἰς ἕνα πεσεῖν τὴν τηλικαύτην ὑπεροχὴν
καὶ λαβεῖν μοναρχικῆς πεῖραν ἐξουσίας, ἀνυπ-
ευθύνου κατὰ πάντα τρόπον, ταχέως ἂν αὐτοὺς
ὑπολαμβάνω συννοήσαντας παλινῳδίαν ποιῆσαι
3 καὶ μεταπεσεῖν εἰς τοὐναντίον· εἰ δὲ καὶ βραχέα
τις ὑπέμνησε τῶν γεγονότων ἐκ μὲν τῆς Μακε-
δόνων οἰκίας δυσκόλων τοῖς Ἕλλησιν, ἐκ δὲ τῆς
Ῥωμαίων ἀρχῆς συμφερόντων, καὶ λίαν ⟨ἂν⟩
παρὰ πόδας αὐτοὺς ὑπολαμβάνω μεταμεληθῆναι.
4 πλὴν τότε γε κατὰ τὴν ἀνεπίστατον καὶ πρώτην
ὁρμὴν ἐκφανὴς ἦν ἡ τῶν πολλῶν εὐδόκησις τοῖς
προσαγγελλομένοις, ἀσμενιζόντων διὰ τὸ παρά-
δοξον, εἰ καθόλου πέφηνέ τις ἱκανὸς ἀνταγωνιστὴς
5 Ῥωμαίοις. περὶ μὲν οὖν τούτων ἐπὶ τοσοῦτον
προήχθην εἰπεῖν, ἵνα μή τις ἀκρίτως εἰς ἀχαρι-
στίαν ὀνειδίζῃ τοῖς Ἕλλησι τὴν τότε διάθεσιν,
ἀγνοῶν τὰ φύσει παρεπόμενα τοῖς ἀνθρώποις.

11 Κέστρος. ξένον ἦν τοῦτο τὸ εὕρημα κατὰ
(9) 2 τὸν Περσικὸν πόλεμον. τὸ δὲ βέλος τοιοῦτον·
διπάλαιστον ἦν, ἴσον ἔχον τὸν αὐλίσκον τῇ προβολῇ.
τούτῳ ξύλον ἐνήρμοστο τῷ μὲν μήκει σπιθαμιαῖον,
3 τῷ δὲ πάχει δακτυλιαίαν ἔχον τὴν διάμετρον.
4 εἰς δὲ τούτου τὸ μέσον ἐσφήνωτο πτερύγια τρία
510

the multitude towards Perseus. For if anyone had
secured their attention, and asked them frankly if
they really would wish to see the supreme power in
so absolute a form fall into the hands of a single man
and to experience the rule of an absolutely irrespon-
sible monarch, I fancy they would very soon have
come to their senses and, changing their tune, have
undergone a complete revulsion of feeling. And if
one had reminded them even briefly of all the hard-
ships that the house of Macedon had inflicted on
Greece, and of all the benefits she had derived from
Roman rule, I fancy the reaction would have been
most sudden and complete. But now, when they
gave way to their first unreflecting impulse, the
delight of the people at the news was conspicuous,
hailing, as they did, owing to the very strangeness
of the fact, the appearance of some one at least who
had proved himself a capable adversary of Rome.
I have been led to speak of this matter at such length
lest anyone, in ignorance of what is inherent in
human nature, may unjustly reproach the Greeks
with ingratitude for being in this state of mind at the
time.

The Cestrus or Cestrosphendone

(Suid. ; cp. Livy xlii. 65. 9.)

11. The so-called cestrus was a novel invention at
the time of the war with Perseus. The form of the
missile was as follows. It was two cubits long, the
tube being of the same length as the point. Into
the former was fitted a wooden shaft a span in length
and a finger's breadth in thickness, and to the middle
of this were firmly attached three quite short wing-

5 ξύλινα, βραχέα παντελῶς. τοῦτο, δυεῖν κώλων
ἀνίσων ὑπαρχόντων τῆς σφενδόνης, εἰς τὸ μέσον
6 ἐνηγκυλίζετο τῶν κώλων εὐλύτως. λοιπὸν ἐν
μὲν τῇ περιαγωγῇ τεταμένων τούτων ἔμενεν·
ὅτε δὲ παραλυθείη θάτερον τῶν κώλων κατὰ τὴν
ἄφεσιν, ἐκπῖπτον ἐκ τῆς ἀγκύλης καθαπερεὶ
7 μολυβδὶς ἐκ τῆς σφενδόνης ἐφέρετο καὶ προσ-
πῖπτον μετὰ βιαίας πληγῆς κακῶς διετίθει τοὺς
συγκυρήσαντας.

12 Ὅτι ὁ Κότυς ἦν ἀνὴρ καὶ κατὰ τὴν ἐπιφάνειαν
(10) ἀξιόλογος καὶ πρὸς τὰς πολεμικὰς χρείας δια-
2 φέρων, ἔτι δὲ κατὰ τὴν ψυχὴν πάντα μᾶλλον ἢ
3 Θρᾷξ· καὶ γὰρ νήπτης ὑπῆρχε καὶ πραότητα καὶ
βάθος ὑπέφαινεν ἐλευθέριον.

II. Res Aegypti

13 Ὅτι Πτολεμαῖος ὁ στρατηγὸς ὁ κατὰ Κύπρον
(12) οὐδαμῶς Αἰγυπτιακὸς γέγονεν, ἀλλὰ νουνεχὴς
2 καὶ πρακτικός. παραλαβὼν γὰρ τὴν νῆσον ἔτι
νηπίου τοῦ βασιλέως ὄντος ἐγίνετο μὲν ἐπιμελῶς
περὶ συναγωγὴν χρημάτων, ἐδίδου δ' ἁπλῶς
οὐδὲν οὐδενί, καίπερ αἰτούμενος πολλάκις ὑπὸ
τῶν βασιλικῶν διοικητῶν καὶ καταλαλούμενος
3 πικρῶς ἐπὶ τῷ μηδὲν προΐεσθαι. τοῦ δὲ βασιλέως
εἰς ἡλικίαν παραγεγονότος, συνθεὶς πλῆθος ἱκανὸν
4 χρημάτων ἐξαπέστειλεν, ὥστε καὶ τὸν Πτολεμαῖον
αὐτὸν καὶ τοὺς περὶ τὴν αὐλὴν εὐδοκῆσαι τῇ
πρότερον αὐτοῦ συστολῇ καὶ τῷ μηδὲν προΐεσθαι.

shaped sticks. The thongs of the sling from which the missile was discharged were of unequal length, and it was so inserted into the loop between them that it was easily freed. There it remained fixed while the thongs were whirled round and taut, but when at the moment of discharge one of the thongs was loosened, it left the loop and was shot like a leaden bullet from the sling, and striking with great force inflicted severe injury on those who were hit by it.

Cotys, King of the Odrysae

(Suid.; cp. Livy xlii. 67. 3.)

12. Cotys was a man of striking appearance and remarkably skilled in warfare, and also in character he was not at all like a Thracian; for he was sober, and one noticed in him a certain gentleness and depth of sentiment distinctive of a gentleman.

II. Affairs of Egypt

13. Ptolemy, the Egyptian commander in Cyprus, was not at all like an Egyptian, but gifted with good sense and capacity. For having taken charge of the island when the king was still an infant, he applied himself diligently to the collection of revenue, and never gave away a penny to anybody, although the royal governors were frequent beggars, and he was bitterly abused for never opening his purse. Upon the king attaining his majority, he put together a considerable sum of money, and sent it off, so that the king and the members of the court now approved of his former close-fistedness and refusal to part with money.

II. Bellum Persicum

14 Ὅτι κατὰ τὸν καιρὸν ἡνίκα Περσεὺς ἐκ τοῦ
(11) πολέμου τοῦ πρὸς Ῥωμαίους ἀπελύθη, Ἀντήνορος
παραγενομένου παρὰ τοῦ Περσέως περὶ ⟨τῆς⟩
τῶν αἰχμαλώτων διαλυτρώσεως τῶν μετὰ Διο-
φάνους πλεόντων, ἐνέπεσε μεγάλη τοῖς πολιτευο-
2 μένοις ἀπορία περὶ τοῦ τί δέον εἴη ποιεῖν. τοῖς
μὲν γὰρ περὶ τὸν Φιλόφρονα καὶ Θεαίδητον
οὐδαμῶς ἤρεσκε προσδέχεσθαι τὴν τοιαύτην ἐπι-
πλοκήν, τοῖς δὲ περὶ τὸν Δείνωνα καὶ Πολυάρατον
ἤρεσκε. καὶ τέλος ἐποιήσαντο διάταξιν πρὸς
τὸν Περσέα περὶ τῆς τῶν αἰχμαλώτων διαλυ-
τρώσεως.

15 Ὅτι Κέφαλος ἧκεν ἐξ Ἠπείρου, ἔχων μὲν καὶ
(13) πρότερον ἤδη σύστασιν πρὸς τὴν Μακεδόνων
οἰκίαν, τότε δὲ διὰ τῶν πραγμάτων ἠναγκα-
σμένος αἱρεῖσθαι τὰ τοῦ Περσέως. ἡ δ' αἰτία
2 τοῦ συμβαίνοντος ἐγένετο τοιαύτη. Χάροψ ἦν
Ἠπειρώτης, ἀνὴρ τἆλλα μὲν καλὸς κἀγαθὸς καὶ
φίλος Ῥωμαίων, ὃς Φιλίππου τὰ κατὰ τὴν Ἤπειρον
στενὰ κατασχόντος αἴτιος ἐγένετο τοῦ Φίλιππον
μὲν ἐκπεσεῖν ἐκ τῆς Ἠπείρου, Τίτον δὲ καὶ τῆς
3 Ἠπείρου κρατῆσαι καὶ τῶν Μακεδόνων. οὗτος
4 υἱὸν ἔσχε Μαχατᾶν, οὗ Χάροψ ἐγένετο. τοῦτον
ἀντίπαιδα κατὰ τὴν ἡλικίαν ὄντα τοῦ πατρὸς
μεταλλάξαντος ὁ Χάροψ μετὰ τῆς καθηκούσης
προστασίας εἰς τὴν Ῥώμην ἀπέστειλε χάριν τοῦ
καὶ τὴν διάλεκτον καὶ τὰ γράμματα τὰ Ῥωμαϊκὰ
5 μαθεῖν. τοῦτο τὸ μειράκιον πολλοῖς σύνηθες
γεγονὸς ἐπανῆλθε μετά τινα χρόνον εἰς τὴν οἰκείαν.

II. The War with Perseus

14. At the time when Perseus had retired from 171-170 B.C.
the war with Rome, Antenor, the envoy sent by him
to ransom the prisoners who were in the same ship
with Diophanes, reached Rhodes, and public men
there were in great doubt as to what course to take,
Philophron and Theaedetus by no means wishing to
involve themselves in such a negotiation, while
Deinon and Polyaratus were in favour of it. Finally
they made an arrangement with Perseus about
ransoming the prisoners.

Epirot Statesman to Perseus

15. Cephalus, who now came from Epirus, had
previously had relations with the royal house of
Macedon, and was now forced by circumstances to
take the part of Perseus. The reason for what hap-
pened was as follows. There was a certain Epirot
called Charops, a man well principled in general and
a friend of the Romans. At the time when Philip
held the passes to Epirus, it was by his agency that
the king had to abandon Epirus, and that Flamininus
became master of it and worsted the Macedonians.
He had a son named Machatas who had a son also
named Charops. Upon the death of his father this
Charops, while still a boy, was sent by his grandfather
Charops with a retinue that befitted his rank to Rome
to learn to speak and write Latin. The boy made
many acquaintances, and returned home after a

6 ὁ μὲν οὖν πρεσβύτερος Χάροψ μετήλλαξε τὸν βίον.
τὸ δὲ μειράκιον μετέωρον ὂν τῇ φύσει καὶ πάσης
πονηρίας ἔμπλεων ἐκορωνία καὶ παρετρίβετο πρὸς
7 τοὺς ἐπιφανεῖς ἄνδρας. τὰς μὲν οὖν ἀρχὰς
οὐδεὶς ἦν αὐτοῦ λόγος, ἀλλ᾽ οἱ προκατέχοντες
καὶ ταῖς ἡλικίαις καὶ ταῖς δόξαις, οἱ περὶ τὸν
Ἀντίνουν, ἐχείριζον τὰ κοινὰ κατὰ τὰς αὐτῶν
8 γνώμας. τοῦ δὲ πολέμου τοῦ Περσικοῦ συ-
στάντος, εὐθέως διέβαλλε τὸ μειράκιον τοὺς
προειρημένους ἄνδρας πρὸς Ῥωμαίους, ἀφορμῇ
μὲν χρώμενον τῇ προγεγενημένῃ συστάσει τῶν
9 ἀνδρῶν πρὸς τὴν Μακεδόνων οἰκίαν, κατὰ δὲ τὸ
παρὸν πάντα παρατηροῦν καὶ πᾶν τὸ λεγόμενον
ἢ πραττόμενον ὑπ᾽ αὐτῶν ἐπὶ τὸ χεῖρον ἐκδεχό-
μενον καὶ τὰ μὲν ἀφαιροῦν τὰ δὲ προστιθὲν ἐλάμβανε
10 πιθανότητας κατὰ τῶν ἀνθρώπων. ὁ δὲ Κέφαλος,
τἆλλά τε φρόνιμος καὶ στάσιμος ἄνθρωπος, καὶ
κατὰ τοὺς καιροὺς τούτους ἐπὶ τῆς ἀρίστης ὑπῆρχε
11 γνώμης. ἀρχόμενος γὰρ ηὔξατο τοῖς θεοῖς μὴ
συστῆναι τὸν πόλεμον μηδὲ κριθῆναι τὰ πράγματα·
12 πραττομένου δὲ τοῦ πολέμου τὰ κατὰ τὴν συμ-
μαχίαν ἐβούλετο δίκαια ποιεῖν Ῥωμαίοις, πέρα δὲ
τούτου μήτε προστρέχειν ἀγεννῶς μήθ᾽ ὑπηρετεῖν
13 μηδὲν παρὰ τὸ δέον. τοῦ δὲ Χάροπος ἐνεργῶς
χρωμένου ταῖς κατ᾽ αὐτοῦ διαβολαῖς καὶ πᾶν τὸ
παρὰ τὴν Ῥωμαίων βούλησιν γινόμενον εἰς ἐθελο-
κάκησιν ἄγοντος, τὸ μὲν πρῶτον οἱ προειρημένοι
κατεφρόνουν, οὐδὲν αὐτοῖς συνειδότες ἀλλότριον
14 βουλευομένοις Ῥωμαίων. ὡς δὲ τοὺς περὶ τὸν
Ἱππόλοχον καὶ Νίκανδρον καὶ Λόχαγον εἶδον
τοὺς Αἰτωλοὺς ἀναγομένους εἰς τὴν Ῥώμην ἀπὸ
τῆς ἱππομαχίας ἀλόγως, καὶ τὰς διαβολὰς τὰς ἐκ
516

certain time. The elder Charops soon departed
this life ; and the young man, who was naturally
ambitious and full of all kinds of cunning, became
presumptuous and tried to thwart the leading men.
At first no notice was taken of him, but Antinous
and the others, his superiors in age and reputation,
administered public affairs as they thought best.
But when the war with Perseus broke out, the young
man at once began to traduce these statesmen to the
Romans, taking advantage of their former relations
with the house of Macedon, and now by scrutinizing
all their actions, and putting the worst interpretation
on all they said or did, suppressing some things and
adding others, he made out a plausible case against
them. Cephalus, who was in general a wise and
consistent man, had now also at this crisis adopted
the very best attitude. For at first he had prayed
to Heaven that there should be no war and no such
decision of the issues ; and now, during the course of
the war, he desired to act justly by Rome according
to the terms of their alliance, but beyond this neither
to fall foul of the Romans by any unworthy action
not to be unduly subservient to them. When
Charops continued to be active in his accusations
against Cephalus, and represented everything that
occurred contrary to the wish of the Romans as the
result of his deliberate malice, Cephalus at first made
light of it, as he was not conscious of having acted in
any way in a manner inimical to Rome ; but when he
saw that Hippolochus, Nicander, and Lochagus the
Aetolians were arrested and carried to Rome after
the cavalry action for no valid reason, and that

τῶν περὶ Λυκίσκον πεπιστευμένας κατ᾽ αὐτῶν,
οἵτινες κατὰ τὴν Αἰτωλίαν τὴν αὐτὴν αἵρεσιν
ἦγον τῷ Χάροπι, τὸ τηνικάδε προϊδόμενοι τὸ
15 μέλλον ἐβουλεύοντο περὶ αὐτῶν. ἔδοξεν οὖν
αὐτοῖς παντὸς πεῖραν λαμβάνειν ἐφ᾽ ᾧ μὴ προέσθαι
σφᾶς αὐτοὺς ἀκρίτως εἰς τὴν Ῥώμην ἐπανάγεσθαι
16 διὰ τὰς Χάροπος διαβολάς. οὕτω μὲν οὖν οἱ
περὶ τὸν Κέφαλον ἠναγκάσθησαν παρὰ τὰς αὐτῶν
προαιρέσεις ἑλέσθαι τὰ τοῦ Περσέως.

16 Ὅτι οἱ περὶ Θεόδοτον καὶ Φιλόστρατον ἐποίησαν
(14) ἀσεβὲς πρᾶγμα καὶ παράσπονδον ὁμολογουμένως.
2 πυθόμενοι γὰρ τὸν ὕπατον τῶν Ῥωμαίων Αὖλον
Ὀστίλιον παραγίνεσθαι κομιζόμενον εἰς Θετταλίαν
ἐπὶ τὸ στρατόπεδον καὶ νομίζοντες, εἰ παραδοῖεν
τὸν Αὖλον τῷ Περσεῖ, μεγίστην μὲν ⟨ἂν⟩ πίστιν
προσενέγκασθαι, μέγιστα δ᾽ ἂν βλάψαι κατὰ τὸ
παρὸν Ῥωμαίους, ἔγραφον τῷ Περσεῖ συνεχῶς
3 ἐπισπεύδειν. ὁ δὲ βασιλεὺς ἐβούλετο μὲν ἐξ
αὐτῆς προάγειν καὶ συνάπτειν, τῶν δὲ Μολοττῶν
κατὰ τὸν Ἄωον ποταμὸν τὴν γέφυραν κατειλη-
φότων ἐκωλύετο τῆς ὁρμῆς καὶ πρῶτον ἠναγ-
4 κάζετο διαμάχεσθαι πρὸς τούτους. συνέβη δὲ
τὸν Αὖλον εἰς τοὺς Φανοτεῖς παραγενόμενον
καταλῦσαι παρὰ Νέστορι τῷ Κρωπίῳ καὶ παρα-
δοῦναι καθ᾽ αὑτοῦ τοῖς ἐχθροῖς καιρὸν ὁμολο-
γούμενον· ⟨ὃν⟩ εἰ μὴ τύχῃ τις ἐβράβευσε πρὸς
5 τὸ βέλτιον, οὐκ ἄν μοι δοκεῖ διαφυγεῖν. νῦν δὲ
δαιμονίως πως ὁ Νέστωρ τὸ μέλλον ὀττευσάμενος
ἐξ αὐτῆς ἠνάγκασε μετελθεῖν εἰς Γίτανα τῆς
6 νυκτός. καὶ ἀπογνοὺς τὴν διὰ τῆς Ἠπείρου

518

credence was given to the false accusations brought
against them by Lyciscus, who was pursuing in
Aetolia the same course as Charops in Epirus ;
then foreseeing what would happen, he took thought
for his own safety. He resolved, in consequence,
to take any measures rather than allow himself to be
arrested and sent to Rome without trial, owing to the
false accusations of Charops. This is why, against
his conviction, Cephalus found himself compelled to
side with Perseus.

Attempt to seize the Consul

16. Theodotus and Philostratus in the opinion of
all were guilty of a wicked and treacherous action.
For learning that Aulus Hostilius the Roman consul
was present in Epirus on his way to his army in
Thessaly, and thinking that if they delivered him up
to Perseus they would be giving the king a signal
pledge of their fidelity and would inflict great present
injury on the Romans, they wrote repeatedly to
Perseus to hasten his arrival. The king wished to
advance at once and join them ; but as the Molotti
had occupied the bridge over the river Aoüs, his
design was checked, and he was forced in the first
place to fight with this tribe. Hostilius, as it hap-
pened, had reached Phanata, and was staying there
with Nestor the Cropian, which gave an evident
opportunity to his enemies ; and, had not a mere
chance determined for the better, I do not think he
could have escaped. But now, in some mysterious
manner, Nestor divined what was brewing, and made
him at once leave for Gitana by night. Renouncing,
henceforth, his design of marching through Epirus,

πορείαν ἀνήχθη καὶ πλεύσας εἰς Ἀντίκυραν ἐκεῖθεν
ἐποιήσατο τὴν ὁρμὴν εἰς Θετταλίαν.

III. Res Asiae

17 Ὅτι Φαρνάκης πάντων τῶν πρὸ τοῦ βασιλέων
(15) ἐγένετο παρανομώτατος.

18 Ὅτι Ἄτταλος χειμάζων ἐν Ἐλατείᾳ καὶ σαφῶς
(15) εἰδὼς τὸν ἀδελφὸν Εὐμένη λυπούμενον ὡς ἔνι
μάλιστα καὶ βαρυνόμενον ἐπὶ τῷ τὰς ἐπιφανεστάτας
αὐτοῦ τιμὰς ἠθετῆσθαι παρὰ τῶν ἐν Πελοποννήσῳ
διὰ κοινοῦ δόγματος, ἐπικρυπτόμενον δὲ πρὸς
πάντας τὴν περὶ αὐτὸν ὑπάρχουσαν διάθεσιν,
2 ἐπεβάλετο διαπέμπεσθαι πρός τινας τῶν ἐν Ἀχαΐᾳ,
σπουδάζων ἀποκατασταθῆναι τἀδελφῷ δι' αὐτοῦ
μὴ μόνον τὰς ἀναθηματικάς, ἀλλὰ καὶ τὰς ἐγ-
3 γράπτους τιμάς.   τοῦτο δ' ἐποίει πεπεισμένος
μεγίστην μὲν ἂν ἐκείνῳ ταύτην ⟨τὴν⟩ χάριν προσ-
ενέγκασθαι, μάλιστα δ' ἂν τὸ φιλάδελφον καὶ
γενναῖον τῆς αὐτοῦ προαιρέσεως ἐναποδείξασθαι
τοῖς Ἕλλησι διὰ ταύτης τῆς πράξεως.

19 Ὅτι Ἀντίοχος ὁρῶν ἐκφανῶς ἤδη τοὺς κατὰ τὴν
(17) Ἀλεξάνδρειαν παρασκευαζομένους εἰς τὸν περὶ
Κοίλης Συρίας πόλεμον, εἰς μὲν τὴν Ῥώμην
2 ἔπεμψε πρεσβευτὰς τοὺς περὶ Μελέαγρον, ἐντειλά-
μενος λέγειν τῇ συγκλήτῳ καὶ διαμαρτύρασθαι
διότι παρὰ πάντα τὰ δίκαια Πτολεμαῖος αὐτῷ
τὰς χεῖρας ἐπιβάλλει ⟨πρότερος⟩ . . .

20 Ἴσως μὲν οὖν ἐν πᾶσι τοῖς ἀνθρωπείοις τῷ
(17) 520

he took ship, and sailing to Anticyra started from
there for Thessaly.

III. Affairs of Asia

Pharnaces, King of Pontus

17. Pharnaces surpassed all previous kings in his
contempt for laws.

Attalus and Eumenes

18. Attalus was wintering in Elatea, and well
knowing that his brother Eumenes was exceedingly
hurt by all the most brilliant distinctions conferred
on him having been cancelled by a public decree of
the Peloponnesians, but that he concealed from
every one the state of his feelings, decided on sending
a message to certain Achaeans with the object of
procuring by his own action the restoration not only
of his brother's statues but of the inscriptions in his
honour. This he did with the conviction that he
would thus not only be conferring a very great
favour on his brother, but would give the Greeks by
this action a signal proof of his brotherly love and
nobility of sentiment.

The War between Ptolemy and Antiochus

19. Antiochus, seeing that at Alexandria prepara-
tions were being made for the war concerning Coele-
Syria, sent Meleager as his envoy to Rome with
orders to inform the Senate and protest that Ptolemy
was entirely unjust in attacking him.

20. Possibly in all human affairs we should regulate

καιρῷ δεῖ μετρεῖν ἕκαστα τῶν ἐνεργουμένων·
μεγίστην γὰρ οὗτος ἔχει δύναμιν· μάλιστα δ' ἐν
2 τοῖς πολεμικοῖς· ὀξύταται γὰρ περὶ τούτων εἰς
ἑκάτερα τὰ μέρη γίνονται ῥοπαί· τὸ δ' ἀστοχεῖν
τούτων μέγιστόν ἐστι τῶν ἁμαρτημάτων.
3   Ὅτι δοκοῦσι πολλοὶ μὲν τῶν ἀνθρώπων ἐπι-
θυμεῖν τῶν καλῶν, ὀλίγοι δὲ τολμᾶν ἐγχειρεῖν
αὐτοῖς, σπάνιοι δὲ τῶν ἐγχειρησάντων ἐπὶ τέλος
ἀγαγεῖν τὰ πρὸς τὸ καθῆκον ἐν ἑκάστοις ποιούμενα.

all our actions by opportunity, for opportunity is more powerful than anything else ; and this is especially true in war, for there it is that the balance shifts most abruptly from one side to the other. Not to avail oneself of this is the greatest of mistakes.

Many men, it would seem, are desirous of doing what is good, but few have the courage to attempt it, and very few indeed of these who do attempt it fully accomplish their duty in every respect.

INDEX

524

INDEX

525

INDEX

INDEX

527

INDEX

528

INDEX

INDEX

INDEX

INDEX

INDEX

INDEX

INDEX

INDEX

Printed in Great Britain by R. & R. CLARK, LIMITED, *Edinburgh.*

THE LOEB CLASSICAL LIBRARY.

VOLUMES ALREADY PUBLISHED.

Latin Authors.

APULEIUS. THE GOLDEN ASS (METAMORPHOSES). Trans. by W. Adlington (1566). Revised by S. Gaselee. (*3rd Impression.*)

AUSONIUS. Trans. by H. G. Evelyn White. 2 Vols.

BOETHIUS: TRACTS AND DE CONSOLATIONE PHILOSOPHIAE. Trans. by Rev. H. F. Stewart and E. K. Rand. (*2nd Impression.*)

CAESAR: CIVIL WARS. Trans. by A. G. Peskett. (*2nd Impression.*)

CAESAR: GALLIC WAR. Trans. by H. J. Edwards. (*4th Impression.*)

CATULLUS. Trans. by F. W. Cornish; TIBULLUS. Trans. by J. P. Postgate; AND PERVIGILIUM VENERIS. Trans. by J. W. Mackail. (*7th Impression.*)

CICERO: DE FINIBUS. Trans. by H. Rackham. (*2nd Impression.*)

CICERO: DE OFFICIIS. Trans. by Walter Miller. (*2nd Impression.*)

CICERO: DE SENECTUTE, DE AMICITIA, DE DIVINATIONE. Trans. by W. A. Falconer.

CICERO: LETTERS TO ATTICUS. Trans. by E. O. Winstedt. 3 Vols. (Vol. I. *3rd Impression.* Vol. II. *2nd Impression.*)

CICERO: PHILIPPICS. Trans. by W. C. A. Ker.

CICERO: PRO ARCHIA POETA, POST REDITUM IN SENATU, POST REDITUM AD QUIRITES, DE DOMO SUA, DE HARUSPICUM RESPONSIS, PRO PLANCIO. Trans. by N. H. Watts.

CLAUDIAN. Trans. by M. Platnauer. 2 Vols.

CONFESSIONS OF ST. AUGUSTINE. Trans. by W. Watts (1631). 2 Vols. (*3rd Impression.*)

FRONTINUS: STRATAGEMS AND AQUEDUCTS. Trans. by C. E. Bennett.

FRONTO: CORRESPONDENCE. Trans. by C. R. Haines. 2 Vols.

HORACE: ODES AND EPODES. Trans. by C. E. Bennett. (*6th Imp.*)

HORACE: SATIRES, EPISTLES, ARS POETICA. Trans. by H. R. Fairclough.

JUVENAL AND PERSIUS. Trans. by G. G. Ramsay. (*2nd Impression.*)

LIVY. Trans. by B. O. Foster. 13 Vols. Vols. I.-IV. (Vol. I, *2nd Imp.*)

LUCRETIUS. Trans. by W. H. D. Rouse.

MARTIAL. Trans. by W. C. A. Ker. 2 Vols. (Vol. I. *2nd Impression.*)

OVID: HEROIDES AND AMORES. Trans. by Grant Showerman. (*2nd Impression.*)

OVID: METAMORPHOSES. Trans. by F. J. Miller. 2 Vols. (*2nd Edition.*)

OVID: TRISTIA AND EX PONTO. Trans. by A. L. Wheeler.

PETRONIUS. Trans. by M. Heseltine; SENECA: APOCOLOCYNTOSIS. Trans. by W. H. D. Rouse. (*5th Impression.*)

PLAUTUS. Trans. by Paul Nixon. 5 Vols. Vols. I.-III. (Vol. I. *2nd Impression.*)

PLINY: LETTERS. Melmoth's translation revised by W. M. L. Hutchinson. 2 Vols. (*2nd Impression.*)

THE LOEB CLASSICAL LIBRARY.

PROPERTIUS. Trans. by H. E. Butler. (3rd Impression.)
QUINTILIAN. Trans. by H. E. Butler. 4 Vols.
SALLUST. Trans. by J. C. Rolfe.
SCRIPTORES HISTORIAE AUGUSTAE. Trans. by D. Magie. 4 Vols.
Vols. I. and II.
SENECA: EPISTULAE MORALES. Trans. by R. M. Gummere.
3 Vols. (Vol. I. 2nd Impression.)
SENECA: TRAGEDIES. Trans. by F. J. Miller. 2 Vols. (2nd Imp.)
SUETONIUS. Trans. by J. C. Rolfe. 2 Vols. (3rd Impression.)
TACITUS: DIALOGUS. Trans. by Sir Wm. Peterson; and AGRICOLA
AND GERMANIA. Trans. by Maurice Hutton. (3rd Impression.)
TACITUS: HISTORIES. Trans. by C. H. Moore. 2 Vols. Vol. I.
TERENCE. Trans. by John Sargeaunt. 2 Vols. (5th Impression.)
VELLEIUS PATERCULUS AND RES GESTAE DIVI AUGUSTI.
Trans. by F. W. Shipley.
VIRGIL. Trans. by H. R. Fairclough. 2 Vols. (Vol. I. 4th Impression,
Vol. II. 3rd Impression.)

Greek Authors.

ACHILLES TATIUS. Trans. by S. Gaselee.
AENEAS TACTICUS, ASCLEPIODOTUS AND ONASANDER. Trans.
by The Illinois Greek Club.
AESCHINES. Trans. by C. D. Adams.
AESCHYLUS. Trans. by H. Weir Smyth. 2 Vols.
APOLLODORUS. Trans. by Sir James G. Frazer. 2 Vols.
APOLLONIUS RHODIUS. Trans. by R. C. Seaton. (3rd Impression.)
THE APOSTOLIC FATHERS. Trans. by Kirsopp Lake. 2 Vols.
(Vol. I. 4th Impression, Vol. II. 3rd Impression.)
APPIAN'S ROMAN HISTORY. Trans. by Horace White. 4 Vols.
ARISTOPHANES. Trans. by Benjamin Bickley Rogers. 3 Vols.
ARISTOTLE: THE "ART" OF RHETORIC. Trans. by J. H. Freese.
ARISTOTLE: THE NICOMACHEAN ETHICS. Trans. by H. Rackham.
CALLIMACHUS AND LYCOPHRON. Trans. by A. W. Mair, AND
ARATUS, trans. by G. R. Mair.
CLEMENT OF ALEXANDRIA. Trans. by Rev. G. W. Butterworth.
DAPHNIS AND CHLOE. Thornley's translation revised by J. M.
Edmonds; AND PARTHENIUS. Trans. by S. Gaselee. (2nd Impression.)
DEMOSTHENES: DE CORONA AND DE FALSA LEGATIONE.
Trans. by C. A. Vince and J. H. Vince.
DIO CASSIUS: ROMAN HISTORY. Trans. by E. Cary. 9 Vols.
Vols. I.-VIII.
DIOGENES LAERTIUS. Trans. by R. D. Hicks. 2 Vols.
EPICTETUS. Trans. by W. A. Oldfather. 2 Vols. Vol. I.
EURIPIDES. Trans. by A. S. Way. 4 Vols. (Vols. I. and IV. 3rd,
Vol. II. 4th, Vol. III. 2nd Impression.)
EUSEBIUS: ECCLESIASTICAL HISTORY. Trans. by Kirsopp Lake.
2 Vols. Vol. I.
GALEN: ON THE NATURAL FACULTIES. Trans. by A. J. Brock.
THE GREEK ANTHOLOGY. Trans. by W. R. Paton. 5 Vols. (Vols.
I. and II. 2nd Impression.)
THE GREEK BUCOLIC POETS (THEOCRITUS, BION, MOSCHUS).
Trans. by J. M. Edmonds. (4th Impression.)
HERODOTUS. Trans. by A. D. Godley. 4 Vols.

THE LOEB CLASSICAL LIBRARY
IN PREPARATION.
Greek Authors.

ARISTOTLE : ORGANON, W. M. L. Hutchinson.
ARISTOTLE : PHYSICS, Rev. P. Wicksteed.
ARISTOTLE : POETICS; "LONGINUS": ON THE SUBLIME, W. Hamilton Fyfe; DEMETRIUS: ON STYLE, W. Rhys Roberts.
ARISTOTLE : POLITICS AND ATHENIAN CONSTITUTION, Edward Capps.
ATHENAEUS, C. B. Gulick.
DEMOSTHENES : OLYNTHIACS, PHILIPPICS, LEPTINES, MINOR SPEECHES, J. H. Vince.
DEMOSTHENES : PRIVATE ORATIONS, G. M. Calhoun.
DIO CHRYSOSTOM, W. E. Waters.
GREEK IAMBIC AND ELEGIAC POETS, E. D. Perry.
ISAEUS, E. W. Forster.
ISOCRATES, G. Norlin.
MANETHO, S. de Ricci.
OPPIAN, COLLUTHUS, TRYPHIODORUS, A. W. Mair.
PAPYRI, A. S. Hunt.
PHILO, F. M. Colson and G. H. Whitaker.
PHILOSTRATUS : IMAGINES, Arthur Fairbanks.
PLATO : MENEXENUS, ALCIBIADES I. and II., ERASTAI, THEAGES, CHARMIDES. MINOS, EPINOMIS, W. R. M. Lamb.
PLATO : REPUBLIC, Paul Shorey.
PLUTARCH : MORALIA, F. C. Babbitt.
SEXTUS EMPIRICUS, A. C. Pearson.
THEOPHRASTUS : CHARACTERS, J. H. Edmonds ; HERODAS ; CERCIDAS, etc. ; HIEROCLES, PHILOGELOS, A. D. Knox.

Latin Authors.

AULUS GELLIUS, J. C. Rolfe.
BEDE : ECCLESIASTICAL HISTORY, Rev. H. F. Stewart.
CICERO : AD FAMILIARES, W. Glynn Williams.
CICERO : CATILINE ORATIONS, B. L. Ullman.
CICERO : DE NATURA DEORUM, H. Rackham.
CICERO : DE ORATORE, ORATOR, BRUTUS, Charles Stuttaford.
CICERO : DE REPUBLICA AND DE LEGIBUS, Clinton Keyes.
CICERO : PRO CAECINA, PRO LEGE MANILIA, PRO CLUENTIO, PRO RABIRIO, H. Grose Hodge.
CICERO : VERRINE ORATIONS, L. H. G. Greenwood.
LUCAN, J. D. Duff.
OVID : FASTI, Sir J. G. Frazer.
PLINY : NATURAL HISTORY, W. H. S. Jones and L. F. Newman.
ST. AUGUSTINE : MINOR WORKS, Rev. P. Wicksteed.
SENECA : MORAL ESSAYS, J. W. Basore.
STATIUS, I. A. Mozley.
TACITUS : ANNALS, John Jackson.
VALERIUS FLACCUS, A. F. Schofield.

DESCRIPTIVE PROSPECTUS ON APPLICATION.

London . . .	**WILLIAM HEINEMANN**
New York . . .	**G. P. PUTNAM'S SONS**

4

THE LOEB CLASSICAL LIBRARY.

HESIOD AND THE HOMERIC HYMNS. Trans. by H. G. Evelyn White. (2nd Impression.)

HIPPOCRATES. Trans. by W. H. S. Jones. 4 Vols. Vols. I.-II.

HOMER : ILIAD. Trans. by A. T. Murray. 2 Vols.

HOMER : ODYSSEY. Trans. by A. T. Murray. 2 Vols. (2nd Impression.)

JOSEPHUS. 8 Vols. Vol. I. Trans. by H. St. J. Thackeray.

JULIAN. Trans. by Wilmer Cave Wright. 3 Vols.

LUCIAN. Trans. by A. M. Harmon. 8 Vols. Vols. I.-IV. (Vols. I. and II. 2nd Impression.)

LYRA GRAECA. Trans. by J. M. Edmonds. 3 Vols. Vols. I.-II.

MARCUS AURELIUS. Trans. by C. R. Haines. (2nd Impression.)

MENANDER. Trans. by F. G. Allinson.

PAUSANIAS : DESCRIPTION OF GREECE. Trans. by W. H. S. Jones. 5 Vols. and Companion Vol. Vols. I. and II.

PHILOSTRATUS : THE LIFE OF APOLLONIUS OF TYANA. Trans. by F. C. Conybeare. 2 Vols. (2nd Impression.)

PHILOSTRATUS AND EUNAPIUS : LIVES OF THE SOPHISTS. Trans. by Wilmer Cave Wright.

PINDAR. Trans. by Sir J. E. Sandys. (3rd Edition.)

PLATO : CRATYLUS, PARMENIDES, GREATER AND LESSER HIPPIAS. Trans. by H. N. Fowler.

PLATO : EUTHYPHRO, APOLOGY, CRITO, PHAEDO, PHAEDRUS. Trans. by H. N. Fowler. (4th Impression.)

PLATO : LACHES, PROTAGORAS, MENO, EUTHYDEMUS. Trans. by W. R. M. Lamb.

PLATO : LAWS. Trans. by Rev. R. G. Bury. 2 Vols.

PLATO : LYSIS, SYMPOSIUM, GORGIAS. Trans. by W. R. M. Lamb.

PLATO : STATESMAN, PHILEBUS. Trans. by H. N. Fowler ; ION. Trans. by W. R. M. Lamb.

PLATO : THEAETETUS, SOPHIST. Trans. by H. N. Fowler.

PLUTARCH : THE PARALLEL LIVES. Trans. by B. Perrin. 11 Vols.

POLYBIUS. Trans. by W. R. Paton. 6 Vols. Vols. I.-V.

PROCOPIUS ; HISTORY OF THE WARS. Trans. by H. B. Dewing. 7 Vols. Vols. I.-IV.

QUINTUS SMYRNAEUS. Trans. by A. S. Way.

SOPHOCLES. Trans. by F. Storr. 2 Vols. (Vol. I. 4th Impression. Vol. II. 3rd Impression.)

ST. BASIL : THE LETTERS. Trans. by R. Deferrari. 4 Vols. Vol. I.

ST. JOHN DAMASCENE : BARLAAM AND IOASAPH. Trans. by the Rev. G. R. Woodward and Harold Mattingly.

STRABO : GEOGRAPHY. Trans. by Horace L. Jones. 8 Vols. Vols. I.-III.

THEOPHRASTUS : ENQUIRY INTO PLANTS. Trans. by Sir Arthur Hort, Bart. 2 Vols.

THUCYDIDES. Trans. by C. F. Smith. 4 Vols.

XENOPHON : CYROPAEDIA. Trans. by Walter Miller. 2 Vols. (Vol. I. 2nd Impression.)

XENOPHON : HELLENICA, ANABASIS, APOLOGY, AND SYMPOSIUM. Trans. by C. L. Brownson and O. J. Todd. 3 Vols.

XENOPHON : MEMORABILIA AND OECONOMICUS. Trans. by E. C. Marchant.

XENOPHON : SCRIPTA MINORA. Trans. by E. C. Marchant.